BATENDO O MERCADO

Portuguese Language Translation copyright © 2021 by Edipro Edições Profissionais Ltda.
(Original English language title from Proprietor's edition of the Work)
Copyright © 1993, 1994 by Peter Lynch.
All Rights Reserved.
Published by arrangement with the original publisher, Simon & Schuster, Inc.

Título original: *Beating the street*. Traduzido com base numa edição de 1993 da Simon & Schuster Paperbacks, de Nova York, Estados Unidos.

Todos os direitos reservados. Nenhuma parte deste livro poderá ser reproduzida ou transmitida de qualquer forma ou por quaisquer meios, eletrônicos ou mecânicos, incluindo fotocópia, gravação ou qualquer sistema de armazenamento e recuperação de informações, sem permissão por escrito do editor.

Grafia conforme o novo Acordo Ortográfico da Língua Portuguesa.

1ª edição, 2ª reimpressão 2025.

Editores: Jair Lot Vieira e Maíra Lot Vieira Micales
Consultor para obras de Finanças e Economia: Luigi Micales
Coordenação editorial: Fernanda Godoy Tarcinalli
Produção editorial: Carla Bettelli
Edição de textos: Marta Almeida de Sá
Assistente editorial: Thiago Santos
Preparação de texto: Lygia Roncel
Revisão técnica: Thiago Gonzalez
Revisão ortográfica e gramatical: Renato Potenza Rodrigues
Diagramação: Estúdio Design do Livro
Capa: Desenho Editorial

Dados Internacionais de Catalogação na Publicação (CIP)
(Câmara Brasileira do Livro, SP, Brasil)

Lynch, Peter

    Batendo o mercado : histórias e estratégias vencedoras / Peter Lynch ; tradução de Lourdes Sette ; prefácio Henrique Bredda. – 1. ed. – São Paulo : Edipro, 2022.

    Título original: Beating the street

    ISBN 978-65-5660-047-5 (impresso)
    ISBN 978-65-5660-048-2 (e-pub)

    1. Ações (Finanças) 2. Bolsa de valores – Investimentos 3. Economia 4. Finanças 5. Investimentos 6. Wall Street (Nova York, N.Y.) I. Bredda, Henrique. II. Título.

21-68381   CDD-330

Índice para catálogo sistemático:
1. Economia : 330

Aline Graziele Benitez – Bibliotecária – CRB-1/3129

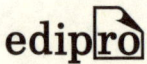

São Paulo: (11) 3107-7050 • Bauru: (14) 3234-4121
www.edipro.com.br • edipro@edipro.com.br
@editoraedipro   @editoraedipro

O livro é a porta que se abre para a realização do homem.

Jair Lot Vieira

PETER LYNCH

BATENDO O MERCADO

HISTÓRIAS E ESTRATÉGIAS VENCEDORAS

PREFÁCIO
Henrique Bredda
Sócio da gestora Alaska Asset Management, engenheiro graduado pela
Escola Politécnica da Universidade de São Paulo (USP).

TRADUÇÃO
Lourdes Sette
Doutora e mestra em Letras na área
de Estudos da Linguagem pela PUC-Rio,
instituição onde tem também formação e especialização
em Tradução (inglês-português)
e leciona Tradução de Não Ficção,
Tradução Técnico-Científica e Teorias de Tradução
para a graduação e para a pós-graduação *lato sensu* em Tradução.
É tradutora desde 1987,
com mais de cinquenta livros traduzidos.

AGRADECIMENTOS

A John Rothchild, por seu incrível talento, pelo trabalho árduo e bom humor, que permitiu que algumas obras minhas se tornassem realidade.

A Peggy Malaspina, que desafiou todas as suposições e desempenhou um papel crucial na formação das ideias em ambos os livros; e para sua equipe de pesquisa, que trabalhou arduamente para reunir dados e verificar fatos: Davida Sherman e Andrew Wolf, apoiados por Michael Graber, Christine Coyne, Lyn Hadden e Erik Masci.

Aos funcionários da Fidelity, em especial minha associada Evelyn Flynn, mas também Bob Hill e a equipe da Sala de Gráficos da Fidelity, Guy Cerundolo, Bob Beckwitt, Lauren Allansmith, Phil Thayer e Jacques Perold.

Para pesquisar os fatos, ninguém supera a equipe dedicada dos Centros de Informação de Pesquisa sobre Instrumentos de Renda Fixa e Ações da Fidelity, sobretudo Shawn Bastien, Karen O'Toole e Sheila Collins. Jeff Todd e Christopher Green, do Grupo de Informações e Análise Gerenciais, forneceram muitos dos gráficos e dos cálculos de desempenho.

Agradecimentos também ao editor Bob Bender, a sua assistente, Johanna Li, à revisora Gypsy da Silva e ao copidesque Steve Messina, da Simon & Schuster.

A elaboração deste livro não teria sido possível sem os esforços de Doe Coover, um agente literário de Boston que orientou a proposta em suas várias etapas.

John Rothchild agradece sua agente, Elizabeth Darhansoff. Ele foi assistido, em Miami, por Bruce Lemle, que é um craque no *bridge*.

*Para minha esposa, Carolyn,
e nossas filhas, Mary, Annie e Beth.*

*Para meus irmãos, Eugene Lynch e Thomas Lynch,
e meu primo Thomas Leahy.*

SUMÁRIO

PREFÁCIO À EDIÇÃO BRASILEIRA 11
PREFÁCIO DO AUTOR 19
PREFÁCIO DO AUTOR À EDIÇÃO DE BOLSO 24
INTRODUÇÃO: Fuga da escravidão 28
1. O MILAGRE DE ST. AGNES 35
2. O ANGUSTIADO DE FIM DE SEMANA 49
3. UM PASSEIO PELOS FUNDOS 62
4. A GESTÃO DO MAGELLAN: Os primeiros anos 98
5. MAGELLAN: Os anos intermediários 118
6. MAGELLAN: Os últimos anos 134
7. ARTE, CIÊNCIA E TRABALHO BRAÇAL 161
8. COMPRANDO AÇÕES: O setor varejista 171
9. GARIMPANDO EM MEIO ÀS MÁS NOTÍCIAS:
   Como o "colapso" no setor imobiliário me levou à Pier 1,
   à Sunbelt Nursery e à General Host 182
10. MINHA QUASE TOSA NA SUPERCUTS 200
11. FLORES NO DESERTO: Empresas excelentes em setores ruins ... 206
12. É UMA COMPRA MARAVILHOSA 219
13. UMA OLHADA MAIS DE PERTO NAS S&Ls 231

14. SOCIEDADES LIMITADAS MÁSTER:
Um negócio com rendimento 248

15. AS CÍCLICAS: O mundo dá voltas 262

16. NUCLEARES EM DIFICULDADES: CMS Energy 276

17. VENDA DE GARAGEM DO TIO SAM: Allied Capital II 288

18. MEU DIÁRIO DA FANNIE MAE 295

19. TESOURO NO QUINTAL: O Colonial Group de fundos mútuos 308

20. AS AÇÕES DE RESTAURANTES:
Colocando seu dinheiro onde sua boca está 313

21. A REVISÃO DE SEIS MESES 319

25 REGRAS DE OURO 340

POSFÁCIO 343

ÍNDICE REMISSIVO 359

PREFÁCIO À EDIÇÃO BRASILEIRA

O ato de investir em empresas envolve uma gama enorme de fatores. É um processo multidisciplinar, parte arte, parte ciência. Nesse sentido, investimento em ações se parece muito com arquitetura. É uma atividade que, quanto mais você estuda por meio de livros, melhor você fica, mas somente até certo ponto. O essencial é a atividade prática. Um arquiteto que não gosta de andar em meio a suas obras, que tem medo de se sujar de areia, cimento, gesso, que não conversa constantemente com os empreiteiros e pedreiros para ver a olho nu quais são as verdadeiras dificuldades do mundo real, jamais conseguirá desenvolver todo o potencial que os grandes gênios alcançaram na arquitetura. A curiosidade incessante por aprender novas técnicas de construção, novas tecnologias, por conhecer novos materiais, mais baratos e mais resistentes, são partes fundamentais da jornada de um bom arquiteto. Ainda assim, novos materiais, técnicas atualizadas de construção, novas tecnologias estão todos no campo materialista, no mundo puramente físico. O que realmente dará integridade e significado a todas essas entidades físicas combinadas será a sensibilidade do arquiteto para compreender a necessidade do cliente e combinar essa solução com o ambiente físico e social em que a construção se dará. Dependendo da competência do arquiteto, o amontoado de areia, cimento, aço e gesso pode variar de um prédio desengonçado, feio, em que as pessoas se sentem mal ao entrar, até uma verdadeira obra de arte atemporal, capaz de fazer as pessoas pararem seu trajeto para admirá-la.

Assim também é o investimento em empresas. Saber integrar números e pessoas no contexto macroeconômico e social ajuda infinitamente a pessoa a investir melhor. Empresas que englobam bons números e profissionais competentes, num contexto econômico de crescimento, podem parecer suficientes, mas se no futuro as pessoas passarem a não consumir mais o produto vendido e preferirem, porventura, um substituto melhor e mais barato, o investimento nessa companhia poderá ser desastroso. Nenhuma técnica sozinha é definitiva. Lembre-se de que investimento é uma atividade multidisciplinar e que diversos fatores estão interconectados.

Quanto mais sábio você for, melhor. Quanto mais amplo o seu leque de conhecimento for, melhor. Como o mundo funciona? A contabilidade é a linguagem do mundo das empresas. A estatística te ajuda a entender as possibilidades dos cenários. A psicologia te ajuda a entender um pouco melhor as motivações, os incentivos e as relações humanas dentro da companhia, além do comportamento básico das massas, que pode tanto impactar os preços dos ativos como ditar padrões de consumo. Microeconomia, competição, disputas de mercado, lei da oferta e da demanda, margens de equilíbrio, custo marginal são conceitos que ajudam a entender que mercados ou empresas podem estar operando com um nível de lucratividade anormal que tenderá a convergir no futuro para algo melhor, ou pior, dependendo do nível em que se encontra hoje. É imprescindível entender o papel dos ganhos de escala. Empresas que crescem exponencialmente suas vendas enquanto seus aumentos de custos são lineares são verdadeiras joias raras.

Nas profissões em que há uma vasta gama de fatores envolvidos, misturando questões quantitativas e qualitativas, números e pessoas, integrar todas essas informações requer um algoritmo interno que leva anos para ser construído e décadas para ser lapidado, até o momento em que esse algoritmo decisório se torna a preciosa "intuição" que tanto observamos nos *value investors* velhos. Intuição, neste caso, é o ato de bater o olho numa ação e identificar que pode ser uma boa compra. Mas isso não é mágica, é apenas um precioso algoritmo interno agindo, depois de décadas de prática, estudo, observação, resultados, erros, acertos e aprimoramento.

Investir de forma séria e responsável, se atentando a todos os fatores que são importantes no processo, é intimidador. A primeira reação do iniciante pode ser a de desistir ou a de tentar a sorte. A desistência antes de se desenvolver se converte rapidamente num mero jogo de loteria. Quem sabe eu ganho? Realmente, pode ser divertido e empolgante quando se começa despreparado, mas com o tempo até mesmo alguma sorte inicial se torna algo perigoso e desastroso se você não fizer nenhum trabalho racional de análise.

No entanto, o investidor não profissional tem algumas vantagens, curiosamente pouco exploradas, se o compararmos aos especialistas de Wall Street, do Leblon ou da Faria Lima. Ele tem algumas vantagens e não as usa. A sede de querer sofisticar e se exibir numa roda de amigos investidores na bolsa, ou a ilusão de que algo só é bom se for muito complexo, faz o investidor não profissional negligenciar, por exemplo, empresas ou setores que ele já conhece.

Quem tem alguma maturidade, vivência profissional ou um círculo de amizades mínimo tem grande chance de conhecer, com um pouco de profundidade, alguma companhia que é listada, ou simplesmente concorrente, cliente ou fornecedora de uma empresa listada. Essa proximidade é uma vantagem que o pequeno investidor tem e não usa. Quem trabalha ou conhece alguém que trabalha numa construtora tem a oportunidade de saber como anda a demanda por imóveis residenciais, como estão os preços de terrenos, como está a demanda por aço longo, provavelmente, com mais competência do que um analista profissional de ações. Essas informações do mundo real, combinadas com algumas outras, podem lhe ajudar a formar uma opinião sobre o setor imobiliário, ou o de aço longo, com mais assertividade e rapidez do que um analista de ações. Todos conhecem alguém que conhecem alguém. Um dentista tem condições de opinar sobre a Odontoprev com mais autoridade do que um analista comum. Um produtor rural pode estar mais a par dos preços dos fretes e volumes transportados pela Rumo do que um analista de Excel que nunca pisou numa lavoura de cereais.

O grande problema para o investidor não profissional começa quando ele quer opinar sobre a Vale sem saber a diferença entre hematita, pelota ou ferro-gusa, e sem ter a mínima ideia de como funciona o setor siderúrgico chinês. Ele é, por exemplo, um corretor de seguros tentando "acertar o timing" da Vale, enquanto deixa de analisar empresas como a Porto Seguro, a Sul América, a BB Seguridade e a WIZ, em relação às quais ele teria uma chance maior de acerto em sua análise. Nossa tendência a achar que a grama do vizinho é sempre mais verde que a nossa ou que aquilo que é distante de nós e complexo é que é bom nos cega para oportunidades de investimento dentro de nosso próprio círculo de competência. Nesse sentido, quantos vendedores, varejistas, fornecedores ou clientes do Magazine Luiza se aproveitaram da alta de mais de 80.000% das ações do final de 2015 até fevereiro de 2020?

A parte mais curiosa das fascinantes histórias de investimentos de Peter Lynch está relacionada à quantidade de tempo que temos para "entrar" numa boa história. Temos muito tempo. Você não precisa ter a sorte de comprar na mínima histórica para obter retornos gigantescos. Nunca me esqueço do exemplo do Walmart. Em 1970, o Walmart fez sua oferta inicial pública de ações com 38 lojas, a maioria no Arkansas. Cinco anos depois, em 1975, o Walmart já tinha 104 lojas, e o preço da ação quadruplicou. Mais cinco anos se passaram, e em 1980 o Walmart tinha 276 lojas e o preço já havia subido vinte vezes desde o início, ou seja, cinco vezes o preço depois da primeira quadruplicada. É muito difícil comprar uma ação que já subiu quatro vezes quando você olha para o retrovisor, se imaginando em 1975. Para quem estava em 1980, aí seria praticamente impossível comprar, pois a ação já tinha subido vinte vezes desde o seu IPO em 1970. "Deus me livre comprar no topo!" No entanto, a ação não se importa com seus sentimentos, e ela tende a refletir os fundamentos por trás do negócio ao longo dos anos. Quem não ficou olhando para trás, para não ficar com vertigem, e comprou as ações do Walmart em 1980 multiplicou o próprio capital por trinta vezes até 1990. Ou seja, a ação continuou a sua trajetória de perseguição dos fundamentos do negócio. Agora, tente imaginar quantos americanos tiveram a oportunidade de observar, de perto, o sucesso operacional do Walmart, diariamente, como consumidor, funcionário, fornecedor ou concorrente, ao longo de tantos anos. Quantos investiram na empresa? Alguns sim, mas poucos.

Impressionado com a história do retorno astronômico de Peter Lynch com o Walmart, sempre me perguntei qual seria o caso análogo no Brasil. Não precisaria ser no mesmo setor, embora pudesse. O que Walmart tinha, que lhe proporcionou um retorno tão fabuloso? Charlie Munger já disse que sucesso extremo é precedido de alguns fatores, como a extrema maximização ou minimização de uma ou duas variáveis; por exemplo, o Walmart, quando se tornou disparado o varejista com os produtos mais baratos do mercado, repassando todo o seu ganho de escala para o consumidor; e quando a empresa pega e surfa uma onda gigantesca, como a Apple, que surfou a onda do aumento alucinante de demanda no mundo inteiro por smartphones, especificamente o iPhone.

Com isso em mente, se deduz outra característica que aparece nos casos de sucesso extremo: se a empresa cresce absurdamente rápido, isso não pode ser associado a grandes montantes de investimentos. Se assim fosse, não haveria capital próprio suficiente, e demandaria uma quantia inviável de endividamento bancário, provocando despesas financeiras que afogariam o negócio. Portanto, o ROIC (*return on invested capital*) marginal deveria ser alto (combinação de boa geração de caixa incremental com pouca necessidade de capital).

Onde estava o Walmart brasileiro? Nas últimas décadas, os *cases* de investimento Itaú, Souza Cruz, Ambev e Lojas Americanas certamente tiveram vários elementos que apareceram no caso Walmart (empresas que fazem parte do nosso dia a dia estão ao alcance de muitos; culturas corporativas eficientes, altos ROIC/ROE, bons donos e executivos, modelos de negócio replicáveis). Mas eu estava à procura do "Walmart brasileiro". Esses casos citados foram muito bem aproveitados por muitos investidores ao longo de décadas, mas não por mim. Isso não saía da minha cabeça.

Em geral, as oportunidades de investimentos estão dentro do nosso círculo de competência, próximas de nós, e não reparamos. Acompanhei o caso do Magazine Luiza desde a sua listagem em 2011. Mas sem nenhum entusiasmo; afinal de contas, o setor varejista no Brasil é um dos mais competitivos, com margens muito baixas e mortais. Não faltam exemplos de grandes empresas que ficaram no meio do caminho, mesmo tendo marcas e escalas poderosas, como Mappin, Mesbla e Arapuã.

O Magazine Luiza, entre 2011 e 2014, reportou vendas muito altas, mas cada ano com algum tipo de problema operacional que comprometia a rentabilidade. Nesses anos, a empresa passou por uma fase de aquisições e sofreu com as integrações de *back office* e de operações de lojas, pois havia uma diferença muito grande de produtividade entre as lojas originais do Magazine e das marcas adquiridas. O ano de 2015 foi muito ruim para a companhia por conta da piora do cenário macroeconômico brasileiro e da ressaca da Copa do Mundo nas vendas de 2014, o que fez com que a empresa iniciasse o ano de 2016 com estoque e endividamento muito altos.

No início de junho de 2015, depois de um curioso mal-entendido, o Luiz Alves[1] me mandou um e-mail comentando as quedas nas vendas do Magazine Luiza. Logo depois, marquei uma reunião com o Beto (vice-presidente financeiro) para mostrar serviço rápido para o Luiz. Ele disse que não era bem isso que esperava, mas, como a reunião já estava marcada, lá fomos nós visitar a empresa. Fizemos a primeira reunião com a companhia, e foi o nosso primeiro contato com a proposta dos executivos de transformar a empresa em um negócio focado em operações digitais. Nessa ocasião, ainda estávamos em processo de modelagem, e a capitalização de mercado da empresa era de aproximadamente 600 milhões de reais. Vale lembrar que quatro anos antes, em 2011, a companhia havia listado suas ações e o mercado a precificou num *market cap* (*market capitalization* — capitalização de mercado) de 3 bilhões de reais. O preço das ações já tinha sido dividido por cinco desde o IPO.

Retornamos no fim de junho mesmo, poucos dias depois, para uma segunda reunião. Foi uma reunião em que discutimos a operação financeira e o efeito do cenário econômico adverso nas margens da companhia. Saímos com a impressão de que os executivos estavam totalmente focados na recuperação da margem bruta e compreendemos melhor a natureza das flutuações intensas de capital de giro nos anos anteriores, quando o país variou de incentivos para linha branca até a Copa do Mundo, chegando a uma recessão violenta em 2015.

---

1. Luiz Alves Paes de Barros, fundador e sócio da Alaska Asset Management. (N.E.)

Percebemos que os trimestres seguintes deveriam mostrar a verdadeira face do capital de giro da companhia após um intenso processo de desestocagem. Nesse momento, estimávamos uma taxa interna de retorno de 20% ao ano, mesmo sem considerar melhoras no capital de giro ou algum incremento de receita no segmento online. Essa taxa interna de retorno era insuficiente para investirmos. Tínhamos opções de investimento com relação risco *versus* retorno melhores para fazer.

Em julho de 2015, a companhia soltou resultados que confirmavam as expectativas de quedas significativas de receita. As "vendas mesmas lojas" caíram 15% nas lojas físicas, impactadas por uma queda de 53% no setor de imagens. Em nossa análise, já chamava atenção o fato de as vendas online terem subido. No meio do furacão de 2015, alguma linha de receita subir era notável. Os ganhos de margens já apareceram timidamente. Pelas nossas contas, a companhia continuava não sendo um bom investimento, uma vez que em nosso portfólio de ações víamos TIRs mais altas. Para chegar à TIR mínima que requeríamos, o preço teria de praticamente se dividir por dois, mesmo depois de toda a queda anterior.

Acompanhamos a empresa até a postagem do resultado do terceiro trimestre de 2015. O resultado seguiu a tendência do trimestre anterior, com quedas significativas de vendas nas lojas físicas (vendas mesmas lojas de −21,3%). Os pontos positivos foram os mesmos do trimestre anterior; a margem bruta continuou melhorando, o canal online cresceu impressionantes 9,4% e o capital de giro apresentou melhora de 110 milhões de reais. Após esses resultados, marcamos mais uma reunião.

Em novembro de 2015, retornamos à empresa e discutimos tanto a situação atual quanto os planos para o futuro. Enfatizaram a proposta digital da companhia e apontaram as principais iniciativas feitas pelo Luizalabs. Nesse momento, a companhia já era negociada a um preço bastante atraente.

Em dezembro de 2015, a companhia realizou o Magazine Day, com apresentações de todos os executivos, e isso funcionou como uma passagem do bastão de Marcelo Silva, antigo CEO, para Frederico Trajano, o novo. O evento esclareceu diversas avenidas de criação de valor e contou com uma visita dos analistas ao Luizalabs. Voltamos do evento com impressões muito positivas da companhia, especialmente com o potencial de crescimento digital, porém ainda aguardávamos um sinal de melhora nas operações e no capital de giro.

Ainda em dezembro de 2015, a companhia anunciou ao mercado a extensão do contrato com a Cardiff para operação de garantia estendida e serviços de seguro adicional. O montante bruto recebido seria de 330 milhões de reais, o que era mais do que o próprio *market cap* da companhia, que estava por volta de 200 milhões de reais. A entrada líquida de caixa foi de 275 milhões de reais. Esse evento, somado aos ganhos de confiança e ao entendimento do negócio após sucessivas análises, fez com que realizássemos as primeiras compras de ações.

Em fevereiro de 2016, a companhia soltou os resultados consolidados do 4T15 e do ano de 2015. As vendas "mesmas lojas" das lojas físicas ainda eram muito ruins (–11,6%), e as vendas pela internet continuavam surpreendendo. O ganho de capital de giro foi imenso.

Em maio de 2016, a companhia soltou seus resultados do primeiro trimestre de 2015 e apresentou resultados que confirmaram os pontos positivos que esperávamos para comprarmos mais ações da empresa. As vendas "mesmas lojas" vieram zeradas, muito por conta do forte desempenho das vendas online, que pagaram a conta de uma queda do varejo físico, ainda que fosse menor que no trimestre anterior. Isso, associado à retenção de grande parte dos ganhos de capital de giro do trimestre anterior, foi o ponto de destaque.

Em junho de 2016, fizemos mais uma reunião com o presidente e o CFO da companhia. Foi uma reunião extremamente positiva, e saímos com mais convicção da importância do *business online* no futuro da companhia. Atualizamos o modelo para refletir as novas premissas (otimistas na época, mas que se provaram conservadoras com a realidade que estava por vir), e a TIR chegou a 39%, a maior taxa interna de retorno do fundo naquela data.

Somente em junho de 2016, depois de sucessivas reuniões e análises de cenários, é que começamos a ter uma ideia mínima, ainda que muito rarefeita, de que podíamos ter ali os elementos de um novo "Walmart brasileiro": empresa que faz parte do nosso dia a dia, está ao alcance de muitos, cultura corporativa eficiente, alto ROIC/ROE, bons donos e executivos e modelo de negócio replicável. A partir daí, foi uma questão de administrar o tamanho da posição no fundo e de nos aprofundarmos cada vez mais no entendimento da empresa.

Peter Lynch nos traz a ideia de que podemos ter boas vantagens competitivas ao prestarmos atenção em nosso círculo de competência. Todos nós conhecemos algumas empresas com certa profundidade. Não precisamos necessariamente conhecer a nova empresa de tecnologia que acabou de listar suas ações na Nasdaq para ganhar dinheiro. Basta olharmos ao nosso redor. Outra característica inconfundível de Peter Lynch, além da de incentivar o investidor não profissional a investir em ações por conta própria, são as histórias. Nós aprendemos com as histórias, e não somente com aquelas que nos ensinam virtudes e condutas, como as fábulas de Jean de La Fontaine ou de Esopo, ou como os grandes romances de Victor Hugo, Júlio Verne ou Tolstói. Nós também aprendemos muito com as histórias de investimentos.

Assim como não existe uma grande construção que fica eternizada no tempo sem uma boa história, o mesmo ocorre nos grandes investimentos. O que faz com que uma construção vá além de uma forma física qualquer composta de um amontoado de areia, cimento, aço e gesso, e se transforme numa obra de arte atemporal, é uma boa história. O que melhora a integridade é uma boa história. O que seria do Coliseu, das Pirâmides de Gizé, do Empire State Building ou da Torre Eiffel sem suas belas histórias?

A melhor qualidade do livro *Batendo o mercado* são suas histórias. O mundo é bastante velho, mudam os nomes, mudam os personagens, mudam as empresas, mas os roteiros são invariavelmente os mesmos. Não canso de repetir a frase de Mark Twain: "A História não se repete, mas rima".

Aproveite as histórias!

Henrique Bredda

PREFÁCIO DO AUTOR

Desliguei meu terminal de cotações Quotron, no fundo Fidelity Magellan, em 31 de maio de 1990. Fazia exatamente treze anos que eu tinha começado a trabalhar lá. Jimmy Carter era presidente naquela época e admitiu ter um forte desejo. Eu tinha um forte desejo também — um desejo por ações. No final, calculo que comprei mais de 15 mil delas para os investidores no Magellan — e, muitas delas, mais de uma vez. Não admira que eu tenha ficado conhecido como alguém que gosta de qualquer ação.

Minha saída foi repentina, mas não foi algo que decidi da noite para o dia. A tarefa de acompanhar tantas empresas começou a pesar em meados da década, quando o Dow atingiu 2 mil pontos e eu atingi a marca de 43 anos. Por mais que gostasse de gerir uma carteira do tamanho do PIB do Equador, sentia saudades de casa e de ver minhas filhas crescendo. Elas crescem rápido. Quase tinham de se apresentar para mim todo fim de semana. Eu estava passando mais tempo com Fannie Mae,[2] Freddie Mac e Sallie Mae do que com elas.

Quando você começa a confundir Freddie Mac, Sallie Mae e Fannie Mae com membros de sua família e se lembra de duas mil siglas de ações, mas esquece os aniversários das filhas, há uma boa chance de que você tenha se envolvido demais com seu trabalho.

Em 1989, já tínhamos deixado para trás a Grande Colisão de 1987,[3] o mercado acionário progredia sem sobressaltos e eu comemorava meu 46º

---

2. Nome dado à Federal National Mortgage Association, uma empresa patrocinada pelo governo americano que é responsável por garantir hipotecas. (N.T.)
3. A segunda-feira negra, também conhecida como o *crash* de 1987, pela magnitude das perdas que ocorreram. As quedas começaram já na abertura das bolsas asiáticas e se espalharam pelo mundo. O grande destaque ficou para a variação do índice acionário americano Dow Jones, que despencou 22,6% naquele dia. (N.R.T.)

aniversário com minha esposa, Carolyn, e minhas filhas, Mary, Annie e Beth. No meio da festa, tive uma revelação. Lembrei-me de que meu pai havia morrido aos 46 anos. Você começa a se sentir mortal quando percebe que já viveu mais que seus pais. Começa a se dar conta de que não tem mais muito tempo, e de que vai ficar morto por muito tempo. Começa a desejar ter assistido a mais peças na escola, competições de esqui e jogos de futebol à tarde. Você se lembra de que ninguém em seu leito de morte jamais disse: "Gostaria de ter passado mais tempo no escritório".

Tentei me convencer de que minhas filhas exigiam menos da minha atenção do que quando eram mais novas. No fundo do coração, sabia que o inverso era verdadeiro. Aos 2 anos, os filhos correm e derrubam coisas, e os pais têm de cuidar de seus machucados, mas cuidar dos machucados de uma criança requer menos tempo e esforço do que ajudar adolescentes com o dever de casa de espanhol ou aquelas fórmulas matemáticas de que já esquecemos, ou levá-los, pela enésima vez, à quadra de tênis ou ao shopping, ou tranquilizá-los por terem sofrido alguns dissabores por ser adolescentes.

Nos fins de semana, para ter a sensação de que está em sintonia com os adolescentes e seus pensamentos, os pais devem ouvir a sua música e fazer um esforço sobre-humano para se lembrar dos nomes de grupos de rock e acompanhá-los a filmes que, de outra forma, nenhum adulto jamais desejaria ver. Eu fazia tudo isso, mas com pouca frequência. Eu passava os sábados sentado à mesa de trabalho diante de um Himalaia de papéis. Nas raras ocasiões em que levava minhas filhas para assistir a filmes ou para comer pizza, olhava aqueles lugares como possibilidades de investimento. Foram minhas filhas que me apresentaram à Pizza Time Theater, uma ação que eu gostaria de não ter comprado, e à Chi-Chi's, uma ação que eu gostaria de ter comprado.

Em 1990, Mary, Annie e Beth estavam com 15, 11 e 7 anos, respectivamente. Mary estava no internato e só voltava para casa em alguns fins de semana. No outono, ela jogou sete partidas de futebol, e eu consegui assistir a apenas uma. Esse também foi o ano em que os cartões de Natal da família Lynch foram enviados com três meses de atraso. Mantínhamos álbuns de atividades de nossas filhas, recheados de pilhas de recordações que ainda não haviam sido coladas neles.

Nas noites em que não ficava até tarde no escritório, eu podia ser encontrado participando de uma reunião de uma das várias organizações cívicas e de caridade cujos conselhos eu integrava voluntariamente. Muitas vezes, essas organizações me colocavam em seus comitês de investimento. Escolher ações para causas nobres era o melhor de todos os mundos possíveis, mas as demandas de minhas atividades *pro bono* continuavam a crescer, juntamente com as demandas do fundo Magellan e, é claro, de minhas filhas, cujo dever de casa estava ficando mais difícil, e que precisavam ser levadas a mais e mais aulas e atividades todos os dias.

Enquanto isso, eu sonhava com a Sallie Mae, e os encontros mais românticos que tinha com minha esposa, Carolyn, era quando nos cruzávamos entrando e saindo da garagem. Na minha revisão anual de saúde, confessei ao médico que o único exercício que fazia era passar fio dental. Eu sabia que já fazia 18 meses que eu tinha lido um livro. Em dois anos, vi três óperas, *O holandês voador, La Bohème* e *Fausto,* mas nem um único jogo de futebol. Isso me leva ao Princípio do Peter número 1:

Quando as óperas ganham dos jogos de futebol de 3 a 0, você sabe que há algo errado com sua vida.

Em meados de 1990, finalmente me dei conta de que o trabalho precisava acabar. Lembrei que o homônimo de meu fundo, Ferdinand Magellan [Fernão de Magalhães], também se aposentou cedo em uma ilha remota no Pacífico, embora o que aconteceu com ele depois (foi retalhado por indígenas raivosos) tenha sido suficiente para me fazer pensar. Na esperança de evitar um destino semelhante nas mãos de acionistas furiosos, encontrei-me com Ned Johnson, meu chefe na Fidelity, e com Gary Burkhead, o diretor de operações, para discutir uma saída tranquila.

Nossa reunião foi franca e amigável. Ned Johnson sugeriu que eu permanecesse como líder de todos os fundos de capital da Fidelity. Ele me ofereceu um fundo menor para operar, um com, digamos, 100 milhões de dólares em ativos, em contraste com os 12 bilhões de dólares com os quais eu tinha de lidar. Contudo, mesmo com alguns dígitos a menos, parecia-me que um novo fundo exigiria a mesma quantidade de trabalho que o antigo, e eu acabaria novamente passando os sábados no escritório. Recusei o gentil convite de Ned.

Sem o conhecimento da maioria das pessoas, eu também administrava um fundo de pensão de 1 bilhão de dólares para os funcionários de várias grandes empresas, incluindo Kodak, Ford e Eaton, tendo a Kodak a maior participação. Esse fundo de pensão tinha um desempenho melhor do que o Magellan porque eu tinha liberdade para investir o dinheiro sem grandes restrições. Por exemplo, um fundo de pensão era autorizado a colocar mais de 5% de seus recursos em uma única ação, enquanto um fundo mútuo não.

As pessoas na Kodak, Ford e Eaton queriam que eu continuasse a administrar o dinheiro de seus fundos de pensão, quer eu deixasse o Magellan ou não, mas recusei o gentil convite também. Fora da Fidelity, recebi várias ofertas para iniciar um fundo Lynch, um fundo do tipo fechado e listado na Bolsa de Valores de Nova York. Os pretensos promotores disseram que poderiam vender bilhões de dólares em ações do fundo Lynch por meio de uma rápida "ação de marketing" em algumas cidades.

O atrativo de um fundo fechado, do ponto de vista do gestor, é que o fundo nunca perderá sua base de clientes, por pior que seja o desempenho dele. Isso acontece porque os fundos fechados são negociados nas bolsas de valores, assim como a Merck ou a Polaroid ou qualquer outra ação. Para cada vendedor de um fundo fechado, precisa haver um comprador, de modo que o número de cotas permaneça sempre igual.

Isso não se aplica a um fundo aberto como o Magellan. Em um fundo aberto, quando um acionista deseja sair, o fundo deve pagar a essa pessoa o valor de suas ações em dinheiro, e o tamanho do fundo é reduzido nesse montante. Um fundo aberto impopular pode encolher muito rápido, à medida que seus clientes debandam para fundos concorrentes ou para os mercados de curto prazo. É por isso que o gestor de um fundo aberto não dorme tão bem quanto o gestor de um fundo fechado.

Um fundo Lynch de 2 bilhões de dólares listado na Bolsa de Nova York teria continuado a ser um empreendimento de 2 bilhões de dólares para sempre (a menos que eu fizesse uma série de investimentos horrendos e errados e perdesse o dinheiro dessa forma). Eu teria continuado a receber 75 pontos básicos (15 milhões de dólares) de honorários anuais, ano após ano.

Era uma proposta tentadora, do ponto de vista financeiro. Eu poderia ter contratado um bando de assistentes para escolher ações, reduzido meu horário de trabalho a um mínimo aprazível, jogado golfe, passado mais tempo com minha esposa e minhas filhas, e ainda poderia ver os Red Sox, os Celtics e *La Bohème*. Quer eu ganhasse, quer eu perdesse do mercado, ainda receberia o mesmo excelente salário.

Havia apenas dois problemas nesse arranjo. O primeiro era que minha tolerância para ter um desempenho inferior ao do mercado estava muito aquém do meu desejo de superá-lo. O segundo era que sempre acreditei que os gestores de fundo deveriam escolher as próprias ações. Mais uma vez, eu estaria de volta ao ponto de partida, preso no escritório do fundo Lynch aos sábados, perdido nas pilhas de relatórios anuais, um homem com uma conta bancária mais robusta, mas muito pobre de tempo, como sempre.

Nunca acreditei em milionários que felicitam a si mesmos por não aproveitar uma oportunidade de enriquecer ainda mais. Abrir mão de um salário polpudo, no futuro, é um luxo a que poucas pessoas podem se dar. Mas, se você tiver a sorte de ser recompensado na vida como eu fui, chega um momento em que precisa decidir se vai se tornar um escravo de seu patrimônio, dedicando o resto de sua vida a aumentá-lo, ou se vai deixar o que você acumulou começar a servi-lo.

Há um conto de Tolstói[4] que envolve um fazendeiro ambicioso. Um diabo lhe oferece toda a terra que ele conseguisse circundar a pé em um dia. Depois de correr a toda velocidade durante várias horas, ele adquire muitos quilômetros quadrados de propriedades valiosas, mais solo do que ele conseguiria cultivar em toda a vida, mais do que o suficiente para tornar a si mesmo e à sua família ricos por gerações. O pobre sujeito está encharcado de suor e ofegante. Ele pensa em parar — para que ir mais longe? —, mas não consegue. Corre mais para aproveitar ao máximo sua oportunidade, até que finalmente cai morto de exaustão.

Esse era o final que eu esperava evitar.

---

4. Lev Tolstói. *De quanta terra precisa um homem*. São Paulo: Edipro, 2017. (N.E.)

PREFÁCIO DO AUTOR
À EDIÇÃO DE BOLSO

A publicação desta edição em livro de bolso me dá a chance de responder à recepção que teve a edição de capa dura, tanto da imprensa quanto de ouvintes de programas de rádio noturnos.

Na edição de capa dura, achei que havia enfatizado certos pontos que os críticos nunca comentaram. Há outros pontos que chamaram a atenção dos críticos e que eu nunca tive a intenção de abordar. É por isso que estou tão feliz por ter este novo prefácio, em que posso corrigir o que considero três importantes equívocos.

No topo da minha lista está aquele que coloca o Lynch em um pedestal como o Babe Ruth[5] dos Investimentos, falando de modo arrogante para os jogadores das ligas não profissionais e dando-lhes a falsa esperança de que podem ter um desempenho igual aos profissionais das ligas profissionais. A comparação com Babe Ruth, embora seja lisonjeira, está errada em dois pontos. Em primeiro lugar, errei demais para ser comparado ao rei do beisebol. Em segundo lugar, não acho que os jogadores das ligas amadoras — também conhecidos como pequenos investidores, ou investidores médios —, ou o público em geral, devem tentar imitar os profissionais das grandes ligas.

O que procurei deixar claro é que o investidor médio não está no mesmo patamar dos gestores de um fundo mútuo ou de um fundo de pensão de Wall Street. O indivíduo não está sujeito a muitas regras que dificultam a vida dos profissionais. Como investidor médio, você não precisa ser proprietário de mais do que um punhado de ações e pode fazer a pesquisa em seu tempo livre.

---

5. Babe Ruth foi um lendário jogador americano de beisebol que ganhou fama como um dos maiores rebatedores da história jogando pelo New York Yankees. (N.E.)

Se nenhuma empresa o atrai no momento, pode ficar com o dinheiro em caixa e esperar por uma oportunidade melhor. Você não precisa competir com os vizinhos, como fazem os profissionais, publicando seus resultados trimestrais no jornal do bairro.

A prova de que investidores médios podem ter um desempenho muito bom, sem os entraves que sobrecarregam os profissionais, vem da Naic,[6] a organização que representa 10 mil clubes de investimento locais, os quais são compostos de homens e mulheres comuns. De acordo com a Naic, 69,4% dos clubes locais superaram o S&P 500 em 1992. Mais da metade desses clubes superou o S&P em quatro dos últimos cinco anos. Parece que os clubes de investimento estão cada vez mais hábeis em escolher ações, tirando uma grande vantagem de seu status amador.

Se você se deu bem como selecionador de ações, provavelmente é porque também explorou sua vantagem natural de ser um amador. Você pesquisou seus próprios investimentos e comprou ações de grandes empresas que a Wall Street pode ter esquecido. O histórico notável dos bancos mútuos de poupança locais e das instituições de poupança e empréstimo S&Ls[7] é uma prova poderosa de que o investimento na vizinhança compensa.

O equívoco número 2 é que o Lynch acha que todos devem passar o tempo todo de calculadora na mão, lendo planilhas, investigando empresas e comprando ações. Na verdade, milhões de americanos deveriam abster-se de comprar ações. São pessoas que não têm interesse algum em analisar empresas, se encolhem só de abrir uma planilha e folheiam relatórios anuais só por causa das fotos. A pior coisa que você pode fazer é investir em empresas que não conhece.

Infelizmente, comprar ações na ignorância ainda é um passatempo popular americano. Voltemos à analogia dos esportes. Quando as pessoas descobrem que não são boas em jogos de beisebol ou hóquei, elas guardam seus bastões e patins e começam a jogar golfe como amadores, a colecionar selos ou a fazer jardinagem. Mas quando as pessoas descobrem que não são boas em escolher ações, é provável que continuem a fazê-lo de qualquer maneira.

As pessoas que não são boas em escolher ações são as mesmas que dizem que estão "apostando no mercado", como se isso fosse, de fato, um jogo. Quando você "aposta no mercado", busca uma gratificação instantânea, sem

---

6. A Naic (National Association of Investors Corp.) é uma organização sem fins lucrativos, fundada em 1951, dedicada a fornecer educação ao investidor. A associação está sediada em Michigan e é composta de clubes de investimentos e investidores individuais de todos os Estados Unidos. A organização hoje atende principalmente pelo nome de *BetterInvesting*. (N.R.T.)
7. Em inglês, *savings and loans*, ou poupança e empréstimos. (N.E.)

fazer nada. Você está procurando a empolgação que deriva da posse de uma ação em uma semana, e de outra na semana seguinte, ou de comprar contratos futuros e opções.

Apostar no mercado é um passatempo incrivelmente prejudicial. Os apostadores no mercado podem passar semanas estudando suas milhas aéreas ou debruçados sobre guias de viagem a fim de cuidadosamente planejar uma viagem, mas estão dispostos a investir 10 mil dólares em uma empresa sobre a qual não sabem nada. Mesmo as pessoas que levam suas férias a sério se envolvem com apostas no mercado. Todo o processo é desleixado e malconcebido.

Este é um grupo que eu gostaria de abordar, os perdedores crônicos com uma história de apostas em seus palpites. Eles compram a IBM a 100 dólares por ação porque sentem que ela está prestes a dar uma reviravolta ou compram ações de biotecnologia ou ações de um cassino flutuante porque ouviram que elas são "quentes."

O que quer que possam salvar dessas perdas, esses perdedores enterram em contratos futuros de marco alemão ou em opções de compra no S&P 500 porque têm a sensação de que o S&P 500 subirá este mês. No final, eles estão mais convencidos do que nunca de que Wall Street é um jogo, porque é nisso que eles a transformaram.

O equívoco número 3 é que o Lynch detesta os fundos mútuos. Por que eu cuspiria no prato em que comi tão bem? Os fundos mútuos de ações são a solução perfeita para as pessoas que desejam possuir ações sem fazer suas próprias pesquisas. Os investidores nos fundos de ações prosperaram bastante no passado, e não há nenhuma razão para duvidar de que continuarão a prosperar no futuro. Não existe regra que diga que você não pode possuir ações individuais *e* fundos mútuos. Não existe regra segundo a qual você não pode possuir vários fundos mútuos. Mesmo em um fundo de ações que não ganha a média do mercado, é provável que os resultados de longo prazo sejam satisfatórios. Os resultados de curto prazo são menos previsíveis, e é por isso que você não deve comprar fundos mútuos de ações a menos que saiba que pode deixar o dinheiro lá por vários anos e tolerar os altos e baixos.

Estou animado com a evidência de que os investidores pessoa física estão aprendendo a não vender assustados suas ações ou fundos mútuos de ações durante as correções de mercado, como ocorreu em outubro de 1987. Houve um período assustador em 1989, quando o Índice Industrial Dow Jones caiu 200 pontos, e outra grande queda de 500 pontos em 1990; em ambos os casos, o público em geral foi um comprador líquido de ações no rescaldo. Portanto, talvez a mensagem sobre as correções serem tão rotineiras quanto as tempestades de neve, e não o fim do mundo, esteja começando a ser absorvida.

Uma mensagem que, aparentemente, não foi absorvida é que, no longo prazo, possuir ações é mais recompensador do que possuir títulos[8] e certificados de depósito bancários (CDBs). Recentemente, fiquei consternado ao descobrir que, nas contas de aposentadoria que milhares de pessoas abriram em minha própria empresa, a Fidelity, apenas uma pequena porcentagem do dinheiro é investida em fundos de ações puros. A maior parte tem sido destinada aos fundos de curto prazo, fundos de títulos ou fundos de dividendos. No entanto, a história mostra que, em um período de tempo mais longo, os ativos crescerão muito mais rápido quando forem 100% investidos em ações. A conta de aposentadoria é o lugar perfeito para ações, uma vez que o dinheiro pode ficar parado e crescer por dez a trinta anos.

---

8. No original, *bonds*. Uma expressão que pode ser traduzida como "títulos", no caso dos investimentos. É uma espécie de título de dívida que pode ser emitido pelo governo ou por empresas privadas para arrecadar dinheiro com o objetivo de financiar projetos em troca do pagamento de juros aos investidores. (N.R.T.)

INTRODUÇÃO

Fuga da escravidão

Um gestor de fundos aposentado é qualificado apenas para dar assessoria na área de investimentos, não na espiritual, mas o que me inspira a retomar o púlpito é que a maioria da congregação continua a favorecer os títulos. Obviamente, essas pessoas devem ter dormido durante meu último sermão, *O jeito Peter Lynch de investir: as estratégias vencedoras de quem transformou Wall Street*,[9] no qual tentei provar, de uma vez por todas, que colocar dinheiro em ações é muito mais lucrativo do que colocá-lo em títulos, certificados de depósito bancário ou contas de curto prazo. Caso contrário, por que 90% dos dólares de investimento da nação continuam estacionados nesses ativos inferiores?

Ao longo da década de 1980, que foi a segunda melhor década para ações na história moderna (apenas a década de 1950 foi um pouco mais generosa), a parcela de ativos domésticos investida em ações diminuiu! Essa porcentagem, na verdade, tem encolhido constantemente — de quase 40% na década de 1960 para 25% em 1980 e 17% em 1990. Enquanto o índice Dow Jones e outros índices de ações quadruplicavam em valor, uma massa de investidores estava abandonando as ações. Mesmo os ativos investidos em fundos mútuos de ações diminuíram de cerca de 70%, em 1980, para 43% em 1990.

Essa calamidade para o futuro da riqueza individual e nacional não pode ficar sem contestação. Deixe-me começar, então, onde parei da última vez: se você espera ter mais dinheiro amanhã do que tem hoje, você precisa colocar uma parte de seus ativos em ações. Talvez estejamos entrando em um mercado baixista e, nos próximos dois ou três anos ou até mesmo cinco anos, você desejará nunca ter ouvido falar em ações. Mas o século XX foi repleto de mercados

---

9. Lynch, Peter; Rothchild, John. *O jeito Peter Lynch de investir*: as estratégias vencedoras de quem transformou Wall Street. São Paulo: Benvirá: 2018. (N.E.)

baixistas, sem falar em recessões e, apesar disso, os resultados são indiscutíveis: mais cedo ou mais tarde, uma carteira de ações ou de fundos mútuos de ações se revelará muito mais valiosa do que uma de títulos, CDBs ou fundos de curto prazo. Pronto, falei de novo.

A prova mais persuasiva que descobri desde que afirmei este ponto da última vez pode ser encontrada no anuário *Ibbotson SBBI 1993*, capítulo 1, página 17, sob o título "Retorno médio anual para as décadas de 1926-1989". Este é um resumo dos lucros que você teria obtido, por ano, se tivesse investido seu dinheiro em ações do S&P 500, ações de pequenas empresas, títulos governamentais de longo prazo, títulos privados de longo prazo e títulos do Tesouro de curto prazo. Os resultados estão na Tabela 1-1.

Os gênios do investimento entre nós poderiam ter colocado todo o seu dinheiro em ações do S&P 500 na década de 1920, mudado, em 1929, para títulos corporativos de longo prazo e as mantido ao longo da década de 1930, passado para ações de pequenas empresas na década de 1940, voltado ao S&P 500 na década de 1950, retornado às pequenas empresas nas décadas de 1960 e 1970, e de volta ao S&P 500 na década de 1980. Agora, as pessoas que seguiram essa estratégia inspirada são bilionários e vivem na costa da França. Eu mesmo a teria recomendado, se fosse inteligente o suficiente para saber de antemão o que iria acontecer. Analisando em retrospecto, é bastante óbvio.

Como eu nunca conheci um único bilionário que fizesse fortuna exatamente dessa maneira, devo presumir que eles são escassos em relação ao restante de nós que tem uma inteligência média. O restante de nós não tem como prever o próximo período raro em que os títulos terão um desempenho superior ao das ações. Mas o fato de isso só ter acontecido em uma década em sete, a década de 1930 (a década de 1970 foi um empate), confere uma vantagem ao comprador de ações dedicado. Por ficarmos sempre com as ações, as chances são de seis para um a nosso favor de que nos sairemos melhor do que as pessoas que ficam com os títulos.

Além disso, os lucros obtidos pelos detentores de títulos na rara década em que esses títulos superaram as ações não podem ter esperança de compensar os enormes avanços feitos pelas ações em períodos tais como os anos 1940 e 1960. Durante todos os 64 anos apresentados na tabela, um investimento de 100 mil dólares em títulos do governo de longo prazo valeria agora 1,6 milhão de dólares, enquanto a mesma quantidade investida no S&P 500 seria de 25,5 milhões de dólares. Isso me leva ao Princípio do Peter número 2:

Os cavalheiros que preferem os títulos não sabem o que estão perdendo.

TABELA 1-1. RETORNO MÉDIO ANUAL

	Década de 1920*	Década de 1930	Década de 1940	Década de 1950	Década de 1960	Década de 1970	Década de 1980
S&P 500	19,2%	0,0%	9,2%	19,4%	7,8%	5,9%	17,5%
Ações de pequenas empresas	-4,5%	1,4%	20,7%	16,9%	15,5%	11,5%	15,8%
Títulos governamentais de longo prazo	5,0%	4,9%	3,2%	-0,1%	1,4%	5,5%	12,6%
Títulos corporativos de longo prazo	5,2%	6,9%	2,7%	1,0%	1,7%	6,2%	13,0%
Títulos do tesouro	3,7%	0,6%	0,4%	1,9%	3,9%	6,3%	8,9%
Inflação	-1,1%	-2,0%	5,4%	2,2%	2,5%	7,4%	5,1%

* Baseado no período 1926-1929.
Fonte: anuário Ibbotson SBBI 1993

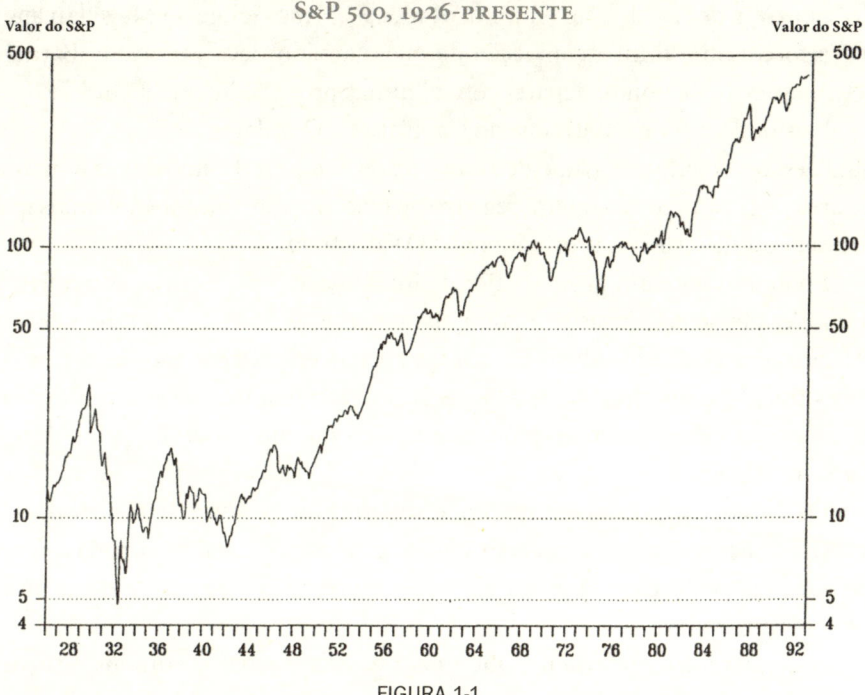

FIGURA 1-1

Mesmo assim, continuamos a ser uma nação de detentores de títulos. Milhões de pessoas se dedicam a coletar juros, o que pode ou não mantê-los um pouco à frente da inflação, quando poderiam estar desfrutando de um aumento de 5% a 6% em seu patrimônio líquido real, acima e além da inflação, por anos a fio. Compre ações! Se esta é a única lição que você vai aprender com este livro, então terá valido a pena tê-lo escrito.

O debate sobre se devemos investir em ações pequenas ou grandes, ou sobre como escolher o melhor fundo mútuo de ações (temas estes de capítulos posteriores), está subordinado ao ponto principal: qualquer que seja a maneira como você faz isso, ações grandes, pequenas ou de médio porte, compre ações! Eu estou presumindo, é claro, que você vai escolher suas ações ou seus fundos de forma inteligente e não venderá suas ações por causa de um susto durante as correções.

A segunda razão pela qual assumi este projeto é que desejo motivar mais o investidor amador a não desistir do gratificante passatempo de escolher ações. Eu disse antes que um amador que se dedica um pouco a estudar empresas de um ramo do qual tem algum conhecimento pode superar 95% dos especialistas pagos que gerenciam os fundos mútuos, além de se divertir fazendo isso.

Muitos gestores de fundos mútuos rejeitam essa ideia, e alguns a chamam de "a bazófia de Lynch". No entanto, os meus 2,5 anos longe do Magellan apenas reforçaram a minha convicção de que o amador leva vantagem. Para os céticos sobre esse ponto, deparei com algumas provas adicionais.

Elas podem ser encontradas no Capítulo 1, "O milagre de Saint Agnes", o qual descreve como um grupo de alunos da sétima série de uma escola religiosa da área de Boston produziu um registro de investimento durante dois anos que deixou boquiabertos os profissionais de Wall Street.

Enquanto isso, um grupo maior de investidores amadores adultos afirma ter superado seus colegas profissionais por muitos anos consecutivos. Esses selecionadores de ações bem-sucedidos pertencem às centenas de clubes de investimento patrocinados pela Associação Nacional de Investidores, e suas taxas anuais de retorno têm sido tão invejáveis quanto as obtidas pelos alunos da Saint Agnes.

Os dois grupos de amadores têm o seguinte em comum: seus métodos de seleção de ações são muito mais simples e, geralmente, mais recompensadores do que muitas das técnicas mais barrocas empregadas pelos gestores de fundo bem remunerados.

Seja qual for o método utilizado para escolher ações ou fundos de ações mútuos, o seu sucesso ou fracasso vai depender da sua capacidade para ignorar as preocupações do mundo o tempo suficiente para permitir que seus investimentos alcancem sucesso. Não é a cabeça, mas o estômago que determina o destino do selecionador de ações. O investidor nervoso, não importa quão inteligente seja, está sempre suscetível a ser expulso do mercado pelos arautos da desgraça.

Um grupo de nós, videntes de investimento, se reúne a cada janeiro para participar de um painel de discussão patrocinado pela revista *Barron's*, que mais tarde publica a transcrição de nossa conversa. Se você tivesse comprado muitas das ações que nós recomendamos, teria ganhado dinheiro, mas, se tivesse prestado atenção às nossas opiniões abalizadas sobre a direção do mercado e da economia, teria ficado apavorado para comprar ações nos últimos sete anos. O Capítulo 2 trata das armadilhas dessa "angústia de fim de semana" e diz o que fazer para ignorá-la.

O Capítulo 3, "Um passeio pelos fundos", é minha tentativa de conceber uma estratégia para investir em fundos mútuos. Embora eu continue a ser um selecionador de ações por natureza, minha aposentadoria me dá a oportunidade de discutir um assunto que eu relutava em abordar como gestor de fundo. Quando você ainda está no negócio, quase tudo o que disser sobre esse assunto pode ser interpretado como interesse próprio ou uma forma sorrateira de atrair novos clientes — acredito que essas acusações não serão levantadas contra mim a esta altura.

Recentemente, ajudei uma organização sem fins lucrativos na Nova Inglaterra a implementar uma nova estratégia de gestão de sua carteira. (Esta organização deve permanecer anônima porque sua identidade não é relevante para os nossos propósitos.) Primeiro, tivemos de decidir quanto dinheiro colocar em ações e quanto em títulos, e, depois, como investir cada uma das partes. Essas são as mesmas decisões que cada chefe de família precisa tomar, e essa é a razão por que forneço uma descrição detalhada de como abordamos o problema.

Os Capítulos 4, 5 e 6 constituem uma retrospectiva em três partes: como administrei o Magellan durante treze anos e nove grandes correções de mercado. Esse exercício me deu uma desculpa para voltar no tempo e descobrir exatamente quais fatores contribuíram para o sucesso que tive. Algumas das conclusões surpreenderam até a mim, e eu estava lá.

Nessa parte do livro, tentei me concentrar na metodologia e minimizar as reminiscências irrelevantes. Talvez haja algo a ser aprendido com meus triunfos ocasionais e meus inúmeros erros.

Nos Capítulos 7 a 20, que respondem por mais da metade destas páginas, eu descrevo como escolhi as 21 ações que recomendei aos leitores da revista *Barron's* em janeiro de 1992. Já falei sobre teorias de investimento, mas, ao realizar essas seleções, fiz anotações à medida que agia. Com essas anotações em mãos, tentei analisar meus hábitos de seleção de ações com o máximo de detalhes possível. Isso inclui tanto como identificar situações promissoras quanto como pesquisar sobre elas.

As 21 ações que utilizei para ilustrar esse Método Lynch cobrem muitas das categorias importantes e dos ramos industriais (bancos e S&Ls, ações cíclicas, varejistas, prestadoras de serviços públicos) em que as pessoas costumam investir. Organizei os capítulos de forma que cada um trate de um tipo específico de empresa. O Capítulo 21, "A revisão dos seis meses", descreve o processo periódico de revisão da história de cada empresa em uma carteira.

Não tenho fórmulas prontas para oferecer. Os sinos não badalam quando você compra a ação certa, e, não importa quanto você saiba sobre a empresa, nunca terá certeza de que ela vai recompensá-lo por investir nela. Mas conhecer os fatores que tornam ou não lucrativos um varejista, um banco ou uma montadora pode aumentar suas chances. Muitos desses fatores são apresentados aqui.

O texto é enriquecido com doses generosas dos Princípios do Peter, tais como os dois que você já teve de tolerar. Muitas dessas lições eu aprendi com a experiência, o que é sempre um professor caro, mas você as obtém aqui com desconto.

(Os preços das ações das 21 empresas que descrevo na segunda metade deste livro mudaram constantemente no curso de minha pesquisa. Por exemplo, a Pier 1 estava sendo negociada a US$ 7,50 quando comecei a pesquisá-la e a US$ 8 quando finalmente a recomendei na *Barron's*. Em uma determinada página, posso me referir à Pier 1 como uma ação de US$ 7,50 e, em outra, como uma ação de US$ 8. Várias dessas anomalias podem surgir no texto.)

1
O MILAGRE DE ST. AGNES

Selecionar ações de forma amadora é uma arte em extinção, como fazer bolos, que está perdendo para os produtos industrializados. Um vasto exército de gestores de fundos mútuos é bem pago para fazer pelas carteiras o que a Sara Lee[10] fez pelos bolos. Sinto muito que isso esteja acontecendo. Isso me incomodava quando eu era um gestor de fundo, e me incomoda ainda mais agora que eu já me juntei às fileiras dos não profissionais, investindo em meu tempo livre.

Esse declínio do amador acelerou durante a grande alta do mercado na década de 1980, após o qual menos indivíduos possuíam ações do que no começo. Esforcei-me para entender por que isso aconteceu. Uma razão é que a imprensa financeira transformou os sujeitos da Wall Street em celebridades, notoriedade que foi, em grande parte, imerecida. As estrelas do mercado acionário foram tratadas como estrelas do rock, dando ao investidor amador a falsa impressão de que ele ou ela não poderia esperar competir com tantos gênios com MBA, todos vestindo capas de chuva da Burberry[11] e armados com Quotrons.[12]

Em vez de lutar contra esses gênios que usam Burberry, um grande número de investidores médios decidiu se juntar a eles ao colocar valores substanciais em fundos mútuos. O fato de que 75% desses fundos mútuos não tiveram um desempenho tão bom quanto os índices do mercado acionário provam que a genialidade não é infalível.

---

10. Sara Lee foi uma empresa de bens de consumo americana com operações em diversos países. Fundada em 1939, tinha, entre seus produtos, alimentos congelados e embalados. Foi extinta em 2012. (N.E.)
11. Burberry é uma icônica marca de luxo britânica. (N.E.)
12. O autor se refere aos terminais de negócios da marca Quotron que, à época, forneciam as cotações em tempo real numa tela. No filme *Wall Street*, de 1987, os personagens Bud Fox e Gordon Gekko usam terminais da Quotron. (N.E.)

O principal motivo do declínio do selecionador amador, no entanto, deve ser o prejuízo. É da natureza humana continuar fazendo algo desde que ele seja agradável e que se possa alcançar sucesso com ele, e é por isso que a população mundial continua a aumentar em um ritmo acelerado. Da mesma forma, as pessoas continuam colecionando figurinhas de beisebol, móveis antigos, iscas de pesca antigas, moedas e selos, e não param de reformar casas e vendê-las, porque todas essas atividades podem ser tanto lucrativas quanto agradáveis. Então, se elas largaram as ações, é porque estão cansadas de perder dinheiro.

Em geral, são os membros mais ricos e bem-sucedidos da sociedade que têm dinheiro para investir em ações, e esse grupo está acostumado a tirar a nota máxima na escola e a receber tapinhas nas costas pelo desempenho no trabalho. O mercado acionário é o único lugar onde aqueles com um histórico de bom desempenho são rotineiramente revelados. É fácil obter uma nota baixa aqui. Se você comprar contratos futuros e opções e tentar aproveitar as viradas do mercado, será fácil tirar apenas notas baixas, que deve ter sido o que aconteceu com muitas pessoas que migraram para os fundos mútuos.

Isso não significa que eles param de comprar ações. Em algum momento, recebem uma dica do tio Harry, ou ouvem uma conversa no ônibus, ou leem algo em uma revista e decidem apostar em uma perspectiva duvidosa, com seu dinheiro "de jogo". Essa divisão entre o dinheiro sério investido nos fundos e o dinheiro de brinquedo investido em ações individuais é um fenômeno recente, que estimula o capricho do selecionador. Ele ou ela pode fazer essas apostas paralelas frívolas em uma conta separada com um corretor barateiro, sobre as quais o cônjuge não precisa tomar conhecimento.

À medida que a seleção de ações desaparece como um passatempo sério, as técnicas de avaliação de uma empresa, seus lucros, sua taxa de crescimento, etc. estão sendo esquecidas, juntamente com as antigas receitas de família.[13] Com menos clientes varejistas interessados em tais informações, as corretoras estão menos inclinadas a oferecê-las voluntariamente. Os analistas estão ocupados demais conversando com as instituições para se preocupar em instruir as massas.

Enquanto isso, os computadores das corretoras estão ocupados coletando uma grande quantidade de informações úteis sobre empresas que podem ser regurgitadas de quase qualquer forma que o cliente solicitar. Há cerca de um ano ou mais, o diretor de pesquisa da Fidelity, Rick Spillane, perguntou a vários corretores muito bem-sucedidos sobre os bancos de dados e as chamadas "telas" que estão agora disponíveis. A tela é uma lista gerada por computador

---

13. No caso, receitas culinárias. (N.E.)

em que são elencadas empresas que compartilham características básicas — por exemplo, aquelas que têm aumentado seus dividendos durante vinte anos consecutivos. Isso é muito útil para os investidores que desejam se especializar nesse tipo de empresa.

Na Smith Barney, Albert Bernazati observa que sua empresa pode fornecer de oito a dez páginas de informações financeiras sobre a maioria das 2.800 empresas do universo Smith Barney. A Merrill Lynch pode fazer telas baseadas em dez variáveis diferentes, a Value Line Investment Survey tem uma "tela de valor" e a Charles Schwab tem um serviço de dados impressionante denominado "o Equalizador". Nenhum desses serviços, no entanto, tem grande demanda. Tom Reilly, da Merrill Lynch, relata que menos de 5% de seus clientes utilizam as telas de ações. Jonathan Smith, da Lehman Brothers,[14] diz que o típico investidor de varejo não tira proveito de 90% do que a Lehman tem para oferecer.

Nas décadas anteriores, quando mais pessoas compravam suas próprias ações, o corretor da bolsa era um meio útil de obter dados. Muitos corretores antiquados eram estudiosos de determinado setor, ou de determinado grupo de empresas, e podiam ajudar a ensinar os detalhes aos clientes. Claro, pode-se exagerar ao glorificar o corretor antiquado de Wall Street como o equivalente do médico que fazia visitas domiciliares. Essa ideia positiva é contrariada pelas pesquisas de opinião pública, que, em geral, colocam os corretores de ações ligeiramente abaixo dos políticos e dos vendedores de carros usados na escala de popularidade. Ainda assim, o corretor do passado fazia mais pesquisas independentes do que o de hoje, que, provavelmente, confiará nas informações geradas internamente por sua própria empresa.

Os corretores modernos têm muitas coisas além de ações para vender, incluindo anuidades, sociedades limitadas, instrumentos de elisão fiscal,[15] apólices de seguros, CDBs, fundos de títulos e fundos de ações. Eles devem entender todos esses "produtos", pelo menos, bem o suficiente para fazer uma apresentação de venda. Eles não têm tempo nem disposição para rastrear as prestadoras de serviços públicos, os varejistas ou o setor automotivo e, uma vez que poucos clientes investem em ações individuais, há pouca demanda por seus conselhos de seleção

---

14. Lehman Brothers Holdings Inc. Foi um banco de investimentos provedor de outros serviços financeiros, com atuação global, sediado em Nova York. Declarou falência em 2008, depois de ter prejuízos causados pela Crise dos Subprimes. (N.R.T.)

15. A elisão fiscal é uma prática contábil que permite adequar uma empresa ao formato mais vantajoso de pagamento de impostos sem que, para isso, se cometa qualquer ilegalidade. A sua forma clássica atende também pelo nome de "planejamento tributário", momento em que é definido o regime adotado para o recolhimento dos tributos. (N.R.T.)

de ações. De qualquer forma, as maiores comissões do corretor vêm de outras fontes, como fundos mútuos, subscrições e o jogo das opções.

Com menos corretores oferecendo orientação pessoal para menos selecionadores de ações e com um clima que incentiva a especulação caprichosa com dinheiro "de brinquedo" e uma reverência exagerada às habilidades profissionais, não é de admirar que tantas pessoas concluam que escolher as próprias ações não vale a pena. Mas não diga isso aos alunos da St. Agnes.

A CARTEIRA DE ST. AGNES

As catorze ações apresentadas na Tabela 1-1 foram as principais escolhas de um grupo energético de gestores de carteira da sétima série que frequentavam a escola St. Agnes, em Arlington, Massachusetts, um subúrbio de Boston, em 1990. Sua professora e CEO, Joan Morrissey, desejava testar a teoria de que não é necessário um Quotron ou um MBA da Wharton,[16] nem mesmo uma carteira de motorista, para se destacar na escolha de ações.

Você não encontrará esses resultados listados em um relatório da Lipper ou na *Forbes*, mas um investimento da carteira do modelo St. Agnes produziu um ganho de 70% em um período de dois anos, superando o índice S&P 500, que subiu 26% no mesmo período, por uma margem enorme. Nesse intervalo de tempo, a St. Agnes também superou 99% de todos os fundos mútuos de ações, cujos gestores recebem somas consideráveis por suas seleções de especialistas, enquanto os jovens se contentam com um café da manhã grátis com a professora e com uma ida ao cinema.

TABELA 1-1. CARTEIRA ST. AGNES

Empresa	Desempenho (%) em 1990-1991
Walmart	164,7
Nike	178,5
Walt Disney	3,4
Limited	68,8
L.A. Gear	-64,3
Pentech	53,1

---

16. A Wharton é uma renomada escola superior de administração americana vinculada à Universidade da Pensilvânia, na Filadélfia. (N.E.)

Empresa	Desempenho (%) em 1990-1991
Gap	320,3
PepsiCo	63,8
Food Lion	146,9
Topps	55,7
Savannah Foods	-38,5
IBM	3,6
NYNEX	-0,22
Mobil	19,1
Retorno total da carteira	69,6
S&P 500	26,08

Desempenho de retorno total entre 1º de janeiro de 1990 e 31 de dezembro de 1991

Tomei conhecimento desse desempenho excepcional por meio de um grande caderno de recortes enviado ao meu escritório, em que os estudantes da sétima série não apenas listaram suas seleções mais cotadas, mas desenharam imagens de cada uma. Isso me leva ao Princípio do Peter número 3:

Nunca invista em nenhuma ideia que você não possa ilustrar com um giz de cera.

Essa regra deveria ser adotada por muitos gestores de dinheiro adultos, amadores e profissionais, que têm o hábito de ignorar a empresa evidentemente lucrativa em favor do empreendimento inexplicável que perde dinheiro. Certamente, isso teria afastado os investidores da Dense-Pac Microsystems, uma fabricante de "módulos de memória" cujas ações, infelizmente, despencariam de 16 dólares para 25 centavos. Quem poderia fazer um desenho de um Dense-Pac Microsystem?

A fim de parabenizar todo o departamento de fundos da St. Agnes (que também funciona como a aula de estudos sociais da senhora Morrissey) e também de aprender os segredos de seu sucesso, convidei o grupo para almoçar no restaurante executivo da Fidelity, onde, pela primeira vez, foi servida pizza. Lá, a senhora Morrissey, que leciona na St. Agnes há 25 anos, explicou como sua turma é dividida todos os anos em equipes de quatro alunos cada uma, e como cada grupo recebe 250 mil dólares hipotéticos e, em seguida, compete para ver quem pode ganhar mais.

Cada uma das várias equipes — que adotaram apelidos tais como "Dos trapos à riqueza", "Os sábios de Wall Street", "As donas de Wall Street", "A máquina de dinheiro", "Nosso nome é ações" e até mesmo "A turma do Lynch" — também escolhe uma ação favorita para ser incluída no álbum de recortes, sendo essa a maneira como a carteira-modelo é criada.

Os alunos aprendem a ler o jornal financeiro *Investor's Business Daily*. Eles preparam uma lista de empresas potencialmente atraentes e pesquisam cada uma delas, verificando os lucros e a força relativa. Em seguida, analisam os dados e decidem quais ações escolher. Esse é um procedimento semelhante àquele seguido por muitos gestores de fundos de Wall Street, embora eles não sejam necessariamente tão competentes nisso quanto os estudantes.

"Tento enfatizar a ideia de que uma carteira deve ter, pelo menos, dez empresas, com uma ou duas fornecendo dividendos razoavelmente bons", diz a senhora Morrissey. "Mas antes de meus alunos poderem colocar qualquer ação na carteira, eles precisam explicar exatamente aquilo que a empresa faz. Se não podem explicar à turma qual é o serviço que ela presta ou os produtos que fabrica, então não estão autorizados a comprá-la. Comprar o que você conhece é um dos nossos temas." Comprar o que você conhece é uma estratégia muito sofisticada que muitos profissionais deixam de colocar em prática.

Uma das empresas que os alunos da St. Agnes conheciam era a Pentech International, uma fabricante de canetas e marca-textos coloridos. Seu produto Pentech favorito, uma caneta de ponta porosa em uma extremidade e um marca-texto na outra, foi apresentado à turma pela senhora Morrissey. Essa caneta era muito popular, e alguns alunos até a usavam para destacar suas escolhas de ações. Não demorou muito para eles começarem a investigar a própria Pentech.

As ações estavam sendo negociadas a 5 dólares na época, e os alunos descobriram que a empresa não tinha dívidas de longo prazo. Eles também ficaram impressionados com o fato de a Pentech fabricar um produto superior que, a julgar por sua popularidade interna, provavelmente também seria popular nas salas de aula de todo o país. Outro aspecto positivo, do ponto de vista deles, era que a Pentech era uma empresa relativamente desconhecida, se comparada, digamos, à Gillette, fabricante das canetas Paper Mate e dos aparelhos de barbear Good News que viam nos banheiros de seus pais.

Tentando ajudar um colega, os gestores do fundo St. Agnes me enviaram uma caneta Pentech e sugeriram que eu analisasse essa empresa maravilhosa. Esse conselho eu gostaria de ter seguido. Depois que recebi a dica de pesquisa e deixei de levá-la em conta, a ação quase dobrou, de 5,25 para uma máxima de 9,5.

Essa mesma abordagem infantil para a seleção de ações levou os gestores do fundo St. Agnes de 1990 à Walt Disney Company, a dois fabricantes de calçados esportivos (Nike e LA Gear), à Gap (onde a maioria deles comprava suas roupas), à PepsiCo (que eles conheciam de quatro maneiras diferentes: via Pepsi-Cola, Pizza Hut, Kentucky Fried Chicken e Frito-Lay) e à Topps (fabricante de figurinhas de beisebol). "Os alunos da sétima série gostam muito das figurinhas colecionáveis", diz Morrissey, "então não havia dúvida se devíamos ou não ser acionistas da Topps. Mais uma vez, a Topps produziu algo que as crianças realmente podiam comprar. Ao fazer isso, elas sentiram que estavam contribuindo para o faturamento de uma de suas empresas."

Eles chegaram às outras das seguintes maneiras: Walmart, porque lhes foi mostrado um trecho de um episódio de *Estilos de vida dos ricos e famosos*[17] que apresentava o fundador do Walmart, Sam Walton, descrevendo de que forma o investimento beneficia a economia; Nynex e Mobil, por causa de seus excelentes dividendos; Food Lion, Inc., porque era uma empresa bem gerida, com um retorno elevado sobre as ações, e também porque apareceu no mesmo episódio que os apresentou a Sam Walton. A senhora Morrissey explica:

"O foco estava em 88 cidadãos de Salisbury, Carolina do Norte, que compraram, cada um, dez ações da Food Lion a 100 dólares cada uma quando a empresa abriu o capital, em 1957. Mil dólares investidos então se tornaram 14 milhões de dólares. Você acredita? Todas essas 88 pessoas ficaram milionárias. Esses fatos impressionaram todos os alunos, para dizer o mínimo. No final do ano, eles tinham esquecido um monte de coisas, mas não a história da Food Lion."

O único desastre na carteira-modelo é a IBM, que nem preciso dizer que tem sido a favorita dos gestores financeiros adultos e profissionais nos últimos vinte anos (entre os quais eu me incluo — os adultos continuam a comprá-la e continuam se arrependendo de tê-lo feito). A razão para essa obsessão destrutiva não é difícil de encontrar: a IBM é uma ação bem-vista que todos

---

17. No original, "(...) videotaped segment 'Lifestyles of the Rich and Famous'". Era um programa de tevê dos anos 80 e 90. Cada episódio mostrava a vida luxuosa e glamourosa de uma pessoa rica e famosa. (N.E.)

conhecem, e um gestor de fundo não terá nenhum problema se perder dinheiro com ela. Os alunos da St. Agnes podem ser perdoados por essa tentativa tola de imitar os mais velhos de Wall Street.

Deixe-me antecipar algumas das críticas aos resultados da St. Agnes que certamente serão feitas pelos profissionais. (1) "Isso não é dinheiro de verdade." Verdade, mas e daí? De qualquer forma, os profissionais deveriam ficar aliviados porque os estudantes da St. Agnes não estão trabalhando com dinheiro de verdade — caso contrário, com base no desempenho da St. Agnes, bilhões de dólares poderiam ter sido retirados dos fundos mútuos convencionais e entregues aos alunos. (2) "Qualquer um poderia ter escolhido essas ações." Se isso é verdade, por que ninguém o fez? (3) "Os alunos tiveram sorte com um monte de suas escolhas favoritas." Talvez, mas algumas das carteiras menores escolhidas pelas equipes de quatro alunos da turma da senhora Morrissey se saíram tão bem ou melhor do que a carteira-modelo selecionada pela turma como um todo. O quarteto vencedor em 1990 (Andrew Castiglioni, Greg Bialach, Paul Knisell e Matt Keating) escolheu as seguintes ações pelos motivos observados:

>100 ações da Disney ("Qualquer criança consegue explicar isso.")
>100 ações da Kellogg ("Eles gostaram do produto.")
>300 ações da Topps ("Quem não gosta de trocar figurinhas de beisebol?")
>200 ações do McDonald's ("As pessoas precisam comer.")
>100 ações da Walmart ("Um surto de crescimento notável.")
>100 ações da Savannah Foods ("Eles encontraram no *Investor's Daily*.")
>5.000 ações de Jiffy Lube ("Baratas na época.")
>600 ações da Hasbro ("É uma empresa de brinquedos, não é?")
>1.000 ações da Tyco Toys (idem)
>100 ações da IBM ("Envelhecimento precoce.")
>600 ações da National Pizza ("Ninguém consegue recusar uma pizza.")
>1.000 ações do Bank of New England ("Até que ponto essa ação poderia cair?")

Eu comprei essa última ação e perdi dinheiro com ela, portanto, posso entender o erro. Ela foi mais do que neutralizada pelas duas melhores escolhas dos meninos, a National Pizza e a Tyco Toys. Essas ações cujos preços aumentaram quatro vezes teriam feito maravilhas em qualquer carteira. Andrew Castiglioni descobriu a National Pizza examinando a lista da Nasdaq e, em seguida, complementou sua descoberta com algumas pesquisas sobre a empresa — a segunda etapa crucial que muitos investidores adultos continuam a desprezar.

Em 1991, o quarteto vencedor (Kevin Spinale, Brian Hough, David Cardillo e Terence Kiernan) dividiu seu dinheiro de mentira entre Philip Morris, Coca--Cola, Texaco, Raytheon, Nike, Merck, Blockbuster Entertainment e Playboy Enterprises. A Merck e a Texaco chamaram a atenção por causa dos bons dividendos. A Playboy atraiu a atenção por razões que nada tinham a ver com os fundamentos da empresa, embora eles tenham notado que a revista tinha uma grande circulação e que a Playboy era proprietária de um canal de tevê a cabo.

A turma inteira foi apresentada à Raytheon durante a Guerra do Golfo, quando os alunos da senhora Morrissey enviaram cartas às tropas na Arábia Saudita. Eles se corresponderam com o major Robert Swisher, que contou a eles como um míssil Scud caíra a poucos quilômetros de seu acampamento. Quando os gestores de carteira souberam que a Raytheon fabricava o míssil Patriot, correram para pesquisar sobre a ação. "Foi uma sensação boa", a senhora Morrissey disse, "saber que tínhamos um interesse financeiro teórico na arma que mantivera o major Swisher vivo."

O CORO DA ST. AGNES

Depois de visitar a Fidelity, de comer pizza no restaurante executivo e de me dar o conselho sobre a Pentech que eu gostaria de ter seguido, os especialistas em ações da St. Agnes retribuíram o favor convidando-me para dar uma palestra na escola e visitar o departamento de carteiras deles, também conhecido como sala de aula. Em resposta a minha visita a essa instituição centenária, que oferece aulas do jardim de infância à oitava série, recebi uma fita cassete que os estudantes tinham gravado.

Essa fita notável incluía algumas de suas próprias ideias e estratagemas para escolher ações, bem como alguns que eu sugeri e eles decidiram repetir para mim, apenas para garantir que eu não os esquecesse. Aqui estão alguns de seus comentários:

> Olá, aqui é Lori. Uma coisa que lembro que você nos disse é que, nos últimos setenta anos, o mercado caiu quarenta vezes, então o investidor deve estar disposto a permanecer no mercado por muito tempo... Se algum dia eu investir dinheiro no mercado, com certeza vou mantê-lo lá.
>
> Oi, aqui é Felicity. Lembro de você nos contar a história da Sears e como, quando os primeiros shopping centers foram construídos, a Sears estava

presente em 95% deles... Agora, quando eu investir em uma ação, vou tomar cuidado para investir em uma empresa que tem espaço para crescer.

Oi, aqui é Kim. Lembro de falar com você e você disse que, enquanto a Kmart entrava em todas as grandes cidades, a Walmart ia ainda melhor porque ia para todas as pequenas cidades onde não havia concorrência, e eu lembro que você disse que foi o palestrante convidado na cerimônia de premiação de Sam Walton e, justamente ontem, a Walmart custava sessenta dólares e eles anunciaram um desdobramento de dois por um.

Aqui é o Willy. Só quero dizer que todos os alunos ficaram aliviados por ter pizza no cardápio do almoço.

Olá, aqui é Steve. Só quero dizer que convenci meu grupo a comprar muitas ações da Nike. Nós compramos a 56 dólares por ação; atualmente, está a 76 dólares por ação. Tenho muitos pares de tênis e eles são confortáveis de usar.

Oi, somos Kim, Maureen e Jackie. Lembramos que você estava nos dizendo que a Coca era uma empresa boa até cinco anos atrás, quando eles lançaram a Coca Diet e os adultos passaram a tomar Coca Diet em vez de café e chá. A Coca acabou de desdobrar suas ações a 84 dólares e está indo muito bem.

No fim da fita, todo o departamento de portifólio da sétima série repetiu as seguintes máximas em uníssono. Este é um refrão que todos devemos memorizar e repetir no chuveiro, para evitar que cometamos erros futuros:

Uma empresa boa, em geral, aumenta seus dividendos a cada ano.

Você pode perder dinheiro em um curto período de tempo, mas leva muito tempo para ganhar dinheiro.

O mercado acionário realmente não é um jogo, contanto que você escolha boas empresas que acha que terão um bom desempenho, e não apenas por causa do preço das ações.

Você pode ganhar muito dinheiro com o mercado acionário, mas também pode perder dinheiro, como provamos.

Você precisa pesquisar a empresa antes de investir nela.

Quando você investe no mercado de ações, deve sempre diversificar.

Você deve investir em várias ações porque, de cada cinco que você escolher, uma será muito boa, uma será muito ruim e três serão OK.

Nunca se apaixone por uma ação; sempre tenha a mente aberta.

Você não deve apenas escolher uma ação — você deve fazer a lição de casa.

Comprar ações de prestadoras de serviços públicos é bom porque lhe dá um dividendo mais alto, mas você ganhará dinheiro com as ações de alto crescimento.
Só porque uma ação cai, não significa que não possa cair mais ainda.
No longo prazo, é melhor comprar ações de pequenas empresas.
Você não deve comprar uma ação porque é barata, mas porque você sabe muito sobre ela.

A senhora Morrissey continua a se esforçar ao máximo para promover a escolha amadora de ações não apenas junto a alunos, mas junto a seus colegas professores, que ela inspirou a criar o próprio clube de investimentos, o "Fabulosos de Wall Street". São 22 membros, incluindo eu (honorário) e o major Swisher.

Os Fabulosos de Wall Street tiveram um desempenho decente, mas não tão bom quanto o dos alunos. "Espere até eu dizer aos outros professores", disse a senhora Morrissey, depois de termos revisado os números, "que as ações dos alunos se saíram melhor do que as nossas".

DEZ MIL CLUBES DE INVESTIMENTOS NÃO PODEM ESTAR ERRADOS

Provas de que tanto adultos quanto jovens podem superar as médias do mercado com uma abordagem disciplinada para escolher ações vêm da National Association of Investors Corporation (Naic) [Associação Nacional da Sociedade de Investidores], com sede em Royal Oak, Michigan. Essa organização representa 10 mil clubes de seleção de ações e publica um guia e uma revista mensal para ajudá-los.

Ao longo da década de 1980, a maioria das filiais da Naic superou o índice S&P 500 e, ainda por cima, três quartos de todos os fundos mútuos de ações. A Naic também relata que, em 1991, 61,9% de suas filiais tiveram um desempenho tão bom ou melhor do que o S&P 500. Sessenta e nove por cento bateram essa média novamente em 1992. A chave para o sucesso desses clubes de investimento é que eles investem de acordo com um calendário preestabelecido, que elimina as suposições referentes à alta ou à queda do mercado e não permite a compra e a venda por impulso, que prejudicam tantas poupanças de previdência. Aqueles que investem a mesma quantia em ações, todo mês, usando suas aposentadorias ou outros planos de previdência, vão lucrar com a autodisciplina, assim como os clubes.

Os cálculos a seguir, feitos a meu pedido pelo departamento técnico da Fidelity, fortalecem o argumento para investir de acordo com um cronograma. Se você tivesse colocado mil dólares no índice S&P 500 em 31 de janeiro de 1940 e os deixado lá por 52 anos, agora teria 333.793,30 dólares em sua conta. Esse é apenas um exercício teórico, uma vez que não havia fundos de índice em 1940, mas ele dá uma ideia das vantagens associadas à manutenção de uma ampla gama de ações.

Se você tivesse acrescentado mil dólares ao seu desembolso inicial todo 31 de janeiro, ao longo desses mesmos 52 anos, seu investimento de 52 mil dólares valeria agora 3.554.227 dólares. Finalmente, se você tivesse a coragem de acrescentar mais 1 mil dólares toda vez que o mercado caísse 10% ou mais (isso aconteceu 31 vezes em 52 anos), seu investimento de 83 mil dólares valeria agora 6,295 milhões de dólares. Portanto, há recompensas substanciais por adotar uma rotina regular de investimento e segui-la em todas as circunstâncias, e recompensas adicionais por comprar mais ações quando a maioria dos investidores está vendendo por medo.

Todos os 10 mil clubes da Naic mantiveram seus cronogramas de investimento durante e após a Grande Correção de outubro de 1987, quando o fim do mundo e o fim do sistema bancário foram amplamente previstos. Eles ignoraram a retórica assustadora e continuaram a comprar ações.

Um indivíduo pode vender ações por medo e depois se arrepender, mas, nos clubes, nada pode ser realizado sem o voto da maioria. A tomada de decisão por comitê nem sempre é uma boa coisa, mas, nesse caso, ajuda a garantir que nenhuma proposta tola de vender tudo seja executada pelo grupo. A tomada de decisão coletiva é uma das principais razões pelas quais os membros do clube tendem a se sair melhor com o dinheiro que investem no âmbito do grupo do que com o dinheiro que investem em suas contas privadas paralelas.

Os clubes se reúnem uma vez por mês, nas casas dos associados ou em salas de conferência alugadas em hotéis locais, onde trocam ideias e decidem o que comprar em seguida. Cada pessoa é responsável por pesquisar uma ou duas empresas e monitorar os acontecimentos mais recentes. Isso elimina o elemento de capricho da seleção de ações. Ninguém vai se levantar e anunciar: "Temos de comprar a Home Shopping Network. Ouvi um motorista de táxi dizer que ela é ótima". Quando você sabe que suas recomendações afetarão os bolsos de seus amigos, você tende a fazer a lição de casa.

Na maior parte, os grupos da Naic compram ações de empresas de alto crescimento que são bem administradas, têm um histórico de prosperidade e cujos lucros estão aumentando. Essa é a terra das ações cujos preços subiram muitas vezes, onde não é incomum aumentar o seu investimento original em dez, vinte ou até trinta vezes ao longo de uma década.

Em quarenta anos de experiência, a Naic aprendeu muitas das mesmas lições que eu aprendi no Magellan, começando com o fato de que, se você escolher ações de cinco empresas de alto crescimento diferentes, verá que três terão o desempenho esperado, uma terá problemas imprevistos e vai decepcioná-lo, e a quinta fará melhor do que você poderia ter imaginado e vai surpreendê-lo com um retorno fenomenal. Como é impossível prever quais empresas terão um desempenho acima do esperado e quais terão um desempenho pior, a organização aconselha que sua carteira inclua pelo menos cinco ações. A Naic chama a isso de Regra de Cinco.

O Manual do Investidor da Naic, que os diretores gentilmente enviaram ao meu escritório, contém várias máximas importantes que podem ser acrescentadas ao repertório de mantras da escola St. Agnes. Elas podem ser entoadas enquanto você corta a grama ou, melhor ainda, recitadas antes de pegar o telefone para ligar para o corretor de ações:

> Não mantenha em carteira mais ações do que você consegue acompanhar.
> Invista a intervalos regulares.
> Você deve assegurar, em primeiro lugar, que o faturamento e os lucros por ação estão aumentando a um ritmo aceitável e, segundo, que você pode comprar a ação a um preço razoável.
> É bom avaliar a força financeira e a estrutura de endividamento para verificar se alguns anos ruins impediriam o progresso da empresa a longo prazo.
> Compre ou não compre ações com base no fato de o crescimento atender ou não aos seus objetivos ou com base na razoabilidade do preço.
> Compreender as razões do aumento do faturamento, no passado, o ajudará a chegar a uma avaliação bem ponderada sobre a probabilidade de continuação das taxas de crescimento anteriores.

Para ajudar os investidores a se aprofundar nesses assuntos, a Naic oferece o Manual do Investidor e um curso a distância que ensina como calcular o crescimento dos lucros e do faturamento; como determinar, com base nos lucros, se uma ação está barata, cara ou com preço justo; e como ler um balanço patrimonial para saber se uma empresa tem ou não os recursos para sobreviver a tempos difíceis. Para pessoas que gostam de trabalhar com números e que desejam fazer uma lição de casa sobre investimentos mais sofisticada do que a que fizeram até agora, esse é um bom ponto de partida.

A Naic também publica uma revista mensal, *Better Investing*, que recomenda ações de empresas de crescimento promissor e fornece atualizações regulares sobre seu status. Para obter mais informações, escreva para a organização, Caixa Postal 220, Royal Oak, MI 48068, ou ligue para (313) 543-0612. Assim termina minha propaganda não remunerada e não solicitada.

2
O ANGUSTIADO DE FIM DE SEMANA

A chave para ganhar dinheiro com ações é não se deixar assustar a ponto de vendê-las. O medo da queda não deve ser superestimado. Todo ano, encontramos uma enxurrada de livros sobre como escolher ações ou encontrar o fundo mútuo vencedor. Mas todas essas boas informações são inúteis sem a força de vontade. Tanto nas dietas quanto nas ações, é o instinto, e não a razão, que determina os resultados.

No caso dos fundos mútuos, para os quais o investidor não é obrigado a analisar empresas ou acompanhar o mercado, muitas vezes o que pode prejudicá-lo é aquilo que você sabe. Quem nunca se preocupa com a economia, despreocupadamente ignora a condição do mercado e investe a intervalos regulares se sai melhor do que quem estuda e tenta encontrar o momento certo para investir, comprando ações quando se sente confiante e vendendo quando enjoa delas.

Lembro-me dessa lição uma vez por ano, no encontro anual da *Barron's*, quando um grupo de supostos especialistas, entre os quais me incluo, passa um fim de semana se angustiando. Participo deste evento todos os anos desde 1986. Em janeiro, nos reunimos por oito horas para trocar piadas e dicas, a maioria das quais acaba sendo publicada nas três edições semanais seguintes da revista.

Uma vez que a *Barron's* é propriedade da Dow Jones, seu escritório está localizado no novo complexo da Dow Jones, com vista para a margem direita do Rio Hudson, no extremo sul de Manhattan. Toda em mármore e com pé-direito alto, a entrada se equipara à da catedral de São Pedro em Roma. Você entra nele por esteiras rolantes, semelhantes àquelas instaladas nos aeroportos internacionais. Existe um sistema de segurança rigoroso, que começa em um posto de verificação, onde você deve informar sua identidade e indicar a razão da sua visita. Após ser aprovado no posto de verificação, você recebe um pedaço de papel, que você deve mostrar ao guarda do lado de fora do elevador.

Depois de passar por tudo isso, você obtém permissão para subir até o andar desejado, onde tem de passar por outra porta trancada que só pode ser aberta com um cartão magnético. Se tudo correr bem, por fim, você entra na sala de conferências da Mesa Redonda, cuja mesa não é redonda. Costumava ser em forma de U, mas recentemente os organizadores retiraram um dos lados de modo a formar um triângulo gigante. Nós, magos das finanças, nos sentamos ao longo da hipotenusa, enquanto nossos anfitriões do *Barron's* nos questionam da base. Essa inquisição amigável é coordenada pelo editor da *Barron's*, Alan Abelson, o piadista da casa, que fez pelas finanças o que Dorothy Parker[18] fez pelo romance.

Por cima de nós, estão microfones suspensos e um poderoso aro com treze focos de 1.000 Watts, que são ligados e desligados de acordo com as necessidades dos fotógrafos. Enquanto um deles dispara sua câmera com lente zoom, de cerca de quatro metros de distância, outro (uma mulher com joelheiras) agacha logo abaixo de nossas narinas e mira para cima para obter *close-ups*. Além dos fotógrafos, a sala está cheia de editores da *Barron's*, técnicos de som e outros especialistas, alguns dos quais se escondem atrás de uma parede de vidro. O calor das lâmpadas do teto é capaz de chocar ovos.

Tudo isso é um alarde desproporcional para um monte de gestores de dinheiro de idade avançada e com costeletas grisalhas, mas nós adoramos esse ambiente. De vez em quando, um novo palestrante é apresentado e um veterano é afastado, mas os participantes mais frequentes são Mario Gabelli e Michael Price, ambos administradores de fundos "fundamentalistas" muito bem considerados e que voltaram à moda em tempos recentes; John Neff, do fundo Vanguard Windsor, que já era uma lenda quando eu comecei a dirigir o Magellan, em 1977; Paul Tudor Jones, um gênio em *commodities*; Felix Zulauf, um banqueiro internacional e um angustiado incorrigível que, até onde eu sei, é considerado um otimista inveterado em sua Suíça natal, onde as pessoas tendem a se angustiar com tudo; Marc Perkins, um gestor financeiro que conheci quando ele era analista de bancos; Oscar Schafer, que se concentra em "situações especiais"; Ron Baron, que procura ações que Wall Street acha que não valem a pena ser seguidas; e Archie MacAllaster, um investidor experiente no mercado de balcão.

---

18. Dorothy Parker (1893-1967) foi uma escritora, poetisa, dramaturga e crítica americana. (N.E.)

No painel de 1992, o lugar de Paul Tudor Jones foi ocupado por Barton Biggs, presidente da Morgan Stanley Asset Management e um caçador de pechinhas com uma perspectiva global. A vaga de Marc Perkins foi aberta em 1991, quando Jimmy Rogers, uma presença constante na *Barron's* por cinco anos consecutivos, desistiu de Wall Street para seguir a velha rota do comércio de seda, pela China, em cima de uma motocicleta. A última notícia que tive foi que Jimmy despachou sua motocicleta para o Peru e estava rodando pelos Andes, a 1.600 quilômetros do corretor mais próximo. (Ele ressurgiu, recentemente, em um programa de tevê noturno sobre negócios.)

Enquanto a maioria das pessoas faz amizades na faculdade, no exército ou no acampamento de verão, a nossa amizade teve início com as ações. Não consigo ver Ron Baron sem pensar na Strawbridge & Clothier, uma ação que ambos compramos na mesma época e vendemos prematuramente.

Ao longo dos anos, tentamos desenvolver uma capacidade de replicar, para dar conta das piadas de Abelson. Na transcrição real, conforme publicado na *Barron's*, Abelson é identificado apenas como *Barron's* ou como "Q", mas ele merece crédito pessoal por todas as réplicas abaixo, exceto a de Schafer, que incluí porque é comparável a uma fala de Abelson.

> JIM ROGERS: Eu tenho uma empresa europeia chamada Steyr-Daimler-Puch, que vem perdendo dinheiro há alguns anos.
> ABELSON: [...] O que mais ela tem de bom?
>
> ABELSON (para Oscar Schafer): Você tem alguma venda a descoberto?
> SCHAFER: Deixe-me falar sobre mais uma compra e depois falo sobre a venda a descoberto, se eu estiver entediando você.
> ABELSON: Não mais do que o normal.
>
> ED GOODNOW (ex-palestrante que elogiou o Philippine Long Distance Telephone):[19] Entendo que o serviço não é muito bom nas províncias. Um dos problemas é que é difícil contratar os caras para escalar os postes e consertar as linhas telefônicas, porque eles, às vezes, são abatidos por atiradores. Mas, fora isso, eles têm uma operação bem sólida.
> ABELSON: Você chamaria isso de um tiro no escuro?

---

19. Philippine Long Distance Telephone (PLDT) é a maior empresa de telecomunicações das Filipinas. (N.E.)

PETER LYNCH: Ainda gosto da minha instituição de poupança e empréstimos favorita, que é a Fannie Mae. Tem muito chão a trilhar.
ABELSON: Em qual direção?

JOHN NEFF (recomendando a Delta Air Lines[20]): O que as pessoas estão deixando de subir com as companhias aéreas...
ABELSON: Ou de cair...[21]

MICHAEL PRICE: Mantemos, em ações reais, talvez 45% do nosso fundo.
OSCAR SCHAFER: Os outros 55% são compostos de ações irreais?

MARIO GABELLI: E, como você sabe, venho recomendando a Lin Broadcasting há vinte anos.
ABELSON: Que pena que nunca deu certo!

MARIO GABELLI: Estou falando sobre uma abordagem multifacetada para um problema multifacetado.
ABELSON: Por favor, Mario, esta é uma revista de família.

JOHN NEFF: E nas últimas oito recessões, quando houve uma queda desse tamanho nos primeiros dois meses de um trimestre... Estou inventando tudo isso.
ABELSON: Como tudo o mais que você diz!

A Mesa Redonda começa pontualmente ao meio-dia e é dividida em duas partes. A primeira parte é um panorama dos mercados financeiros, em que somos incentivados a discutir para onde caminha a economia e se o mundo está chegando ou não ao fim. Essa é a parte que nos coloca em apuros.

Vale a pena analisar essas discussões panorâmicas porque não são diferentes das milhares de trocas semelhantes que acontecem entre investidores amadores à mesa do café da manhã, na academia de ginástica ou no campo de golfe nos fins de semana. É no fim de semana que as pessoas têm mais tempo para refletir

---

20. A Delta Air Lines é uma das mais importantes companhias aéreas dos Estados Unidos e a terceira maior linha aérea do mundo. (N.E.)
21. Aqui há uma piada que só é compreensível em inglês. John Neff afirma que as pessoas estão "missing" (deixando de ganhar) com as companhias aéreas. Abelson responde "Or near-missing". *Near-miss* é um quase acidente, uma quase colisão, dessas que só não acontecem por um triz. Achei importante justificar para manter a tônica da piada. (N.E.)

sobre as notícias angustiantes que nos chegam por meio dos canais de televisão ou dos jornais, protegidos por saco plástico e entregues em domicílio. Talvez haja uma mensagem oculta aqui: eles estão tentando nos proteger do conteúdo.

Quando cometemos o erro de deixar as notícias escaparem do saco, somos confrontados com os acontecimentos mais recentes pelos quais a humanidade está condenada: o aquecimento global, o resfriamento global, o sinistro império soviético, o colapso do sinistro império soviético, a recessão, a inflação, o analfabetismo, o alto custo dos cuidados com a saúde, os muçulmanos fundamentalistas, o déficit orçamentário, a fuga de cérebros, a guerra tribal, o crime organizado, o crime desorganizado, os escândalos sexuais, os escândalos de dinheiro, os escândalos de sexo e dinheiro. Até as páginas de esportes podem deixá-lo doente.

Embora o fato de acompanhar as notícias seja apenas deprimente para o cidadão que não possui ações, esse é um hábito perigoso para o investidor. Quem vai querer ter ações da Gap se o vírus da aids vai matar metade dos consumidores e o buraco na camada de ozônio a outra metade, antes ou depois de a floresta tropical desaparecer e transformar o hemisfério ocidental no novo deserto de Gobi, evento que, provavelmente, será precedido, se não seguido, pelo colapso das instituições de poupança remanescentes, das cidades e dos subúrbios?

Você pode nunca admitir para si mesmo: "Decidi vender minhas ações da Gap porque li um artigo na revista do jornal de domingo sobre os efeitos do aquecimento global", mas esse é o tipo de lógica de fim de semana que está em vigor, disfarçada, quando as ordens de vendas chovem nas segundas-feiras. Não é por acaso que as segundas-feiras são, historicamente, os dias de maior baixa das ações e que dezembro costuma ser um mês de perdas, quando as vendas anuais para auferir vantagens fiscais são combinadas com um feriado prolongado, durante o qual milhões de pessoas têm tempo de sobra para refletir sobre o destino do mundo.

A angústia de fim de semana é o que o nosso painel de especialistas, na primeira metade da sessão do *Barron's*, pratica ano após ano. Em 1986, estávamos preocupados com o M-1 *versus* o M-3,[22] com o pacote Gramm-Rudman[23] para

---

22. Trata-se de uma referência a duas maneiras de mensurar o volume de dinheiro em circulação. O M-1 abrange dinheiro vivo e depósitos em contas bancárias. O M-3 abrange o M-1, contas de poupança, fundos de curto prazo e CDBs de valor elevado. (N.E.)
23. A Lei sobre Orçamento Equilibrado e Controle de Emergência do Déficit, de 1985, conhecida como Lei Gramm-Rudman-Hollings, foi assinada pelo presidente dos Estados Unidos em 12 de dezembro de 1985. Determinava que o déficit do orçamento federal fosse reduzido segundo um plano fixo e previa cortes automáticos de despesas. Esse dispositivo, contudo, foi declarado inconstitucional pela Suprema Corte do Estados Unidos da América em julho de 1986. (N.E.)

reduzir o déficit, com o que faria o Grupo dos Sete[24] e se o "efeito da Curva J"[25] começaria a reduzir o déficit comercial. Em 1987, estávamos preocupados com a possibilidade de um colapso do dólar, o fato de as empresas estrangeiras despejarem seus produtos a preços aviltantes em nossos mercados, de a guerra Irã-Iraque causar uma escassez global de petróleo, de os estrangeiros pararem de comprar nossos títulos e ações, de o consumidor ficar profundamente endividado e incapaz de comprar mercadorias e de o presidente Reagan estar impedido de concorrer a um terceiro mandato.

Você não poderia angustiar todos os palestrantes o tempo todo. Alguns se angustiavam mais do que outros, e alguns que se angustiavam em um ano estavam tranquilos no seguinte, e alguns de nós, muitas vezes, éramos otimistas sobre o futuro, o que acrescentava um pouco de sustentação emocional às conversas, em geral, pessimistas. Na verdade, o ano em que fomos mais otimistas em relação ao futuro da economia e do mercado acionário foi 1987, que terminou com a famosa queda de mil pontos. O único palestrante a colocar a boca no trombone naquele ano foi Jimmy Rogers, que, em 1988, o fez mais uma vez, alertando sobre um colapso iminente dos preços das ações em todo o mundo. Rogers é famoso por vender ações "a descoberto" quando espera que elas tropecem, mas, apesar de sua premonição sombria, ele teve poucas vendas a descoberto para recomendar na *Barron's* naquele ano ou no seguinte. Um investidor bem-sucedido não deixa a angústia de fim de semana ditar sua estratégia.

Aqui está um grupo de profissionais influentes que administram bilhões de dólares pertencentes a outras pessoas e, de uma Mesa Redonda para outra, não conseguimos chegar a um acordo sobre se estamos enfrentando uma depressão global iminente ou uma recuperação econômica.

É importante notar que nossas preocupações chegaram ao auge na sessão da Mesa Redonda de 1988, realizada dois meses após a Grande Correção. Tínhamos acabado de sofrer esse grande colapso do mercado acionário, então é claro que estávamos procurando outro para o ano seguinte. Isso leva ao Princípio do Peter número 4:

Você não pode olhar para o futuro pelo espelho retrovisor.

---

24. Trata-se do G7, fundado em 1975. Grupo dos sete países mais industrializados do mundo (Alemanha, Canadá, Estados Unidos, França, Itália, Japão e Reino Unido), que se reúne periodicamente para discutir questões relacionadas à economia. (N.E.)
25. Entende-se por Curva J qualquer situação que a curto prazo é ruim, mas melhora ao longo do tempo, e cujos resultados, ao ser representados num gráfico, se assemelham à letra J. (N.E.)

Em 1988, Zulauf estabeleceu o tom com sua declaração de abertura de que "a lua de mel, que foi de 1982 a 1987, acabou". Essa foi a coisa mais otimista dita durante o dia inteiro. O resto do tempo, debatemos se íamos ter um mercado baixista padrão, que levaria o índice Dow Jones para 1.500 pontos ou até menos, ou um mercado baixista assassino, que "acabaria com a maioria das pessoas do ramo financeiro e a maioria dos investidores ao redor do mundo" (preocupação de Jimmy Rogers) e causaria uma "depressão mundial como a que vimos no início dos anos 1930" (preocupação de Paul Tudor Jones).

Entre a preocupação com o mercado baixista assassino e a depressão mundial, estávamos angustiados com o déficit comercial, o desemprego e o déficit orçamentário. Raramente durmo bem na noite anterior ao encontro marcado com o painel da *Barron's*, mas depois desse dia tive pesadelos por três meses.

O painel de 1989 foi um tanto mais animado do que o de 1988, embora Zulauf tenha mencionado o fato de que este era o Ano da Cobra, um signo desfavorável na cosmologia chinesa. Quando nos reunimos em 1990, a depressão, tão prevista, não estava em evidência e o índice Dow Jones voltara aos 2.500 pontos. Mesmo assim, descobrimos novas razões para não comprar ações. Houve o colapso do mercado imobiliário, outra calamidade a ser acrescentada à lista. Ficamos inseguros com o fato de que, após sete anos consecutivos de alta dos mercados (1987 terminou com um ligeiro ganho em relação a 1986, apesar da Grande Correção), uma queda do mercado era inevitável. Aqui estava a angústia com o fato de que as coisas estavam indo bem demais! Amigos meus, pessoas sofisticadas e que não se amedrontam com facilidade, falavam em tirar o dinheiro dos bancos e escondê-lo em casa, porque pensavam que os principais bancos poderiam quebrar e arruinar o sistema bancário.

O pessimismo de 1990 foi maior do que o de 1980-1982, quando os investidores estavam tão deprimidos com as ações que, sempre que o assunto surgia, eles mudavam a conversa para terremotos, funerais ou até mesmo as esperanças fúteis do Boston Red Sox ganhar o campeonato de beisebol. Em 1990, eles não estavam simplesmente evitando o assunto, estavam ansiosos para contar como estavam apostando *contra* o mercado. Na verdade, ouvi taxistas recomendando títulos e barbeiros se gabando de como haviam comprado opções de venda, que aumentam de valor à medida que as ações caem.

Os barbeiros são um segmento da população que presumi nunca ter ouvido falar de opções de venda, mas lá estavam eles fazendo essas apostas complicadas com os próprios contracheques. Se Bernard Baruch estava certo sobre vender todas as ações quando os engraxates estiverem comprando, então com certeza o momento certo para comprar é quando os barbeiros descobrem as opções de venda.

Coletei uma amostra de algumas das manchetes mais felizes para recriar o clima do público no outono de 1990:

> "Desta vez, demissões atingem cargos profissionais com força incomum", *Wall Street Journal*, 4 de outubro.
> "Quão seguro está seu emprego?", *Newsweek*, 5 de novembro.
> "Raspando o tacho", *New York Times*, 25 de novembro.
> "A derrocada dos imóveis", *Newsweek*, 1º de outubro.
> "Aluguéis altos podem estar impedindo os jovens de montar uma casa", *Business Week*, 22 de outubro.
> "Queda do mercado imobiliário martela os reformadores de casas", *Business Week*, 22 de outubro.
> "Como a queda do mercado imobiliário ameaça as instituições financeiras", *US News*, 12 de novembro.
> "Recessão habitacional que começou no nordeste há três anos agora engolfa toda a nação", *New York Times*, 16 de dezembro.
> "Plano de déficit enfrentará destino imprevisível no Congresso, e não é uma panaceia", *Wall Street Journal*, 1º de outubro.
> "Uma chuva de incertezas para a economia americana", *Wall Street Journal*, 3 de dezembro.
> "O consumidor viu o futuro e ficou deprimido", *Business Week*, 10 de dezembro.
> "Um guia de sobrevivência na era da ansiedade", *Newsweek*, 31 de dezembro.
> "Os Estados Unidos continuam competitivos?", *Time*, 29 de outubro.
> "Seu banco conseguirá sobreviver?", *US News*, 12 de novembro.
> "Você tem condição de competir? As Américas estão ficando para trás e o que pode ser feito para acelerar o passo", *Business Week*, 17 de dezembro.

Para piorar, havia uma guerra no deserto a ser enfrentada. Câmeras estavam gravando nas salas de conferências do Pentágono, e, por meio delas, milhões de telespectadores ficaram sabendo, pela primeira vez, onde Iraque e Kuwait estavam localizados no mapa. Estrategistas militares debatiam entre si para chegar a um consenso e definir quantos sacos para cadáveres seriam necessários para enviar, para casa, as vítimas das armas químicas e biológicas que logo seriam lançadas sobre nossos soldados pelo bem treinado exército iraquiano, o quarto maior do mundo, agachado em abrigos reforçados, escondidos sob dunas de areia.

Essa Mãe de Todas as Preocupações teve um efeito previsível sobre os previsores mais temerosos. Em 15 de janeiro de 1991, quando nos reunimos nos escritórios da *Barron's*, o espectro de sacos para cadáveres pairava sobre nosso espírito. Em nossa discussão sobre "para onde vai a economia", Zulauf, sombrio como sempre, foi mais uma vez superado em seu pessimismo. Ele previu uma queda no Dow para algo entre 2 mil e os pontos mais baixos da Grande Correção de 1987, enquanto Michael Price viu uma baixa potencial de quinhentos pontos e Marc Perkins uma eventual queda para 1.600-1.700. Eu próprio admiti que, no pior dos casos, poderíamos ter uma grande recessão e, se a guerra fosse tão terrível como alguns esperavam, veríamos uma queda de 33% no preço das ações.

Uma vez que não é possível entrar no painel da *Barron's* sem ser um investidor de sucesso, é seguro supor que todos nós, de alguma forma, conseguimos desenvolver uma abordagem de investimento disciplinada, a qual nos permite bloquear nossos próprios sinais de perigo. Junto com o restante do país, eu sabia que havia uma chance de que a Operação Tempestade no Deserto se transformasse em um conflito longo e sangrento, mas, enquanto isso, o selecionador de ações que existe em mim não poderia deixar de notar as incríveis barganhas que resultavam das vendas generalizadas pelos investidores. Eu não estava mais negociando com milhões de ações como fazia no Magellan, mas estava aumentando as participações em minha conta e comprando para fundos de caridade e fundações públicas cujas carteiras ajudo a administrar. Em outubro de 1990, o *The Wall Street Journal* notou que eu havia aumentado minha participação pessoal na W.R. Grace[26] e na Morrison-Knudsen,[27] duas empresas de cujos conselhos participo. Eu disse à repórter, Georgette Jasen, que essas eram apenas "duas das cerca de dez ações nas quais aumentei minha participação [...]; se o preço delas cair, comprarei mais". Declarei também ter comprado mais 2 mil ações do Magellan para aumentar minha participação, da mesma forma como eu fiz logo após me aposentar.

Esse era o cenário perfeito para o selecionador disciplinado pesquisar em suas listas de compra os prováveis alvos em potencial. As manchetes eram negativas, o índice Dow Jones recuara em seiscentos pontos durante o verão e no

---

26. W. R. Grace and Company é uma empresa química americana com sede em Colúmbia, Maryland. (N.E.)
27. A Morrison-Knudsen foi uma empresa americana de engenharia civil e construção sediada em Boise, Idaho. (N.E.)

início do outono, os taxistas estavam recomendando os títulos, os gestores de fundos mútuos tinham 12% de seus ativos de fundos em dinheiro e ao menos cinco dos meus colegas de painel previam uma recessão severa.

Claro, agora sabemos que a guerra não foi tão terrível quanto alguns esperavam (a menos que você seja um iraquiano) e o que vimos no mercado acionário, em vez de uma queda de 33%, foi uma subida de 30% no índice S&P 500, um ganho de 25% no Dow e uma alta de 60% nas ações menores, o que fez de 1991 o melhor ano em duas décadas. Você teria perdido tudo isso se tivesse prestado o mínimo de atenção aos nossos célebres prognósticos.

Além disso, se você tivesse prestado muita atenção ao tom negativo da maioria de nossas sessões sobre "para onde caminha a economia" nos últimos seis anos, teria ficado amedrontado a ponto de fugir das ações durante a fase mais forte do maior avanço do mercado na história moderna, quando os investidores que mantiveram sua abençoada ignorância de que o mundo estava chegando ao fim estavam alegremente triplicando ou quadruplicando seu dinheiro. Lembre-se disso na próxima vez que descobrir que está sendo impedido de fazer um bom investimento por alguém que o convence de que o Japão está indo à falência ou de que um meteoro desgovernado está se dirigindo para a Bolsa de Valores de Nova York.

"O suspense e o pavor lançam uma mortalha pesada sobre os mercados", disse a *Barron's* na semana de nossa reunião da Mesa Redonda de 1991 e pouco antes do grande surto altista do mercado que levaria o Dow a um nível recorde.

PANORAMA AINDA MAIS AMPLO

É bastante simples dizer: "Caramba, acho que vou ignorar as más notícias da próxima vez que o mercado acionário estiver desabando e escolher algumas pechinchas". Porém, uma vez que cada crise parece pior do que a anterior, ignorar as más notícias fica cada vez mais difícil. A melhor maneira de não fugir assustado das ações é comprá-las a intervalos regulares, mês após mês, que é o que muitas pessoas estão fazendo nos planos de aposentadoria 401(k)[28]

---

28. O 401(K) Plan é uma conta de contribuição de aposentadoria definida com vantagens fiscais oferecida por muitos empregadores nos Estados Unidos. Seu nome deriva de uma seção do Código da Receita Federal dos Estados Unidos da América. Os trabalhadores podem fazer contribuições para suas contas 401(k) por meio de retenção automática da folha de pagamento, e seus empregadores podem igualar algumas ou todas essas contribuições. Os ganhos de investimento em um plano 401(k) tradicional não são tributados até que o funcionário retire esse dinheiro, normalmente após a aposentadoria. (N.R.T.)

e em seus clubes de investimento, conforme mencionado anteriormente. Não é nenhuma surpresa que elas tenham se saído melhor com esse dinheiro do que com o dinheiro que colocam e retiram do mercado, na medida em que se sentem cada vez mais e menos confiantes.

O problema com o método de seleção de ações pelo gosto e não pela técnica é que as pessoas, invariavelmente, se sentem melhor depois que o mercado sobe seiscentos pontos e as ações estão supervalorizadas, e pior depois que ele cai seiscentos pontos e as barganhas proliferam. Se você não comprar ações com a disciplina de acrescentar um tanto por mês às suas participações, terá de encontrar uma maneira de manter a fé.

Normalmente, manter a fé e selecionar ações não são discutidos no mesmo parágrafo, mas o sucesso desta depende daquela. Você pode ser o maior especialista do mundo em balanços patrimoniais ou no índice P/L, mas, sem fé, você tenderá a acreditar nas manchetes negativas. Você pode colocar seus recursos em um bom fundo mútuo, mas, sem fé, venderá quando temer o pior, o que, sem dúvida, acontecerá quando os preços estiverem em seu ponto mais baixo.

De que tipo de fé estou falando? Trata-se de acreditar que os Estados Unidos sobreviverão, que as pessoas continuarão a se levantar de manhã e vestir as calças uma perna de cada vez, e que as empresas que fabricam as calças darão lucro aos acionistas. Que, à medida que as velhas empresas fracassam e desaparecem, empresas novas e empolgantes, como Walmart, Federal Express e Apple Computer, surgem para tomar seus lugares. Que os Estados Unidos compõem uma nação de pessoas trabalhadoras e inventivas, e que mesmo os *yuppies*[29] ganharam uma reputação indevidamente negativa de ser preguiçosos.

Sempre que sou confrontado com dúvidas e desespero sobre o panorama atual, procuro me concentrar no Panorama Ainda Mais Amplo. O Panorama Ainda Mais Amplo é aquele que vale a pena conhecer, se você espera poder manter a fé nas ações.

O Panorama Ainda Mais Amplo nos diz que, nos últimos setenta anos, as ações proporcionaram a seus proprietários ganhos de 11% ao ano, em média, enquanto os títulos do Tesouro, outros títulos e os CDBs renderam menos da metade dessa taxa. Apesar de todas as grandes e pequenas calamidades que ocorreram neste século — todos os milhares de motivos pelos quais o mundo poderia estar chegando ao fim —, possuir ações continuou a ser duas vezes

---

29. *Yuppie* é uma expressão inglesa que significa "young urban professional", ou seja, um jovem profissional urbano. É um termo usado para se referir a jovens profissionais entre os 20 e os 40 anos de idade, geralmente com uma situação financeira intermediária entre a classe média e a classe alta. (N.R.T.)

mais compensador do que possuir títulos. Agir com base nessas informações será muito mais lucrativo no longo prazo do que agir de acordo com a opinião de duzentos comentaristas e serviços de consultoria que estão prevendo a depressão que se avizinha.

Além disso, nesses mesmos setenta anos em que as ações superaram as outras alternativas populares, houve quarenta declínios assustadores de 10% ou mais no mercado. Dessas quarenta quedas assustadoras, treze foram de 33%, o que as coloca na categoria de quedas terríveis, incluindo a Mãe de Todas as Quedas Aterrorizantes, a grande liquidação de 1929-1933.

Estou convencido de que é a memória cultural do Crash de 1929, mais do que qualquer outro fator isolado, que continua a manter milhões de investidores longe das ações e que os atrai para os títulos e as contas de curto prazo. Sessenta anos depois, o Crash ainda assusta muitas pessoas, incluindo a minha geração, que nem tinha nascido em 1929.

Se sofremos de síndrome pós-traumática provocada pelo Crash, esse sofrimento tem nos custado muito caro. Todas as pessoas que mantiveram seu dinheiro em títulos, contas de curto prazo, contas de poupança ou CDBs para evitar se envolver em outra queda perderam sessenta anos de ganhos no mercado de ações e sofreram os estragos da inflação, os quais, ao longo do tempo, têm causado mais danos ao patrimônio do que qualquer outra crise teria feito, caso tivessem vivido uma.

Uma vez que o famoso Crash foi seguido pela Grande Depressão, aprendemos a associar os colapsos do mercado acionário com os colapsos econômicos e continuamos acreditando que o primeiro levará ao segundo. Essa convicção equivocada persiste na mente do público, embora tenhamos tido uma queda pouco divulgada em 1972, que foi quase tão grave quanto a de 1929 (ações de empresas maravilhosas como a Taco Bell caíram de 15 dólares para 1 dólar), mas isso não levou a um colapso econômico, assim como a Grande Correção de 1987 também não o fez.

Talvez ainda haja um novo grande *crash*, mas, como não estou equipado para prever tais coisas — nem, obviamente, meus bem-informados colegas do painel da *Barron's* —, qual o sentido de tentar me proteger com antecedência? Em 39 das 40 correções do mercado de ações da história moderna, eu teria vendido todas as minhas ações e lamentado. Até mesmo depois do grande Crash, as ações acabaram se recuperando.

Uma queda nas ações não é um evento surpreendente, é um evento recorrente — tão normal quanto o ar gelado em Minnesota. Se você mora em um lugar de clima frio, espera temperaturas congelantes; portanto, quando o termômetro externo cai abaixo de zero, você não pensa nisso como o início da próxima Idade do Gelo. Você veste seu casacão, joga sal na calçada e se lembra de que, no verão, vai fazer calor de novo.

Um selecionador de ações bem-sucedido tem a mesma relação com uma queda do mercado que um nativo de Minnesota tem com o clima congelante. Você sabe o que está vindo e está pronto para enfrentar o que vier, e, quando suas ações favoritas caírem juntamente com as outras, você aproveitará a oportunidade para comprar mais.

Depois da Grande Correção, quando 508 pontos foram eliminados do índice Dow Jones num único dia, uma sinfonia de peritos previu o pior, mas, como se viu, o declínio de 1.000 pontos no Dow (33% comparado com o ponto máximo atingido em agosto) não trouxe o apocalipse que tantos esperavam. Foi uma correção normal, embora severa, a mais recente de uma série de treze quedas de 33% neste século.

O próximo declínio de 10%, que pode já ter ocorrido desde que escrevi isto, será o 41º na história recente ou, se for um declínio de 33%, o 14º. Nos relatórios anuais do Magellan, muitas vezes lembrei aos acionistas que tais contratempos eram inevitáveis.

A história dos quarenta declínios continua a me confortar durante os períodos sombrios, quando você e eu temos mais uma oportunidade, em uma longa série de oportunidades, de comprar grandes empresas a preços de banana.

3
UM PASSEIO PELOS FUNDOS

Os fundos mútuos deveriam eliminar a confusão que cerca o ato de investir e acabar com as preocupações com relação a qual ação escolher. Não mais. Agora você precisa se preocupar com qual fundo mútuo escolher. Existem 3.565 deles de acordo com a contagem mais recente: 1.266 fundos de ações; 1.457 fundos de títulos e de renda fixa; 566 fundos de curto prazo tributáveis; e 276 fundos de títulos municipais de curto prazo. Isso se compara com 452 fundos (278 deles de ações) existentes em 1976.

Essa alegre proliferação de fundos não mostra sinais de arrefecimento. Temos fundos de países e de regiões, fundos de *hedge*[30] e fundos setoriais, fundos de valor e fundos de crescimento, fundos simples e fundos híbridos, fundos de investimento contrário,[31] fundos de índice e até fundos de fundos. Logo, é provável que tenhamos um fundo de todos os ditadores, um fundo de países sem vogais, um fundo de fundos de fundos. As instruções de emergência mais recentes para todas as empresas de Wall Street? Em caso de queda repentina nos lucros, lance outro fundo.

---

30. No original, *hedge fund*: é um fundo multimercado que tem como objetivo limitar os riscos de mercado para buscar a maior rentabilidade possível, independentemente da situação do mercado financeiro. Tem como principal característica a versatilidade, utilizando-se de todas as possibilidades de investimentos e dos mais variados instrumentos e técnicas. Portanto, proporciona mais liberdade para investir e alocar recursos da forma como se quiser, sem a necessidade de se limitar às políticas rígidas que regem outros tipos de fundos. (N.R.T.)

31. No original, *contrary funds*: é um estilo de investimento no qual os investidores propositalmente vão contra as tendências prevalecentes no mercado, vendendo quando os outros estão comprando e comprando quando a maioria dos investidores está vendendo. Eles também compram ativos que estão com baixo desempenho ou deprimidos no momento. Isso é feito com a convicção de que a mentalidade de rebanho seguida pelos investidores levará à precificação incorreta dos ativos, que ganhará força no longo prazo, criando oportunidades para que os investidores possam gerar grandes retornos. (N.R.T.)

Recentemente, atingimos um marco importante na história da captação de recursos: o número de fundos agora excede o número de ações individuais negociadas nas bolsas de valores americana e de Nova York juntas. Isso é ainda mais notável ao considerar que 328 dessas ações individuais são, na verdade, fundos disfarçados. (Veja a discussão sobre fundos fechados na página 89.) Então, como podemos começar a desfazer essa confusão?

COMO MONTAR UMA CARTEIRA

Dois anos atrás, na Nova Inglaterra, um grupo de investidores enrugados (o que não quer dizer que sejam sábios) se fez exatamente essa pergunta. Fomos convidados a ajudar a organização sem fins lucrativos que mencionei anteriormente (que continuará sem nome) a reestruturar sua carteira. Como a maioria das organizações sem fins lucrativos, essa precisava constantemente de capital. Durante anos, seus investimentos tinham sido administrados por um único administrador, que dividia o dinheiro entre títulos e ações, como a maioria dos investidores faz.

As questões que enfrentamos ao aconselhar essa organização sobre como redistribuir seu dinheiro foram as mesmas enfrentadas por uma pessoa comum que precisa chegar a conclusões sobre o mesmo dilema.

Primeiro, tivemos de determinar se a relação entre ações e títulos deveria ser alterada. Esse foi um exercício interessante. Nenhuma decisão de investimento tem maior consequência para o patrimônio líquido futuro de uma família do que a decisão inicial de crescimento *versus* renda.

Na minha carteira familiar, tive de me tornar um pouco mais orientado para os títulos, uma vez que agora conto com a renda de investimentos para compensar a falta de salário. Mas ainda invisto fortemente em ações. A maioria das pessoas erra ao enfatizar a renda e não presta a devida atenção ao crescimento. Isso é mais verdadeiro hoje do que em 1980, quando 69% do dinheiro investido em fundos mútuos estavam alocados em fundos de ações. Em 1990, apenas 43% dos ativos dos fundos mútuos foram investidos em ações. Hoje, aproximadamente 75% de todos os dólares dos fundos mútuos estão estacionados em títulos e em fundos de curto prazo.

A popularidade crescente dos títulos tem ajudado o governo, que precisa vender um suprimento infinito delas para financiar a dívida nacional. Ajudou menos a riqueza futura dos detentores de títulos, que deveriam estar investindo em ações. Como espero ter convencido você na introdução, as ações são companheiras mais generosas do que os títulos, tendo dado um retorno aos seus proprietários de 10,3% ao ano ao longo de setenta anos, em comparação com os 4,8% da dívida governamental de longo prazo.

A razão pela qual as ações têm um desempenho melhor do que os títulos não é difícil de entender. À medida que as empresas crescem e se tornam mais lucrativas, seus acionistas participam do aumento dos lucros. Os dividendos aumentam. O dividendo é um fator tão importante para o sucesso de muitas ações que dificilmente você poderia errar ao criar uma carteira inteira de empresas que aumentaram seus dividendos por dez ou vinte anos consecutivos.

O *Handbook of Dividend Achievers* da Moody's[32] (Manual de ganhadores de dividendos), edição de 1991 — e um dos meus livros de suspense favoritos —, lista tais empresas, por isso eu sei que 134 delas têm um registro ininterrupto de vinte anos de aumentos de dividendos e que 362 têm um registro de dez anos. Aqui está uma maneira simples para ter sucesso em Wall Street: compre ações da lista do Moody e fique com elas enquanto elas permanecerem na lista. Um fundo mútuo administrado pela Putnam, o Putnam Dividend Growth, segue essa estratégia de seguir o dividendo.

Considerando que as empresas constantemente recompensam seus acionistas com dividendos elevados, nenhuma empresa na história de finanças, indo tão longe quanto os Medicis,[33] recompensou seus detentores de títulos por meio de um aumento da taxa de juros sobre um título. Os detentores de títulos não são convidados para as reuniões anuais para ver apresentações de *slides*, comer salgadinhos e obter respostas para suas perguntas, e não recebem bônus quando os emissores dos títulos têm um bom ano. O máximo que um detentor de títulos pode esperar receber é o seu capital de volta, depois que seu valor tiver sido corroído pela inflação.

Uma razão para os títulos serem tão populares é que os idosos detêm a maior parte do dinheiro neste país, e eles tendem a viver de juros. Os jovens, que têm poder aquisitivo, deveriam comprar todas as ações para aumentar seus ativos até que também envelheçam e precisem viver de juros. Mas esta receita popular — ações para os jovens, títulos para os mais velhos — está se tornando obsoleta. As pessoas não estão morrendo tão cedo como antes.

Hoje, uma pessoa saudável de 62 anos tem como expectativa de vida 82 anos: vinte anos a mais de gastos, vinte anos a mais de inflação para corroer o poder de compra de seu dinheiro. Os cidadãos mais velhos que presumiram

---

32. A Moody's é uma das mais prestigiadas agências de classificação de risco do mundo. (N.E.)
33. Os Medicis eram um família italiana do século XV dona do maior e mais respeitado banco da Europa, na época. O banco Medici foi fundado em 1397, em Florença, na Itália, e extinto em 1494. (N.E.)

que poderiam se aposentar felizes com seus títulos e CDBs estão descobrindo o contrário. Com vinte anos de pagamento de contas pela frente, eles precisam acrescentar um pouco de crescimento à carteira para manter o padrão de vida. Com as taxas de juros baixas, mesmo as pessoas com carteiras vultosas estão tendo problemas para viver dos juros.

Isso criou uma situação em que os idosos de todo o país perguntam: "Como posso sobreviver com o retorno de 3,5% dos meus CDBs?".

Considere o que acontece com o casal aposentado cujo patrimônio líquido total, 500 mil dólares, está investido em títulos de curto prazo ou em CDBs. Se as taxas de juros caírem, eles precisarão rolar seus CDBs a taxas de juros muito mais baixas, e sua renda será drasticamente reduzida. Se as taxas de juros subirem, sua renda subirá, mas o mesmo acontece com a taxa de inflação. Se eles colocassem todos os seus 500 mil dólares em títulos de longo prazo que pagassem 7%, sua renda seria um valor constante de 35 mil dólares. Mas, com uma taxa de inflação de 5%, o poder de compra desses 35 mil dólares será reduzido pela metade em dez anos e a dois terços em quinze.

Então, em algum momento de sua aposentadoria, nosso casal genérico pode ser forçado a cancelar algumas das viagens que queria fazer ou pode ter de gastar parte de seu capital, o que reduz sua renda futura, bem como qualquer herança que planeje deixar para seus filhos. Exceto entre os muito ricos, a boa vida não pode ser preservada por muito tempo sem ações.

Obviamente, a quantia que você deve investir em ações depende da quantia que você pode investir em ações e de quão breve você precisará desse dinheiro. Dito isso, meu conselho é aumentar a parcela de ações na composição da carteira até o limite de sua tolerância.

Propus isso aos curadores da organização sem nome. Antes de decidirem remodelar a carteira, a mistura era de 50% de ações e 50% de títulos. A parte dos títulos (investida em vencimentos de cinco a seis anos) estava rendendo cerca de 9% na época, e a parte das ações estava dando a eles um dividendo de 3%, de modo que a carteira como um todo tinha um retorno de 6%.

Normalmente, os títulos são mantidos em carteira até o vencimento e resgatados ao preço de compra original; portanto, não havia potencial de crescimento naquela metade da carteira. O valor da parcela de ações, por outro lado, pode aumentar a 8% ao ano, acima e além dos dividendos.

(Historicamente, as ações dão um retorno de quase 11%, 3% dos quais são dividendos e 8% são consequência da alta dos preços das ações. Claro, a grande razão para os preços das ações subirem é que as empresas continuam a aumentar seus dividendos, o que, por sua vez, torna as ações mais valiosas.)

Com 50% do dinheiro investido em ações que crescem a 8% e 50% investido em títulos que não se valorizam, a carteira combinada tinha uma taxa de crescimento de 4% — apenas o suficiente para acompanhar a inflação.

O que aconteceria se ajustássemos a mistura? Ao possuir mais ações e menos títulos, a organização sacrificaria parte da receita atual nos primeiros anos. Mas esse sacrifício de curto prazo seria mais do que compensado pelo aumento no valor das ações no longo prazo, bem como pelos aumentos nos dividendos dessas ações.

O que você pode esperar ganhar em termos de crescimento e perder em receita ao ajustar as parcelas relativas de títulos e ações em qualquer carteira é mostrado na Tabela 3-1. Esses números foram analisados em meu nome por Bob Beckwitt, que teve um desempenho vencedor no fundo Fidelity Asset Manager, do qual é o gestor.

Beckwitt é um de nossos *quants* residentes. Um *quant* é um pensador complexo que lida com conceitos que estão além do alcance da maioria das imaginações lineares e fala uma linguagem que só é entendida por outros *quants*. Beckwitt é uma raridade: um *quant* capaz de sair do modo *quant* e se comunicar na nossa língua.

Em todos os três cenários analisados por Beckwitt, 10 mil dólares são investidos. Presumimos aqui que os títulos estão rendendo 7% de juros e que as ações estão pagando os atuais 3% de dividendos e valorizam de acordo com o padrão histórico de 8% ao ano.

No Caso A, todos os 10 mil dólares são colocados em títulos. Em vinte anos, o dono desse dinheiro receberá 14 mil dólares em receita de juros e depois receberá de volta os 10 mil dólares originais.

No Caso B, os 10 mil dólares são divididos meio a meio entre títulos e ações. Após vinte anos, o resultado é que o proprietário recebe 10.422 dólares em receita de juros dos títulos, mais 6.864 dólares em receita de dividendos das ações e termina com uma carteira de 21.911 dólares.

No Caso C, todos os 10 mil dólares são colocados em ações. Aqui, o proprietário obtém 13.729 dólares em receitas de dividendos das ações e acaba com uma carteira de 46.610 dólares.

Visto que os dividendos continuam a crescer, no final, uma carteira de ações terá um rendimento melhor do que uma receita fixa derivada de uma carteira de títulos. É por isso que depois de vinte anos no Caso B você realmente recebe 3.286 dólares a mais em receita do que no Caso A, e no Caso C você está perdendo apenas 271 dólares em receita para obter o benefício total de toda a valorização decorrente da colocação de todos os seus recursos de investimento em ações.

TABELA 3-1. MÉRITO RELATIVO DE AÇÕES VERSUS TÍTULOS

		Valor dos títulos no final do ano	Renda dos títulos	Valor das ações no final do ano	Renda das ações	Renda total	Capital no final do ano
Caso A: 100% títulos	Ano 1	$10.000	$700	—	—	$700	$10.000
	Ano 2	10.000	700	—	—	700	10.000
	Ano 10	10.000	700	—	—	700	10.000
	Ano 20	10.000	700	—	—	700	10.000
	Total em 20 anos	10.000	14.000	—	—	14.000	10.000
Caso B*: 50% títulos, 50% ações	Ano 1	5.000	350	5.400	150	500	10.400
	Ano 2	5.200	364	5.616	162	526	10.816
	Ano 10	7.117	498	7.686	300	798	14.803
	Ano 20	10.534	737	11.377	647	1.384	21.911
	Total em 20 anos	10.534	10.422	11.377	6.864	17.286	21.911
Caso C: 100% ações	Ano 1	—	—	10.800	300	300	10.800
	Ano 2	—	—	11.664	324	324	11.664
	Ano 10	—	—	21.589	600	600	21.589
	Ano 20	—	—	46.610	1.295	1.295	46.610
	Total em 20 anos	—	—	46.610	13.729	13.729	46.610

* Para manter uma proporção de 50/50, uma carteira precisa ser periodicamente "rebalanceada" — isto é, dinheiro deve ser acrescentado à parcela dos títulos para compensar a valorização das ações.

TABELA 3-2. ESTRATÉGIA DE INVESTIMENTO DE 100% EM AÇÕES
Comece com dividendos de 3% sobre as ações; presuma um crescimento de 8% nos dividendos e nos preços das ações; gaste um mínimo de 7.000 dólares*

Ano	100% de ações no início do ano	Renda de dividendos	Ações no fim do ano	Gastos	Fim do ano
1	$100.000	$3.000	$108.000	$7.000	$104.000
2	104.000	3.120	112.320	7.000	108.440
3	108.440	3.250	117.200	7.000	113.370
4	113.370	3.400	122.440	7.000	118.840
5	118.840	3.570	128.350	7.000	124.910
6	124.910	3.750	134.900	7.000	131.650
7	131.650	3.950	142.180	7.000	139.130
8	139.130	4.170	150.260	7.000	147.440
9	147.440	4.420	159.230	7.000	156.660
10	156.660	4.700	169.190	7.000	166.890
Total (1-10)		37.330		70.000	166.890
11	166.890	5.010	180.240	7.000	178.250
12	178.250	5.350	192.510	7.000	190.850
13	190.850	5.730	206.120	7.000	204.850
14	204.850	6.150	221.230	7.000	220.380
15	220.380	6.610	238.010	7.000	237.620
16	237.620	7.130	256.630	7.130	256.630
17	256.630	7.700	277.160	7.700	277.160
18	277.160	8.310	299.330	8.310	299.330
19	299.330	8.980	323.280	8.980	323.280
20	323.280	9.700	349.140	9.700	349.140
Total (11-20)		70.660		76.820	349.140
Total (1-20)		107.990		146.820	349.140

* Todos os valores em dólares foram arredondados para os 10 dólares mais próximos.

Se você levar essa análise um passo adiante, perceberá que, em teoria, não faz sentido colocar qualquer dinheiro em títulos, mesmo se você tiver necessidade de renda. Essa conclusão radical é derivada de outro conjunto de números que pedi a Beckwitt para calcular. O resultado é mostrado na Tabela 3-2.

Digamos que você tenha 100 mil dólares para investir e determinou que precisa ganhar 7 mil dólares em renda para manter seu padrão de vida. O conselho de senso comum, dado para as pessoas que precisam de renda, é comprar títulos. Mas, em vez disso, você toma uma direção aventureira e coloca os 100 mil dólares em uma carteira de ações que, combinadas, pagam dividendos de 3%.

Durante o primeiro ano, seu dividendo de 3% coloca 3 mil dólares em sua conta. Isso não é renda suficiente. Como você cobre essa deficiência? Você vende 4 mil dólares em ações. Se os preços de suas ações subiram à taxa normal de 8%, a carteira valerá 108 mil dólares no final do ano; portanto, a retirada de 4 mil dólares de seu capital deixa você com 104 mil dólares.

No segundo ano, a receita de dividendos da carteira aumentou para 3.120 dólares, então você só precisa vender 3.880 dólares em ações. A cada ano, a partir daí, a diminuição do capital fica menor e os dividendos ficam maiores, até o 16º ano, quando a carteira produz mais de 7 mil dólares em receita apenas com seus cheques de dividendos. Nesse ponto, você pode manter seu padrão de vida sem precisar vender uma única ação.

Ao final de vinte anos, os 100 mil dólares originais cresceram para 349.140 dólares, e você está quase quatro vezes mais rico do que era quando começou, além de ter gasto 146.820 dólares de renda ao longo do caminho.

De uma vez por todas, refutamos a última justificativa que resta para preferir títulos a ações — de que você não pode arcar com a perda de renda. Mas aqui, de novo, o fator medo entra em campo. Os preços das ações não sobem, de maneira ordenada, 8% ao ano. Em muitos anos, os preços até recuam. A pessoa que usa ações como substitutas para títulos não só deve esperar pacientemente durante as correções periódicas, mas também deve estar preparada para vender ações, por vezes, com depreciação nos preços, quando fizer retiradas de seu capital para suplementar os dividendos.

Isso é especialmente difícil nos estágios iniciais, quando um revés nas ações pode fazer com que o valor da carteira caia abaixo do preço que você pagou por ela. As pessoas continuam a se preocupar com a possibilidade de que, no minuto em que se comprometerem com as ações, outra grande quebra liquide seu capital, o qual elas não podem perder. Essa é a preocupação que o manterá investindo em títulos, mesmo depois de estudar as Tabelas 3-1 e 3-2 e estar convencido da sabedoria de longo prazo de colocar 100% de seu dinheiro em ações.

Vamos supor, então, que, no dia seguinte à compra de todas as suas ações, o mercado tenha uma grande correção e sua carteira perca 25% de seu valor da noite para o dia. Você se censura por jogar fora as economias da família, mas, contanto que não venda, você ainda está muito melhor do que se tivesse comprado um título. O programa de computador de Beckwitt mostra que, vinte anos mais tarde, a sua carteira valerá 185.350 dólares, ou quase o dobro do valor de seus antigos 100 mil dólares em títulos.

Imaginemos um caso ainda pior: uma recessão severa que dure vinte anos, quando, em vez de dividendos e preços de ações aumentarem à taxa normal de 8%, eles rendem apenas a metade. Esse seria o desastre mais prolongado nas finanças modernas, mas, se você mantivesse a carteira inteira em ações, retirando seus 7 mil dólares por ano, no final teria 100 mil dólares. Isso ainda equivale a possuir um título de 100 mil dólares.

Eu gostaria de ter tido os números de Beckwitt quando fiz a minha apresentação para a organização sem fins lucrativos a que venho me referindo, porque então eu poderia ter tentado convencê-los a não manter quaisquer títulos em carteira. Pelo menos, decidimos aumentar o percentual de ativos investidos em ações, o que é um passo na direção certa.

TÍTULOS *VERSUS* FUNDOS DE TÍTULOS

Após decidir a mistura de ativos que teremos, o próximo passo é descobrir como investir a parcela de títulos. Não sou fã dos títulos, o que explica por que essa discussão será curta. O fato de eu preferir divulgar ações já deve estar claro a essa altura, mas deixarei de lado meu assunto favorito para dizer algo sobre os títulos serem um lugar seguro para guardar seu dinheiro. Eles não são.

As pessoas que dormem melhor à noite porque possuem títulos e não ações estão suscetíveis a despertares violentos. Um título do Tesouro Nacional de trinta anos que paga juros de 8% só é seguro se tivermos trinta anos de inflação baixa. Se a inflação voltar a dois dígitos, o valor de revenda de um título de 8% cairá de 20% a 30%, se não mais. Nesse caso, se você vender o título, perderá dinheiro. Se segurá-lo por trinta anos inteiros, terá a garantia de receber seu dinheiro de volta, mas esse dinheiro (o capital investido) valerá apenas uma fração do que vale hoje. Ao contrário do vinho e das figurinhas de beisebol, o dinheiro fica mais barato com o tempo. Por exemplo, o dólar de 1992 vale um terço de seu ancestral de 1962.

(É interessante notar que, atualmente, o tão depreciado fundo de curto prazo não é necessariamente o desastre que dizem ser. Com a inflação em 2,5% e os títulos de curto prazo pagando 3,5%, você está, pelo menos, 1% à frente do jogo. Se as taxas de juros aumentarem, os rendimentos dos papéis de curto prazo também aumentarão. Não estou dizendo que você pode viver com um retorno de 3,5%, mas, no curto prazo, pelo menos, não corre o risco de perder seu capital. Os fundos de curto prazo com comissões baixas, agora oferecidos por várias casas de investimento, tornaram esse produto mais atraente. E, como é provável que as taxas de juros baixas não durarão para sempre, esse é um lugar muito mais seguro para se investir do que em títulos de longo prazo.)

Outra falácia sobre os títulos é que é mais seguro comprá-los em um fundo. Sem dúvida é, se você estiver falando sobre títulos privados ou títulos de alto risco com baixa classificação, uma vez que um fundo pode limitar o risco de fracasso ao investir em uma variedade de ações. No entanto, um fundo de títulos não oferece proteção contra taxas de juros mais altas, que são, de longe, o maior perigo em possuir um título de crédito de longo prazo. Quando as taxas sobem, um fundo de títulos perde valor tão rapidamente quanto um título individual com vencimento semelhante.

É possível até defender o investimento em um fundo de títulos de alto risco ou em um fundo multimercado que oferece uma mistura de papéis privados e governamentais que produz um rendimento geral melhor do que você poderia obter investindo em um único título. O que eu não consigo entender é por que alguém iria querer investir todo o seu dinheiro em um fundo de títulos governamentais de médio ou longo prazo. Muitas pessoas fazem isso. Mais de 100 bilhões de dólares estão investidos em fundos de títulos governamentais hoje.

Posso até perder alguns amigos no ramo dos fundos de títulos por dizer isso, mas não entendo o propósito de vida deles. Qualquer pessoa que compre um fundo de títulos do governo, de prazo intermediário, e pague 0,75% em despesas anuais com salários, taxas de contabilidade, custo de produção de relatórios, etc., poderia facilmente comprar um título do Tesouro Nacional de sete anos, sem pagar comissões, e obter um retorno maior.

Os títulos e as letras do Tesouro podem ser comprados por meio de uma corretora ou diretamente de um banco do Federal Reserve, que não cobra comissão. Você pode comprar uma letra de três anos, ou T-Bill,[34] por apenas 5 mil dólares, e um título do Tesouro de dez ou trinta anos por apenas mil dólares. Os juros do T-Bill são pagos à vista, e os juros dos títulos são depositados automaticamente em sua conta da corretora ou conta bancária. Sem complicação alguma.

Os promotores dos fundos de títulos governamentais gostam de argumentar que gestores especializados podem obter um melhor retorno por meio de suas compras, vendas e operações de cobertura (*hedge*) de posições na hora certa. Aparentemente, isso não acontece com muita frequência. Um estudo

---

34. O Treasury Bill (T-Bill) é um título de dívida de curto prazo do governo dos Estados Unidos, garantido pelo Departamento do Tesouro, com vencimentos de um ano ou menos. Esses títulos são considerados investimentos seguros e de baixo risco. (N.R.T.)

feito pela corretora de títulos nova-iorquina Gabriele, Hueglin & Cashman conclui que, em um período de seis anos, de 1980 a 1986, os fundos de títulos foram consistentemente superados por títulos individuais, às vezes em até 2% ao ano. Além disso, quanto mais tempo você mantém os fundos em carteira, mais o desempenho dos fundos de títulos piora em relação aos títulos. Os benefícios da administração feita por especialistas foram superados pelas despesas extraídas dos fundos para pagar os especialistas.

Os autores então sugerem que os fundos de títulos tentam maximizar o rendimento atual às custas do retorno total mais adiante. Não tenho nenhuma evidência para apoiar ou refutar a conclusão deles, mas sei que o detentor de um título de sete anos pode, pelo menos, ter certeza de que receberá seu dinheiro de volta ao final de sete anos, enquanto o detentor de um fundo de títulos de médio prazo não tem essa garantia. O preço que esse investidor obtém no dia em que vende o fundo dependerá do mercado de títulos.

Outro aspecto misterioso dessa mania por fundos de títulos é: por que tantas pessoas estão dispostas a pagar uma taxa de venda adiantada, também conhecida como comissão, para investir em fundos de papéis governamentais e nos chamados fundos Ginnie Mae?[35] Faz sentido pagar a comissão sobre um fundo de ações que, consistentemente, tem um desempenho superior ao do mercado — você a receberá de volta, acrescida de mais um pouco, no desempenho do fundo. Entretanto, uma vez que um título do Tesouro dos Estados Unidos ou um certificado Ginnie Mae é igual a todos os outros, há pouco que um administrador de um desses tipos de fundos pode fazer para se diferenciar dos concorrentes. Na verdade, o desempenho dos fundos de títulos sem comissão e o dos fundos com comissão são quase idênticos. Isso nos leva ao Princípio do Peter número 5:

Não vale a pena pagar Yo-Yo Ma[36] para tocar um rádio.

Para administrar a parcela de títulos da carteira de nossa organização sem fins lucrativos, contratamos sete pessoas e dois gestores de títulos tradicionais

---

35. O termo Government National Mortgage Association refere-se a uma empresa do governo federal que garante o pagamento pontual do principal e de juros sobre títulos lastreados em hipotecas (MBSs) emitidos por credores aprovados. A associação é conhecida como Ginnie Mae, e é abreviada como GNMA. A garantia de Ginnie Mae permite que os credores hipotecários obtenham um preço melhor por MBS no mercado de capitais. (N.R.T.)
36. Yo-Yo Ma é um músico americano de origem chinesa considerado um dos maiores violoncelistas da história. (N.E.)

para investirem a maior parte do dinheiro, três gestores de títulos conversíveis (ver página 88), e dois gestores de títulos de alto risco. Os de alto risco podem ser muito lucrativos se você comprar os papéis certos, mas não queríamos apostar tudo nisso.

AÇÕES *VERSUS* FUNDOS DE AÇÕES

Em um aspecto, um fundo de ações não é diferente de uma ação. A única maneira de se beneficiar dele é mantê-lo em carteira. Isso requer força de vontade. Para as pessoas que podem fugir amedrontadas das ações, investir em um fundo de ações não resolve o problema. É comum que os fundos de melhor desempenho caiam mais do que a ação média durante uma correção. Durante minha época no comando do Magellan, nas nove ocasiões em que a ação média perdeu 10% de seu valor, o fundo afundou mais do que o mercado, apenas para subir mais alto que o mercado durante a recuperação — como explicarei com mais detalhes a seguir. Para se beneficiar dessas reviravoltas, você precisava continuar com o dinheiro investido no fundo.

Em cartas aos acionistas, alertei sobre a tendência do Magellan de ser inundado em mares turbulentos, seguindo a teoria de que, quando as pessoas estão preparadas para algo, podem até se perturbar, mas não vão se enervar. A maioria, eu acho, permaneceu calma e manteve suas ações. Algumas não. A advertência de Warren Buffett de que as pessoas que não toleram ver suas ações perder 50% de seu valor não deveriam possuir ações também se aplica aos fundos de ações.

As pessoas que não toleram ver seus fundos mútuos perderem de 20% a 30% de seu valor no curto prazo certamente não deveriam ter investido em fundos de crescimento ou em fundos de ações em geral. Talvez elas devessem escolher um fundo equilibrado que contenha ações e títulos ou um fundo de alocação de ativos[37] — qualquer um dos quais oferece uma jornada mais tranquila do que aquela que teriam em um fundo de ações de crescimento puro. É claro que a recompensa no final da viagem será menor.

---

37. Um fundo de alocação de ativos é um fundo que oferece aos investidores uma carteira diversificada de investimentos em diversas classes de ativos. A alocação de ativos do fundo pode ser fixa ou variável entre uma mistura de classes de ativos, o que significa que o fundo pode ser detido em percentagens fixas de classes de ativos ou pode ter maior ponderação em algumas, dependendo das condições de mercado. As categorias de ativos populares de fundos de alocação de ativos incluem ações, títulos e equivalentes de caixa que também podem ser espalhados geograficamente para diversificação adicional. (N.R.T.)

Voltando nossa atenção para a variedade desconcertante de 1.127 fundos de ações no mercado atual, chegamos ao Princípio do Peter número 6:

Já que você está escolhendo um fundo, deve escolher um bom.

Isto é mais fácil dizer do que fazer. Na última década, até 75% dos fundos de ações foram piores do que medíocres, não conseguindo superar as cestas aleatórias de ações que compõem os índices de mercado, ano após ano. Na verdade, se um gestor de fundos tiver mesmo atingido um desempenho igual ao do mercado, ele é classificado na parte superior do ranking de fundos.

O fato de tantos fundos com investimentos em ações que compõem os índices conseguirem um desempenho pior do que essas médias é um paradoxo moderno. Parece ilógico que a maioria dos gestores de fundos não consegue alcançar um resultado médio, mas é assim que tem sido — 1990 foi o oitavo ano consecutivo em que ocorreu essa falha generalizada para igualar os ganhos registrados pelo popular índice S&P 500.

As causas desse fenômeno estranho não são totalmente conhecidas. Uma teoria é que os gestores de fundos são, em geral, incompetentes na seleção de ações e fariam melhor se não usassem seus computadores e atirassem dardos na página de negócios. Outra razão é que o instinto de rebanho de Wall Street tem produzido tanta gente sem iniciativa que os gestores de fundos apenas fingem buscar a excelência, quando na verdade são indexadores enrustidos cujo objetivo na vida é igualar os índices de mercado. Tragicamente, sua criatividade residual atrapalha, de modo que não conseguem fazer nem mesmo um trabalho malfeito decente, como também ocorre com escritores brilhantes que tentam e não conseguem produzir *best-sellers* simplórios.

Uma terceira teoria, menos maldosa, é que as ações que compõem os índices — sobretudo o índice S&P 500 — tendem a representar empresas grandes que, nos últimos anos, tiveram um excelente desempenho. Foi mais difícil superar o mercado na década de 1980 do que na década de 1970. Na década de 1980, houve muitos casos de compras de controle acionário das empresas incluídas nos índices S&P, o que fez com que os preços das ações nos índices subissem. Havia muitos estrangeiros investindo em nosso mercado, e eles preferiram comprar ações de grandes empresas com nomes famosos. Isso contribuiu para o ímpeto ascendente.

Na década de 1970, por outro lado, muitas dessas ações de marcas populares (Polaroid, Avon Products, Xerox, a indústria siderúrgica, as montadoras de automóveis) patinaram porque as empresas em si estavam indo mal. As empresas com crescimento de boa qualidade, como a Merck, continuaram a prosperar, mas suas ações não chegaram a lugar algum porque estavam sobrevalorizadas. Um gestor de fundo que evitava essas ações de grande porte levava uma enorme vantagem naquela época.

Uma quarta teoria é que a popularidade dos fundos de índice criou uma profecia autorrealizável. À medida que mais instituições grandes investem em índices, mais dinheiro é despejado nas ações que compõem os índices, fazendo seu preço subir, o que leva os fundos de índice a superar a concorrência.

Portanto, você deveria descartar a compra de um fundo com gestão ativa entre centenas no mercado e depois investir em um fundo de índice ou em alguns fundos de índice e pronto? Discuti essa opção com Michael Lipper, a autoridade número um em fundos mútuos. Ele apresentou a Tabela 3-3. Nela, ele compara o desempenho histórico de um grande grupo de fundos com gestão ativa, aqui chamados de fundos de ações gerais, com o do S&P 500 reinvestido, que é essencialmente a mesma coisa que um fundo de índice, menos as taxas mínimas cobradas pelos operadores de fundos de índice.

O gráfico de Lipper ilustra aquilo que já dissemos: que ao longo da última década os fundos de índice superaram os fundos com gestão ativa e, muitas vezes, por uma margem ampla. Se você tivesse colocado 100 mil dólares no fundo de índice Vanguard 500, em 1º de janeiro de 1983, e tivesse esquecido daquilo, teria comemorado 1º de janeiro de 1991 com 308.450 dólares no bolso, mas teria apenas 236.367 dólares no bolso se tivesse colocado o dinheiro em um típico fundo de ações com gestão ativa. A sequência de oito anos de vitórias dos índices foi finalmente quebrada em 1991.

Ao longo de trinta anos, os fundos com gestão ativa e os índices estão quase empatados, com os primeiros levando uma ligeira vantagem. Todo o tempo e esforço que as pessoas dedicam para escolher o fundo certo, a "mão quente", o grande gestor, na maioria dos casos não levaram a nenhuma vantagem. A menos que você tenha a sorte de escolher um dos poucos fundos que superam as médias de forma consistente (falarei mais sobre isso depois), sua pesquisa não deu em nada. Há algo que precisa ser dito sobre o método de lançar dardos para investir: compre o alvo inteiro.

O próprio Lipper vê a futilidade na busca anual para encontrar o próximo gestor de fundo vencedor. As evidências nos dizem que é provável que esse seja um exercício inútil. Ainda assim, a esperança é a última que morre. O espírito humano está ativo e reativo em Wall Street, e os investidores não vão parar de vasculhar as listas de fundos em busca de um fundo que consiga superar os índices de maneira consistente.

TABELA 3-3. GESTORES DE FUNDOS MÚTUOS *VERSUS* S&P 500*
O índice S&P 500 superou a média dos gestores de fundos mútuos em 8 dos últimos 10 anos...

Ano-calendário	Fundos de ações gerais (%)	S&P 500 reinvestido (%)
1992	9,1	7,6
1991	35,9	30,4
1990	-6,0	-3,1
1989	24,9	31,6
1988	15,4	16,6
1987	0,9	5,2
1986	14,4	18,7
1985	28,1	31,7
1984	-1,2	6,3
1983	21,6	22,6
...contudo, no longo prazo, os fundos com gestão ativa levam uma ligeira vantagem		
1982	26,0	21,6
1981	-0,6	-4,9
1980	34,8	32,5
1979	29,5	18,6
1978	11,9	6,6
1977	2,5	-7,1
1976	26,7	23,9
1975	35,0	37,2
1974	-24,2	-26,5
1973	-22,3	-14,7
1972	13,2	19,0
1971	21,3	14,3
1970	-7,2	3,9
1969	-13,0	-8,4
1968	18,1	11,0
1967	37,2	23,9
1966	-4,9	-10,0
1965	23,3	12,5
1964	14,3	16,5
1963	19,2	22,8
1962	-13,6	-8,7
1961	25,9	26,9
1960	3,6	0,5
Desempenho do retorno total acumulado (%)		
1960-1992	2.548,8	2.470,5

Fonte: Lipper Analytical Services, Inc.

Vários colegas e eu assumimos esse desafio para a organização sem fins lucrativos já mencionada. Passamos horas revisando os currículos e registros de desempenho de 75 gestores financeiros diferentes e, a partir desse número, optamos por entrevistar 25.

Decidimos contratar um grupo de gestores e entregar uma parcela da carteira de ações a cada um deles. Você poderia obter o mesmo resultado ao comprar vários fundos com estilos e filosofias variados. Nosso pensamento era o seguinte: os mercados mudam e as condições mudam e um estilo de gestor ou um tipo de fundo não terá sucesso em todas as circunstâncias. O que se aplica às ações também se aplica aos fundos mútuos. Você nunca sabe onde estarão as próximas grandes oportunidades, então vale a pena ser eclético.

Se você possui apenas um fundo, pode se ver preso em uma situação em que a capacidade dos gestores cai ou as ações do fundo perdem a popularidade. Um fundo fundamentalista, por exemplo, pode ter um desempenho maravilhoso durante três anos e um terrível nos seis seguintes. Antes da Grande Correção de 1987, os fundos fundamentalistas lideraram o mercado durante oito anos, enquanto os fundos de crescimento ficaram para trás. Recentemente, os fundos de crescimento vêm liderando o mercado, mas perderam sua vantagem em 1992.

Aqui, entramos no universo cada vez mais complexo dos tipos de fundos. Para os propósitos dessa discussão, os tipos básicos mais importantes são os seguintes:

1. Fundos de valorização de capital, nos quais os gestores têm liberdade para comprar todo e qualquer tipo de ação e não são obrigados a aderir a nenhuma filosofia específica. O Magellan é um deles.
2. Fundos fundamentalistas, nos quais os gestores investem em empresas cujos ativos, e não seus lucros atuais, são o principal atrativo. Isso inclui empresas de recursos naturais, empresas que possuem imóveis, empresas de tevê a cabo, empresas de oleodutos e engarrafadoras. Muitas dessas chamadas empresas de valor endividaram-se profundamente para comprar ativos. Elas planejam colher os benefícios mais tarde, quando as dívidas forem pagas.
3. Fundos de crescimento de qualidade, nos quais os gestores investem em empresas de médio e grande porte que estão bem estabelecidas, expandindo a uma taxa respeitável e constante, e cujos lucros aumentam 15% ao ano ou mais. Isso elimina as cíclicas, as empresas de primeira linha de crescimento mais lento e as prestadoras de serviços públicos.

4. Fundos de crescimento emergente, nos quais os gestores investem principalmente em pequenas empresas. Essas ações de pequena capitalização tiveram um desempenho inferior ao do mercado por vários anos e, de repente, reagiram em 1991.
5. Fundos de situações especiais, nos quais os gestores investem em ações de empresas que não têm nada específico em comum, exceto que algo singular aconteceu para mudar suas perspectivas.

Saber que tipo de fundo você possui o ajuda a fazer um julgamento fundamentado sobre se deve ou não mantê-lo. O fato de o fundo fundamentalista de Mario Gabelli ter ficado atrás do mercado durante quatro anos não é, por si só, um bom motivo para abandonar Gabelli. (Na verdade, o fundo de Gabelli se recuperou em 1992). Quando as ações fundamentalistas estão em baixa, não há como esperar que Gabelli, Kurt Lindner ou Michael Price tenham um desempenho tão bom quanto o gestor de um fundo de crescimento popular.

O único ponto justo de comparação é de um fundo fundamentalista com outro. Ao longo de muitos anos, se Gabelli conseguiu resultados melhores do que Lindner, esse é um argumento para ficar com Gabelli. Mas se Gabelli foi superado por John Templeton, o conhecido gestor de fundos de crescimento, isso não diz grande coisa sobre Gabelli, mas sim sobre o estilo de investimento fundamentalista.

Da mesma forma, seria tolice culpar o gestor de um fundo de ouro que caiu 10% no ano passado, quando as ações de ouro, em geral, caíram os mesmos 10%. Quando qualquer fundo vai mal, a tentação natural é querer migrar para um fundo melhor. As pessoas que sucumbem a essa tentação sem considerar o tipo de fundo que fracassou estão cometendo um erro. Elas tendem a perder a paciência precisamente no momento errado, saltando do fundo fundamentalista para um fundo de crescimento exatamente quando o valor fundamentalista está começando a aumentar e o crescimento está começando a diminuir.

Na verdade, quando um fundo fundamentalista se sai melhor do que seus concorrentes em um ano ruim para fundos fundamentalistas, isso não é, necessariamente, motivo para comemoração. (O mesmo também se aplica aos fundos de crescimento ou a qualquer outro tipo de fundo.) Pode ser que o gestor tenha ficado desencantado com ações fundamentalistas e tenha investido parte do dinheiro em ações de primeira linha ou em prestadoras de serviços públicos. Ele ou ela ficou frustrado com o estilo fundamentalista, sobretudo quando ele não estava funcionando bem.

A falta de disciplina do gestor pode produzir bons resultados no curto prazo, mas os benefícios podem ser passageiros. Quando as ações fundamentalistas reagirem, esse gestor não terá investido todos os ativos nelas e seus acionistas não receberão o que pagaram.

O investidor sofisticado pode analisar um fundo lendo os relatórios semestrais e anuais para determinar se o gestor está comprando os tipos de ações que ele ou ela deve comprar. Por exemplo, você não gostaria de encontrar a Microsoft na carteira de seu fundo fundamentalista. Questionar o trabalho de um gestor de fundo, entendo, está além do escopo do investidor médio, mas é o tipo de coisa que nós, viciados em ações, nos divertimos fazendo.

A SELEÇÃO DE CRAQUES

Para aumentar as chances de que pelo menos alguns dos ativos fossem investidos no lugar certo na hora certa, acabamos escolhendo treze fundos e gestores diferentes para nossa organização sem fins lucrativos. Entre eles, havia um gestor fundamentalista, dois gestores de crescimento de alta qualidade, dois fundos de situações especiais, três fundos de valorização de capital, um fundo de crescimento emergente, um fundo que investe apenas em empresas que aumentaram consistentemente os seus dividendos e três fundos de títulos conversíveis (conforme descrito na página 88).

Dessa equipe de fundos e gestores, esperamos produzir um craque diferente que superará o mercado a cada ano e, com craques suficientes para neutralizar os gestores com desempenho medíocre, esperamos superar os temidos índices de mercado.

Se você for um investidor médio, pode duplicar essa estratégia de uma forma mais simples, ao dividir sua carteira em, digamos, seis partes e investir em um fundo de cada um dos cinco tipos de fundos mencionados acima, além de um fundo de prestadoras de serviços públicos ou de um fundo de ações e de renda para servir de lastro em um mercado tempestuoso.

Desde 1926, as ações de crescimento emergente superaram o S&P 500 por uma margem substancial, então é sempre uma boa ideia manter uma certa quantia investida nesse setor. Você poderia adicionar alguns fundos de índice para acompanhar os fundos com gestão ativa. Você pode, por exemplo, comprar um fundo de índice S&P 500 para cobrir o segmento de crescimento de alta qualidade; um fundo de índice Russell 2000 para cobrir as ações de crescimento emergente; o Gabelli Asset, o Lindner Fund ou o Mutual Beacon, de Michael Price, para as ações fundamentalistas; e o Magellan (uma pequena propaganda é permitida aqui?) para valorização de capital.

A abordagem mais fácil é dividir seu dinheiro em seis partes iguais, comprar seis fundos e ponto final. Quando há dinheiro novo para investir, repita o processo. A abordagem mais sofisticada é ajustar o peso dos diversos fundos, aplicando dinheiro novo em setores que ficaram para trás em relação ao mercado. Isso deve ser feito apenas com dinheiro novo. Como os indivíduos precisam se preocupar com as consequências fiscais (o que as instituições de caridade não precisam fazer), não é provável que comprar e vender bastante e alternar fundos seja uma boa ideia.

Então, como saber quais setores ficaram para trás em relação ao mercado? Olhamos para esta questão em nosso planejamento para nossa organização sem fins lucrativos no outono de 1990. Naquele momento, eu estava convencido de que algumas das principais ações de alto crescimento, tais como Bristol-Myers, Philip Morris e Abbott Labs, as quais a Wall Street tinha elevado em uma corrida vertiginosa para novos picos, estavam sobrevalorizadas e prontas para sofrer uma reviravolta, ou pelo menos um descanso decente. Explico em mais detalhes como cheguei a essa conclusão na página 163.

Essas são empresas gigantes típicas dos ramos de medicamentos e alimentos que compõem o índice S&P 500. O índice Dow Jones, por outro lado, está fortemente ponderado em empresas cíclicas, enquanto o Nasdaq e o Russell 2000 representam pequenas empresas de crescimento emergente — cadeias de restaurantes, empresas de tecnologia, etc.

Ao comparar o índice S&P 500 com o desempenho do índice Russell 2000 nos últimos dez anos, você pode começar a enxergar um padrão. Em primeiro lugar, as ações de crescimento emergente são muito mais voláteis do que suas contrapartes maiores, mergulhando e emergindo como falcões ao redor da trajetória de voo estável dos urubus. Além disso, após as ações pequenas terem dado um desses mergulhos prolongados, elas acabam alcançando os urubus.

Nos cinco anos anteriores a 1990, as ações de crescimento emergente tiveram um desempenho desanimador em relação ao S&P 500, com o S&P apresentando uma alta de 114,58%, enquanto o Russell 2000 subiu apenas 47,65%. Mas o crescimento emergente se vingou em 1991, quando o índice Russell cresceu 62,4% em doze meses. Alguns fundos de crescimento emergente se saíram melhor, até mesmo do que o Russell 2000, registrando ganhos de 70% ou mesmo 80%.

Obviamente, 1990 teria sido um bom ano para adicionar dinheiro ao setor de crescimento emergente de sua carteira. Você teria sido inclinado a fazer exatamente isso caso tivesse prestado atenção no progresso dos vários índices, conforme relatado pela *Barron's*, pelo *The Wall Street Journal* e por outras publicações.

Outra forma útil para decidir se deve colocar mais dinheiro no setor de crescimento emergente ou investir em um fundo maior, do tipo S&P, é acompanhar o progresso do fundo T. Rowe Price New Horizons. O New Horizons é um fundo popular criado em 1961 para investir em empresas pequenas. Na verdade, sempre que uma empresa fica muito grande, os gestores do New Horizons a excluem da carteira. Isso é o mais próximo que você chegará de um barômetro do que está acontecendo com as ações de crescimento emergente.

A Figura 3-1, publicada com atualizações periódicas pela T. Rowe Price, é uma comparação do índice P/L das ações do fundo New Horizons com o índice P/L do S&P 500 em geral. Uma vez que se espera que as empresas pequenas cresçam a uma taxa mais rápida do que as grandes, as ações pequenas geralmente são negociadas a um índice P/L mais alto do que o das grandes. Teoricamente, você esperaria que o índice P/L do fundo New Horizons fosse sempre maior do que o índice P/L do S&P.

ÍNDICE PREÇO-LUCRO RELATIVO
FUNDO NEW HORIZONS VERSUS S&P 500

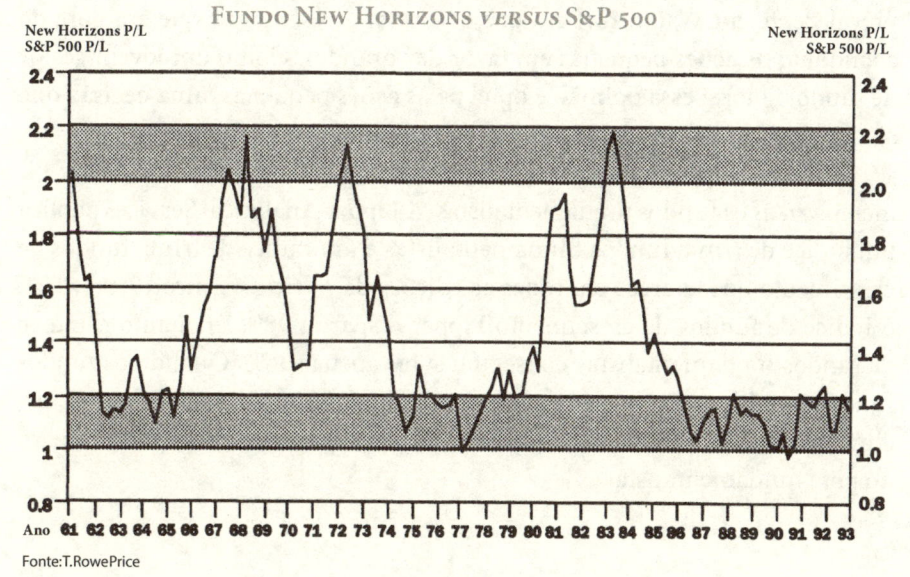

Fonte: T. Rowe Price

FIGURA 3-1

Na prática, nem sempre é esse o caso, o que torna esta tabela tão útil. Durante certos períodos em que o setor de crescimento emergente é impopular entre os investidores, essas ações pequenas ficam tão baratas que o índice P/L do New Horizons cai para o mesmo nível do S&P. (Esta condição rara é indicada aqui pelo número 1,0.)

Em outros períodos, quando as ações pequenas são muito populares e são negociadas a níveis excessivamente elevados, o índice P/L do New Horizons chega ao dobro do mesmo índice do S&P 500 (o que é mostrado na tabela pelo número 2,0).

Como você pode ver, apenas duas vezes, nos últimos vinte anos (1972 e 1983), esse elevado nível 2,0 foi atingido. Em ambos os casos, as ações pequenas sofreram quedas grandes por vários anos depois. Na verdade, as ações pequenas não acompanharam a maior parte do mercado altista, que durou de 1983 a 1987. Quando o indicador New Horizons se aproxima do temido 2,0, esse é um sinal importante de que está na hora de evitar o setor de crescimento emergente e se concentrar no S&P.

É claro que o melhor momento para comprar ações de crescimento emergente é quando o indicador cai abaixo de 1,2. Mais uma vez, é preciso ser paciente para colher a recompensa dessa estratégia. As altas das ações pequenas podem levar alguns anos para ganhar força e, em seguida, vários anos para se desenvolver plenamente. Por exemplo, em 1977, depois que o setor de crescimento emergente teve um ou dois anos de bom desempenho, a opinião prevalecente em Wall Street era que esse setor se esgotara e que era hora de abandonar as ações pequenas em favor das grandes. Como um jovem gestor de fundo, ignorei essa opinião e optei pelas ações pequenas, uma decisão que ajudou o Magellan a superar o mercado nos cinco anos subsequentes.

O mesmo tipo de comparação pode ser aplicado aos fundos de crescimento *versus* os fundos fundamentalistas. A Lipper Analytical Services publica um índice de trinta fundos fundamentalistas e um índice de trinta fundos de crescimento que aparece em todas as edições da *Barron's*. Entre 1989 e 1991, o índice de fundos de crescimento Lipper disparou 98%, enquanto o índice de fundos fundamentalistas conseguiu subir apenas 36%. Quando os fundos fundamentalistas apresentam um desempenho inferior ao dos fundos de crescimento durante vários anos, é possível que você queira colocar mais dinheiro no pote fundamentalista.

COMO ESCOLHER UM VENCEDOR

Como escolher um fundo fundamentalista, fundo de crescimento ou fundo de valorização de capital que supere seus concorrentes? A maioria das pessoas olha para o desempenho passado. Elas estudam o guia Lipper publicado na *Barron's* ou em qualquer uma de várias fontes semelhantes que acompanham o desempenho dos fundos. Elas olham para o registro de um ano, três anos, cinco anos e além. Esse é outro passatempo nacional, analisar o desempenho passado dos fundos. Milhares de horas são dedicados a ele. Livros e artigos são escritos sobre isso. No entanto, com poucas exceções, isso acaba sendo uma perda de tempo.

Algumas pessoas pegam o maior vencedor do ano anterior, aquele no topo do guia Lipper, e compram esse fundo. Isso é uma burrice total. O vencedor do ano anterior tende a ser um fundo administrado por alguém que apostou em um setor ou em um tipo de empresa em um setor quente e teve sorte. Por que outra razão ele ou ela correriam tão à frente dos outros? No ano seguinte, quando esse gestor de fundo não tiver tanta sorte, seu fundo estará no fim da lista de Lipper.

Infelizmente, essa escolha de futuros vencedores com base no desempenho passado não parece funcionar, mesmo quando você usa um registro de três ou cinco anos. Um estudo feito pela revista *Investment Vision* (agora *Worth*) mostra o seguinte: se todos os anos, entre 1981 e 1990, você tivesse investido no fundo que melhor tinha se saído ao longo dos três anos anteriores, no final, você teria ficado atrás do S&P 500 em 2,05%. Se você investisse de maneira semelhante nos fundos com os melhores registros em cinco e dez anos, teria batido o S&P em 0,88% e 1,02%, respectivamente. Isso não teria compensado o custo de entrada e saída desses fundos.

E se você tivesse comprado os fundos com os melhores desempenhos em cinco e dez anos e os mantivesse por cinco anos? No caso dos melhores desempenhos de cinco anos, você não teria se saído melhor do que o índice S&P e, no caso dos desempenhos de dez anos, você, na verdade, teria acabado atrás do S&P em 0,61%.

A lição aqui é: não perca muito tempo analisando os gráficos de desempenho passado. Isso não quer dizer que você não deva escolher um fundo com um bom histórico de longo prazo. Mas é melhor ficar com um fundo estável e consistente do que entrar e sair de fundos, tentando surfar as ondas.

Outra questão importante é o que acontece com um fundo em um mercado baixista. Esse também é um assunto complicado. Alguns fundos perdem mais do que outros, mas ganham mais na recuperação; alguns perdem menos e ganham menos; e alguns perdem mais e ganham menos. Esse último grupo deve ser evitado.

Uma excelente fonte de informação sobre o assunto é a Lista de Ouro da *Forbes*, publicada nessa revista todo mês de setembro. Para estar na lista da *Forbes*, um fundo precisa ter alguma história por trás dele — dois mercados de alta e, pelo menos, dois mercados de baixa. A *Forbes* avalia cada fundo (com notas que vão de A a F) de acordo com o desempenho em ambas as situações. Ela apresenta o nome do gestor do fundo e por quanto tempo ele ou ela está na posição, as despesas do fundo, o índice P/L e o retorno médio anual nos últimos dez anos.

Entrar na Lista de Ouro da *Forbes* é difícil, o que a torna um bom lugar para escolher fundos. Dificilmente você errará ao escolher um com classificação A ou B em ambos os tipos de mercado.

Dos cerca de 1.200 fundos de ações existentes, apenas 264 datam de 1978 e, desses 264, apenas nove apresentaram ganhos em cada ano-calendário desde então. Essa lista inclui: Phoenix Growth, Merrill Lynch Capital A, Investment Company of America, John Hancock Sovereign, CGM Mutual, Nationwide, Eaton Vance Investors, Pax World e Mutual of Omaha Income. O de melhor desempenho desses todos, o Phoenix Growth, compilou um histórico notável, com um ganho anual composto de 20,2% desde 1977. Oito dos nove têm gerado um ganho anual igual ou superior a 13%.

COM TAXA DE CARREGAMENTO OU SEM TAXA DE CARREGAMENTO

Outro assunto que precisa ser abordado é se o fundo deve ter ou não comissão. Se você comprar um fundo com comissão, isso significa que você está adquirindo um produto melhor? Não necessariamente. Alguns fundos de sucesso cobram comissão, enquanto outros fundos, igualmente bem-sucedidos, não. Se você planeja ficar com um fundo por vários anos, os 2% a 5% que você pagou para entrar nele serão insignificantes. Você não deve comprar um fundo porque ele tem comissão, nem se recusar a comprar um pelo mesmo motivo.

As taxas e despesas permanentes de um fundo podem, certamente, prejudicar seu desempenho, e isso é quando os fundos de índice levam vantagem, como vimos. Ao comparar o desempenho anterior de um fundo com gestão ativa com o de outro, você pode ignorar as comissões. O retorno anual de um fundo é calculado depois da dedução das comissões e despesas, de modo que elas são automaticamente incluídas no cálculo.

Algumas pessoas se preocupam com o tamanho do fundo, sobretudo com o Magellan. No início de 1983, quando os ativos do Magellan ultrapassaram a marca de 1 bilhão de dólares, comecei a ouvir as palavras "grande demais para ter sucesso". Ele era grande demais para ter sucesso a 2 bilhões de dólares, e a 4 bilhões de dólares, e a 10 bilhões de dólares e, na época em que o deixei, ele era grande demais para ter sucesso a 14 bilhões de dólares. Provavelmente, era grande demais para ter sucesso a 20 bilhões de dólares, o tamanho a que chegou sob o comando de Morris Smith.

Durante o ano seguinte à tomada de controle por Morris, o *The Boston Globe* publicou sua coluna intitulada "De olho em Morris Smith", que poderia muito bem ter sido chamada de "De olho em Morris Smith fracassando com um fundo que é grande demais". Depois dos excelentes resultados de Morris em 1991, o *Globe* acabou com a coluna, mas muitas pessoas ainda cantam o blues "Seu fundo é grande demais". Agora que Morris saiu, é a vez de Jeff Vinik ter sucesso com um fundo grande demais.

Há certas desvantagens em administrar um grande fundo. Essa tarefa pode ser comparada a um levantador de peso parrudo tentando sobreviver com apenas uma dieta de biscoitinhos. Ele precisa comer uma quantidade considerável para sacar algum nutriente deles. Um gestor de fundos enfrenta a mesma situação com ações. Ele não consegue comprar ações numa quantidade suficiente, de uma pequena empresa maravilhosa, para fazer alguma diferença no desempenho do fundo. Ele precisa comprar ações de grandes empresas e, mesmo no caso das grandes empresas, leva meses para acumular uma quantidade significativa e mais meses para descarregá-la.

Essas desvantagens podem ser superadas por uma gestão habilidosa. Michael Price provou isso com seu Mutual Shares (este fundo agora está fechado para novos investidores; Price também administra o Mutual Beacon), assim como Morris Smith, meu sucessor no Magellan.

Antes de encerrarmos este assunto, gostaria de discutir quatro tipos de fundos adicionais: fundos setoriais, fundos conversíveis, fundos fechados e fundos nacionais.

FUNDOS SETORIAIS

Os fundos setoriais existem desde 1950. Em 1981, a Fidelity ofereceu o primeiro grupo de fundos setoriais, permitindo aos investidores alternar entre os setores a um custo relativamente baixo. Um investidor que estivesse otimista com uma indústria (a de petróleo, por exemplo), mas não tivesse tempo para estudar empresas específicas do setor de petróleo, poderia simplesmente comprar o fundo setorial de petróleo e gás.

Esses fundos setoriais não foram concebidos para dar ao selecionador de ações cheio de caprichos uma nova oportunidade de apostar em palpites. Infelizmente, às vezes, é assim que eles são usados. Comprar o fundo de petróleo e gás, em vez de comprar a Exxon, dificilmente o protegerá de perdas se os preços do petróleo despencarem, logo quando você agiu com o pressentimento de que os preços do petróleo subiriam às alturas.

O melhor candidato para investir em fundos setoriais é uma pessoa com conhecimento especial sobre uma *commodity* ou sobre as perspectivas de curto prazo para determinado tipo de negócio. Pode ser o proprietário de uma joalheria, um construtor, um avaliador de seguros, um gerente de posto de gasolina, um médico ou um cientista, cada um dos quais está em posição de acompanhar os últimos desenvolvimentos, respectivamente, do preço do ouro, da prata e da madeira; das taxas de seguro, do petróleo, das aprovações governamentais de novos medicamentos; ou de empresas de biotecnologia para verificar se estão começando a produzir um produto comercializável.

Se você estiver no setor certo na hora certa, pode ganhar muito dinheiro bem rápido, como descobriram os investidores do Fidelity Biotechnology em 1991. O valor desse fundo setorial aumentou 99,05% em um ano. Mas esses lucros também podem evaporar tão rapidamente quanto surgem. O Fidelity Biotech caiu 21,5% durante os primeiros nove meses de 1992. Os fundos do setor de tecnologia foram grandes vencedores em meados de 1982 e 1983, e grandes perdedores por vários anos depois disso. Na última década, saúde, serviços financeiros e prestadoras de serviços públicos foram os setores mais lucrativos, e os metais preciosos, os menos.

Com a teoria de que todo setor do mercado acionário tem o seu dia de glória, comecei a me interessar pelo setor de ouro novamente.

Nos meus primeiros anos no Magellan, os preços do ouro estavam disparando e as pessoas evitavam o dentista porque temiam mais ter de pagar por uma coroa de ouro do que o barulho da broca. Nessa época, os fundos de melhor desempenho eram os fundos de ouro, que tinham nomes como Strategic Investments, International Investors ou United Services. Para o observador casual, os fundos de ouro soavam como fundos de ações gerais, uma confusão que achei irritante.

Nas classificações da Lipper dos fundos mútuos de melhor desempenho em um período de cinco anos, eu acabava sendo derrotado por um fundo de ouro, que muitas pessoas não sabiam ser um fundo de ouro. Para o investidor médio, parecia que outros gestores de ações estavam fazendo um trabalho melhor do que eu, quando, na verdade, esses desempenhos superiores eram compilados por especialistas em um setor quente. Em pouco tempo, os fundos de ouro desapareceram do topo da lista da Lipper e, nos últimos anos, chegaram ao fundo.

Na década em que terminou em junho de 1992, cinco dos dez fundos de pior desempenho no mercado dos Estados Unidos foram fundos de ouro. O US Goldshares, por exemplo, subiu apenas 15% em todo esse período, quando o típico fundo mútuo triplicou ou quadruplicou. Você teria se saído melhor em títulos de curto prazo, ou mesmo em títulos de poupança dos Estados Unidos, do que em um fundo de ouro.

Entretanto, como o ouro tem sido altamente valorizado pela população mundial desde antes da época dos egípcios e dos incas, duvido que tenhamos ouvido seu último suspiro. Uma das instituições de caridade com a qual estou envolvido possui algumas ações de ouro e, recentemente, assisti a uma apresentação de alguns especialistas em ouro bem informados. Eles ressaltam que, na década de 1980, o declínio na produção sul-africana foi mais do que compensado por produção nova de minas nos Estados Unidos, Canadá, Brasil e Austrália. Isso criou um excesso de ouro, exacerbado pelo despejo de ouro pelas ex-repúblicas soviéticas. Eles duvidam que o excesso persista.

As jazidas de ouro nas novas minas se esgotarão em breve e, enquanto isso, a década de preços baixos desencorajou as empresas de fazerem mais exploração e desenvolvimento. Provavelmente, isso resultará em uma situação interessante em meados da década. A demanda por ouro para joias e usos industriais aumentará, enquanto a oferta diminuirá. E, se a inflação voltar a dois dígitos, as pessoas, mais uma vez, comprarão ouro como um *hedge*.

Além disso, existe um "fator China" que eleva os preços do ouro. Os trabalhadores chineses estão ficando mais prósperos, mas não têm o que comprar com seu dinheiro. Existe uma oferta limitada de itens caros (carros, eletrodomésticos, casas, etc.) que podem ser comprados, então o governo está tentando aliviar a frustração permitindo que as pessoas comprem ouro. Essa política está criando uma demanda totalmente nova pelo metal. A situação pode se repetir em outros países em desenvolvimento.

Existem 34 fundos setoriais de ouro no mercado hoje — alguns que compram ações de empresas de mineração sul-africanas, outros que compram ações apenas de empresas de mineração que não sejam sul-africanas. Alguns fundos híbridos investem 50% em ouro e 50% em títulos governamentais. Para o investidor extremamente arisco, que se preocupa com a Depressão e a hiperinflação iminentes, essa é uma combinação atraente.

FUNDOS CONVERSÍVEIS

Esta é uma forma subestimada de aproveitar o melhor dos dois mundos: o alto desempenho das ações secundárias e de pequena capitalização e a estabilidade dos títulos. Em geral, os títulos conversíveis, que pagam uma taxa de juros mais baixa do que os títulos regulares, são emitidos por empresas de porte menor. Os investidores estão dispostos a aceitar essa taxa de juros mais baixa em troca do recurso de conversão, que lhes permite trocar seus títulos conversíveis por ações ordinárias a algum preço de conversão específico.

O preço de conversão costuma ser 20% a 25% acima do preço atual da ação ordinária. Quando o preço da ação ordinária atinge esse nível superior e o ultrapassa, o recurso de conversão torna-se valioso. Enquanto espera que isso aconteça, o detentor do título recebe juros desse título. E, enquanto o preço de uma ação ordinária pode cair muito, muito rapidamente, o preço de um título conversível é menos volátil. O rendimento sustenta seu preço. Em 1990, por exemplo, as ações ordinárias conectadas a diversos títulos conversíveis caíram 27,3%, enquanto os próprios títulos conversíveis perderam apenas 13% de seu valor.

Ainda assim, o investimento em títulos conversíveis traz certas armadilhas. Esse é um campo que é melhor deixar para os especialistas. O investidor amador pode se sair bem em um dos numerosos fundos conversíveis, os quais merecem um reconhecimento maior do que recebem. Hoje, um bom fundo conversível rende 7%, o que é muito melhor do que o dividendo de 3% que você obtém com a ação típica. O Putnam Convertible Income Growth Trust, para citar um desses fundos, teve um retorno total nos últimos vinte anos de 884,8%, que supera o S&P 500. Poucos fundos com gestão ativa podem fazer tal afirmação, como já vimos.

Na instituição de caridade sem nome da Nova Inglaterra, investimos em nada menos do que três fundos conversíveis, porque na época os conversíveis pareciam subvalorizados. Como chegamos a essa conclusão? Normalmente, um título privado regular rende 1,5% a 2% a mais do que um título conversível. Quando essa diferença aumenta, significa que os títulos conversíveis estão ficando caros demais e, quando diminui, significa o inverso. Em 1987, pouco antes da Grande Correção, os títulos privados regulares rendiam 4% a mais do que os conversíveis, o que significava que os conversíveis estavam extremamente sobrevalorizados. Contudo, durante a Liquidação do Saddam, em outubro de 1990, os títulos conversíveis estavam rendendo 1% a mais do que os regulares emitidos pelas mesmas empresas. Esta foi uma rara oportunidade de adquirir títulos conversíveis a um preço favorável.

Essa é uma boa estratégia para o investimento conversível: compre participações em fundos conversíveis quando a diferença entre os títulos conversíveis e os corporativos for estreita (digamos, 2% ou menos) e diminua as compras quando a diferença aumentar.

FUNDOS FECHADOS

Os fundos fechados são negociados como ações em todas as principais bolsas. Existem 318 deles atualmente. Eles podem ser encontrados em todos os tamanhos e variedades: fundos fechados de títulos, de títulos municipais, de ações gerais, de crescimento, fundamentalistas, etc.

A principal diferença entre um fundo fechado e um fundo aberto como o Magellan é que um fundo fechado é estático. O número de ações permanece o mesmo. O acionista de um fundo fechado sai do fundo quando vende sua participação para outra pessoa, da mesma forma como se estivesse vendendo uma ação. Um fundo aberto é dinâmico. Quando um investidor injeta dinheiro, novas ações são criadas. Quando o investidor encerra sua posição, suas ações são retiradas, ou "resgatadas", e o fundo encolhe o equivalente àquele valor.

Tanto os fundos fechados quanto os fundos abertos são basicamente administrados da mesma maneira, exceto que o gestor de um fundo fechado tem alguma estabilidade adicional no emprego. Uma vez que o fundo não pode diminuir de tamanho devido a um êxodo em massa de clientes, a única maneira de ele falir é gerando perdas na própria carteira. Gerenciar um fundo fechado é como ter estabilidade em uma universidade — você pode ser demitido, mas tem de fazer algo realmente terrível para que isso aconteça.

Nunca vi um estudo definitivo sobre se os fundos fechados, como um conjunto, têm um desempenho melhor ou pior do que os fundos abertos. Em uma inspeção casual, nenhum dos tipos tem nenhuma vantagem particular. Aqueles com os melhores desempenhos em ambas as categorias aparecem na Lista de Ouro da *Forbes* de fundos mútuos, o que prova que é possível se destacar em qualquer um dos dois formatos.

Uma característica intrigante dos fundos fechados é que, uma vez que eles são negociados como ações, também oscilam como as ações — um fundo fechado é vendido com um prêmio ou um desconto em relação ao valor de mercado (ou valor patrimonial líquido) de sua carteira. Os caçadores de pechinchas têm excelentes oportunidades durante as quedas de mercado para comprar um fundo fechado com um desconto substancial sobre o valor líquido de seus ativos.

SE FOR TERÇA-FEIRA, DEVE SER O FUNDO DA BÉLGICA

Muitos fundos fechados são mais conhecidos como fundos nacionais. Isso nos permite investir em nossos países favoritos, uma perspectiva mais romântica do que investir em empresas. Depois de uma boa garrafa de vinho na *piazza* perto da Fontana di Trevi, quem, senão o mais insensível idiota, não estaria disposto a investir no Fundo Itália? Uma dica para o departamento de marketing: instale números de ligação gratuita para fundos de um país nos telefones dos principais hotéis estrangeiros.

Existem, pelo menos, 75 fundos nacionais e/ou fundos regionais atualmente. Com a dissolução do bloco comunista, esse número certamente aumentará. Dois fundos de Cuba estão sendo lançados em Miami, em antecipação à restauração do capitalismo em Havana, e Castro ainda nem fez as malas.

O melhor argumento a favor dos fundos nacionais como investimentos de longo prazo é que as economias estrangeiras estão crescendo mais rápido do que a dos Estados Unidos, o que faz com que seus mercados acionários subam em um ritmo mais acelerado que o nosso. Na última década, certamente foi esse o caso. Mesmo no Magellan, minha proporção de vencedores em relação aos perdedores era mais alta nas ações estrangeiras do que nas ações americanas.

Entretanto, para ter sucesso em um fundo nacional, é preciso ter paciência e uma atitude contrária. Os fundos nacionais despertam o desejo de gratificação instantânea. Eles podem ser armadilhas para os pensadores de fim de semana. Um bom exemplo é o fundo Germany e seu desdobramento, o fundo New Germany, ambos concebidos quando o Muro de Berlim estava desabando e alemães de ambos os lados estavam se abraçando nas ruas, com o resto do mundo celebrando junto com eles. O grande renascimento alemão estava para começar.

Atrás do Muro, como um pano de fundo emocional, houve a reunificação mágica da Europa. Em 1992, na hora marcada, séculos de animosidade desapareceriam da noite para o dia: os franceses trocariam beijos e se reconciliariam com os alemães; os ingleses trocariam beijos e se reconciliariam com os alemães e os franceses; e os italianos desistiriam de sua lira e os holandeses de seus florins por uma moeda comum; e a unidade, a paz e a prosperidade prevaleceriam.[38] Pessoalmente, acho muito mais fácil acreditar em uma reviravolta na Pier 1 Imports.[39]

---

38. Lira era a moeda italiana na época, e existia desde 1861. O florim era a moeda dos Países Baixos desde 1680. Ambas as moedas foram, mais tarde, em 2002, substituídas oficialmente pelo euro, com a criação da União Europeia. (N.E.)

39. Pier 1 Imports era uma varejista on-line com sede em Fort Worth, Texas. Em maio de 2020, a companhia entrou com pedido de falência em virtude da crise econômica causada pela pandemia da covid-19. (N.E.)

Enquanto os berlinenses triunfantes dançavam sobre os escombros do Muro, os preços dos dois fundos da Alemanha foram cotados até 25% acima do valor das ações subjacentes. Esses fundos subiam até dois pontos por dia com base em nada além da esperança de um *boom* econômico. As mesmas expectativas exageradas existem agora em relação à fusão das Coreias do Norte e do Sul, para as quais prevejo um desfecho semelhante no curto prazo.

Seis meses depois, quando os investidores finalmente perceberam os problemas com esse grande renascimento alemão, a euforia se transformou em desespero e os fundos da Alemanha rapidamente foram negociados com um desconto de 20% a 25% sobre o valor das ações subjacentes. Eles vêm sendo negociados com desconto desde então.

Em 1991, durante o tempo em que as pessoas ainda estavam eufóricas com as perspectivas alemãs, o mercado acionário de lá ia mal, enquanto na primeira metade de 1992, quando as notícias da Alemanha eram sombrias, o mercado acionário ia bem. Se já é difícil compreender esse tipo de acontecimento em seu próprio país, imagina compreendê-lo em um país estrangeiro.

Claramente, o melhor momento para comprar um fundo nacional é quando ele é impopular e você pode obtê-lo a um desconto de 20% a 25%. Mais cedo ou mais tarde, a Alemanha renascerá, e os investidores pacientes que compraram os fundos alemães em baixa ficarão felizes por terem feito esse investimento.

Os fundos nacionais têm muitos inconvenientes. As comissões e despesas são, em geral, bem altas. Não basta que as empresas em que o fundo investiu tenham um bom desempenho. A moeda do país em questão tem de permanecer forte em relação ao dólar; do contrário, seus ganhos se perderão na conversão. O governo não pode estragar a festa com impostos ou regulamentações adicionais que prejudiquem os negócios. O gestor de um fundo nacional precisa fazer seu dever de casa.

Quem é esse gestor? É alguém que já visitou esse país e tem um pôster de viagem para provar isso, ou alguém que tenha vivido e trabalhado lá, tenha contatos nas grandes empresas e possa acompanhar a evolução delas?

Eu gostaria de acrescentar meus dois tostões ao debate Estados Unidos contra o mundo. Atualmente, é moda acreditar que qualquer coisa de fabricação estrangeira é superior à sua versão nacional: os alemães são mais eficientes e fazem os melhores carros, os japoneses são mais trabalhadores e fazem os melhores aparelhos de tevê, os franceses são mais divertidos e fazem o melhor pão, os cingapurianos são mais instruídos e fazem os melhores discos rígidos, etc. De todas as minhas viagens ao exterior, concluí que os Estados Unidos ainda têm as melhores empresas e o melhor sistema para investir nelas.

A Europa está repleta de grandes conglomerados que são equivalentes aos nossos *blue chips*, mas a Europa não tem a quantidade de empresas em crescimento que temos. As que existem tendem a ser sobrevalorizadas. Havia a L'Oréal, uma empresa francesa de cosméticos que Carolyn descobriu em sua análise fundamentalista do balcão de perfumes. Eu gostei da ação, mas não a cinquenta vezes o lucro.

Tenho certeza de que centenas de empresas americanas aumentaram seus lucros por vinte anos consecutivos. Na Europa, seria difícil encontrar até dez. Mesmo as *blue chips* europeias não têm registros de lucros contínuos como é comum aqui.

As informações sobre empresas estrangeiras são vagas e, muitas vezes, enganosas. Apenas na Grã-Bretanha existe algo parecido com a cobertura cuidadosa à qual as empresas estão sujeitas em Wall Street. No continente europeu, ser analista de valores mobiliários é uma profissão obscura. Na Suécia, quase não há analistas à vista. O único que consegui encontrar nunca havia visitado a Volvo, uma empresa tão influente quanto a General Motors ou a IBM.

As previsões de lucros podem ser bastante imaginativas. Repreendemos os analistas americanos por estarem errados na maior parte do tempo, mas, em comparação com os analistas europeus, eles são quase infalíveis. Na França, li o relatório de um analista otimista sobre um conglomerado chamado Matra. Cheio de expectativas animadas, visitei a empresa. Um porta-voz avaliou as perspectivas de cada setor. As notícias foram, em grande parte, ruins: concorrência ruinosa em um setor, uma baixa contábil inesperada em outro, uma greve trabalhista em um terceiro, etc. "Isso não parece a mesma empresa sobre a qual tenho lido, que está dobrando seus lucros este ano", comentei. Ele olhou para mim meio de lado.

Se você fizer uma pesquisa na Europa, poderá usar a cobertura deficiente a seu favor, por exemplo, ao descobrir que a Volvo estava sendo negociada pelo mesmo preço que o dinheiro que ela tinha em caixa. É por isso que consegui me sair tão bem com ações estrangeiras no Magellan. Nos Estados Unidos, o que torna difícil a seleção de ações é que mil pessoas mais espertas do que você estão estudando as mesmas ações que você. Não é assim na França, na Suíça ou na Suécia. Lá todas as pessoas inteligentes estão estudando Virgílio e Nietzsche, em vez de Volvo e Nestlé.

E os japoneses, esses campeões do capitalismo e das horas extras no escritório, proprietários do Rockefeller Center e da Columbia Pictures e, em breve, os futuros donos do Seattle Mariners e, depois disso, talvez do monumento de

Washington? Se você tivesse vindo junto comigo em uma de minhas viagens de pesquisa ao Japão, teria percebido que todo esse negócio de superioridade japonesa foi conversa fiada desde o início. O Japão é o país mais rico do universo e um país em que as pessoas têm dificuldade de fechar as contas no final do mês. Os japoneses admiram a nós, americanos, pelos armários espaçosos, pelos preços baixos e pelas casas de fim de semana. Uma maçã lhes custa 5 dólares e o jantar lhes custa 100 dólares, e nem chega a ser um jantar suntuoso. Eles se amontoam nos vagões do metrô e, depois de uma hora e meia, ainda não deixaram a grande Tóquio, que é maior do que o estado de Rhode Island. No percurso, sonham em mudar para o Havaí, onde poderão obter algo em troca de seu dinheiro, mas precisam ficar no Japão e se dedicar a pagar a hipoteca de 1 milhão de dólares por sua gaiola de noventa metros quadrados; se vendessem a gaiola, teriam de se mudar para outra gaiola de 1 milhão de dólares ou então alugar um apartamento a 15 mil dólares por mês.

A situação japonesa me lembra a história sobre o homem que se gaba de uma vez ter sido dono de um cão que custava 1 milhão de dólares. Você pergunta como ele sabia que o cão custava 1 milhão de dólares, e ele responde que é porque ele o trocou por dois gatos que custavam 500 mil dólares cada um. Talvez os japoneses tenham gatos que custam cerca de 500 mil dólares para combinar com seus títulos de 500 mil dólares do clube de golfe e, até recentemente, eles poderiam tê-los negociado por algumas ações de 100 mil dólares.

O *slogan* publicitário "Quando a E.F. Hutton[40] fala, as pessoas ouvem!" teria sido um eufemismo no Japão. Lá, o *slogan* seria "Quando a Nomura Securities[41] manda, as pessoas obedecem!". Os corretores eram totalmente confiáveis, e seus conselhos eram considerados evangelhos. Os japoneses seguiam suas instruções e compravam gatos de 500 mil dólares.

O resultado foi um mercado maravilhoso de ações com índices P/L de cinquenta, cem, duzentos, que estavam tão fora dos níveis racionais que os

---

40. A E.F.Hutton foi uma corretora americana fundada em 1904 por Edward Francis Hutton. Sob a liderança de Hutton, se tornou uma das mais respeitadas instituições financeiras dos Estados Unidos. Nos anos 70 e 80, a corretora criou uma série de anúncios na televisão que retratavam diversas circunstâncias apresentando cenas de lugares agitados em que os protagonistas falavam sobre investimentos. Um dos protagonistas dizia "Bem, meu corretor é E.F. Hutton e ele diz..."; imediatamente, a agitação ao redor cessava e as pessoas paravam de falar quando o locutor dizia "Quando E.F. Hutton fala, as pessoas ouvem!". O conceito é que E. F Hutton era tão bem-sucedido na área de investimentos que as pessoas paravam tudo o que estavam fazendo apenas para ouvir o que o corretor tinha a dizer. (N.R.T.)
41. A Nomura é uma subsidiária da Nomura Holdings, uma companhia financeira japonesa que administra valores mobiliários. (N.E.)

espectadores começaram a teorizar que os altos índices P/L eram uma característica cultural do Japão. Na verdade, os investidores americanos exibiam essa mesma característica no final dos anos 1960, quando nosso mercado estava tão sobrevalorizado que demorou 22 anos, até 1991, para que a média do Dow Jones, ajustada pela inflação, atingisse o máximo histórico estabelecido em 1967.

O mercado japonês tem sido alvo de manobras de bastidores em um grau desconhecido em Wall Street desde os anos 1920. No Japão, os grandes investidores tinham garantias de devolução de seu dinheiro pelas corretoras — quando perdiam dinheiro, os corretores lhes devolviam. Se ao menos a Merrill Lynch e a Smith Barney fossem tão complacentes, isso traria alguma confiança de volta às *nossas* ações.

Em minha primeira visita, em 1986, tive a impressão de que o Japão era um mercado manipulado. A viagem foi organizada pelo escritório da Fidelity em Tóquio, que empregava oitenta pessoas. Em seu livro *O jogo do dinheiro*, Adam Smith escreveu um capítulo sobre o fundador da Fidelity, o empreendedor senhor Johnson. Desde que o livro foi publicado em japonês, a Fidelity ficou famosa no Japão.

No entanto, foram necessárias muitas cartas e telefonemas antes que uma série de reuniões pudesse ser marcada entre mim e algumas empresas japonesas. Recebi os relatórios anuais com antecedência, mandei traduzi-los para o inglês e escrevi minhas perguntas. Usei a mesma técnica que sigo em casa, iniciando com brincadeiras educadas, salpicando minhas perguntas com fatos para mostrar que me importava o suficiente para ter feito o dever de casa.

As firmas japonesas são muito formais e as reuniões eram de natureza cerimonial, com muitas reverências e xícaras de café. Em uma empresa, fiz uma pergunta sobre os gastos de capital, que levou cerca de quinze segundos em inglês, mas o tradutor demorou cinco minutos para retransmiti-la para o especialista japonês, que, em seguida, levou mais de sete minutos para responder em japonês, e o que finalmente voltou para mim, em inglês, foi "105 milhões de ienes". Essa é uma língua muito floreada.

Em uma entrevista posterior com um dos mais conhecidos corretores no país, tive um vislumbre do quanto os preços das ações japonesas são controlados. Ele estava descrevendo sua ação favorita — não me lembro qual era o nome dela — e sempre se referia a um número, algo como 100 mil ienes. Eu não tinha certeza se ele estava falando sobre faturamento, lucros ou o quê, então pedi esclarecimentos. Acontece que ele estava prevendo o preço das ações para dali a doze meses. Um ano depois, verifiquei, e ele estava totalmente certo.

O Japão era um pesadelo para os analistas fundamentalistas. Vi exemplo após exemplo de empresas com balanços ruins e lucros irregulares, e ações sobrevalorizadas com índices P/L malucos, incluindo a empresa que lançou a maior oferta pública da história financeira: a Nippon Telephone.

Quando uma companhia telefônica é privatizada, normalmente fico louco para comprá-la (ver Capítulo 17), mas a Sushi Bell foi exceção. Essa não era uma ação de crescimento rápido em um país subdesenvolvido e com uma população faminta por possuir um aparelho. Era uma prestadora de serviços públicos japonesa regulamentada em sua fase madura, algo como a antiga Ma Bell antes de ser dividida, que poderia crescer 6% ou 7% ao ano, mas não acima dos 10%.

A oferta inicial foi vendida, em 1987, a um preço de 1,1 milhão de ienes por ação. Na época, achei que era um preço louco e, logo depois, o preço quase triplicou. Nessa altura, a Nippon Telephone estava sendo vendida por algo como três mil vezes o lucro. Ela tinha um valor de mercado de 350 bilhões de dólares, mais do que todo o mercado acionário alemão e mais do que as cem maiores empresas de nossa lista Fortune 500.

Nesse negócio, não apenas o imperador estava sem roupas, mas o povo perdeu as calças. Após a Grande Correção, o governo japonês conseguiu impingir ao público japonês mais ações sobrevalorizadas da Nippon por meio de duas ofertas adicionais: uma de 2,55 milhões de ienes por ação e a seguinte de 1,9 milhão de ienes por ação. Tudo tem ido ribanceira abaixo desde então. No momento em que este livro foi escrito, uma ação da Nippon estava sendo negociada por 575 mil ienes, 85% menos do que o preço com desconto de 1987. Para que os investidores em Wall Street perdessem uma quantia semelhante, todas as empresas da lista da Fortune 100 precisariam ser exterminadas.

Mesmo a 575 mil ienes por ação, o valor de mercado da Nippon excede o da Philip Morris, a maior empresa dos Estados Unidos, com trinta anos seguidos de aumentos de lucros. Após todos os prejuízos, a Nippon ainda está com preços cinquenta vezes superiores aos seus lucros.

Os investidores japoneses, pelo que ouvimos falar, prestam pouca atenção aos lucros e concentram sua atenção no fluxo de caixa, talvez devido a uma escassez dos primeiros. Empresas que gastam dinheiro como marinheiros bêbados, sobretudo com aquisições e imóveis, acabam ficando com uma enorme provisão para cobrir depreciações e muitas dívidas para pagar, o que lhes dá um perfil de fluxo de caixa alto/lucros baixos.

Os estudantes do mercado japonês dirão que o gosto dos japoneses por fluxo de caixa é outro traço cultural, mas não há nada de cultural na tinta vermelha. A tinta vermelha é o problema enfrentado pelos bancos japoneses que emprestaram dinheiro a todos os compradores de cachorros de 1 milhão de dólares e de gatos de 500 mil dólares.

A especulação desempenha um papel muito maior na economia japonesa do que na economia amaericana. A Merrill Lynch, em seus melhores anos, nunca apareceu entre as cem maiores empresas dos Estados Unidos na Fortune 500, mas, a certa altura, cinco das 25 maiores empresas, no Japão, eram corretoras e outras cinco a dez eram bancos.

Os bancos americanos são criticados por fazer empréstimos tolos para os Reichmann e os Trump,[42] mas mesmo o mais tolo desses empréstimos imobiliários era afiançado por algum tipo de garantia. Os bancos japoneses estavam fazendo empréstimos de 100% com garantia zero para prédios de escritórios onde, na hipótese mais otimista, os aluguéis mal cobririam as despesas.

Até a recente queda, as únicas barganhas nas ações japonesas eram as pequenas empresas, que, em minha opinião, são a chave para o crescimento e para a futura prosperidade do Japão, assim como são nos Estados Unidos. As pequenas empresas japonesas foram ignoradas nos estágios iniciais da grande mania pelas ações, e concentrei minhas compras nelas. Quando essas pequenas ações atingiram os mesmos preços loucos que as outras, eu saí. Levando tudo em consideração, prefiro investir em um fundo mútuo de ações de crescimento emergente sólido no bom e velho Estados Unidos.

Para resumir nossa discussão sobre estratégias de fundos mútuos:

- coloque o máximo possível de seu dinheiro em fundos de ações. Mesmo se você precisar de renda, será melhor, no longo prazo, possuir ações que pagam dividendos e, ocasionalmente, usar o capital como um substituto da renda.
- se você precisa possuir títulos do governo, compre-os diretamente do Tesouro e evite os fundos de títulos, nos quais você pagará taxas de administração à toa.
- saiba que tipos de fundos de ações você possui. Ao avaliar o desempenho, compare maçãs com maçãs, ou seja, fundos fundamentalistas com fundos fundamentalistas. Não culpe um gestor de um fundo de ouro por não conseguir superar um fundo de ações de crescimento.

---

42. Os Reichmann são uma família canadense de judeus ultraortodoxos dona de um império imobiliário. Os Trump são uma família americana de magnatas do setor imobiliário. (N.E.)

- é melhor dividir seu dinheiro entre três ou quatro tipos de fundos de ações (crescimento, fundamentalista, crescimento emergente, etc.) para que você sempre tenha algum dinheiro investido no setor mais rentável do mercado.
- quando você acrescentar dinheiro à sua carteira, coloque-o no fundo que está investido no setor que vem tendo um desempenho inferior ao do mercado há vários anos.
- tentar escolher o fundo vencedor de amanhã com base no desempenho de ontem é uma tarefa difícil, se não fútil. Concentre-se em fundos com desempenhos sólidos e mantenha-se neles. Trocar constantemente seu dinheiro de um fundo para outro é um hábito caro e prejudicial ao seu patrimônio líquido.

4
A GESTÃO DO MAGELLAN

Os primeiros anos

Recentemente, retirei as últimas iscas enganadoras (como eu chamo os prospectos em Wall Street) da minha mesa, tirei os livros grossos de folhas soltas dos relatórios do Magellan para os acionistas de sua posição em uma prateleira empoeirada e tentei entender treze anos de administração do fundo. Fui ajudado, nesse esforço, pelos gênios de computação da Fidelity, Guy Cerundolo, Phil Thayer e, sobretudo, Jacques Perold, que produziram relatórios de meus maiores ganhos e minhas maiores perdas. Essa lista é mais instrutiva do que pensei que seria — até eu fico surpreso com alguns dos resultados. A teoria popular de que pequenas ações de crescimento foram o principal fator no sucesso do Magellan está longe de ser correta.

Ofereço esta revisão na esperança de que sirva de algum benefício prático para outros gestores de fundos e também para investidores amadores que possam querer aprender com meus erros, ou, se não, para qualquer pessoa que possa estar curiosa sobre o que funcionou para mim e o que não. Dividi o material em três capítulos que tratam dos primeiros anos, dos anos intermediários e dos últimos anos, no estilo dos diplomatas que escrevem suas memórias, apenas porque é uma maneira conveniente de organizar as coisas e não porque existe qualquer importância pretensiosa na vida de um selecionador de ações, algo que eu fui e ainda sou.

A Fidelity não é uma empresa pública. Se fosse, eu gostaria de pensar que teria sido sensato o suficiente para recomendar que as pessoas comprassem suas ações, tendo visto em primeira mão, todos os dias, o dinheiro novo entrando e os fundos novos sendo lançados, e os outros efeitos de uma administração brilhante, primeiro pelo senhor Johnson e depois por seu filho, Ned.

O fundo Magellan não começou comigo. Ned Johnson começou o administrando em 1963 com o nome de fundo Fidelity International, mas um imposto sobre investimentos estrangeiros, introduzido pelo então presidente Kennedy, forçou os gestores de fundos internacionais a vender suas ações estrangeiras e a comprar ações nacionais. Por dois anos, o fundo Internacional foi realmente um fundo nacional disfarçado, até se tornar o Magellan em 31 de março de 1965. A maior participação acionária do Magellan na época era na Chrysler, que voltou da beira da falência vinte anos mais tarde para se tornar minha maior participação, provando que nunca se deve desistir de certas empresas.

Quando o Magellan foi lançado, eu era estudante no Boston College e trabalhava como *caddy* em jogos de golfe nos fins de semana. Isso foi durante o grande *boom* dos fundos, quando todos queriam comprar fundos. A mania dos fundos atingiu até minha mãe, uma viúva com recursos limitados. Uma professora que trabalhava como vendedora de fundos em meio expediente a convenceu a comprar o Fidelity Capital. Ela gostou do fato de que "um cara chinês" o dirigia, porque ela acreditava na genialidade oriental. O chinês era Gerry Tsai; ele, junto com Ned Johnson, do Fidelity Trend, eram gestores de fundos *sui generis* naquela época.

Minha mãe nunca teria sabido que um chinês dirigia o fundo Fidelity Capital se a vendedora não tivesse contado a ela. Um enxame de ambulantes de fundos viajava pelo interior, muitos deles em meio expediente, fazendo visitas domiciliares junto com os vendedores de aspiradores de pó, seguros, sepulturas e enciclopédias. Minha mãe concordou com um plano em que investiria 200 dólares por mês, para sempre, a fim de nos garantir um futuro próspero. Era dinheiro que ela não tinha, porém o Fidelity Capital superou o S&P, pois triplicou na década de 1950 e dobrou novamente durante os primeiros seis anos da década de 1960.

O mercado acionário é um negócio inconstante, embora seja difícil de acreditar nisso hoje, depois de tantos anos de ganhos emocionantes. Correções severas são sucedidas por longos períodos em que nada acontece, Wall Street é desprezada pelos editores de periódicos, ninguém se vangloria de sua carteira em festas e a paciência do investidor é duramente testada. Os selecionadores de ações dedicados começam a se sentir tão solitários quanto os turistas em *resorts* fora de temporada.

Quando fui contratado como analista da Fidelity, o mercado estava entrando em uma dessas crises. Os preços das ações haviam atingido um pico e caminhavam para o colapso de 1972-1974, o pior desde o colapso de 1929-1932 que precedeu a Depressão. De repente, ninguém queria comprar fundos mútuos. Não havia o mínimo interesse. Os negócios iam tão mal que o enxame de vendedores foi forçado a se dissolver. Os vendedores voltaram a vender aspiradores de pó, cera de carro ou qualquer outra coisa que tivessem vendido antes que os fundos esquentassem.

À medida que as pessoas fugiam dos fundos de ações, elas colocavam o dinheiro em fundos de curto prazo e de títulos. A Fidelity obteve lucro suficiente com esses tipos de fundo para manter vivos pelo menos alguns dos fundos de ações impopulares. Esses sobreviventes tiveram de competir pelos poucos clientes que estavam interessados em ações, uma espécie em risco de extinção que estava desaparecendo rapidamente.

A diferença entre um fundo de ações e outro era mínima. A maioria deles era chamada de "fundos de valorização do capital", um termo vago que dava aos gestores liberdade para comprar empresas cíclicas, prestadoras de serviços públicos, empresas de crescimento, empresas em situações especiais, o que quer que fosse. Embora a mistura de ações fosse diferente de um fundo de valorização de capital para outro, para o comprador de fundos todos pareciam produtos iguais.

Em 1966, o Fidelity Magellan era um fundo de 20 milhões de dólares, mas a saída constante de dinheiro por causa dos resgates dos clientes o reduzira para um fundo de 6 milhões de dólares em 1976. É difícil pagar a conta de luz, e mais ainda pagar quaisquer salários, com um fundo de 6 milhões de dólares quando a taxa de administração de 0,6% gera 36 mil dólares para despesas operacionais anuais.

Portanto, em 1976, em um esforço para economizar, a Fidelity fundiu o fundo Magellan, de 6 milhões de dólares, com outra vítima da falta de interesse dos investidores, o fundo Essex, de 12 milhões de dólares. A certa altura, o Essex havia sido um fundo de 100 milhões de dólares, mas tinha se saído tão mal num mercado ruim que gerou um prejuízo fiscal, passível de ser compensado em anos vindouros, de 50 milhões de dólares. Essa era sua maior atração. A administração e os agentes fiduciários da Fidelity achavam que o fundo Magellan — que havia sido habilmente administrado por Dick Haberman desde 1972, e de 1969 a 1972 por Haberman e Ned Johnson — poderia aproveitar as vantagens fiscais do fundo Essex. A entidade combinada não precisaria pagar nenhum imposto sobre os primeiros 50 milhões de dólares em ganhos de capital.

Esta foi a situação que herdei em 1977, quando fui nomeado gestor do fundo: dois fundos combinados em um, 18 milhões de dólares em ativos, prejuízo fiscal de 50 milhões de dólares a compensar, um mercado de ações tenebroso, um número pequeno e em rápido declínio de clientes nervosos, e nenhuma maneira de atrair investidores novos porque a Fidelity havia fechado o Magellan para compradores.

Somente quatro anos mais tarde, em 1981, o Magellan foi reaberto e as pessoas puderam comprar ações novamente. Esta longa paralisação foi muito mal interpretada pela imprensa. A opinião popular é a de que a Fidelity planejou uma estratégia inteligente de esperar que seus fundos compilassem um histórico de desempenho decente antes de lançá-los, a fim de estimular as vendas. O Magellan é, muitas vezes, identificado como um dos vários fundos chamados de fundos de incubadora que sofreram um período de testes prolongado.

A verdade é muito menos lisonjeira. A Fidelity teria entrado em êxtase se conseguisse atrair mais acionistas durante aquele período. O que nos impediu foi a falta de interessados. O negócio dos fundos era tão sombrio que as corretoras haviam fechado seus departamentos de vendas, de modo que não havia sobrado ninguém para vender as ações aos poucos excêntricos que poderiam estar interessados em comprá-las.

Estou convencido de que a obscuridade em que trabalhei nos primeiros quatro anos foi mais uma bênção do que uma maldição. Isso me permitiu aprender o ofício e cometer erros sem estar sob os holofotes. Os gestores de fundos e os atletas têm isso em comum: eles podem se sair melhor no longo prazo se forem treinados lentamente.

Não há como um analista que esteja familiarizado com talvez 25% das empresas no mercado acionário (no meu caso, principalmente têxteis, metais e produtos químicos) se sentir adequadamente preparado para administrar um fundo de valorização de capital, no qual ele pode comprar qualquer coisa. Ter sido diretor de pesquisas da Fidelity, de 1974 a 1977, e ter servido no comitê de investimentos me deu alguma familiaridade com outros ramos. Em 1975, comecei a ajudar uma instituição de caridade de Boston a administrar sua carteira. Esta foi minha primeira experiência direta com um fundo.

Meus diários de visitas a empresas, que guardei tão religiosamente quanto Casanova[43] guardava suas agendas de encontros amorosos, me lembram que, em 12 de outubro de 1977, visitei a General Cinema, o que não deve ter me impressionado, uma vez que a ação não aparece na minha lista de compras. Ela estava sendo negociada por menos de 1 dólar na época e está sendo negociada por mais de 30 dólares hoje — imagine perder essa ação cujo preço subiu trinta vezes logo de cara. (Esse valor de 30 dólares foi ajustado para os desdobramentos de ações. Fizemos o mesmo com preços de ações ao longo

---

43. Aqui o autor se refere a Giacomo Girolamo Casanova (1725-1798), um escritor italiano com fama de libertino. Ele teria seduzido milhares de mulheres e algumas dezenas de homens. (N.E.)

deste livro. Portanto, os preços que você vê aqui podem não corresponder aos que você vê na seção de negócios, mas os ganhos e as perdas descritos neste texto são absolutos e corretos.)

Meus diários estão cheios dessas oportunidades perdidas, mas o mercado acionário é misericordioso — sempre dá uma segunda chance ao pateta.

Durante meus primeiros meses, eu estava preocupado em me livrar das seleções favoritas de meu antecessor e substituí-las por minhas próprias escolhas, e em constantemente vender ações para levantar dinheiro para cobrir os resgates intermináveis. No final de dezembro de 1977, minhas maiores posições eram na Congoleum (51 mil ações com um valor colossal de 833 mil dólares — esta seria uma participação insignificante dez anos mais tarde), Transamerica, Union Oil e Aetna Life and Casualty. Eu também descobrira a Hanes (graças a minha esposa, Carolyn, que era louca por suas meias-calças L'eggs), a Taco Bell ("O que é isso, a companhia telefônica mexicana?", perguntou Charlie Maxfield, meu primeiro *trader*, quando fiz a ordem de compra) e a Fannie Mae, da qual eu comprara 30 mil ações.

Eu gostava da Congoleum porque ela tinha inventado um novo piso de vinil sem emendas, o qual poderia ser aplicado em uma cozinha inteira como se fosse um tapete. Além de fazer pisos, essa empresa também estava construindo fragatas para o Departamento de Defesa com as mesmas técnicas modulares usadas em casas pré-fabricadas. Dizia-se que as fragatas pré-fabricadas da Congoleum tinham um futuro promissor. Eu gostava da Taco Bell por causa de seus tacos saborosos, porque 90% do país ainda não tinha sido exposto aos tacos saborosos e porque a empresa tinha um bom histórico, um balanço patrimonial sólido e uma sede que parecia uma oficina de automóveis de bairro. Isso me leva ao Princípio do Peter número 7:

A extravagância de qualquer sede de empresa é diretamente proporcional à relutância da administração em recompensar os acionistas.

Além de serem empresas de capital aberto, minhas escolhas originais (Congoleum, Kaiser Steel, Mission Insurance, La Quinta Motor Inns, Twentieth Century-Fox, Taco Bell, Hanes, etc.) parecem não ter nada em comum. Desde o início, fui atraído por uma mescla misteriosa, cuja ausência mais notável era o setor químico, que eu havia pesquisado tão exaustivamente como analista.

O relatório anual de 31 de março de 1978 do Magellan foi publicado dez meses após o início de meu mandato. A capa é ilustrada com um mapa detalhado e antigo da costa da América do Sul, mostrando os nomes de várias enseadas e rios. Três pequenos galeões encantadores, presumivelmente de Magalhães,[44] foram desenhados nas margens, navegando alegremente em direção ao Cabo Horn. Nos anos posteriores, à medida que o fundo foi ficando maior e mais complexo, as ilustrações ficaram mais simples. Logo, os nomes espanhóis foram apagados das enseadas e dos rios, e a flotilha foi reduzida de três para dois navios.

Lembrei que aquele relatório de março 1978 dizia que o fundo tivera uma alta de 20% nos últimos doze meses, enquanto o índice Dow Jones perdera 17,6% e o S&P 500 perdera 9,4% no mesmo período. Parte desse sucesso deve ter resultado da minha contribuição de novato. Em minha carta aos acionistas, na qual sempre me vi obrigado a tentar explicar o inexplicável, descrevi minha estratégia da seguinte forma: "Redução de participações nos setores de automóveis, aeroespacial, ferrovias, poluição, prestadoras de serviços públicos, produtos químicos, eletrônicos e de energia; aumento das posições em instituições financeiras, radiodifusão, entretenimento, seguros, bancos e instituições financeiras, produtos de consumo, hospedagem e locação". Tudo isso após um período de dez meses em uma carteira de 20 milhões de dólares com menos de cinquenta ações!

O fato é que nunca tive uma estratégia coerente. Minha escolha de ações foi inteiramente empírica, e fui farejando um caso e outro como um cão de caça treinado para seguir um cheiro. Eu me preocupava muito mais com os detalhes de uma história em particular — por exemplo, por que uma empresa, dona de estações de tevê, ganharia mais dinheiro este ano do que ganhara no ano passado — do que com o meu fundo estar subdimensionado ou superdimensionado no setor de radiodifusão. O que poderia acontecer é que eu me encontraria com um gerente de uma empresa de radiodifusão que me diria que seu negócio estava melhorando, e então ele me daria o nome de seu concorrente mais forte, e eu verificaria os detalhes e, muitas vezes, acabaria comprando ações da segunda emissora. Segui rastros em todas as direções, provando que um pouco de conhecimento sobre vários setores não é necessariamente algo perigoso.

Como o Magellan era um fundo de valorização de capital, eu podia comprar qualquer coisa — ações americanas de todas as variedades, ações estrangeiras e até mesmo títulos. Isso me deu liberdade para explorar a fundo meu

---

44. No original, "presumably Magellan's". A referência aqui é a Ferdinand Magellan (c. 1480-1521), um explorador português que organizou a expedição espanhola às Índias Orientais de 1519 a 1522, o que resultou na primeira circum-navegação na Terra. (N.E.)

estilo de cão de caça. Eu não estava limitado, como estão os gestores de fundos de crescimento. Quando todo o setor de crescimento ficava sobrevalorizado, o que acontecia a intervalos regulares, o gestor de um fundo de crescimento era forçado a comprar ações sobrevalorizadas; caso contrário, ele não teria um fundo de crescimento. Ele tinha de escolher o melhor de um grupo terrível. Eu estava livre para vagar e descobrir que os lucros da Alcoa estavam se recuperando porque o preço do alumínio estava subindo.

Em janeiro de 1978, dissemos aos acionistas que "a carteira é dominada por três categorias de empresas: situações especiais, cíclicas subvalorizadas e empresas de crescimento de pequeno e médio porte". Se isso não cobria toda a extensão possível, a definição foi expandida um ano depois da seguinte forma:

> O objetivo do fundo Magellan é a valorização do capital por meio do investimento em ações ordinárias relativamente atraentes, encontradas, sobretudo, em cinco categorias: empresas de pequeno e médio porte, empresas cujas perspectivas estão melhorando, empresas cíclicas depreciadas, empresas com alto rendimento e que pagam dividendos crescentes e, finalmente, empresas cujo valor real dos ativos foi negligenciado ou subestimado pelo mercado... em algum momento no futuro, as ações estrangeiras poderão representar uma parte substancial do fundo.

Em outras palavras, estávamos dispostos a comprar o que fosse negociado em uma bolsa de valores.

Flexibilidade era a palavra-chave. Sempre houve empresas subvalorizadas para ser encontradas em algum lugar. Dois dos meus maiores ganhos, nesse estágio inicial, foram grandes empresas petrolíferas: Unocal e Royal Dutch. Seria de se esperar que um fundo de 20 milhões de dólares ignorasse as grandes empresas de petróleo e se concentrasse em ações menores com melhores taxas de crescimento, mas descobri que a Royal Dutch estava se recuperando e parecia que Wall Street não havia percebido, então comprei a Royal Dutch. Em certo momento, quando o Magellan ainda era um fundo insignificante, coloquei 15% dos ativos em prestadoras de serviços públicos. Eu era dono de ações da Boeing e da Todd Shipyards, juntamente com a Pic'N' Save e a Service Corporation International, o McDonald's das funerárias. Duvido que alguma vez tenha investido mais de 50% nas ações de crescimento às quais o sucesso do Magellan é tantas vezes atribuído.

Em vez de ficar constantemente na defensiva, comprando ações e, em seguida, pensando em novas desculpas para mantê-las em carteira se não estivessem indo bem (uma grande quantidade de energia, em Wall Street, ainda é dedicada à arte de inventar desculpas), tentei ficar na ofensiva, buscando melhores oportunidades em empresas mais desvalorizadas do que as que eu havia escolhido. Em 1979, um bom ano para as ações em geral, o Magellan subiu 51%, enquanto o S&P subiu 18,44%. No relatório anual aos acionistas, mais uma vez enfrentei o desafio de explicar minha estratégia, como se eu já tivesse uma, para início de conversa. "Aumento das participações nos setores de hospedagem, restaurantes e varejo" foi o melhor que pude fazer.

Eu me sentia atraído pelos restaurantes de *fast-food* porque eram muito fáceis de entender. Uma rede de restaurantes que teve sucesso em uma região tinha uma excelente chance de duplicar seu sucesso em outra. Eu vi como a Taco Bell abriu muitos pontos de venda na Califórnia e, depois de provar seu valor lá, expandiu-se para o leste, aumentando seus lucros de 20% a 30% ao ano no processo. Comprei a Cracker Barrel e, mais tarde, visitei a loja da Cracker Barrel localizada em Macon, Geórgia. Eu tinha voado para Atlanta para participar de uma conferência de investimentos patrocinada pela Robinson--Humphrey e decidi aproveitar para fazer uma visita ao restaurante. No mapa do carro alugado, Macon parecia estar a poucos quilômetros de distância do meu hotel, no centro de Atlanta.

Alguns quilômetros acabaram sendo cerca de 150 e, no trânsito no horário de pico, minha pequena incursão demorou três horas, mas no final tive um delicioso bagre de jantar e saí impressionado com toda a operação Cracker Barrel. Esta ação cujo preço subiu cinquenta vezes teve um bom desempenho para o Magellan, e é por isso que a incluí em minha lista de cinquenta ações mais importantes, na página 156.

Fiz uma pesquisa semelhante em um supermercado de material de construção, que também estava localizado em Atlanta. Chamava-se Home Depot. Mais uma vez, fiquei impressionado com o serviço cortês, para não mencionar o vasto estoque de parafusos, porcas, tijolos e argamassa, os preços baratos e os funcionários bem preparados. Ali o pintor de parede amador e o encanador de fim de semana estavam livres da loja de material de construção de seu bairro, com seus preços altos e sua pequena variedade de produtos.

Esta foi a infância da Home Depot, com as ações (ajustadas para levar em conta desdobramentos posteriores) sendo vendidas por 25 centavos cada uma, e eu a tinha visto com meus próprios olhos e a comprado, mas perdi o interesse e a vendi um ano mais tarde. A Figura 4-1 me causa eterno remorso. Imagine uma ação que vai de 25 centavos a 65 dólares, uma subida de 260 vezes em quinze anos, e eu estava presente em sua criação e não percebi seu potencial.

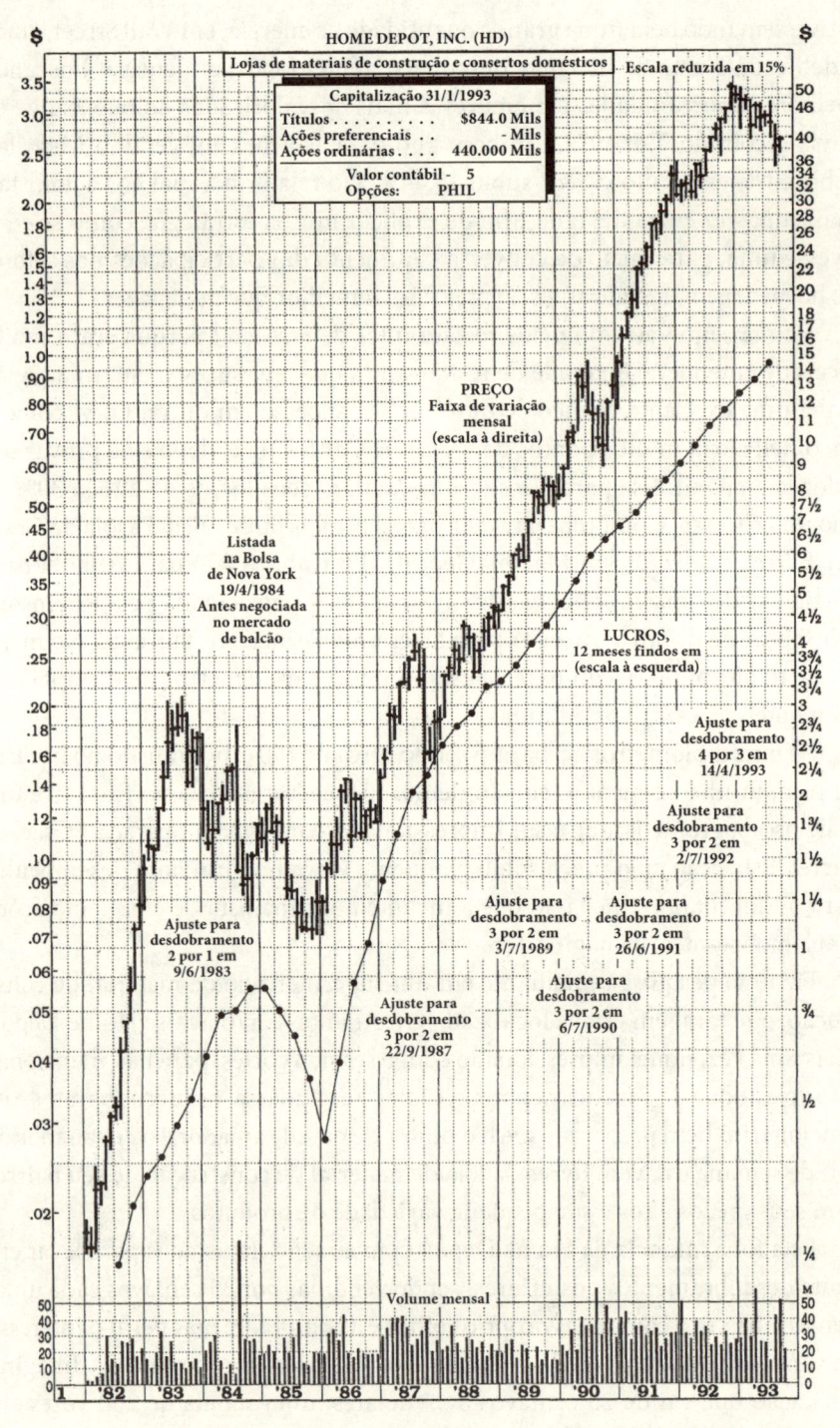

FIGURA 4-1

Talvez se a Home Depot tivesse começado na Nova Inglaterra, ou se eu soubesse a diferença entre uma chave de fenda Phillips e um gim-tônica, eu não teria feito uma avaliação tão errada dessa empresa maravilhosa. Ela e a Toys "R" Us, que também vendi muito cedo, foram as duas piores vendas de toda a minha carreira.

Mesmo sem a Home Depot, os sucessos do Magellan, em 1979, foram duplicados e um pouco mais em 1980, quando meu minúsculo clube de acionistas desfrutou de um ganho de 69,9%, enquanto o S&P subiu 32%. Minhas mais recentes posições importantes eram em jogos (Golden Nugget e Resorts International, para ser exato), seguros e varejo. Gostava tanto das lojas de conveniência que comprei Hop-In Foods, Pic 'N' Save, Shop & Go, Stop & Shop e Sunshine Jr., todas ao mesmo tempo.

Ao revisar esta fase inicial de minha administração, fico surpreso com a taxa de rotatividade do fundo: 343% no primeiro ano, quando a carteira continha 41 ações, e 300% em cada um dos três anos seguintes. Desde o dia 2 de agosto de 1977, quando vendi 30% das participações, mantive um ritmo vertiginoso de compra e venda, enquanto as empresas petrolíferas, seguradoras e varejistas entravam e saíam de cena todo mês.

Em setembro de 1977, comprei algumas ações cíclicas e, em novembro, estava me livrando delas. A Fannie Mae e a Hanes, ambas adicionadas ao fundo naquele outono, já não estavam mais lá na primavera. Minha maior posição mudou da Congoleum para a Signal Companies, e depois para a Mission Insurance, seguida pela Todd Shipyards e, em seguida, pela churrascaria Ponderosa. A Pier 1 aparece e desaparece, assim como uma empresa com o nome intrigante de Four-Phase.

Parece que eu estava entrando e saindo da Four-Phase a cada fase da lua. Por fim, ela foi comprada pela Motorola (para o grande pesar da Motorola posteriormente), então tive de parar de negociá-la o tempo inteiro. Lembro-me vagamente de que tinha algo a ver com terminais de computador, mas não conseguia explicar na época nem consigo agora. Felizmente, nunca investi muito dinheiro em coisas que não entendia, o que incluía a maioria das empresas de tecnologia ao longo da Rota 128 na área de Boston.[45]

Muitas de minhas mudanças abruptas de direção foram causadas não por qualquer mudança na política, mas pelas visitas que fiz a alguma empresa nova de que gostei mais do que da anterior. Eu poderia ter preferido possuir as duas, mas em um fundo pequeno, no qual os acionistas continuavam a solicitar

---

45. É um local semelhante ao Vale do Silício. O anel viário de Boston, com mais de 55 milhas, que é a Rota 128, ganhou o nome de Rodovia de Tecnologia da América antes do primeiro *boom* tecnológico no final dos anos 90, em virtude do alto número de empresas de tecnologia na área. (N.R.T.)

resgates, eu não podia me dar a esse luxo. Se quisesse levantar dinheiro para comprar alguma coisa, tinha de vender outra, e, como sempre estava querendo comprar alguma coisa, tive de vender muito. Todos os dias, parecia que ouvia falar de algum novo alvo em potencial — Circle K, House of Fabrics, etc. — que era mais empolgante do que os do dia anterior.

Minhas negociações frequentes continuaram a me colocar diante do meu desafio anual: fazer com que tudo o que eu tivesse feito parecesse coerente para os acionistas que leriam o relatório de progresso. Minha recapitulação estratégica em um ano foi: "O Magellan mudou das ações cíclicas, que haviam valorizado, para as não cíclicas, que parecem propensas a ter aumentos em seu faturamento e em seus lucros", seguida por "O Magellan reduziu suas posições em empresas cujos lucros poderiam ser afetados por uma desaceleração econômica. No entanto, o fundo continua a investir pesadamente em produtos cíclicos que parecem estar subvalorizados".

Ao estudar esses relatórios agora, percebo que muitas das ações que segurei por apenas alguns meses deveriam ter sido mantidas por muito mais tempo. Isso não seria uma questão de lealdade incondicional, mas sim de manutenção de empresas que estavam ficando cada vez mais atraentes. A lista de remorso do vendedor inclui a Albertson's, uma ação em grande crescimento que se tornou uma subida de trezentas vezes; a Toys "R" Us, idem; a Pic 'N' Save, já mencionada; a Warner Communications, que um analista técnico, entre todas as pessoas possíveis, me convenceu a vender; e a Federal Express, uma ação que comprei por 5 dólares e vendi prontamente a 10 dólares, apenas para vê-la subir para 70 dólares em dois anos.

Ao abandonar essas grandes empresas por ações menos lucrativas, tornei-me vítima da prática bastante comum de "arrancar as flores e regar as ervas daninhas", uma de minhas expressões favoritas. Warren Buffett, conhecido por sua perspicácia no que se refere aos investimentos e também por seus dotes de escritor, me ligou uma noite pedindo permissão para usá-la em seu relatório anual. Fiquei emocionado ao ser citado lá. Alguns investidores, dizem, possuem uma ação da empresa Berkshire Hathaway de Buffett (cada uma custa 11 mil dólares) apenas para entrar na lista de distribuição dos relatórios de Buffett. Isso torna a Berkshire Hathaway a assinatura de revista mais cara da história.

LEVANDO A UNION CARBIDE PARA ALMOÇAR

Durante o período de quatro anos em que o Magellan ficou fechado para novos clientes e em que resgates pesados (um terço de todas as ações) me obrigavam a vender para comprar, conheci uma ampla gama de empresas e ramos da indústria e aprendi os fatores que causavam os altos e baixos em cada um. Na época, eu não imaginava que estava aprendendo como administrar um fundo multibilionário.

Uma das lições mais importantes foi perceber o valor de fazer minha própria pesquisa. Visitei dezenas de sedes de empresas e fui apresentado a dezenas de outras em conferências regionais de investimento, e um número cada vez maior (duzentos por ano ou mais no início dos anos 1980) foi comprado pela Fidelity.

A Fidelity iniciou a política de convidar uma empresa para almoçar. Isso substituiu o antigo sistema, segundo o qual almoçávamos com amigos no escritório ou com corretores de bolsa e conversávamos sobre nossos jogos de golfe ou sobre o Boston Red Sox. Os corretores de ações e os amigos eram muito amáveis, mas não tão valiosos quanto os CEOs ou os responsáveis pelas relações com investidores que sabiam como andavam os negócios no setor de seguros ou de alumínio.

Os almoços em breve se transformaram em cafés da manhã e jantares, a ponto de você poder comer com o S&P 500 inteiro nas salas de refeição da Fidelity. Toda semana, Natalie Trakas lançava um cardápio impresso, semelhante ao que as escolas mandam para casa com as crianças (espaguete na segunda, hambúrguer na terça), exceto que o nosso era um cardápio de convidados (segunda, AT&T ou Home Depot; terça, Aetna, Wells Fargo ou Schlumberger, e assim por diante). Sempre havia várias opções.

Como não era humanamente possível que eu comparecesse a todas as refeições informativas, fiz questão de escolher as empresas nas quais não tinha posição, só para ver o que eu estava perdendo. Se eu tivesse um investimento insuficiente no setor petrolífero, por exemplo, comparecia ao almoço com a empresa petrolífera, e essas conversas, em geral, me levavam a conhecer as últimas novidades dessa indústria cíclica.

É o tipo de informação que está sempre à disposição das pessoas direta ou indiretamente envolvidas num negócio, seja como produtores ou fornecedores, ou, no caso da indústria petrolífera, como vendedores de petroleiros ou proprietários de postos de gasolina ou fornecedores de equipamentos, que podem enxergar as mudanças e tirar proveito delas.

O fato de Boston ser a capital da indústria de fundos mútuos tornou mais fácil para nós ver centenas de empresas por ano sem precisar sair da cidade. Os executivos e o pessoal de finanças dessas empresas podiam circular pela Putnam, Wellington, Massachusetts Financial, State Street Research, Fidelity ou numerosos pontos de parada em potencial, procurando compradores para suas últimas ofertas públicas ou para suas ações em geral.

Além de convidar as empresas para o café da manhã, almoço e/ou jantar, os analistas e gestores de fundo eram incentivados a participar dos bate-papos vespertinos com outras fontes corporativas em uma das salas de conferência da Fidelity. Muitas vezes, nossos visitantes tomavam a iniciativa de se convidar para conversar conosco, mas também iniciamos muitos desses intercâmbios.

Quando uma empresa queria nos contar uma história, em geral era a mesma história que todo mundo em Wall Street estava ouvindo, e é por isso que as conversas tendem a ser mais úteis quando nós enviamos os convites.

Eu passava mais ou menos uma hora com o cara da Sears e descobria sobre as vendas de tapetes. Um vice-presidente da Shell Oil me dava um resumo dos mercados de petróleo, gás e produtos petroquímicos. (Uma dica oportuna da Shell me levou a vender ações de uma empresa de etileno que logo se desintegrou.) Um emissário de Kemper me disse que as taxas de seguro estavam subindo. Em dois de cada dez desses encontros aleatórios, eu descobria algo importante.

Minha regra pessoal era que, uma vez por mês, eu deveria ter, pelo menos, uma conversa com um representante de cada ramo industrial importante, na eventualidade de os negócios estarem começando a mudar ou haver outros acontecimentos recentes que Wall Street tinha deixado passar. Este foi um sistema de alerta precoce muito eficaz.

Eu sempre terminava essas discussões perguntando: qual dos seus concorrentes você mais respeita? Quando o CEO de uma empresa admite que uma empresa concorrente está fazendo um trabalho tão bom ou melhor, isso é um endosso poderoso. O resultado era que, muitas vezes, eu saía e comprava ações do concorrente dele.

As informações que buscávamos não eram esotéricas ou ultrassigilosas, e nossos convidados ficavam felizes em compartilhar o que sabiam. Descobri que a grande maioria dos representantes das empresas era objetiva e franca sobre os pontos fortes e fracos de suas próprias operações. Quando os negócios iam mal, eles admitiam isso, e também me diziam quando pensavam que a situação estava mudando. Tendemos a ser cínicos e desconfiados dos motivos uns dos outros, sobretudo quando há dinheiro envolvido, mas em meus milhares de encontros com pessoas que queriam que eu investisse em suas empresas, ouvi mentiras apenas um punhado de vezes.

Na verdade, é possível que haja menos mentirosos em Wall Street do que em outra rua qualquer. Lembre-se, foi aqui que você ouviu isso primeiro! Não é que os tipos financeiros estejam mais perto dos anjos do que os comerciantes de rua, é que eles são objeto de tanta desconfiança que todas as suas alegações são analisadas pela Comissão de Valores Mobiliários, então eles não podem mentir. As mentiras que passam não conseguem sobreviver ao próximo relatório de lucros trimestral.

Sempre tive o cuidado de anotar o nome de todas as pessoas com quem encontrava nos almoços e nas reuniões. Muitas dessas pessoas se tornaram fontes valiosas que contatei repetidamente ao longo dos anos. Em setores com os quais eu estava apenas vagamente familiarizado, eles me ensinaram o básico sobre o que procurar no balanço patrimonial e quais perguntas fazer.

Eu não sabia nada sobre seguros até me encontrar com executivos da Aetna, da Travellers e da Connecticut General em Hartford. Em poucos dias, eles me deram um curso intensivo no ramo. Nunca tive o mesmo tipo de perspectiva especial que um profissional de seguros tem, mas aprendi a identificar os fatores que levam ao aumento ou à diminuição dos lucros. Assim, eu me tornei capaz de fazer as perguntas certas.

(Já expliquei em outro lugar que o profissional do ramo de seguros deve tirar vantagem dessa perspectiva especial, e não desperdiçá-la evitando as ações de seguradoras e comprando ferrovias ou empresas de gestão de resíduos, cujo funcionamento ele ou ela desconhece por completo. Se a ignorância é uma bênção, então essa bênção pode custar muito caro.)

Falando em seguros, na altura de março de 1980 eu havia investido 25,4% dos ativos do fundo em seguradoras de propriedades ou de acidentes, e possuía tantas dessas ações desfavorecidas que a indústria me pediu para fazer um discurso em sua conferência anual por ser o melhor amigo do setor de seguros. As seguradoras talvez não tivessem me convidado se suspeitassem que um ano depois eu estaria totalmente fora das ações de seguros e repleto de ações de bancos.

As taxas de juros atingiram níveis recordes em 1980, no final do governo Carter, quando o Federal Reserve estava colocando um freio na economia. Nesse ambiente, as ações dos bancos estavam sendo negociadas abaixo do valor contábil, apesar das excelentes perspectivas de crescimento do setor. Não descobri isso sentando à minha mesa e imaginando o que aconteceria quando as taxas de juros caíssem. Descobri em uma conferência regional de investimentos em Atlanta, organizada pela Robinson-Humphrey.

Na verdade, foi fora da conferência que comecei a pensar nos bancos. Durante um intervalo nos procedimentos, cansado de apresentações de empresas sem históricos e sem lucros, aproveitei para fazer uma visita ao First Atlanta. Esta era uma empresa com doze anos de lucros continuamente altos. Seus lucros eram maiores do que o faturamento de muitas empresas que estavam fazendo apresentações espalhafatosas no centro da cidade. Obviamente, os investidores haviam esquecido o First Atlanta, cuja ação seria vendida por um valor trinta vezes maior cinco anos depois, na época de sua fusão com o Wachovia, da Carolina do Norte.

Wall Street estava entusiasmada com todo tipo de empresas que poderiam ou não sobreviver, mas bancos sólidos como esse estavam sendo negociados por metade do índice P/L do mercado.

Desde o dia em que ouvi a história do First Atlanta, fiquei impressionado com a qualidade dos bancos regionais e perplexo com a falta de apreciação dos investidores por eles. Os bancos recebem pouca atenção das casas de investimentos. Pergunte a um gestor de fundo quais empresas produziram os resultados maravilhosos mostrados nas Figuras 4-2, 4-3 e 4-4 e ele ou ela, provavelmente, mencionará Walmart, Philip Morris ou Merck. Os gráficos parecem ser registros de empresas de rápido crescimento — quem suspeitaria que todas são bancos? A empresa mostrada na Figura 4-2, cujas ações aumentaram de preço dez vezes em dez anos, é o Wachovia; a Figura 4-3 refere-se ao Norwest, de Minneapolis; e a Figura 4-4 está relacionada ao NBD Bancorp, de Detroit.

Ainda estou espantado com o fato de que o mercado acionário atribui um índice P/L baixo a um banco como o NBD, que por anos tem crescido ao mesmo ritmo de 15% que a Pep Boys ou a Dunkin' Donuts ou qualquer outra ação de crescimento rápido. Da maneira como os bancos são tratados pelos investidores, você pensaria que eram prestadoras de serviços públicos que já atingiram seu ápice e têm um desempenho do tipo "devagar e sempre".

Esse erro de precificação dos bancos regionais cria muitas oportunidades de compra, razão pela qual o Magellan tinha, consistentemente, quatro ou cinco vezes o peso do mercado em ações bancárias. Uma das minhas favoritas, uma aposta que foi de 2 dólares a 80 dólares, era o Fifth Third[46] — como você poderia resistir a um banco com um nome assim? Depois, havia o Meridian, cuja sede nenhum outro investidor visitava havia anos; e a KeyCorp, que tinha a teoria do "cinturão de gelo", que consistia na aquisição de pequenos bancos e instituições de poupança em áreas montanhosas onde as pessoas tendem a ser frugais, conservadoras e menos propensas à inadimplência.

Porém, meus maiores sucessos no ramo bancário foram os bancos regionais, como os três mostrados nas páginas 113-115. Sempre procurei bancos que têm uma forte base de depósitos local e que são credores comerciais eficientes e cuidadosos. As cinquenta ações bancárias mais importantes do Magellan estão listadas na página 157.

---

46. O nome Fifth Third significa literalmente "Quinto Terceiro". (N. T.)

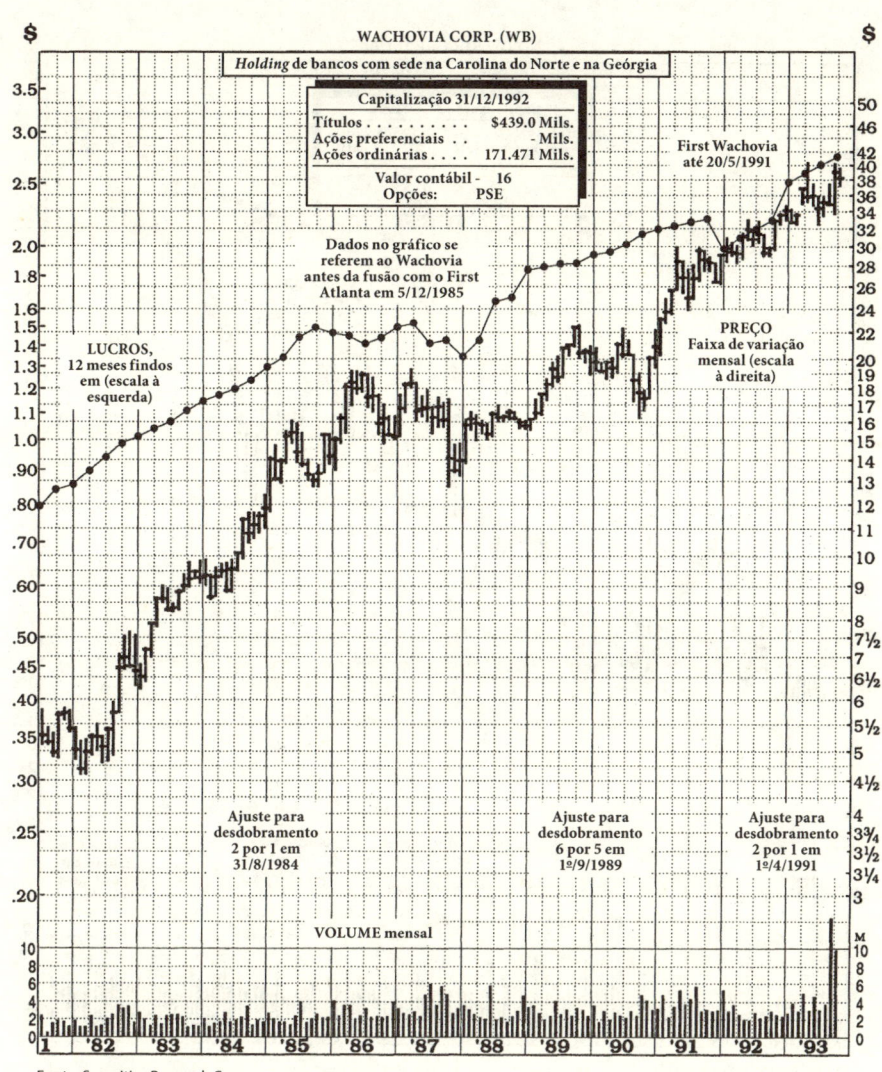

FIGURA 4-2

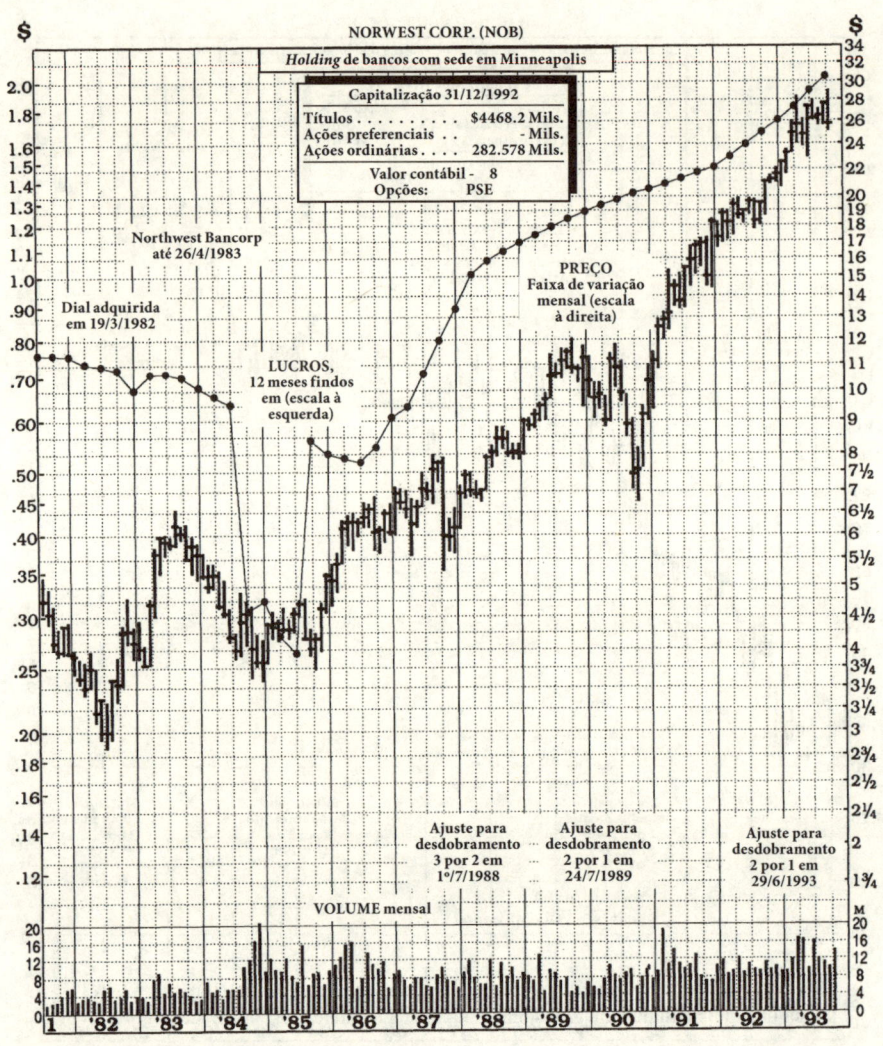

FIGURA 4-3

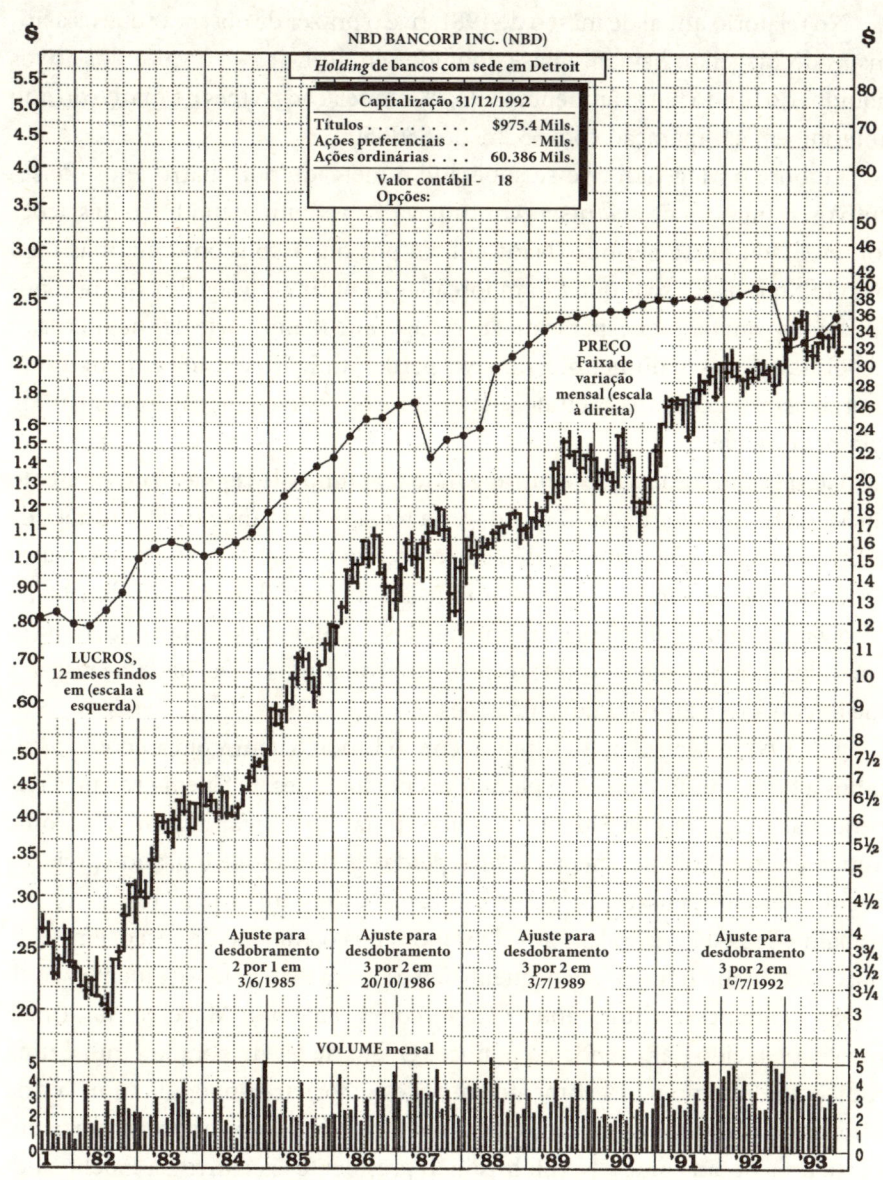

FIGURA 4-4

Um banco levou a outro e, no final de 1980, eu havia investido 9% do fundo em doze bancos diferentes.

No relatório anual de março de 1981, tive o prazer de observar que os acionistas do Magellan haviam quase dobrado seu dinheiro — o valor dos ativos líquidos do fundo havia aumentado 94,7% em relação ao mês de março do ano anterior, em comparação com 33,2% do S&P 500.

Embora o Magellan tivesse superado o mercado por quatro anos consecutivos, o número de acionistas continuava a diminuir, e um terço das ações foi resgatado nesse período. Não sei bem por que isso aconteceu, mas meu palpite é que as pessoas que foram forçadas a entrar no Magellan quando nos fundimos com o Essex esperaram até recuperar a maior parte de suas perdas e depois sacaram seu dinheiro. É possível perder dinheiro mesmo em um fundo mútuo bem-sucedido, sobretudo se suas emoções estiverem emitindo sinais de compra e venda.

Com os muitos resgates neutralizando os ganhos de capital, o crescimento do Magellan foi retardado. O que deveria ter sido um fundo de 80 milhões de dólares, graças a um aumento de quatro vezes no valor da carteira em quatro anos, era apenas um fundo de 50 milhões de dólares. Em meados de 1980, o Magellan possuía 130 ações, um aumento das cinquenta a sessenta que eu tivera em todos os momentos durante os primeiros dois anos. Uma onda de resgates me forçou a reduzir para noventa ações.

Em 1981, o Magellan foi fundido com o fundo Salem, colocando os puritanos a bordo junto com os exploradores portugueses. O Salem era outra das pequenas operações da Fidelity que não tinha ido a lugar algum. Seu nome antigo era fundo Dow Theory, e suas perdas geraram outro grande prejuízo fiscal a ser compensado no futuro. Warren Casey tinha feito um excelente trabalho de gestão no Salem nos dois anos após o anúncio da fusão, em 1979, mas ainda assim o fundo era pequeno demais para ser economicamente viável.

Somente nessa altura, após a fusão com o Salem, o Magellan foi, finalmente, oferecido para venda ao público. O fato de ter demorado tanto é uma indicação de como o investimento em ações se tornara impopular. Em vez de retornar aos corretores externos que haviam vendido o fundo de porta em porta uma década antes, Ned Johnson, o presidente executivo da Fidelity, decidiu entregar a incumbência à equipe de vendas interna da empresa.

Nossa primeira oferta era poder comprar o Magellan com uma taxa de vendas, ou comissão, de 2%. Isso funcionou tão bem que decidimos aumentar a comissão para 3% para diminuir a quantidade de investimentos. Em seguida, tentamos aumentar a demanda ao oferecer um desconto de 1% sobre a comissão de 3% a qualquer pessoa que comprasse o fundo em um prazo de sessenta dias.

Essa jogada de marketing inteligente quase foi arruinada quando publicamos o número de telefone errado no aviso aos acionistas. As partes interessadas que pensavam estar ligando para o departamento de vendas da Fidelity foram conectadas à mesa telefônica da Enfermaria de Olhos e Ouvidos de Massachusetts. Por várias semanas, o hospital teve de negar que era um fundo mútuo, o que é, provavelmente, a pior coisa já dita sobre ele.

Entre os ativos existentes, a fusão com o Salem e a nova oferta, o Magellan ultrapassou a marca de 100 milhões de dólares pela primeira vez em 1981. Conseguimos a primeira onda de interesse do público, e o que aconteceu? O mercado acionário desmoronou. Como costuma acontecer, logo quando as pessoas começaram a sentir que era seguro voltar às ações, elas sofreram uma correção. Mas, apesar disso, o Magellan conseguiu uma subida de 16,5% no ano.

Não admira que o Magellan tenha tido um bom começo. Em 1978, minhas dez principais ações tinham índices P/L que variavam entre quatro e seis e, em 1979, entre três e cinco. Quando as ações de empresas boas estão sendo negociadas a três a seis vezes os lucros, o selecionador de ações dificilmente pode perder.

Naqueles anos, muitas das minhas escolhas favoritas foram as chamadas ações secundárias, pequenas ou médias empresas, incluindo varejistas, bancos, etc., as quais já descrevi. No final da década de 1970, os gestores de fundo e outros especialistas me avisaram que as ações secundárias haviam passado do ponto e que chegara a hora de investir nas grandes *blue chips*. Estou feliz por não ter seguido o conselho deles. As grandes *blue chips* não tinham histórias empolgantes para contar e eram duas vezes mais caras que as ações secundárias. O que é pequeno não é apenas bonito, também pode ser lucrativo.

5
MAGELLAN
Os anos intermediários

LONGE DE SER UM *SHOW* DE UM HOMEM SÓ

Meu dia de trabalho começava às 6h05, de manhã, quando encontrava o Saab dirigido por Jeff Moore, um amigo de Marblehead que me dava carona até a cidade. Ao lado dele, no banco da frente, vinha sua esposa, Bobbie. Ambos eram radiologistas.

Ainda estava escuro. Enquanto Jeff dirigia, Bobbie levantava as chapas de raio X até uma pequena luz do lado do passageiro. Eu, no banco de trás, com outra luzinha, examinava relatórios anuais e meus livros de gráficos, os quais, felizmente para os pacientes de Bobbie, nunca se confundiam com os registros médicos no banco da frente. Não havia muita conversa.

Às 6h45, eu estava em meu escritório, mas não sozinho. A Fidelity era uma instituição prática da Nova Inglaterra, onde mesmo nos finais de semana era possível montar um time de basquete com os analistas e gestores de fundo que chegavam antes do amanhecer. Duvido que nossos concorrentes pudessem jogar paciência em dupla.

No entanto, não jogávamos basquete, trabalhávamos. Ned Johnson adorava a ideia de pessoas que trabalhavam arduamente. Suas horas de negócios habituais eram das 9h30 às 21h30.

Da bagunça em minha mesa, eu recuperava as ferramentas sofisticadas de meu ofício, o guia de ações da S&P disponível gratuitamente em qualquer corretora, o fichário de arquivos antigo, os blocos de anotações amarelos vazios, os lápis 2½ e a feia e robusta calculadora Sharp Compet com teclas grandes que uso há quinze anos. Cópias de guias S&P ultrapassados se acumulavam sobre a minha mesa. Atrás dela, em um suporte separado, estava o Quotron.

A primeira versão do Quotron exigia que você digitasse a sigla de uma ação e pressionasse a tecla *enter* para que o preço atual aparecesse. Caso contrário, a tela ficava em branco. As versões posteriores, que você provavelmente já viu, exibem uma carteira inteira e os preços de todas as ações, que são atualizados automaticamente conforme o andamento das negociações do dia. A tela em branco era um sistema melhor, porque não permitia que você ficasse olhando para ela o dia inteiro e assistindo ao sobe e desce das suas ações, como muitos gestores de fundo contemporâneos fazem. Quando recebi um novo tipo de Quotron, tive de desligá-lo porque causava emoções demais.

Nas horas preciosas antes da abertura do mercado e antes de os telefones começarem a tocar, eu analisava o resumo das compras e das vendas do dia anterior, preparado pelos funcionários da Fidelity. Essas chamadas "folhas noturnas" indicavam o que os gestores de fundo da Fidelity estavam fazendo. Eu lia o resumo interno do que nossos analistas tinham aprendido em suas conversas com as várias empresas. Eu lia o *The Wall Street Journal*.

Às 8h mais ou menos, eu tinha escrito uma nova lista de compras e vendas, em grande parte composta de empresas que eu tinha comprado no dia anterior e dois dias antes, em uma tentativa de construir lentamente uma participação volumosa a preços razoáveis. Ligava para meu *trader*, Barry Lyden, que trabalhava na sala de negociação, em um andar inferior, para lhe passar ordens.

Entre mim e a sala de negociação, havia uma passarela ou ponte que cruzava um vão de nove andares e dava a sensação de andar em uma corda bamba sobre um despenhadeiro profundo. A Fidelity deve tê-la projetado dessa forma para evitar que os gestores de fundo incomodassem os *traders* pessoalmente. No meu caso, funcionou.

No início, meu *trader* era meu único negociante, mas, no final de 1983, quando o Magellan havia crescido e as compras e vendas ficaram mais complexas, contratei uma segunda pessoa, Carlene DeLuca. Lyden comprava e DeLuca vendia. Ambos eram muito pacientes comigo e eu tentava dar-lhes liberdade para fazer seu trabalho.

Negociar era a menor das minhas preocupações. Ao fazer uma retrospectiva, provavelmente gastei mais tempo nisso do que deveria — uma hora por dia em vez de dez minutos. Era divertido comprar e vender, mas teria sido melhor usar os outros cinquenta minutos para ligar para mais duas empresas. Este é um dos segredos do investimento bem-sucedido: focar nas empresas, não nas ações.

Depois de enviar minha lista de negociação, voltava à minha tarefa principal: me manter atualizado com as empresas. Meus métodos não eram muito diferentes dos de um jornalista investigativo, que lê documentos públicos em busca de pistas, conversa com intermediários, tais como analistas e responsáveis pelas relações com investidores, para obter mais pistas e, em seguida, falar diretamente com as fontes primárias: as próprias empresas.

Após cada contato que eu fazia, por telefone ou pessoalmente, rabiscava uma anotação em um fichário — o nome da empresa e o preço atualizado das ações, seguido por um resumo de uma ou duas linhas sobre a história que eu acabara de ouvir. Penso que todo selecionador de ações poderia se beneficiar por manter um caderno de histórias desse tipo. Sem ele, é fácil esquecer por que você comprou algo em primeiro lugar.

À medida que o Magellan crescia, também crescia minha biblioteca de cadernos e a quantidade de tempo que levava para revisar todas as histórias. Reduzi os almoços com empresas, por mais úteis que fossem, em favor da prática mais eficiente de comer um sanduíche entre ligações telefônicas. Eu havia coletado fontes suficientes, por causa dos almoços que ofereci, e conseguia obter a maior parte das informações de que precisava pelo telefone.

Do lado de fora da porta do meu cubículo, quatro secretárias, lideradas pela imperturbável Paula Sullivan, estavam ocupadas transferindo as ligações. Eles gritavam: "Fulano na linha um", e eu atendia. Raramente alguém se aventurava a ficar em meu escritório por muito tempo. Uma vez que os assentos das cadeiras haviam se transformado em armários de arquivos extras, não havia lugar conveniente para se sentar, exceto no chão.

Quando eu levantava da cadeira era para pegar outra Coca *diet* na geladeira do escritório ou para usar o banheiro. Entre mim e o banheiro mais próximo havia um pequeno saguão onde convidados corporativos e analistas visitantes esperavam por suas reuniões com os vários gestores de fundo de nosso andar. Normalmente, havia pessoas que eu conhecia por lá. Eu os evitava descendo uma escada nos fundos para ir a um banheiro mais afastado. Caso contrário, teria de perder tempo conversando sobre trivialidades ou desprezando esses amigos e conhecidos, o que eu não queria fazer.

MEUS PARCEIROS NÃO TÃO SILENCIOSOS

O Magellan estava longe de ser um *show* de um homem só. De 1981 em diante, sempre tive um ou mais assistentes talentosos que faziam a mesma coisa que eu fazia: telefonar para empresas ou analistas para atualizar-se sobre os desenvolvimentos. Meu primeiro assistente, Rich Fentin, estabeleceu o padrão de qualidade. Ele acabou gerindo os fundos Fidelity Growth e

Fidelity Puritan. Fentin foi seguido por vários outros que aprenderam tanto com meus erros que também administraram fundos bem-sucedidos: Danny Frank no Special Situations; George Noble, que fundou o fundo Overseas; Bob Stansky, que assumiu o Growth; Will Danoff do Contrafund; e Jeff Vinik, que agora dirige o Magellan. Depois, houve Jeff Barmeyer, já falecido; Deb Wheeler; George Domolky; Kari Firestone; e Bettina Doulton, hoje a assistente de Vinik.

Esses substitutos energéticos me possibilitaram estar em vários lugares ao mesmo tempo. Eles provaram que a melhor maneira de obter o máximo de uma equipe é dar total responsabilidade às pessoas. Em geral, elas darão conta da responsabilidade.

A Fidelity colocou essa teoria em prática ao tornar todos os gestores de fundo responsáveis por fazer as próprias pesquisas. Essa exigência foi revolucionária e nem sempre popular entre meus colegas. Na configuração tradicional, um gestor de fundo escolhe ações recomendadas pelos analistas, com base na pesquisa dos analistas. Isso é muito conveniente para os gestores de fundo e excelente para a segurança de seu emprego, uma vez que, se as ações caírem, eles podem culpar os analistas por fornecer informações erradas. É o mesmo truque que o investidor típico usa quando perde dinheiro com uma ação indicada pelo tio Harry. "Como o tio Harry pode ter sido tão burro?" ele pergunta à esposa depois que ela ouve as más notícias. Isso é exatamente o que o gestor de fundo fala a seus chefes sobre os analistas.

Sabendo que a culpa será passada para eles, os analistas logo aprendem a se proteger e não arriscar o pescoço. Em vez de fazer recomendações criativas aos gestores de fundo, eles preferem apregoar empresas desgastadas e aceitáveis como a IBM. Por recomendar ações aceitáveis, eles não são criticados tanto quando os gestores de fundo têm um trimestre péssimo.

Na Fidelity, isso não acontecia. Para o bem ou para o mal, os gestores de fundo faziam pesquisas independentes e eram responsabilizados pelos resultados. Os analistas faziam as próprias pesquisas paralelas e as repassavam aos gestores de fundo, que eram livres para aceitar ou não os conselhos dos analistas. Portanto, havia o dobro de análises em andamento do que ocorreria com a divisão de trabalho habitual.

Cada fundo novo da Fidelity exigia um novo gestor de fundo, que também funcionava como um coletor de fatos para os outros, de modo que, à medida que o número de fundos aumentava, também aumentava a qualidade de nossa inteligência interna. As dicas e sugestões de meus colegas foram muito valiosas para mim, pois o Magellan era um fundo de valorização de capital e, portanto, eu tinha a mais ampla latitude para comprar as ações recomendadas pela pessoa em situações especiais, pela pessoa das ações pequenas, pela pessoa de crescimento, pela pessoa fundamentalista ou pela pessoa do mercado de balcão.

Eu era um defensor apaixonado do lançamento de novos fundos, como o OTC Portfolio, o fundo Overseas e o fundo Retirement Growth. A maioria se tornou bastante popular, mas, mesmo que isso não tivesse acontecido, eles nos davam mais pesquisadores para explorar novas áreas do mercado. Aproveitei ao máximo suas descobertas. Danny Frank, do Special Situations, foi o primeiro a ver o potencial da Fannie Mae e também de várias empresas que deram reviravoltas; George Vanderheiden, do fundo Destiny, conduziu-me à Owens-Corning; Tom Sweeney, do Capital Appreciation, deu-me uma de minhas melhores ações, a Envirodyne.

Os novos fundos também nos davam novos cargos para os quais pudemos promover nossos jovens analistas talentosos, os quais, de outra forma, poderiam ter sido atraídos por empresas concorrentes. O resultado foi uma das maiores equipes de detetives de ações já reunidas.

Logo no início de minha gestão, formalizamos a troca de informações. Nossos bate-papos aleatórios, no corredor perto da geladeira, foram substituídos por um evento programado em uma sala de conferências, onde todos os analistas e gestores de fundo apresentavam as escolhas da semana.

Mais tarde, presidi essas reuniões com um pequeno cronômetro de cozinha, que eu fingia programar para três minutos — o limite de tempo oficial para qualquer defesa ou explicação de uma escolha. Na verdade, eu estava ajustando o cronômetro em intervalos progressivamente mais curtos, até reduzi-lo a um minuto e meio. Só estou confessando isso agora, quando é tarde demais para alguém exigir uma chance de recuperar o tempo perdido.

As pessoas estavam empolgadas demais com seu assunto favorito para perceber que eu brincava com o cronômetro. De qualquer maneira, noventa segundos é tempo suficiente para contar a história de uma ação. Se você está preparado para investir em uma empresa, deve ser capaz de explicar a razão em uma linguagem simples que permita a um aluno do quinto ano entender, e com rapidez suficiente para que o aluno do quinto ano não fique entediado.

Essas nossas sessões não eram disputas humilhantes. Wall Street tende a ser um ambiente combativo, onde apenas os mais fluentes prosperam, mas o combate não é a melhor maneira de chegar à verdade sobre as ações. Quando você é criticado abertamente por suas ideias, pode tender a se reprimir na próxima vez. E quando há um coro de críticas, é provável que você perca a fé na própria capacidade de pesquisa.

Uma recepção hostil talvez não afete sua confiança imediatamente, mas o cérebro nunca se esquece de uma experiência dolorosa. Ele se lembrará de que todas as pessoas na sala ridicularizaram a ideia de que a Chrysler era uma barganha excepcional a 5 dólares por ação. Então, uma noite, passado um ano ou mais, quando as ações estão a 10 dólares e o cérebro não tem nada melhor para fazer, ele vai lembrá-lo de que "talvez todas aquelas pessoas inteligentes estivessem certas" e, no dia seguinte, você vai acordar e vender sua participação na Chrysler, por cerca de 30 dólares por ação, antes do tempo certo.

Para evitar minar a confiança uns dos outros, não permitíamos comentários em nossas apresentações — os ouvintes eram livres para seguir as pistas ou ignorá-las caso desejassem. Eu tentava focar na qualidade de cada ideia, em vez de focar na qualidade do palestrante. Com frequência, as pistas mais valiosas vinham de pessoas cujas habilidades de seleção de ações excediam em muito suas habilidades forenses, e eu fazia questão de sacar informações do contingente não verbal fora das reuniões, com o cronômetro desligado.

Por fim, as sessões semanais foram substituídas por anotações diárias de pesquisa, porque tínhamos analistas e gestores de fundo demais para caber em uma sala.

Duas outras fontes de indicações que, muitas vezes, se mostraram valiosas foram analistas e gestores de fundo de fora da Fidelity. Pelo menos uma vez por semana, eu conversava com o gestor de um fundo concorrente e, ocasionalmente, nos encontrávamos na rua ou em uma reunião. "Do que você gosta?", dizíamos assim que ultrapassávamos o "Oi". É assim que os selecionadores de ações se comunicam. Nunca é "Como está sua esposa?" ou "Nossa, você viu o arremesso que Larry Bird[47] fez?". É sempre "Do que você gosta?", seguido por "Puxa, as coisas estão melhorando na Delta" ou "Estou esperando uma reviravolta na Union Carbide".

Éramos concorrentes no sentido de que o desempenho de nossos fundos era comparado pela Lipper, *Barron's*, *Forbes*, etc., e nosso desempenho relativo aos outros determinaria quanto dinheiro novo conseguiríamos atrair no ano seguinte. Mas a concorrência não nos impedia de revelar um para o outro nossas ações favoritas em cada oportunidade, pelo menos depois que tínhamos adquirido todas as ações que planejávamos comprar.

---

47. Larry Bird é um ex-jogador americano de basquete, considerado um dos melhores da história. (N.E.)

Você não esperaria que o técnico do Washington Redskins compartilhasse suas jogadas favoritas com o técnico do Chicago Bears,[48] mas estávamos ansiosos para compartilhar nossas listas de compra. Se um de nós desse uma boa ideia a um concorrente, ele retribuía o favor.

Eu aceitava de forma mais seletiva os conselhos dos analistas de outras empresas e dos vendedores da comunidade de corretagem. A qualidade deles varia muito, e é perigoso seguir uma recomendação feita por uma corretora sem saber nada sobre quem a fez. Alguns analistas conceituados descansam sobre os louros no conforto do ar-condicionado. Eles podem estar listados como destaques na revista *Institutional Investor*, mas isso não significa que tenham falado com a Colgate-Palmolive nos últimos dois anos.

O especialista desatualizado faz parte de uma multidão crescente em Wall Street. Os analistas gastam cada vez mais tempo vendendo e defendendo ideias a seus superiores e/ou clientes, e cada vez menos pesquisando essas ideias. É incomum encontrar um analista que liga para várias empresas todos os dias, e ainda mais raro encontrar um que saia e as visite.

Sempre que eu encontrava uma pessoa assim, fazia questão de manter contato com ela. Maggie Gilliam, do First Boston, que enxergou as virtudes da Home Depot e apresentou ideias astutas sobre a Limited, é um bom exemplo. Outros incluem John Kellenyi, da NatWest, sobre as prestadoras de serviços públicos; Elliot Schneider, da Gruntal, sobre os serviços financeiros; e George Shapiro, da Salomon Brothers, sobre o setor aeroespacial. Sempre vale a pena ouvir analistas desse calibre, sobretudo quando você liga para eles, e não vice-versa.

Os analistas adoram se gabar de como "iniciaram a cobertura" de uma empresa quando a ação estava sendo negociada a 25 centavos de dólar e, dez anos depois, por 25 dólares. O que é mais importante é se eles reforçaram sua opinião com um segundo ou terceiro e quarto relatório favorável quando a ação atingiu 5 dólares, depois 10 dólares, depois 15 dólares. Um sinal de compra inicial é rapidamente esquecido e, se isso for tudo o que o analista forneceu, o público perdeu a chance de lucrar com as ações mais adiante.

VALE A PENA SER PACIENTE

Na época em que o Magellan foi aberto ao público, em 1981, eu havia me tornado um investidor mais paciente. Os acionistas também. Os resgates

---

48. O time Washington Redskins teve seu nome alterado na temporada de 2020 para Washington Football Team, em virtude de protestos, inclusive de patrocinadores que consideravam o termo "redskins" uma ofensa racista para os nativos americanos. (N.R.T.)

caíram, o que significava que eu não era forçado a vender ações para levantar dinheiro. A taxa de rotatividade anual do fundo caiu em quase dois terços, de 300% para 110%. Minhas maiores participações (Nicor, um produtor de gás natural; Fedders, o pessoal de ar-condicionado; Service Corporation International, a rede de casas funerárias) passaram a permanecer assim por vários meses consecutivos.

O Magellan ainda era pequeno, 100 milhões de dólares, o que o colocava no quintil inferior do *ranking* de todos os fundos de ações gerais. Dividi o dinheiro entre duzentas ações diferentes em todos os tipos de empresa imagináveis: John Blair, um empresa de radiodifusão; Tandy, proprietária da Radio Shack; Quixote, que fabricava barreiras de segurança de plástico usadas por equipes de construção em rodovias; Telecredit; Zapata Corporation, que ajudou a aumentar a fortuna de George Bush; ChemLawn; Seven Oaks, uma processadora de cupons de supermercados; Irving Bank; e Chart House e Skipper's, ambas cadeias de restaurantes *fast-food*.

Fiquei cada vez mais impressionado com o potencial de longo prazo das cadeias de restaurantes e dos varejistas. Ao expandir por todo o país, essas empresas poderiam manter uma taxa de crescimento de 20% durante dez a quinze anos. A matemática foi, e continua sendo, muito favorável. Se os lucros aumentam 20% ao ano, eles dobram em três anos e meio e quadruplicam em sete. O preço das ações acompanha os lucros e, com frequência, os supera, uma vez que os investidores estão dispostos a pagar um prêmio considerável pelas perspectivas futuras da empresa. (Uma lista dos meus cinquenta varejistas mais importantes aparece na página 158.)

A regra de 72 é útil para determinar a velocidade de crescimento do dinheiro. Considere o retorno anual de qualquer investimento, expresso como uma porcentagem, e divida-o por 72. O resultado é o número de anos que demorará para você dobrar seu dinheiro. Com um retorno de 25%, seu dinheiro dobra em menos de três anos: com um retorno de 15%, ele dobra em menos de cinco.

Observando os altos e baixos de vários setores, aprendi que, embora fosse possível ganhar de duas a cinco vezes o seu dinheiro em situações cíclicas e subvalorizadas (supondo que tudo corresse bem), os retornos eram maiores nos varejistas e nos restaurantes. Não apenas eles cresciam tão rápido quanto as empresas de crescimento de alta tecnologia (fabricantes de computadores, fabricantes de *software*, empreendimentos médicos), mas eram, em geral, menos arriscados. Uma empresa de informática pode perder metade do seu valor da noite para o dia quando um concorrente lança um produto melhor, mas uma cadeia de franquias de pães doces, na Nova Inglaterra, não vai perder negócios quando alguém abre uma franquia de pães doces superiores em Ohio. Pode levar uma década para o concorrente aparecer, e os investidores têm como prever sua chegada.

No final de 1981, eu retirei meus lucros da Circle K Convenience Stores e da Penn Central, a reviravolta de uma falência. Vendi a Bally, a empresa de máquinas caça-níqueis e operadora de cassinos, e comprei duas outras ações de jogos, a Elsinore e a Resorts International. No início de 1982, recomprei a Circle K. Minha maior participação era na Mattel, a fabricante de brinquedos, que representava 3% do fundo. Outras empresas na minha lista das dez mais da época eram Chemical Bank; Pic 'N' Save, uma rede de lojas de departamento de descontos na Califórnia; Verbatim, fabricante de disquetes para computador (mais uma vez, me apaixonei por uma ação de alta tecnologia); Horn & Hardart, proprietários dos restaurantes Bojangles e de uma loja de presentes com entrega por correio; e Pep Boys — Manny, Moe & Jack, que não devem ser confundidos com os Três Patetas. Esses eram os Três Sábios quando se tratava de ganhar dinheiro com autopeças.

Pep Boys, Seven Oaks, Chart House, Telecredit, Cooper Tire — agora eu estava começando a ver que algumas de minhas ações favoritas tinham algo em comum. Eram empresas com balanços sólidos e perspectivas favoráveis, mas a maioria dos gestores de carteiras não ousaria comprá-las. Como mencionei antes, um gestor de carteira que se preocupa com a segurança do emprego tende a gravitar em torno de empresas aceitáveis, como a IBM, e a evitar empresas inusitadas como a Seven Oaks, a supracitada prestadora de serviços com uma fábrica no México. Se a Seven Oaks fracassar, quem leva a culpa é a pessoa que recomendou colocá-la na carteira, mas, se a IBM fracassar, a culpa recai sobre a própria IBM, por "decepcionar Wall Street".

O que possibilitou que eu me desviasse dessa norma debilitante? Em um fundo aberto, como o Magellan, ninguém estava olhando por cima do meu ombro. Em muitas empresas, existe uma hierarquia de ombros, com cada pessoa julgando o trabalho da pessoa diretamente à sua frente enquanto se preocupa em como está sendo julgada pela pessoa às suas costas.

Quando você precisa se preocupar com o que a pessoa atrás de você pensa sobre o seu trabalho, me parece que você deixa de ser um profissional. Você deixa de ser responsável pelo que faz. Isso cria uma dúvida sobre se você é capaz de ter sucesso no que faz — caso contrário, por que estariam monitorando cada passo que você dá?

Fui poupado da indignidade de ser questionado por meus superiores. Tive a sorte imensa de comprar ações de empresas das quais ninguém ouvira falar, ou de vender ações a 40 dólares e mudar de ideia e recomprá-las a 50 dólares. (Meus superiores podem ter pensado que eu era louco por fazer essas coisas, mas não disseram isso.) Eu não precisava justificar minhas escolhas de ações em uma reunião diária ou semanal, ou sujeitar a mim e à minha estratégia a críticas desmoralizantes.

Os gestores de fundo já têm o suficiente com que se preocupar ao tentar superar o mercado. Não precisamos do fardo adicional de obedecer a um plano ou de ter de explicar nossas estratégias todos os dias. Contanto que sigamos mandatos comandos do fundo, conforme descrito no prospecto, devemos ser julgados, uma vez ao ano, pelos nossos resultados. Ao longo do caminho, ninguém deve se importar se compramos a Golden Nugget ou a Horn & Hardart, em vez da Reynolds Aluminum ou da Dow Chemical.

Em 1981-1982, comecei a trabalhar aos sábados. Dedicava o dia extra para limpar minha mesa. Tinha de examinar uma pilha de correspondências, as quais, em determinadas épocas, atingia a altura de um metro por dia. Em fevereiro e março, revisava os relatórios anuais. Folheava meus cadernos de contatos corporativos, procurando situações em que os preços das ações tivessem caído (sempre anotava o preço e a data em que falava com uma empresa) e em que os fundamentos haviam melhorado ou permanecido inalterados. Meu objetivo era obter algum resultado no final da tarde, mas nem sempre eu conseguia alcançá-lo.

O primeiro semestre de 1982 foi péssimo para o mercado acionário. A taxa básica de juros atingiu os dois dígitos, assim como a inflação e o desemprego. As pessoas que moravam nos subúrbios compravam ouro e espingardas, e estocavam sopas enlatadas. Empresários que não pescavam havia vinte anos estavam lubrificando seus molinetes e reabastecendo suas caixas de iscas, preparando-se para o fechamento dos supermercados.

As taxas de juros haviam subido tanto que minha maior posição no fundo, por vários meses consecutivos, foram os títulos do Tesouro de longo prazo. Tio Sam estava pagando entre 13% e 14% sobre esses títulos. Eu não comprava títulos para fins defensivos por ter medo das ações, como muitos investidores fazem. Eu os comprava porque os rendimentos excediam os retornos que normalmente se poderia esperar das ações.

Isso nos leva ao Princípio do Peter número 8, a única exceção à regra geral de que possuir ações é melhor do que possuir títulos:

Quando o rendimento dos títulos de longo prazo do governo ultrapassar o rendimento de dividendos do S&P 500 em 6% ou mais, venda suas ações e compre títulos.

Eu não conseguia imaginar que as taxas de juros pudessem subir muito mais, ou ficar naqueles níveis durante muito tempo, sem o colapso da economia e a realização dos piores pesadelos dos pescadores de quintal. Se isso acontecesse, eu estaria lá pescando na beira do rio com o restante deles, e a estratégia da carteira do Magellan seria a menor das minhas preocupações. Mas, se não, eu gostaria de estar totalmente investido em ações e títulos de longo prazo.

A razão de os investidores tentarem se preparar para o desastre total resgatando seus melhores investimentos está além da minha compreensão. Se ocorrer um desastre total, o dinheiro no banco será tão inútil quanto o certificado de uma ação. Por outro lado, se o desastre total não acontecer (um resultado mais provável, com base nos registros históricos), os tipos "cautelosos" tornam-se os imprudentes, porque venderam seus ativos valiosos por uma ninharia.

No início de 1982, passei por meu habitual exercício de afastar os temores, concentrando-me no Panorama Ainda Mais Amplo, supondo que o pior não aconteceria, e me perguntando: e se não acontecer? Achei que as taxas de juros teriam de cair mais cedo ou mais tarde e, quando isso ocorresse, os proprietários de ações e títulos de longo prazo teriam lucros polpudos.

(Na verdade, o valor do S&P 500 quadruplicou de 1982 a 1990 e os títulos governamentais de trinta anos tiveram um desempenho ligeiramente superior. Então, em 1991, quando as ações subiram mais 31%, os títulos tiveram um desempenho ruim, provando mais uma vez que, no longo prazo, as ações superarão o desempenho dos títulos.)

Em meio à escuridão e à desgraça daquela época, os analistas financeiros continuaram a focar na queda das vendas de automóveis, como se a queda das vendas de automóveis fosse uma aflição permanente. Pareceu-me que, com ou sem recessão, as pessoas teriam de voltar para os *showrooms* das revendedoras. Se há algo tão certo quanto a morte e o colapso do Red Sox, é que os americanos precisam comprar carros.

Foi esse tipo de pensamento que me levou à Chrysler em março de 1982. Na verdade, tropecei na Chrysler acidentalmente. Fiquei interessado na Ford como beneficiária da recuperação da indústria automobilística e, ao conversar com a Ford, me convenci de que a Chrysler se beneficiaria ainda mais. Como de costume, minha pesquisa de uma oportunidade me levou a outra, como um garimpeiro, que segue as pepitas de ouro rio acima.

As ações da Chrysler estavam sendo negociadas a 2 dólares na época, uma vez que Wall Street esperava que a terceira maior montadora fosse à falência e se tornasse a próxima Penn Central. Uma olhada rápida no balanço patrimonial me mostrou que a Chrysler tinha mais de 1 bilhão de dólares em dinheiro — sobretudo graças à venda de uma divisão de blindados para a General Dynamics —, portanto sua morte iminente era muito exagerada. A Chrysler realmente podia falir, mas não por, pelo menos, alguns anos. O governo dos Estados Unidos havia concedido suficientes empréstimos à Chrysler para garantir sua sobrevivência no curto prazo.

Se as vendas de automóveis tivessem sido robustas, em geral, e a Chrysler tivesse conseguido deixar de vender carros, eu teria sido mais pessimista sobre seu futuro. Mas toda a indústria estava sofrendo com a queda e deveria se recuperar. Uma vez que a Chrysler tinha reduzido sua dívida e estava se aproximando do ponto de equilíbrio quando as vendas haviam desacelerado, ela tinha potencial para alcançar resultados impressionantes quando as vendas aumentassem.

Em junho, visitei a sede da empresa, onde vi os carros novos e conversei com vários executivos de alto escalão em uma reunião organizada pelo diretor de relações com investidores, Bob Johnson. É possível que esse tenha sido o dia mais importante nos 21 anos da minha carreira de investimento.

As entrevistas, que deveriam durar três horas, foram prolongadas e duraram sete, e uma breve conversa com Lee Iacocca se transformou em outra sessão de duas horas. No final, eu estava convencido de que não apenas a Chrysler tinha os recursos para permanecer no mercado por um tempo, mas também que a empresa estava colocando um toque especial em seus produtos.

O Dodge Daytona, o Chrysler Laser e o G-124 Turbo Car estavam todos saindo das linhas de montagem. O G-124 era capaz de acelerar de zero a cem quilômetros por hora mais rapidamente do que um Porsche. Para o público mais jovem, havia conversíveis e um New Yorker mais esportivo com tração dianteira. Iacocca estava muito animado com o que chamou de "a primeira novidade na indústria automotiva nos últimos vinte anos", um veículo que recebeu um codinome: T-115. Essa era a minivan Chrysler, que vendeu mais de 3 milhões de exemplares nos nove anos seguintes.

Fiquei mais impressionado com os carros do que com a minivan, mas a minivan acabou sendo o produto que salvou a empresa. Não importa quanto você pense que entende de um negócio, sempre pode acontecer algo que vai surpreendê-lo. Aqui estava um avanço no *design* automotivo e na engenharia que não veio do Japão, da Alemanha ou da Suécia, mas de Detroit. As vendas da minivan Chrysler superaram as de todos os Volvos nos Estados Unidos por cinco a um!

A Chrysler era uma empresa grande, com milhões de ações em circulação, o que possibilitou ao Magellan adquirir uma posição grande. A empresa era tão menosprezada por Wall Street que as instituições haviam desistido e parado de segui-la. Na primavera e no verão de 1982, eu estava comprando as ações a torto e a direito. No final de junho, essa era minha participação número um. No final de julho, 5% dos ativos do Magellan foram investidos na Chrysler, o percentual máximo permitido pela SEC (Securities and Exchange Comission).

Ao longo do outono, a Chrysler continuou sendo minha participação principal, logo à frente de Horn & Hardart, Stop & Shop, IBM e Ford. Se fosse permitido, eu teria feito com que a Chrysler compusesse 10% ou até 20% de meu fundo. Faria isso apesar do fato de a maioria dos meus amigos, colegas e especialistas me dizer que eu estava louco e que a Chrysler estava a caminho da falência.

Em outubro, minha posição em títulos estava reduzida a 5% dos ativos do Magellan. O grande mercado altista havia começado para valer. As taxas de juros começavam a cair e a economia dava sinais de recuperação. As ações cíclicas lideravam o mercado ascendente, como costumam fazer no final de uma recessão. Eu reagi vendendo algumas ações de bancos e de seguradoras. Onze por cento do fundo estava agora investido em automóveis e 10% em varejistas.

Essa mudança na alocação não foi uma política derivada das manchetes ou dos comentários feitos pelo presidente do Conselho do Federal Reserve. Minhas decisões foram tomadas com base na análise caso a caso, pois uma empresa após a outra me dizia que os negócios estavam melhorando.

Durante esse período, a Genentech foi lançada ao público a 25 dólares e, prontamente, subiu para 75 dólares em um dia. Essa foi uma das novas emissões que comprei.

No fim de semana antes do Halloween, fiz minha primeira aparição no programa de tevê *Wall Street Week*. Eu não conhecia o anfitrião, Louis Rukeyser, até cerca de um minuto antes de as câmeras começarem a filmar. Ele entrou no estúdio, inclinou-se e disse: "Não se preocupe, você vai se sair bem, apenas cerca de 8 milhões de pessoas estão assistindo".

Rukeyser abriu o programa com uma piada de Halloween sobre como os políticos assustam Wall Street muito mais do que os duendes. Em seguida, os três painelistas (Dan Dorfman, Carter Randall e Julia Walsh) expressaram um pouco de angústia de fim de semana. Como de costume, havia muito com que se preocupar, a começar pelo fato de o Dow Jones ter recuado 36 pontos na sexta-feira anterior. Os jornais deram grande importância a essa "pior queda em um dia desde 1929", embora a comparação fosse absurda. Uma queda de 36 pontos com o Dow a 990 não era a mesma coisa que uma queda de 36 pontos com o Dow em 280, que era onde ele estava antes do Crash.

Com que frequência as montanhas de hoje se transformam nas colinas de amanhã, e vice-versa? Questionados sobre o que poderia estar assustando o mercado, os três especialistas mencionaram a acusação contra o presidente de montadora John DeLorean,[49] o susto do Tylenol[50] e o grande número de membros do Congresso que poderiam perder seus mandatos nas próximas eleições. O senhor Rukeyser leu uma carta de um telespectador preocupado com uma possível crise dos bancos e das S&Ls que poderia esgotar os recursos da Federal Deposit Insurance Corporation.[51] Os especialistas achavam que havia pouca probabilidade de que tal coisa pudesse acontecer. Rukeyser encerrou a discussão sugerindo que o governo sempre poderia "imprimir mais alguns dólares se fosse necessário", uma jocosidade que pode acabar sendo profética.

Para minha parte no *show*, fui conduzido dos bastidores para o palco ao ser gentilmente apresentado como o "melhor selecionador de ações de fundos mútuos dos últimos cinco anos", no topo da lista da Lipper, com um ganho de 305% nesse período. Eu usava um terno marrom simples e uma camisa azul, do tipo que se aconselha usar na televisão, e estava nervoso. Participar do programa de Rukeyser era o equivalente financeiro a abrir os envelopes do Oscar.

Rukeyser me fez algumas perguntas fáceis, começando com "qual o segredo do meu sucesso". Eu respondi que visitava mais de duzentas empresas por ano e lia setecentos relatórios anuais, e que concordava com a teoria de Edison de que investir "consiste em 99% de transpiração"[52] — algo que eu estava fazendo muito naquele momento. "Essa era a teoria de Edison sobre os gênios, não sobre o investimento", corrigiu Rukeyser. Eu não disse nada. As tiradas espirituosas foram esquecidas em meio ao meu nervosismo.

---

49. John DeLorean (1925-2005), que havia fundado a montadora DeLorean Motor Company em 1975, foi acusado por um agente do FBI, em outubro de 1982, de se associar a um traficante de cocaína. Foi preso e, depois de dez dias, solto por ausência de provas. Em 1984, após seu julgamento, foi inocentado. (N.E.)
50. Em 1982, em Chicago, houve uma série de mortes por envenenamento. Todas as vítimas haviam tomado cápsulas de paracetamol da marca Tylenol, que tinham sido adulteradas e misturadas com cianeto de potássio, um composto químico altamente tóxico. (N.E.)
51. A Federal Deposit Insurance Corporation (FDIC) é uma agência federal independente que garante depósitos em bancos dos Estados Unidos e poupanças em caso de falência de bancos. O FDIC foi criado em 1933 para manter a confiança do público e estimular a estabilidade do sistema financeiro por meio da promoção de práticas bancárias sólidas. De certa forma, o FDIC opera de maneira semelhante ao FGC (o Fundo Garantidor de Créditos), que protege boa parte dos correntistas e investidores do mercado brasileiro. (N.R.T.)
52. A referência é à seguinte frase de Thomas Edison (1847-1931): "O gênio consiste em 1% de inspiração e 99% de transpiração". (N.E.)

Rukeyser queria saber mais sobre meu *modus operandi*. O que eu poderia dizer? "Bem, Lou, eu compro aquilo de que gosto"? Não fiz isso. Em vez disso, disse que dividia a carteira do Magellan em duas partes: as ações cíclicas e as pequenas de crescimento elevado, e as ações conservadoras. "Quando o mercado cai, vendo as ações conservadoras e aumento a participação nas outras. Quando o mercado se recupera, vendo algumas das ações vencedoras entre as ações de crescimento e cíclicas e aumento a parcela das ações conservadoras." Qualquer semelhança entre minha estratégia real e essa tentativa de explicá-la para 8 milhões de telespectadores no calor do momento é mera coincidência.

Questionado sobre minhas escolhas favoritas, listei a Bassett Furniture, a Stop & Shop e a indústria automobilística em geral, sobretudo a Chrysler. Os automóveis haviam ficado depreciados por dois anos consecutivos, eu disse, e a Chrysler estava bem posicionada para se beneficiar de uma recuperação. Expressando a opinião popular de Wall Street, Dorfman questionou se a Chrysler não era muito arriscada. "Estou disposto a correr riscos", rebati.

As coisas ficaram mais leves quando alguém fez uma pergunta sobre uma empresa de tecnologia. Confessei não apenas que era ignorante em tecnologia, mas que "nunca entendi realmente como funciona a eletricidade". Isso provocou risadas, e Rukeyser quis saber se, alguma vez, tinha me ocorrido que eu era um "sujeito muito antiquado". Minha resposta brilhante a essa pergunta foi "Não, nunca me ocorreu".

Por mais nervoso que eu parecesse, minha participação no programa de Rukeyser fez maravilhas para o Magellan. O departamento de vendas da Fidelity ficou muito ocupado atendendo telefonemas e recebendo pedidos. O que havia sido um fundo de 100 milhões de dólares após a fusão com o Salem, em 1981, tornou-se um fundo de 450 milhões de dólares no final de 1982. O dinheiro novo estava entrando a uma taxa que seria inconcebível quatro anos antes: 40 milhões de dólares em outubro, 71 milhões de dólares em novembro, 55 milhões de dólares em dezembro. A alta do mercado acionário teve muito a ver com isso.

Em vez de ter de vender uma ação para comprar outra, como havia ocorrido no passado, agora eu podia me dar ao luxo de manter as posições antigas enquanto iniciava novas. Eu não tinha permissão para gastar todo o dinheiro na Chrysler, então investi parte dele em outras montadoras, em empresas do setor químico e em varejistas. Em três meses, comprei ações de 166 empresas diferentes.

Algumas delas eram empresas grandes, mas a maioria não. Uma das muitas ironias da minha carreira é que, quando o Magellan era um fundo pequeno, concentrei-me nas ações maiores e, quando se tornou um fundo maior, comecei a me concentrar em ações menores. Essa não foi uma estratégia deliberada, mas foi assim que funcionou.

A popularidade do Magellan continuou a crescer em 1983. Em fevereiro, outros 76 milhões de dólares tiveram de ser investidos e, em março, 100 milhões de dólares. Teria sido mais fácil encontrar ações para comprar em um mercado terrível, mas no início de 1983, o Dow havia subido trezentos pontos em relação aos níveis mais baixos de 1982. Muitas emissões de tecnologia atingiram alturas vertiginosas que não seriam vistas novamente por seis ou sete anos. Esses preços altos foram motivo de grande júbilo em Wall Street, mas eu os achei desanimadores. Ficaria mais feliz com uma boa queda de trezentos pontos que gerasse algumas barganhas.

As pechinchas são o Santo Graal do verdadeiro selecionador de ações. O fato de que 10% a 30% de nosso patrimônio líquido se perdem em uma liquidação de mercado é de pouca importância. Encaramos a última correção não como um desastre, mas como uma oportunidade de adquirir mais ações a preços baixos. É assim que grandes fortunas são feitas com o passar do tempo.

A Chrysler ainda era minha maior participação (5% do fundo), e assim permaneceu durante a maior parte do ano. Seu valor dobrou em oito meses. Horn & Hardart, Stop & Shop e IBM continuaram aparecendo entre as cinco primeiras. Seguindo a manada, mantive uma posição de 3% na IBM (menos, na verdade, do que o peso geral da IBM no mercado, de 4% do valor total do S&P 500). Talvez eu estivesse respondendo a uma mensagem subliminar: você não é realmente um gestor de fundos, a menos que tenha a Big Blue[53] na carteira.

Em abril, o Magellan atingiu 1 bilhão de dólares, um marco que provocou um grande rebuliço no escritório. Logo depois, o redator de um boletim informativo sugeriu que o Magellan se tornara grande demais para ter sucesso. Essa discussão logo ganharia popularidade.

---

53. Big Blue surgiu no início dos anos 1980 na imprensa popular e financeira como um apelido para a IBM. O nome tem origens específicas pouco claras, mas, em geral, é considerado como uma referência à tonalidade azul das caixas de seus computadores. O termo foi adotado pela IBM, que se contentou em deixar suas origens na obscuridade e nomeou muitos de seus projetos em homenagem a esse codinome. Por exemplo, Deep Blue, o computador que joga xadrez da IBM, desafiou e finalmente derrotou o grande mestre Garry Kasparov em um polêmico torneio de 1997. (N.R.T.)

6

MAGELLAN

Os últimos anos

O tempo que você gasta pesquisando ações é diretamente proporcional à quantidade de ações que você possui. São necessárias algumas horas por ano para acompanhar cada uma. Isso inclui ler os relatórios anuais e trimestrais e ligar para as empresas para receber atualizações periódicas. Um indivíduo com cinco ações pode fazer esse trabalho como um passatempo. O gestor de um fundo de porte pequeno a médio pode fazer isso como um trabalho das nove às cinco. Em um fundo maior, é preciso gastar de sessenta a oitenta horas por semana.

Em meados de 1983, havia 450 ações na carteira do Magellan e, no outono desse ano, o número havia dobrado. Isso significava que eu precisava estar preparado para contar novecentas histórias diferentes para meus colegas em noventa segundos ou menos. Para fazer isso, eu precisava saber quais eram as histórias. Meus competentes assistentes me ajudavam a investigar os fatos.

John Neff, do Vanguard Windsor, ainda tinha o maior fundo mútuo existente, mas, no final de 1983, o Magellan estava em segundo lugar, com 1,6 bilhão de dólares em ativos. Esse surto de crescimento mais recente levou um novo grupo de críticos a dizer que o Magellan, assim como o Império Romano, havia se tornado grande demais para ser bem-sucedido. A teoria era que um fundo com novecentas ações não tinha condições de superar a média do mercado porque ele era a média do mercado. Fui acusado de administrar o maior fundo indexado do planeta.

Essa teoria de que um fundo grande só pode ser medíocre ainda está em voga hoje e é tão equivocada quanto há uma década.

Um gestor de fundo imaginativo pode escolher mil ações, ou mesmo 2 mil ações, em empresas incomuns, a maior parte das quais nunca aparecerá na carteira-padrão de Wall Street. Isso é conhecido como "voar abaixo do alcance do radar". Ele ou ela pode ter trezentas S&Ls e 250 varejistas, e nenhuma empresa petrolífera e nenhum fabricante, e seus resultados se comportarão de uma maneira contrária à dos resultados do mercado em geral. Por outro lado, um gestor de fundo carente de imaginação pode limitar sua carteira a cinquenta ações amplamente mantidas por instituições e criar um S&P 500 em miniatura.

Isso leva ao Princípio do Peter número 9:

Nem todas as ações ordinárias são igualmente ordinárias.

O tamanho de um fundo e o número de ações que ele contém não dizem nada sobre se ele pode ou não se destacar. A publicidade que recebi por ter comprado novecentas ações, ou, mais tarde, 1.400 ações, pode ter feito com que alguns investidores se esquivassem do Magellan. Isso é lastimável. Das novecentas ações da carteira em 1983, setecentas representavam menos de 10% dos ativos totais do fundo.

Assumi essas posições minúsculas por um destes dois motivos: (1) as empresas eram muito pequenas, então, mesmo que eu possuísse o máximo de 10% das ações, o valor em dólares não seria vultoso; ou (2) não estava convencido de que elas justificavam um investimento substancial. A maioria das ações do Magellan se enquadrava na categoria de "acompanhar no futuro". Era mais fácil seguir a história quando você possuía algumas ações e havia sido colocado na lista de mala direta.

Uma ilustração de como uma participação insignificante pode levar a uma grande oportunidade é a Jan Bell Marketing. Os executivos desta fornecedora de joias, uma empresa de 200 milhões de dólares e longe da *Fortune* 500, vieram à Fidelity para conversar com nossos gestores de fundo. Eu havia comprado essas ações, então corri para a sala de conferências para ouvir a apresentação. Nenhum outro gestor de fundo apareceu.

A Jan Bell era pequena demais para acrescentar muito aos resultados financeiros do Magellan, mas fiquei feliz por ter participado da reunião. Ao descrever o negócio, os executivos mencionaram que seus melhores clientes eram os clubes de descontos (Pace, Warehouse, Wholesale, Costco, etc.) que estavam encomendando uma quantidade enorme de joias — tantas, na verdade, que a Jan Bell tinha dificuldades para atender à demanda.

Foi daí que tive a ideia de investir nos clubes de descontos. Concluí que, se eles estavam vendendo tantas joias como a Jan Bell disse que estavam, então suas vendas globais tinham de ser excelentes.

Pedi a Will Danoff, o analista de varejo que mais tarde assumiu o controle do Fidelity Contrafund, para fazer uma pesquisa.

Essas ações haviam se tornado muito populares após as ofertas públicas iniciais, mas a euforia durou pouco. As expectativas eram tão altas que os resultados não poderiam corresponder a elas, e as ações perderam valor. Como de costume, Wall Street perdeu o interesse. Danoff ligou para as grandes casas de investimento e descobriu que nenhum analista havia sido designado para acompanhar essas empresas.

Nós dois entramos em contato diretamente com as empresas. Elas confirmaram o que a Jan Bell havia dito — os negócios iam de vento em popa. Elas também nos disseram que haviam fortalecido seus balanços por meio do pagamento de dívidas. Os lucros estavam em alta, os preços das ações ainda estavam em baixa — era uma situação perfeita. Comprei centenas de milhares de ações da Costco, Wholesale Club e Pace. Todas as três ganharam dinheiro, a Costco triplicou de valor.

Os funcionários e clientes dessas lojas poderiam ter visto a evidência de prosperidade com os próprios olhos e aprendido os mesmos detalhes que Danoff e eu aprendemos. O comprador alerta tem a chance de entender os varejistas mais cedo do que Wall Street e de recuperar todo o dinheiro que gastou em mercadorias — por meio da compra de ações subvalorizadas.

Em meados dos anos 1980, também comprei participações em quase todas as S&Ls que abriram seu capital. A maioria delas era bem pequena, então, para que fizessem diferença em uma carteira de 1 bilhão de dólares, eu tive de comprar um monte. Além disso, depois que várias instituições financeiras me disseram que seus lucros estavam melhorando graças às taxas de juros mais baixas, pude ver que muitas outras se beneficiariam da mesma tendência. Das 83 novas aquisições que fiz em abril de 1983, 39 eram bancos ou S&Ls. Até o final do mesmo ano, comprei 100 S&Ls, o suficiente para que esse grupo compusesse 3% do fundo.

A imprensa financeira observou minha "ênfase" nas S&Ls em um número suficiente de artigos para que o leitor casual pudesse ter chegado à impressão de que a destino do Magellan melhorava e piorava com elas. Ainda bem que não, porque, quando a mais fraca das S&L desabou, os preços das fortes caíram em solidariedade. Se eu tivesse colocado 20% do Magellan nas S&Ls, poderia ter sido forçado a me aposentar muito mais cedo.

Apesar dessa ênfase nos bancos e nas S&Ls, são os automóveis que merecem mais crédito pelo sucesso do Magellan durante esse período. A Ford me levou à Chrysler e a Chrysler à Subaru e à Volvo. A maré econômica favorável que levantou um estava levantando todos eles.

O preço das ações da Chrysler disparou tão rápido que, por um curto período, minha participação na Chrysler excedeu o limite de 5% do fundo. Quando chegou a 5%, eu não tinha permissão para comprar mais, embora fosse autorizado a exceder o limite se um aumento no preço de uma ação empurrasse o valor da posição do Magellan além do limite de 5%. Ao mesmo tempo, eu estava acumulando ações da Ford e da Volvo, até que os três juntos respondessem por 8% dos ativos do Magellan, e os automóveis como um grupo, 10,3%.

Um indivíduo pode escolher a empresa automobilística mais promissora e colocar todo o seu dinheiro lá, mas, para obter o benefício integral de uma recuperação no setor automotivo, o gestor de um fundo grande é forçado a fazer aquilo que é conhecido como "aposta setorial". Existem diferentes maneiras de fazer essas apostas. Uma maneira é dizer a si mesmo: "Este ano, quero colocar 8% nos automóveis", porque você tem um palpite de que os automóveis vão ter um bom desempenho. Você pode fechar os olhos e jogar dardos em uma lista de ações de automóveis e comprar algumas. Outra maneira é analisar cada empresa uma por uma.

No primeiro caso, a ponderação de 8% nos automóveis é deliberada e a escolha das empresas é acidental; no segundo, a escolha das empresas é deliberada e a ponderação, acidental. Como você deve ter adivinhado, prefiro a segunda abordagem. Fazer o dever de casa exige mais esforço do que jogar dardos, mas em 1983 os lançadores de dardos, provavelmente, acabaram investindo na General Motors.

Nunca tive muitas ações da General Motors, mesmo nesse período favorável para os automóveis, porque achava que dizer que ela era uma empresa imprestável era o melhor elogio que se poderia fazer. Até a GM triplicou de valor entre 1982 e 1987, mas o gestor do fundo que fez da mais importante montadora americana seu principal investimento não obteve todas as vantagens dos aumentos de dezessete vezes da Ford e de quase cinquenta vezes da Chrysler.

Tenho de admitir que, em minha análise de baixo para cima, eu estava certo sobre a recuperação nos automóveis, mas errado sobre o panorama geral. Eu estava convencido de que os japoneses continuariam a se concentrar no mercado de carros pequenos, e nunca imaginei que eles entrariam nos mercados de modelos de tamanho médio e de luxo da maneira como o fizeram. Apesar desse erro de cálculo, consegui tirar o máximo benefício da Ford, da Chrysler e da Volvo.

Durante todo o período de seis anos, de 1982 a 1988, pelo menos dois desses três fabricantes de automóveis poderiam ser encontrados entre as cinco maiores empresas do Magellan e, às vezes, os três apareceram ao mesmo tempo. As ações da Ford e da Chrysler aumentaram drasticamente e, posteriormente, tive um lucro bem superior a 100 milhões de dólares com cada uma, além de 79 milhões de dólares com a Volvo. Foram os ganhos enormes em um número pequeno de posições enormes que geraram os resultados tão expressivos do Magellan.

Embora o Magellan fosse continuamente descrito como um fundo de crescimento, foi a flexibilidade de poder comprar qualquer tipo de ação que me permitiu aproveitar oportunidades como as que encontrei nos automóveis. A Chrysler e a Ford não teriam aparecido nas carteiras dos fundos de crescimento, mas, uma vez que essas ações tinham sido empurradas para níveis muito baixos, elas superaram quase todas as ações de crescimento quando se recuperaram.

Outra razão para muitos gestores de fundos se restringirem era a sua preocupação com a "liquidez". Eles evitavam todas as maravilhosas pequenas empresas — uma boa coleção delas poderia fazer maravilhas, mesmo para uma carteira grande — porque suas ações eram "pouco negociadas". Eles ficavam tão absortos no problema de encontrar ações que pudessem comprar e vender em cinco dias ou menos que perdiam de vista se valia a pena incluí-las na carteira.

Tanto nas ações como no romance, a facilidade de divórcio não é uma base sólida para um compromisso. Se você escolheu sabiamente, para começo de conversa, não vai querer se divorciar. E, se você não fez isso, você está perdido, não importa o que aconteça. Toda a liquidez do mundo não vai salvá-lo da dor, do sofrimento e, provavelmente, da perda de dinheiro.

Veja a Polaroid, que perdeu 90% de seu valor em um único ano, 1973. Muitos gestores de fundo gostariam de não a terem visto. A Polaroid era uma empresa grande e muito ativamente negociada, então era fácil vender grandes blocos de ações a qualquer momento. A ação vinha tendo uma queda lenta havia três anos, e, por isso, todos tiveram a oportunidade de sair, mas conheço vários profissionais que não o fizeram. É preciso querer sair para sair, e eles não perceberam que a empresa estava se desintegrando.

Eles também tiveram a chance de sair da Xerox e, por algum motivo, também não o fizeram. Então, o especialista que decidiu não investir em algo porque "só negocia 10 mil ações por dia" está olhando as coisas por um ângulo errado. Por um lado, 99% de todas as ações são negociadas com menos de 10 mil ações por dia; sendo assim, os gestores de fundo que se preocupam com a liquidez estão confinados a 1% de todas as empresas de capital aberto. Por outro lado, se uma empresa for perdedora, o gestor do fundo vai perder dinheiro com a ação, não importa quantas ações ela negocie, e, se for uma vencedora, ele ficará animado ao desfazer uma posição na ação lentamente, com lucro.

Quando o Magellan cresceu e se tornou um fundo de médio porte, ficou mais difícil para mim fazer um investimento significativo da noite para o dia. De vez em quando, eu tinha a chance de engolir uma enorme quantidade de ações de um comprador institucional, e foi assim que adquiri 2 milhões de ações da Owens Corning em um dia. Outra vez, comprei 2 milhões de ações do BankAmerica da mesma maneira. Mas essas eram as exceções à regra de mordiscar constantemente.

Cada vez que o fundo crescia, o que acontecia quase todos os dias, eu precisava aumentar cada posição para manter seu peso relativo em relação às outras ações do fundo. Sobretudo no caso das ações menores, às vezes demorava meses para adquirir uma quantidade decente. Se eu comprasse ações muito rapidamente, minha própria compra poderia fazer o preço subir além do nível em que eu gostaria de começar a vender.

Ao longo de 1984, minhas dez primeiras participações permaneceram mais ou menos iguais, pois me mantive na estratégia de comprar e manter, em oposição à minha prática anterior de negociações frequentes. Certo mês, a Ford era a número um, seguida pela Chrysler e depois pela Volvo; outro mês, a Volvo era a número um, seguida pela Chrysler e pela Ford. Mantive também a grande posição em títulos do Tesouro que eu havia comprado em 1983, que continuaram a aumentar de valor à medida que as taxas de juros caíam.

No auge de minha aventura com as montadoras, havia cinco delas entre as minhas dez primeiras, incluindo as três regulares mais a Subaru e a Honda, e por um breve momento até a General Motors entrou na lista. À medida que milhões de americanos voltavam aos *showrooms*, até mesmo aquela operação medíocre passou a render muito dinheiro.

Por falar em dinheiro, mais 1 bilhão de dólares entrou no Magellan em 1984. Levei um tempo para me acostumar com o zero adicional nas ordens de compra e venda que enviava às mesas de operações. Além disso, minhas instruções matinais aos *traders* demoravam cada vez mais para ser dadas.

Minha decisão sobre onde ir nas férias baseava-se principalmente nos fusos horários e na localização das cabines telefônicas. A Áustria era um bom lugar porque lá era fim de tarde quando nossos mercados abriam, o que me dava o dia inteiro para esquiar antes de ligar para a mesa de operações. Minha estação de esqui favorita nos Estados Unidos era a Balsam's, localizada em Dixville Notch, New Hampshire, porque tinha um telefone perto do fim da pista. Eu descia a pista de esqui, ligava para os corretores, completava uma página ou mais de compras e vendas, pegava o teleférico e contemplava minha próxima negociação.

Nos primeiros cinco anos, não viajei muito, mas nos cinco anos seguintes passei boa parte do tempo na estrada. A maioria das viagens foi organizada em torno de seminários de investimentos realizados em diversas regiões do país. Eles eram como cursos intensivos nos quais era possível ouvir dezenas de empresas em dois ou três dias.

A Montgomery Securities realizava uma conferência em São Francisco em setembro. A Hambrecht & Quist fazia uma para empresas de tecnologia menores em maio. Todo mês de abril, havia uma conferência da Robinson--Humphrey, em Atlanta, para empresas do sudeste. A Dain, Bosworth fazia uma reunião semelhante em Minneapolis para as empresas do Meio-Oeste; a Prescott, Ball and Turben organizava uma no outono em Cleveland; a Alex. Brown fazia uma em Baltimore; e a Adams, Harkness & Hill realizava uma em Boston em agosto. A Howard Weil organizava duas conferências separadas na Louisiana, uma para produtores de energia e outra para empresas que prestavam serviços para o setor energético. Havia conferências temáticas que tratavam exclusivamente de empresas de biotecnologia, restaurantes, empresas de tevê a cabo e bancos.

O seminário de investimento foi o maior dispositivo de economia de trabalho já inventado para os gestores de fundo. Com duas ou três apresentações acontecendo ao mesmo tempo, sempre era difícil decidir a qual assistir. Às vezes, a Fidelity enviava uma delegação, então tínhamos um representante em cada reunião. De vez em quando, uma história era tão boa que eu saía da sala antes do fim da palestra para fazer um pedido de compra no saguão.

No meu tempo livre, alugava um carro ou pegava um táxi e saía para visitar empresas que não participavam da conferência, mas cuja sede ficava na região. Conheci cidades não por seus marcos familiares, mas por quem, na lista dos *Fortune* 500, havia fixado residência lá. Minhas atrações turísticas eram a MCI e a Fannie Mae em Washington; Chevron e BankAmerica em São Francisco; Litton e Unocal em Los Angeles; Coca-Cola e Turner Broadcasting em Atlanta; TRW, National City Bank e Eaton em Cleveland.

MINHAS AVENTURAS NO EXTERIOR

Com exceção de John Templeton, fui o primeiro administrador de um fundo doméstico a investir pesadamente em ações estrangeiras. O fundo de Templeton era uma versão global do Magellan. Enquanto eu chegava a investir entre 10% e 20% do dinheiro em ações estrangeiras, Templeton investia a maior parte de seu dinheiro no exterior.

Minhas compras globais começaram para valer em 1984. Ninguém havia desenvolvido um sistema para obter cotações confiáveis e atualizadas das empresas negociadas em muitas das bolsas de valores estrangeiras, portanto, todas as noites, meus *traders* precisavam ligar para Estocolmo, Londres, Tóquio e Paris para reunir as informações de que eu precisaria no dia seguinte. Isso aumentava o custo da conta do telefone, mas valia a pena. Quando 1986 chegou, já tínhamos um departamento de operações no exterior.

Com a pilha de dinheiro que agora eu tinha para investir, quase fui forçado a recorrer às ações estrangeiras, sobretudo na Europa. Por ter um fundo grande, eu precisava encontrar empresas grandes que fariam movimentos grandes, e a Europa tem uma porcentagem maior de empresas grandes do que a nossa. A maioria delas não era seguida de perto. A má notícia era que as empresas estrangeiras não seguiam os mesmos padrões de relatórios e contabilidade das empresas americanas e, portanto, eram misteriosas e difíceis de analisar. A boa notícia era que, se você fizesse seu dever de casa, ocasionalmente encontraria uma Volvo.

Minha viagem de pesquisa de maior sucesso começou em meados de setembro de 1985 e terminou três semanas e 23 empresas depois. Isso foi muito mais extenuante — e proveitoso — do que uma excursão anterior que fizera como analista jovem da Fidelity no outono de 1973, quando visitei fábricas da Dow Chemical e fui jantar e tomar vinho por todo o continente. O que aprendi então foi que, se você havia visto uma fábrica da Dow Chemical, havia visto todas elas.

Desta vez, vi três empresas em Boston em uma sexta-feira, peguei um avião, naquela mesma tarde, e cheguei à Suécia no sábado. As coisas começaram mal quando a companhia aérea perdeu minha bagagem. Era a Sabena, uma ação que eu decidi que estava feliz por não ter em carteira.

A Suécia é um país formal. Em dois dias, eu estava programado para encontrar vários de seus capitães da indústria, e me perguntei como eles reagiriam quando eu entrasse em seus escritórios usando as mesmas calças de veludo cotelê, casaco esporte amassado e tênis que usei no avião. Comecei a me preparar para esse desastre cultural assim que descobri que (1) a Sabena não fazia ideia do que havia acontecido com minha mala e (2) todas as lojas de Estocolmo estavam fechadas.

Resignando-me com o pior, fui recebido no aeroporto por Birgitta Drogell, irmã de uns amigos nossos, os Sweetlands. Eu havia combinado de ficar hospedado com ela e sua família em Sigtuna, um subúrbio de Estocolmo. Milagrosamente, seu marido sueco, Ingemar, tinha medidas idênticas às minhas, até o tamanho de sapato, e logo eu já estava usando um respeitável terno sueco.

Com meu cabelo branco e minha tez clara, bastou um traje nativo para convencer a todos de que eu era sueco. Sempre que saía na rua, as pessoas me faziam perguntas sobre direções — ou, pelo menos, eu suponho que era isso o que elas estavam querendo saber. Como não falo sueco, não tenho certeza.

A bagagem nunca foi encontrada, e tenho certeza de que, por essa razão, minha aparência era melhor. Na segunda-feira, vestindo minhas roupas suecas, fui ver o CEO da Esselte, uma empresa que vende equipamentos de escritório, incluindo as bandejas de organização que podem ser encontradas nas gavetas das mesas. Visitei também a Asea, um conglomerado de alta qualidade que é o equivalente sueco à General Electric; e a Alfa Laval, que está envolvida em uma curiosa combinação de empresas — máquinas de ordenha e biogenética. Naquela noite, estudei para as sessões do dia seguinte na Electrolux, uma gigante de aspiradores de pó e eletrodomésticos cujo presidente era o equivalente sueco a Lee Iacocca; e a Aga, que lucra com o ar.

Em tese, parece não haver sentido em investir em uma empresa que comercializa gases retirados do ar, porque estes não são *commodities* exatamente raros, mas aprendi com a Aga que existe uma demanda grande por oxigênio na siderurgia e por nitrogênio na indústria de *fast-food* e poucas pessoas têm maquinaria para extraí-los da atmosfera. Uma vez que o custo da matéria-prima é zero, essas poucas pessoas (inclusive a Aga) estão indo muito bem.

Assim que terminei com a Aga, fui até a Ericsson, uma empresa de equipamentos telefônicos semelhante à nossa Western Electric. À tarde, visitei a Skandia, que soa como uma loja de móveis, mas, na verdade, é uma seguradora de grande porte. George Noble, de nosso fundo Overseas, tinha me alertado sobre a Skandia, a qual ninguém mais parecia estar seguindo.

No caso das seguradoras americanas, as taxas de seguros sobem meses antes de os lucros começarem a apresentar qualquer melhora. Essas ações são como as cíclicas. Se você comprá-las quando as taxas estão começando a subir, poderá ganhar muito dinheiro. Não é incomum que o preço da ação de uma seguradora dobre, após um aumento de taxas, e dobre novamente com os lucros mais altos resultantes do aumento das taxas.

Presumi que esse mesmo padrão existia na Suécia. Pelo que me disseram, um aumento de taxas já havia sido aprovado, o que deveria ter impulsionado o preço das ações da Skandia, mas não o fez. Os investidores suecos ignoraram as boas notícias que, certamente, viriam e se concentraram apenas nos lucros atuais, que eram péssimos. Este era o sonho de um selecionador de ações.

Esfreguei os olhos e examinei a empresa mais de perto para ver se havia algo terrível que eu não estava enxergando. Havia dívidas excessivas? A

Skandia havia investido metade de seus ativos em títulos de alto risco ou em um negócio imobiliário do tipo Campeau?⁵⁴ A empresa estava fazendo seguros de pontes de safena e implantes mamários ou outros empreendimentos arriscados que poderiam ter resultado em sinistros imprevistos com valores milionários? A resposta a todas essas perguntas foi não. Tratava-se de uma seguradora conservadora que redigia apólices simples de propriedades/acidentes e seus lucros certamente dobrariam. As ações quadruplicaram em dezoito meses.

Não tive tempo de fazer sauna ou navegar pelos fiordes, porque, depois de visitar essas sete empresas em dois dias, tive de ir até a Volvo, do outro lado do país. Para me preparar para essa viagem, procurei o único analista financeiro sueco, que trabalhava em uma corretora fundada por um membro da família Carnegie. Os descendentes deste Carnegie estão congelando na obscuridade na Escandinávia, enquanto o ramo mais sortudo da família enriqueceu na América.⁵⁵

Esse analista solitário nunca havia visitado a Volvo, a maior empresa do país e o equivalente sueco a todo o setor automotivo dos Estados Unidos, além de possuir vários outros negócios. Compensei seu descuido dirigindo para Gotemburgo com Carolyn, que àquela altura se juntara a mim na viagem.

Em Gotemburgo, o pessoal da Volvo estava tão animado por um investidor se dar ao trabalho de pedir uma entrevista que pude falar com o presidente, o vice-presidente executivo, o chefe da divisão de caminhões e o tesoureiro. Depois disso, eles fizeram um grande passeio comigo pela fábrica.

A Volvo estava sendo pressionada por seus sindicatos, mas essa era uma preocupação distante. No curto prazo, o preço das ações era 34 dólares e a empresa tinha 34 dólares por ação em dinheiro; então, ao comprar essa ação, você estava comprando o negócio de automóveis, o conjunto de fábricas e as muitas subsidiárias da Volvo (empresas de alimentos, de energia, farmacêuticas, etc.) por nada. Nos Estados Unidos, você pode encontrar um presente como esse em uma pequena empresa que tenha sido ignorada pelos analistas, mas pode

---

54. A referência aqui é a Robert Campeau (1923-2017), um incorporador imobiliário canadense que, na década de 1980, expandiu seus negócios para os Estados Unidos fazendo compras alavancadas de mais de 250 lojas de departamentos e de títulos de alto risco. Por fim, ele não conseguiu pagar sua dívida, entrou com um pedido de recuperação judicial e, depois, decretou falência. (N.E.)

55. Andrew Carnegie (1835-1919), nascido na Escócia em uma família pobre, mudou-se para os Estados Unidos, onde fez fortuna na indústria do aço. Ao morrer, ele deixou 90% de todo o seu dinheiro para instituições de caridade de diversos tipos. Em 1889, escreveu um artigo que trazia a célebre frase: "O homem que morre rico morre desonrado". Sua fortuna, em valores atuais, seria de 337 bilhões de dólares. (N.R.T.)

pesquisar a vida inteira e nunca encontrar uma General Electric ou uma Philip Morris a preços tão baixos. Essa era a razão de minha ida à Europa.

Algumas pessoas pensam que há um viés cultural em alguns mercados estrangeiros que faz com que, neles, as ações sejam sobrevalorizadas ou subvalorizadas para sempre. Até a recente queda do mercado japonês, lemos muito sobre como os japoneses tinham uma tolerância inata para ações sobrevalorizadas. Obviamente, não era esse o caso. Na Suécia, parecia que os investidores estavam subestimando o valor da Volvo, da Skandia e de muitas outras empresas, mas eu não tinha dúvida de que, mais tarde, seu verdadeiro valor se tornaria aparente, mesmo para os desdenhosos suecos.

Carolyn e eu saímos de Gotemburgo e dirigimos até Oslo, onde visitei a Norsk Data e a Norsk Hydro. A Norsk Data era a Hewlett-Packard da Noruega, uma empresa empolgante em um setor empolgante que ainda não tinha perdido o rumo. A Norsk Hydro era uma empresa empolgante envolvida em uma variedade de setores pouco empolgantes — energia hidroelétrica, magnésio, alumínio e fertilizantes. Eu a via simultaneamente como uma empresa cíclica e uma grande tacada no setor energético. Seus campos de petróleo e gás tinham uma vida útil mais de três vezes superior à das reservas da Texaco, ou da Exxon, ou das reservas de qualquer outro gigante petrolífero. Recentemente, o preço das ações havia caído pela metade, o que tornara a Norsk Hydro uma pechincha mais uma vez.

Enquanto eu fazia minha pesquisa, Carolyn estava ocupada brincando no mercado de câmbio. Os ministros de finanças europeus do Grupo dos Sete tinham acabado de reajustar as taxas de câmbio e o valor do dólar tinha caído 10% durante a noite. O proprietário de uma loja de peles, em Oslo, deve ter esquecido de ler os jornais, porque, na manhã seguinte, ele permitiu que Carolyn pagasse por um casaco de pele de raposa com cheques de viagem da American Express — um desconto de 10% sobre o preço do dia anterior.

De Oslo, pegamos o trem para Bergen, passando por belas fazendas, subindo as montanhas e depois descendo para essa encantadora cidade costeira. Não houve muito tempo para absorver esse encanto, uma vez que, na manhã seguinte, voamos para Frankfurt, onde visitei os diretores do Deutsche Bank, da Hoechst e da Dresdner. No dia seguinte, fomos para Düsseldorf, onde visitei o Klöckner-Humboldt-Deutz, um fabricante alemão. Estive também na Bayer, o antigo fabricante de aspirina e agora um conglomerado de produtos químicos e de medicamentos.

Em uma estação ferroviária em algum lugar, entreguei dois marcos a um simpático alemão que se ofereceu para ajudar com nossa bagagem, pensando que ele era um carregador. Acabamos descobrindo que se tratava de um homem de negócios, e fiquei envergonhado por responder a seu nobre gesto com uma gorjeta. Com o nariz enfiado nos balanços, perdi algumas das nuances culturais e a maior parte da paisagem, mas percebi que os homens alemães parecem chamar uns aos outros de doutor, não importa quem sejam, e nunca de uma versão local de João ou José.

Descemos o Reno, que corre de sul a norte, até chegar a Colônia, onde visitei mais empresas, e de lá seguimos para Baden-Baden, onde alugamos outro carro para que eu pudesse assumir o volante em uma *autobahn* alemã. Um dos meus grandes desejos na vida, além de beijar a pedra de Blarney,[56] era dirigir em uma *autobahn*. Ambas se revelaram experiências igualmente aterrorizantes.

Para beijar a pedra de Blarney, você desliza de costas por cima do que deve ser uma queda de trinta metros e, para dirigir na *autobahn*, é como se você tivesse competindo nas 500 milhas de Indianápolis. Eu corria a mais de 160 quilômetros por hora em meu carro alugado e Carolyn tirava fotografia do velocímetro para provar isso. E, então tomei coragem para ultrapassar o carro à minha frente. Passei para a pista da esquerda e acelerei talvez a 190, cerca de 50% mais rápido do que já chegara a atingir com um carro em toda a minha vida adulta. Tudo estava bem até que olhei pelo espelho retrovisor. Isso nos leva ao Princípio do Peter número 10:

Nunca olhe para trás quando estiver dirigindo na *autobahn*.

A poucos centímetros do meu para-choque traseiro e também a 190 quilômetros por hora estava o para-choque dianteiro do Mercedes de outra pessoa. Estávamos tão próximos que dava para ver as cutículas nas unhas do outro motorista. Sua manicure era muito boa. Achei que, se eu tirasse o pé do acelerador mesmo por um segundo, ele sentaria no banco da frente de nosso carro, juntamente com nós dois, então cerrei os dentes e acelerei o suficiente para passar o carro à minha direita e escapar para a chamada pista lenta. Lá, continuei a uma velocidade razoável de 160 quilômetros por hora.

No dia seguinte, eu ainda estava me recuperando dessa experiência. Tínhamos dirigido até a Basileia, onde fica a sede da Sandoz, a famosa empresa

---

56. Localizada no Castelo de Blarney, próximo a Cork, na Irlanda, a Pedra Blarney, ou Pedra da Eloquência, é um bloco de pedra calcária. Segundo a lenda, a pessoa que consegue beijá-la ganha o dom da eloquência. (N.E.)

farmacêutica e química suíça. Ainda nos Estados Unidos, eu havia ligado para a Sandoz para marcar uma entrevista. Normalmente, os responsáveis por uma empresa entendem imediatamente por que eu gostaria de encontrá-los, mas com a Sandoz foi diferente. Fui transferido para um vice-presidente e, quando lhe disse que queria visitar a empresa, ele perguntou: "Por quê?". "Quero saber mais sobre o que vocês fazem para decidir se compro mais ações", respondi. Mais uma vez ele perguntou: "Por quê?". "Bem, porque eu gostaria de estar bem atualizado", continuei. "Por quê?" ele queria saber. "Porque, se eu comprar e o preço subir, posso ganhar dinheiro para os acionistas." "Por quê?" ele perguntou, e eu disse adeus. Nunca cheguei a visitar a Sandoz, embora mais tarde tenha ouvido que ela afrouxou as regras de visita.

Seguimos pelos Alpes até a Itália e chegamos a Milão, onde visitei a Montedison, outra empresa hidroelétrica. Em sua sala de reuniões com trezentos anos idade, havia uma engenhoca fascinante que pingava água de acordo com a quantidade que realmente fluía pela represa. Além da Montedison, visitei a IFI, outra empresa local, além do famoso mural *A última ceia*. Também visitei a Olivetti. Provavelmente, sou um dos poucos turistas que listaria a Montedison, a IFI, a Olivetti e *A última ceia* como suas atrações favoritas do norte da Itália.

A Itália estava sofrendo com inflação alta e política impossível, mas a taxa de inflação estava caindo e os políticos estavam se tornando mais profissionais, e as pessoas começavam a comprar seus mantimentos em supermercados. Ocorreu-me que a Itália, em 1985, era muito parecida com a América nas décadas de 1940 e 1950, um lugar onde empresas de eletrodomésticos, de eletricidade e supermercados cresceriam rapidamente no futuro.

Carolyn foi para Veneza, onde não consegui encontrar empresas para visitar (o Palácio Ducal e a Ponte dos Suspiros ainda não são negociados em bolsa), então fui para Roma, onde visitei a Stet e a SIP. Em 9 de outubro, nos encontramos em Roma e pegamos o avião que nos levou de volta a Boston no dia 10, onde prontamente visitei mais quatro empresas: Comdisco, A.L. Williams, Citicorp e Montedison. Esta era a mesma Montedison que eu tinha visitado uma semana antes em Milão.

Essa viagem turbulenta pela Europa me fez perder o 25º aniversário de casamento de Ned Johnson, que era meu chefe, mas a ausência foi por uma boa causa. As ações que comprei como resultado de minha viagem à Europa foram bem, começando pela Volvo, pela Skandia e pela Esselte.

Dez por cento dos ativos do Magellan estavam agora investidos em ações estrangeiras, e os muitos bons resultados que obtive com essas ações ajudaram o fundo a manter sua posição de número um. Minhas onze principais compras estrangeiras, Peugeot, Volvo, Skandia, Esselte, Electrolux, Aga, Norsk Hydro, Montedison, IFI, Tobu Railway e Kinki Nippon Railway geraram mais de 200 milhões de dólares em lucros para os acionistas.

As duas ações de ferrovias japonesas me haviam sido recomendadas por George Noble, do fundo Overseas. Eu as pesquisei em mais detalhes durante uma viagem para o Japão, que foi tão agitada quanto a incursão à Europa — pouparei vocês dos detalhes. A Tobu Railway foi a maior vencedora de todos: 386% em cinco anos. Infelizmente, era uma posição pequena, com apenas 0,13% dos ativos do Magellan dedicados a ela.

ACIMA DOS 5 BILHÕES DE DÓLARES

Em 1984, o Magellan conseguiu subir 2%, enquanto o S&P 500 perdeu 6,27%. Em 1985, as ações das montadoras de automóveis e as estrangeiras contribuíram para um ganho de 43,1%. Minhas maiores posições ainda eram em títulos do Tesouro e em automóveis, com a IBM incluída por algum motivo, que não deve ter sido bom. Eu também estava comprando Gillette, Eaton, Reynolds, CBS, a antiga International Harvester (agora Navistar), Sperry, Kemper, Disney, Sallie Mae, The New York Times Company e títulos australianos. Comprei quantidades suficientes da SmithKline Beckman, do Bank of New England, da Metromedia e da Loews a ponto de essas empresas aparecerem entre as dez mais. Entre as muitas ações que eu gostaria de não ter comprado estavam One Potato Two, Eastern Airlines, Institutional Networks, Broadview Financial, Vie de France, Ask Computer, Wilton Industries e United Tote.

Mais 1,7 bilhão de dólares entrou no fundo em 1985, para se somar àquele 1 bilhão de dólares de 1984 e ao 1 bilhão de dólares de 1983. O valor líquido dos ativos do Magellan agora era igual ao produto nacional bruto da Costa Rica. Para absorver esse dinheiro, eu estava constantemente na ofensiva, reavaliando a carteira, encontrando novas posições ou aumentando as antigas. Isso nos leva ao Princípio do Peter número 11:

A melhor ação para comprar pode ser aquela que você já possui.

A Fannie Mae é um bom exemplo. Durante a primeira metade de 1985, a Fannie Mae era uma das minhas participações pequenas típicas, mas verifiquei novamente sua história (ver Capítulo 18) e descobri que ela havia melhorado drasticamente. Aumentei a Fannie Mae para 2,1% do fundo. Eu ainda apreciava os automóveis, embora a Ford e a Chrysler já tivessem dobrado ou triplicado de preço, uma vez que seus lucros continuavam aumentando e todos os sinais fundamentalistas eram favoráveis. Mas logo a Fannie Mae tomaria o lugar da Ford e da Chrysler como a chave para o sucesso do Magellan.

Em fevereiro de 1986, o Magellan ultrapassou a marca de 5 bilhões de dólares em ativos. Tive de comprar mais ações da Ford, Chrysler e Volvo para manter o peso delas no fundo. Eu também tinha andado comprando Middle South Utilities, Dime Savings, Merck, Hospital Corporation of America, Lin Broadcasting, McDonald's, Sterling Drug, Seagram, Upjohn, Dow Chemical, Woolworth, Browning-Ferris, Firestone, Squibb, Coca-Cola Enterprises, Unum, DeBeers, Marui e Lonrho.

As ações estrangeiras agora representavam 20% da carteira, começando com a Volvo, a qual, na maior parte do ano, detinha a maior participação. Além dos automóveis, outras que figuravam entre as dez primeiras eram o Bank of New England, Kemper, Squibb e Digital Equipment.

Uma posição de 20 milhões de dólares, igual ao tamanho de todo o Fundo Magellan em 1976, era agora insignificante. Para movimentar essa massa de bilhões, eu precisava ter várias posições de 100 milhões de dólares. Todos os dias, eu examinava a lista alfabética de participações para decidir o que vender e o que comprar. A lista ficava cada vez mais comprida e as participações, cada vez maiores. Eu estava ciente disso intelectualmente, mas não tive certeza, de fato, até uma semana bastante agitada no mercado, quando, por acaso, visitei o Parque Nacional de Yosemite.

Lá estava eu, em uma cabine telefônica com vista para uma cordilheira, passando as instruções do dia para a mesa de operações. Após duas horas, eu só tinha passado do A ao L.

Minhas reuniões com empresas, em nossa sede, na sede delas ou em seminários de investimento, também aumentaram de 214, em 1980, para 330 em 1982 e para 489 em 1983; caíram para 411 em 1984; foram para 463 em 1985; e saltaram para 570 em 1986. Se continuasse assim, calculei que estaria em contato pessoal com uma média de duas empresas por dia, incluindo domingos e feriados.

Depois de cinco anos vendendo, vendendo, vendendo, minha negociante de vendas, Carlene DeLuca, largou a mesa de operações para se casar com o presidente da Fidelity, Jack O'Brien. Em seu último dia no escritório, decidimos deixá-la fazer algumas compras apenas para ela poder ver como vivia a outra metade. Ela não estava preparada para essa estranha experiência. Na outra ponta do telefone, um possível vendedor oferecia algumas ações por, digamos, 24 dólares cada uma, e Carlene insistia em 24,50 dólares.

UMA MUDANÇA TÁTICA

O Magellan subiu 23,8%, em 1986, e outros 39% no primeiro semestre de 1987. Com o mercado atingindo a máxima histórica de 2.722,42 no índice Dow Jones e rebanhos de touros aparecendo nas capas de todas as revistas importantes do país, fiz uma grande mudança tática — a primeira em cinco anos. Pareceu-me que estávamos em plena recuperação econômica e que as pessoas que pretendiam comprar carros novos já o haviam feito, e os analistas que seguiam os automóveis estavam fazendo projeções otimistas de lucros que minhas pesquisas me diziam ser insustentáveis. Comecei a diminuir a ênfase nos automóveis e a aumentar a importância das instituições financeiras — sobretudo a Fannie Mae, mas também as S&Ls.

O Magellan se tornou um fundo de 10 bilhões de dólares em maio de 1987. Esse anúncio forneceu mais incentivo aos detratores, que previram que ele era grande demais para vencer o mercado. Não tenho como quantificar a contribuição dos céticos ao meu desempenho, mas não tenho dúvida de que foi substancial. Disseram que um fundo de 1 bilhão de dólares era grande demais, depois 2 bilhões, 4 bilhões, 6 bilhões, 8 bilhões e 10 bilhões, e o tempo todo eu estava determinado a provar que eles estavam errados.

Outros grandes fundos tinham fechado as portas a novos acionistas após alcançar determinado tamanho, mas o Magellan continuou aberto, e até isso foi percebido como um fator negativo. Os críticos disseram que era a maneira da Fidelity de capitalizar sobre a minha reputação e atrair mais comissões.

Em 1987, eu estava convencido de que um fundo tão grande quanto o PIB da Suécia poderia superar o mercado. Estava também exausto com o esforço para alcançar esse objetivo e ansiava por passar mais tempo com minha esposa do que com a Fannie Mae. Eu poderia ter largado tudo naquela época, três anos antes da minha partida de fato, mas o que me incentivou a continuar foi a Grande Correção.

Não posso fingir que previ o que ia acontecer. O mercado estava extremamente sobrevalorizado e pronto para um declínio de mil pontos, uma situação que é óbvia em retrospectiva, mas, com a minha clarividência habitual do Panorama Maior, eu sequer percebi. Entrei nesse período traiçoeiro totalmente investido em ações, com quase nenhum dinheiro em caixa. É isso que chamo de acertar o tempo do mercado.

A boa notícia foi que, em agosto, reduzi as dezenas de S&Ls, nas quais tinha investido 5,6% dos ativos do fundo. Começava a ficar claro para mim (e para Dave Ellison, nosso especialista interno em S&Ls) que algumas dessas instituições estavam fazendo empréstimos muito estúpidos. A má notícia foi que coloquei o produto das vendas em outras ações.

Antes da Grande Correção, o Magellan subira 39% no ano, e eu estava furioso com isso, porque o S&P 500 aumentara em 41%. Lembro de Carolyn dizer: "Como você pode reclamar de ficar 2% atrás do mercado quando você obteve um lucro de 39% para seus acionistas?". No fim das contas, ela estava certa e eu não deveria ter reclamado, porque, em dezembro, eu amargava uma queda de 11%. Isso nos leva ao Princípio do Peter número 12:

Uma cura certa para os que consideram as ações um investimento seguro é uma grande queda de preços.

Minha história pessoal com relação a lidar com as quedas do mercado acionário começa no paraíso dos tolos. Poucos meses depois de assumir as rédeas do Magellan, o mercado caiu 20%, enquanto as ações do fundo subiram 7%. Esse triunfo de curta duração me convenceu de que eu era, de alguma forma, imune aos contratempos que assolam o selecionador de ações comum. Essa fantasia durou apenas até o grande declínio seguinte, de 11 de setembro a 31 de outubro de 1978.

Esse declínio foi extraordinário, causado por um dólar fraco, inflação forte, disputas no Congresso sobre cortes de impostos e um Fed defensor de um aperto no crédito. Os títulos do Tesouro de curto prazo pagavam taxas de juros mais altas do que os títulos de longo prazo, uma situação rara conhecida como curva de rendimento invertida. O mercado acionário despencou, e o Magellan caiu ainda mais. Esse foi o início da tendência real que durou o resto da minha carreira como gestor de fundo: sempre que o mercado de ações ia mal, o Magellan ia ainda pior.

Durante nove grandes quedas, incluindo a maior delas, de 1987, esse padrão persistiu. As ações do fundo perdiam mais do que a média das ações, e depois superavam o mercado na recuperação. Tentei preparar os acionistas para esses dias mais instáveis nos relatórios anuais do Magellan. Talvez haja alguma justiça poética no fato de que as ações que levam você mais longe no longo prazo lhe dão mais solavancos e hematomas ao longo do caminho.

Fiquei extasiado quando 1987 acabou. Foi uma espécie de triunfo fazer com que o Magellan apresentasse um aumento de 1% e mantivesse a sequência de dez anos lucrativos. Eu também havia superado a média dos fundos mútuos de ações em cada um desses anos. E, mais uma vez, a recuperação do Magellan ultrapassou a do mercado.

A Grande Correção havia resolvido, temporariamente, o problema de tamanho do Magellan. O que era um fundo de 11 bilhões de dólares em agosto havia se tornado um fundo de 7,2 bilhões de dólares em outubro.

O PIB da Costa Rica foi perdido em uma semana. Em *O jeito Peter Lynch de investir*, declarei que jogava golfe na Irlanda quando ocorreu a calamidade. Eu tive de vender um monte de ações para levantar dinheiro para pagar os acionistas que haviam ficado tão assustados com seus ativos que decidiram vendê-los. O Magellan teve 689 milhões de dólares em novos investimentos em outubro e 1,3 bilhão de dólares em resgates, revertendo uma tendência de cinco anos. Os vendedores superavam os compradores em número, em uma proporção de dois para um, mas a vasta maioria dos investidores do Magellan ficou parada e não fez nada. Eles viram a Grande Correção pelo que ela era, e não como o início do fim da civilização.

Era o fim da civilização para alguns apostadores que haviam comprado ações na margem, ou seja, pegando dinheiro emprestado de corretoras para comprá-las. Essas pessoas viram suas carteiras ser dizimadas quando as corretoras venderam suas ações, muitas vezes a preços baixíssimos, para pagar os empréstimos. Foi a primeira vez que realmente compreendi os riscos de comprar na margem.

Meus *traders* foram trabalhar em um domingo para se preparar para a liquidação que estava prevista para a Segunda-feira Negra. A Fidelity havia passado todo o fim de semana planejando o que fazer. Eu aumentara a posição de caixa a um nível relativamente elevado (vinte vezes o do maior resgate anterior do fundo em um dia) antes de partir para a Irlanda. Isso não foi o suficiente. Uma inundação de pedidos de resgate foi feita pelo telefone. Fui obrigado a vender uma parte do fundo na segunda-feira e outra parte na terça-feira. Então, no exato momento em que eu preferiria ter sido um comprador, tive de ser um vendedor.

Nesse sentido, os acionistas desempenham um papel importante no sucesso ou no fracasso de um fundo. Se forem firmes e se recusarem a entrar em pânico nas situações ameaçadoras, o gestor de fundo não terá de liquidar as ações a preços desfavoráveis para reembolsá-los.

Após a estabilização do mercado, a Ford ainda era minha maior posição, seguida pela Fannie Mae e Merck, e depois pela Chrysler e pela Digital

Equipment. Os melhores desempenhos na recuperação imediata foram os das cíclicas. A Chrysler, por exemplo, subiu de um mínimo de 20 dólares para 29 dólares, e a Ford de um mínimo de 38,25 para 56,62. Mas aqueles que permaneceram com essas ações cíclicas logo ficaram decepcionados. Três anos depois, em 1990, a Chrysler estava sendo negociada por 10 dólares e a Ford por 20 dólares, menos da metade de seus preços em 1987.

É importante sair de uma ação cíclica na hora certa. A Chrysler é um exemplo de como as coisas podem ir de bom a pior rapidamente. A empresa teve um lucro de 4,66 dólares por ação em 1988, e as pessoas estavam esperando outros 4 dólares para 1989. Em vez disso, a Chrysler teve um lucro de 1 dólar e pouco em 1989, 30 centavos em 1990 e, em 1991, perdeu uma grana e caiu no prejuízo. Tudo o que pude ver era decepção no futuro. Vendi.

Vários analistas de Wall Street continuaram a prestigiar a Chrysler durante toda a sua queda. Minha estimativa mais otimista para os lucros da Chrysler, que eu pensei que poderia ser desesperadamente otimista para começar, era bem inferior à estimativa mais pessimista de Wall Street. Meu melhor palpite era de 3 dólares por ação, enquanto alguns analistas estavam prevendo 6 dólares. Quando o seu melhor cenário acaba parecendo pior do que o pior cenário de todos os outros, você precisa pensar seriamente se a ação está flutuando em um mar de fantasia.

As ações vencedoras no pós-Correção acabaram sendo as ações de crescimento, e não as cíclicas. Felizmente, eu conseguira sacar dinheiro dos automóveis e colocá-lo em empresas com operações de alta qualidade e balanços sólidos, incluindo Philip Morris, RJR Nabisco, Eastman Kodak, Merck e Atlantic Richfield. A Philip Morris se tornou minha maior posição. Eu também comprei uma quantidade de ações da General Electric suficiente para que ela representasse 2% do fundo.

(Dois por cento era pouco. O valor de mercado da General Electric era de 4% do valor geral do mercado, portanto, ao colocar nela apenas 2% dos recursos do Magellan, eu estava, na verdade, apostando contra uma empresa que eu amava e recomendava. Essa anomalia me foi apontada por meu sucessor, Morris Smith.)

Aqui está outro exemplo de como é tolice estereotipar as empresas, classificando-as em categorias. A General Electric é amplamente considerada como uma empresa *blue chip* um tanto tradicional com elementos cíclicos, e não como uma empresa em crescimento. Mas observe a Figura 6-1. É fácil imaginar que isso poderia ser um rastro de pneu deixado na estrada por uma ação em crescimento constante, como a Johnson & Johnson.

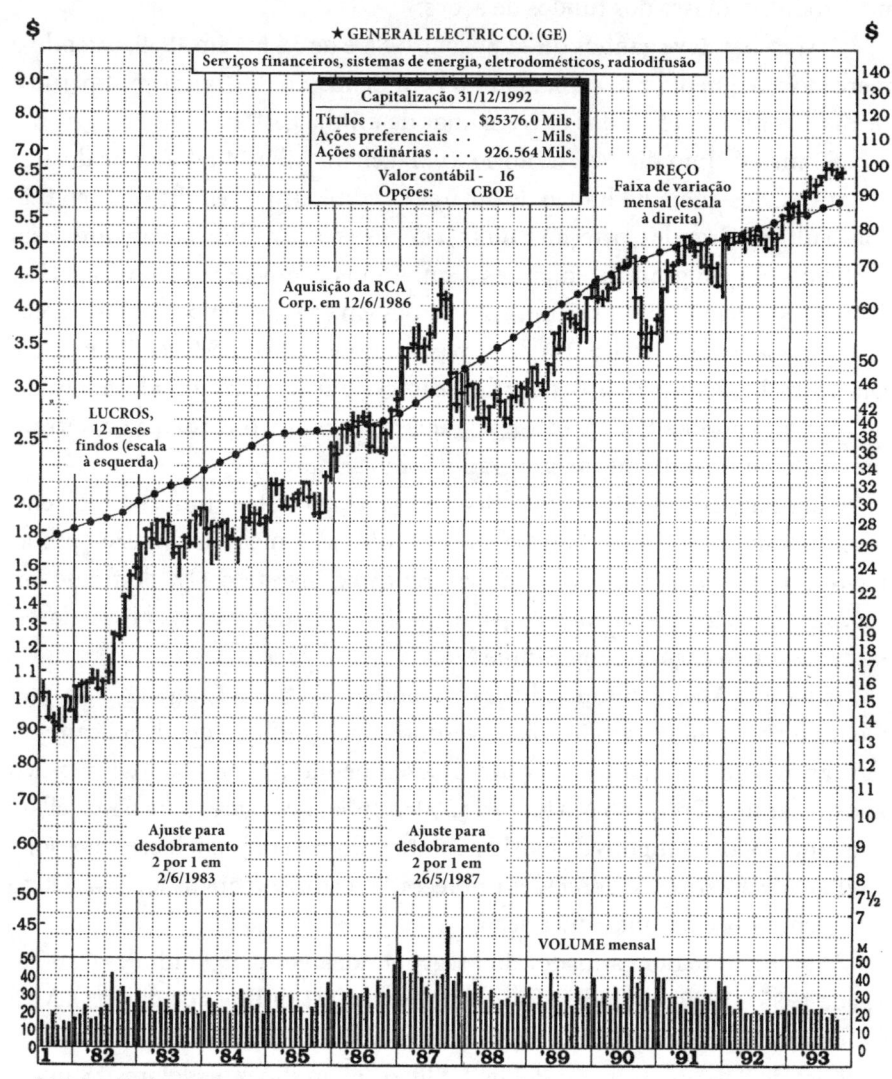

FIGURA 6-1

Da caixa de pechinchas, também comecei a acumular ações desfavorecidas de serviços financeiros, incluindo várias empresas de fundos mútuos, que haviam sido golpeadas pelo mercado porque Wall Street estava preocupada com um êxodo em massa dos fundos de ações.

O Magellan teve ganhos de 22,8% em 1988 e de 34,6% em 1989, batendo o mercado novamente em 1990, quando pedi demissão. Ele também superou a média dos fundos em todos os treze anos de minha gestão.

No meu último dia no escritório, o Magellan tinha 14 bilhões de dólares em ativos, dos quais 1,4 bilhão de dólares em dinheiro — eu tinha aprendido com a última Grande Correção, *não saia de casa sem ele*.[57] Eu havia acumulado participações em grandes empresas seguradoras com ganhos estáveis: Aflac, General Re, Primerica. Eu acumulei posições em grandes empresas farmacêuticas e também em fabricantes de armas, como Raytheon, Martin Marietta e United Technologies. As ações dos fabricantes de armas haviam sido golpeadas no mercado porque Wall Street temia que a *glasnost* trouxesse paz à Terra,[58] um medo que era altamente exagerado, como sempre.

Continuei a diminuir as ações cíclicas (papel, produtos químicos, aço), embora algumas parecessem baratas, porque minhas fontes em várias empresas me disseram que os negócios iam mal. Eu tinha investido 14% do fundo em ações estrangeiras. Aumentei as participações em suprimentos hospitalares, tabaco e varejo e, é claro, na Fannie Mae.

A Fannie Mae assumiu a liderança onde a Ford e a Chrysler pararam. Quando 5% de uma carteira são investidos em ações que quadruplicam em dois anos, isso faz maravilhas para o desempenho de um fundo. Em cinco anos, a Fannie Mae gerou um lucro de 500 milhões de dólares para o Magellan, enquanto todos os fundos da Fidelity combinados tiveram um lucro superior a 1 bilhão de dólares. Este pode ser um recorde histórico para os lucros de uma única empresa com uma única ação.

O segundo maior ganhador do Magellan foi a Ford (199 milhões de dólares de 1985 a 1989), seguida pela Philip Morris (111 milhões de dólares), MCI (92 milhões de dólares), Volvo (79 milhões de dólares), General Electric (76 milhões de dólares), General Public Utilities (69 milhões de dólares), Student

---

57. Referência a um anúncio da American Express, uma famosa marca de cartão de crédito. (N.T.)
58. A *glasnost*, ou "transparência", foi uma norma que visava a aproximar a população das decisões políticas da União Soviética. Também buscava combater a corrupção entre os membros do Partido Comunista. Essas medidas contribuíram para o fim da União Soviética, pois o povo teve abertura para discutir as mudanças que estavam sendo efetuadas naquele momento. (N.R.T.)

Loan Marketing (65 milhões de dólares), Kemper (63 milhões de dólares) e Loews (54 milhões de dólares).

Entre esses nove vencedores de todos os tempos estão duas montadoras de automóveis, uma empresa de cigarros e alimentos, um conglomerado de tabaco e seguros, uma concessionária de energia elétrica que sofreu um acidente, uma empresa de telefonia, uma empresa financeira diversificada, uma empresa de entretenimento e uma empresa que compra empréstimos estudantis. Estas não eram todas ações de crescimento, cíclicas, ou ações fundamentalistas, mas juntas elas geraram um lucro de 808 milhões de dólares para o fundo.

Embora eu não pudesse ter comprado ações suficientes de uma pequena empresa a ponto de isso afetar os resultados financeiros do Magellan, a união de noventa a cem delas poderia fazer, e de fato fez, uma enorme diferença. Havia muitas subidas de cinco vezes e algumas de dez vezes entre as ações menores, e as que se saíram melhor em meus últimos cinco anos foram: Rogers Communications Inc., uma subida de dezesseis vezes; Telephone and Data Systems, uma subida de onze vezes; e Envirodyne Industries, Cherokee Group e King World Productions, todas com subidas de dez vezes.

A King World é uma daquelas empresas cujo sucesso era óbvio para milhões de americanos — todos aqueles que assistem à tevê. Ela é detentora dos direitos de *Wheel of Fortune* e *Jeopardy!*.[59] Um analista de Wall Street me falou sobre a King World em 1987, e logo depois levei minha família para ver uma gravação de *Wheel of Fortune* e para assistir Vanna White.[60] Há um monte de estrelas da época dos filmes mudos, mas Vanna é a única estrela de tevê muda de que me lembro. A King World também detém os direitos sobre um programa de entrevistas popular, apresentado por alguém cujo nome eu achava ser Winfrah Oprey.[61]

Fiz algumas pesquisas e descobri que os programas de jogos, em geral, duram de sete a dez anos. Na verdade, este é um negócio muito estável — muito mais estável do que os microchips. *Jeopardy!*, outra produção da King World, já existia havia 25 anos, mas estava apenas em seu quarto ano de exibição no horário nobre. O *Wheel of Fortune*, o programa de maior audiência da tevê, estava em seu quinto ano. Winfrah Oprey estava subindo. Assim como as ações da King World.

---

59. As versões brasileiras desses programas foram chamadas de *Roda a roda* e *Arrisca tudo*, respectivamente. (N.T.)
60. Era a apresentadora do programa *Wheel of Fortune*. (N.E.)
61. Oprah Winfrey (Oprah Gail Winfrey, Kosciusko, 29 de janeiro de 1954) é uma apresentadora, jornalista, atriz, psicóloga, repórter, produtora, editora e escritora americana, vencedora de prêmios Emmy por seu programa *Oprah Winfrey Show*, o programa de entrevistas com maior audiência da história da televisão americana. (N.R.T.)

TABELA 6-1. AS 50 AÇÕES MAIS IMPORTANTES DO MAGELLAN
(1977-1990)

Alza Corporation	Medco Containment
BankAmerica	Metromedia
Boeing	NBD Bancorp
Cardinal Distribution	Owens-Corning Fiberglas
Chrysler	Pep Boys — Manny, Moe and Jack
Circuit City	Pepsico
Circus Circus	Philip Morris
Coca-Cola	Pic 'N' Save
Comerica	Reebok International
Congoleum	Rogers Communications
Cooper Tire	Royal Dutch
Cracker Barrel Old Country Store	Sbarro
Dunkin' Donuts	Service Corporation International
Envirodyne	Shaw Industries
Federal National Mortgage Association	Skandia
Ford Motor Company	Stop & Shop
General Public Utilities	Stride Rite
Gillette	Student Loan Marketing
Golden Nugget	Taco Bell
Great Atlantic & Pacific	Teléfonos de Mexico
Great Lakes Chemical	Telephone and Data Systems
International Lease Finance	Telerate
King World Productions	Unilever
La Quinta Motor Inns	Volvo
MCI Communications	Zayre

TABELA 6-2. OS 50 MAIS IMPORTANTES ACIONISTAS DO MAGELLAN AÇÕES DE BANCOS (1977-1990)

SouthTrust (AL)	Boatmen's Bancshares (MO)
BankAmerica (CA)	Centerre Bancorporation (MO)
Wells Fargo (CA)	Bank of New York (NY)
Wilmington Trust (DE)	First Empire State (NY)
Landmark Banking (FL)	Irving Bank & Trust (NY)
Southwest Florida (FL)	KeyCorp (NY)
First Atlanta (GA)	Marine Midland (NY)
First Railroad & Banking (GA)	NCNB (NC)
SunTrust (GA)	Fifth Third Bank (OH)
Bancorp Hawaii (HI)	Huntington Bank (OH)
West One (ID)	National City (OH)
Harris Bankcorp (IL)	Society Corporation (OH)
Northern Trust (IL)	Continental Bank (Norristown) (PA)
American Fletcher (IN)	CoreStates Financial (PA)
Merchants National (IN)	Dauphin Deposit (PA)
First Kentucky (KY)	Girard Bank & Trust (PA)
First Maryland (MD)	Meridian Bank (PA)
Union Trust (MD)	PNC Financial (PA)
State Street Bank & Trust (MA)	Fleet/Norstar (RI)
Comerica (MI)	South Carolina National (SC)
First of America (MI)	First American (TN)
Manufacturers National (MI)	Third National (TN)
NBD Bancorp (MI)	Signet Bank (VA)
Old Kent Financial (MI)	Sovran Bank (VA)
Norwest Corporation (MN)	Marshall & Ilsley (WI)

TABELA 6-3. OS 50 MAIS IMPORTANTES VAREJISTAS DO MAGELLAN (1977-1990)

Pic 'N' Save — varejistas	Circuit City — eletrodomésticos
Dollar General — varejistas	The Good Guys — eletrodomésticos
Service Merchandise — varejistas	Sterchi Brothers — móveis
Walmart — varejistas	Helig-Myers — móveis
Zayre — varejistas	Pier 1 Imports — móveis domésticos
Family Dollar — varejistas	Edison Brothers — diversificado
TJX Companies — varejistas	Woolworth — diversificado
K mart — varejistas	Melville — diversificado
Michaels Stores — varejistas	Sterling — joias
Del Haize (Food Lion) — supermercados	Jan Bell Marketing — joias
Albertson's — supermercados	Costco — clube atacadista
Stop & Shop — supermercados e varejistas	Pace Membership — clube atacadista
Great A&P — supermercados	House of Fabrics — tecidos e estofados
Lucky Stores — supermercados	Hancock Fabrics — tecidos e acessórios de costura
American Stores — supermercados	Transworld Music — música
Gottschalks — lojas de departamentos	Toys "R" Us — brinquedos
Dillard — lojas de departamentos	Office Depot — superloja de artigos para escritório
J.C. Penney — lojas de departamentos	Pep Boys — Manny, Moe & Jack — suprimentos para automóveis
May — lojas de departamentos	Walgreen — farmácia
Mercantile Stores — lojas de departamentos	Home Depot — material de construção
Merry-Go-Round — roupa	CPI Corporation — material fotográfico
Charming Shoppes — roupa	Pearle Health — cuidados com os olhos
Loehmann's — roupa	Herman's — artigos esportivos
Children's Place — roupa	Sherwin-Williams — tinta, etc.
Gap — roupa	Sunshine, Jr. — conveniência

DINHEIRO BOM DEPOIS DO RUIM

Havia centenas de perdedores na carteira do Magellan para acompanhar os vencedores que acabei de descrever. Tenho uma lista deles que se estende por várias páginas. Felizmente, não eram minhas maiores posições. Esse é um aspecto importante da administração da carteira — limitar suas perdas.

Não há vergonha em perder dinheiro com uma ação. Todo mundo perde. O que é vergonhoso é segurar uma ação ou, pior ainda, comprar mais, quando os fundamentos estão se deteriorando. Foi isso que tentei evitar. Embora eu tivesse mais ações que perdiam dinheiro do que ações cujos preços haviam subido dez vezes, não continuei aumentando as perdedoras enquanto elas se rumavam para a concordata. Isso nos leva ao Princípio do Peter número 13:

Nunca aposte em uma reviravolta enquanto a marcha fúnebre está sendo tocada.

Meu maior perdedor de todos os tempos foi a Texas Air: 33 milhões de dólares. Poderia ter sido pior se eu não tivesse vendido durante o declínio. Outra desgraça foi o Bank of New England. Obviamente, eu havia superestimado suas perspectivas e subestimado os efeitos da recessão na Nova Inglaterra, mas quando a ação caiu pela metade, de 40 para 20 dólares, comecei a assumir minhas perdas. Eu havia saído completamente da posição quando a ação baixou a 15 dólares.

Enquanto isso, pessoas de todos os cantos de Boston, muitos deles investidores sofisticados, estavam me aconselhando a comprar o Bank of New England pelo preço de banana de 15 dólares e, em seguida, 10 dólares, e, quando as ações chegaram a 4 dólares, eles disseram que era uma oportunidade estupenda que não se poderia deixar passar. Lembrei-me de que, independentemente do preço que você pague por uma ação, quando ela chega a zero, você perde 100% do seu dinheiro.

Uma das pistas para o problema profundo do banco era o comportamento de seus títulos. Muitas vezes, isso é um indício das verdadeiras dimensões de uma calamidade. O fato de que o valor da dívida privilegiada do Bank of New England tinha caído da paridade (100 dólares) para menos de 20 dólares era notável.

Se uma empresa for solvente, seus títulos valerão 100 centavos em cada dólar. Portanto, quando os títulos são negociados a apenas 20 centavos, o mercado de títulos está tentando nos dizer algo. O mercado de títulos é dominado por investidores conservadores que acompanham de perto a capacidade de uma empresa de pagar o principal. Como os títulos têm prioridade sobre as ações na lista de requerentes sobre os ativos da empresa, você pode ter certeza de que, quando os títulos estão sendo negociados por quase nada, as ações valerão ainda menos. Aqui está uma dica derivada da experiência: antes de investir em ações de baixo preço em uma empresa instável, observe o que está acontecendo com o preço de seus títulos.

Perto do topo da minha lista de perdedores estão também First Executive, 24 milhões de dólares; Eastman Kodak, 13 milhões de dólares; IBM, 10 milhões de dólares; Mesa Petroleum, 10 milhões de dólares; e Neiman-Marcus Group, 9 milhões de dólares. Até consegui perder dinheiro com a Fannie Mae em 1987, um ano de baixa para aquela ação, e com a Chrysler em 1988-1989, mas eu havia reduzido as participações na Chrysler para menos de 1% do fundo naquela altura.

As ações cíclicas são como o *blackjack*:[62] permaneça no jogo por muito tempo e seu lucro desaparecerá.

Finalmente, observo, sem nenhuma surpresa especial, que meus perdedores mais consistentes foram as ações de tecnologia, incluindo os 25 milhões de dólares que perdi na Digital em 1988, além de quantias ligeiramente menores na Tandem, Motorola, Texas Instruments, EMC (um fornecedor de periféricos de computador), National Semiconductor, Micron Technology, Unisys e, é claro, aquele fiasco perene em todas as carteiras respeitáveis, a IBM. Nunca tive muito talento para tecnologia, mas isso não me impediu de ser, de vez em quando, enganado por ela.

---

62. Jogo de cartas conhecido no Brasil como 21. (N.E.)

7
ARTE, CIÊNCIA E TRABALHO BRAÇAL

O que se segue nas próximas 178 páginas é uma crônica dos telefonemas, especulações e cálculos que me levaram às 21 ações que recomendei para a *Barron's* em 1992. O fato de esta seção ser tão extensa é uma evidência de que a seleção de ações não pode ser reduzida a uma fórmula simples ou a uma receita que assegure o sucesso quando rigorosamente seguida.

A seleção de ações é uma arte e uma ciência, mas qualquer uma delas em excesso é algo perigoso. Uma pessoa apaixonada por cálculos, que tem a cabeça enfiada nos balanços patrimoniais, provavelmente não terá sucesso. Se você pudesse prever o futuro com base em balanços, então matemáticos e contadores seriam as pessoas mais ricas do mundo a esta altura.

Uma fé equivocada na medição provou-se prejudicial desde Tales, o filósofo grego da Antiguidade que estava tão determinado a contar estrelas que ficava caindo nos buracos na rua.

Por outro lado, selecionar ações como uma arte pode ser igualmente ingrato. Por arte, quero dizer o reino da intuição, da paixão e da química do lado direito do cérebro, no qual o tipo artístico prefere habitar. Para o artista, encontrar um investimento vitorioso é uma questão de ter jeito e seguir um palpite. As pessoas com talento ganham dinheiro; as pessoas sem ele sempre perdem. Estudar o assunto é fútil.

Aqueles que defendem esse ponto de vista tendem a provar a sua validade ao deixar de fazer pesquisas e "apostar" no mercado, o que resulta em mais perdas, que reforçam a ideia de que eles não têm talento. Uma de suas desculpas favoritas é que "as ações são como as mulheres — você nunca consegue entendê-las". Isso é injusto com as mulheres (quem quer ser comparada a uma ação da Union Carbide?) e com as ações.

Meu método de seleção de ações, que envolve elementos de arte e ciência acrescidos de trabalho braçal, não mudou em vinte anos. Tenho um Quotron, mas não a estação de trabalho ultramoderna que muitos gestores de fundo estão usando, que relata o que cada analista no universo está dizendo sobre cada empresa, desenha gráficos técnicos elaborados e, pelo que sei, compete em jogos de guerra com o Pentágono e joga xadrez contra Bobby Fischer.

Os investidores profissionais estão enganados. Eles estão lutando para comprar serviços como Bridge, Shark, Bloomberg, First Call, Market Watch e Reuters para descobrir o que todos os outros investidores profissionais estão fazendo quando deveriam passar mais tempo no shopping. Uma pilha de *softwares* não vale nada se você não fez sua lição de casa básica sobre as empresas. Acredite, Warren Buffett não usa nada disso.

Nos painéis anteriores da *Barron's*, meu entusiasmo por ações me fez exagerar nas recomendações, começando em 1986, quando recomendei mais de cem ações, um recorde que permaneceu até o próximo ano, quando recomendei 226, fazendo com que Alan Abelson comentasse: "Talvez devêssemos ter perguntado o que você não gostou". No painel de 1988, o mais sombrio da história, mostrei certo comedimento e elogiei 122, ou 129 se você contar as sete Baby Bells isoladamente. "Você é um comprador de oportunidades iguais", brincou Abelson. "Você não discrimina nada", arrematou.

Em 1989, mostrei mais moderação ainda e mencionei apenas 91 das minhas favoritas, que ainda foi o suficiente para provocar outro gracejo do moderador da *Barron's*, que disse: "Estamos mais uma vez na posição de talvez ter de perguntar o que você não gosta — é uma lista mais curta". Em 1990, reduzi ainda mais o número, para 73.

Sempre acreditei que procurar empresas é como procurar larvas sob as rochas: se você virar mais de dez pedras, provavelmente encontrará uma larva; se virar vinte pedras, encontrará duas. Durante o período de quatro anos mencionado acima, tive de virar milhares de pedras por ano para encontrar um número suficiente de larvas novas para adicionar à coleção descomunal do Magellan.

A mudança em meu status de selecionador de ações em tempo integral para de meio expediente me fez reduzir minhas recomendações para 21 empresas em 1991 e 21 novamente em 1992. Por estar mais envolvido com a minha família e com meus trabalhos para instituições de caridade, tive tempo de virar apenas algumas pedras.

Para mim, tudo bem, uma vez que o selecionador de ações de meio expediente não precisa encontrar cinquenta ou cem ações vencedoras. É preciso apenas alguns grandes vencedores em uma década para fazer o esforço valer a pena. O investidor pequeno pode seguir a Regra de Cinco e limitar a carteira a cinco ações. Se apenas uma dessas ações for valorizada dez vezes e as outras quatro combinadas não levarem a lugar nenhum, ainda assim você terá triplicado seu dinheiro.

O MERCADO SOBREVALORIZADO

Na época em que a Mesa Redonda foi convocada, em janeiro de 1992, as ações do índice Dow Jones haviam desfrutado de uma grande alta, atingindo a máxima de 3.200 pontos no final do ano, e o otimismo era imenso. Na atmosfera festiva que cercava uma alta recente de trezentos pontos no índice Dow Jones em três semanas, eu era a pessoa mais deprimida do painel. Sempre fico mais deprimido com um mercado sobrevalorizado, em que muitas ações atingem novos preços máximos todos os dias, do que com um mercado abatido durante uma recessão.

As recessões, imagino, sempre acabam, mais cedo ou mais tarde, e em um mercado depreciado há pechinchas por toda parte, mas em um mercado sobrevalorizado é difícil encontrar algo que valha a pena comprar. Portanto, o selecionador de ações dedicado fica mais feliz quando o mercado cai trezentos pontos do que quando sobe na mesma proporção.

Muitas das ações maiores, sobretudo das empresas de alto crescimento, como Philip Morris, Abbott, Walmart e Bristol-Myers, aumentaram de preço a ponto de ficar muito acima de suas linhas de lucro, conforme mostrado nas Figuras 7-1, 7-2, 7-3 e 7-4. Isso era um mau sinal.

As ações com preços mais altos do que suas linhas de lucro costumam se mover para os lados (o que é também conhecido como "tirar uma pausa para respirar") ou cair até que sejam trazidas de volta a avaliações mais razoáveis. Uma olhada nesses gráficos me levou a suspeitar de que as tão alardeadas ações de crescimento que foram as campeãs de 1991 não fariam nada ou andariam de lado em 1992, mesmo em um mercado bom. Em um mercado ruim, elas poderiam sofrer quedas de 30%. Eu disse ao painel da *Barron's* que, em minha lista de orações, Madre Teresa tivera de ser rebaixada. Eu estava mais preocupado com as ações de crescimento.

Não há maneira mais rápida de determinar se uma ação de crescimento alto está sobrevalorizada, subvalorizada ou com preço justo do que olhar para os livros de gráficos (disponíveis em bibliotecas ou nos escritórios de corretoras). Compre ações quando o preço das ações estiver igual ou abaixo da linha de lucros, e não quando a linha de preço divergir e entrar na zona de perigo, muito acima da linha de lucros.

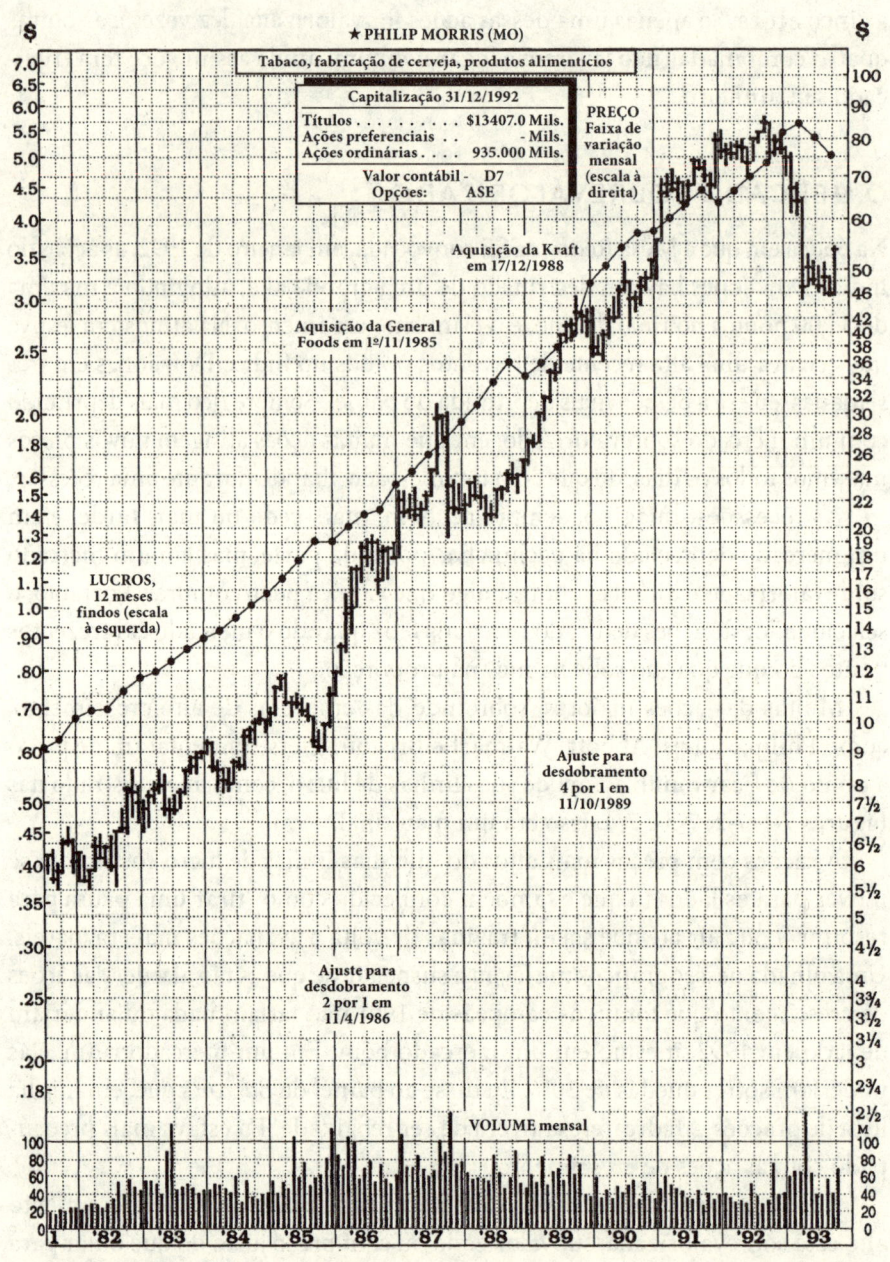

★ PHILIP MORRIS (MO)
Tabaco, fabricação de cerveja, produtos alimentícios

Capitalização 31/12/1992
Títulos . . . . $13407.0 Mils.
Ações preferenciais . . - Mils.
Ações ordinárias . . . . 935.000 Mils.
Valor contábil - D7
Opções: ASE

PREÇO
Faixa de variação mensal
(escala à direita)

Aquisição da Kraft em 17/12/1988

Aquisição da General Foods em 1º/11/1985

LUCROS, 12 meses findos (escala à esquerda)

Ajuste para desdobramento 4 por 1 em 11/10/1989

Ajuste para desdobramento 2 por 1 em 11/4/1986

VOLUME mensal

Fonte: Securities Research Co.
Uma divisão da Babson-United Investment Advisors, Inc.

FIGURA 7-1

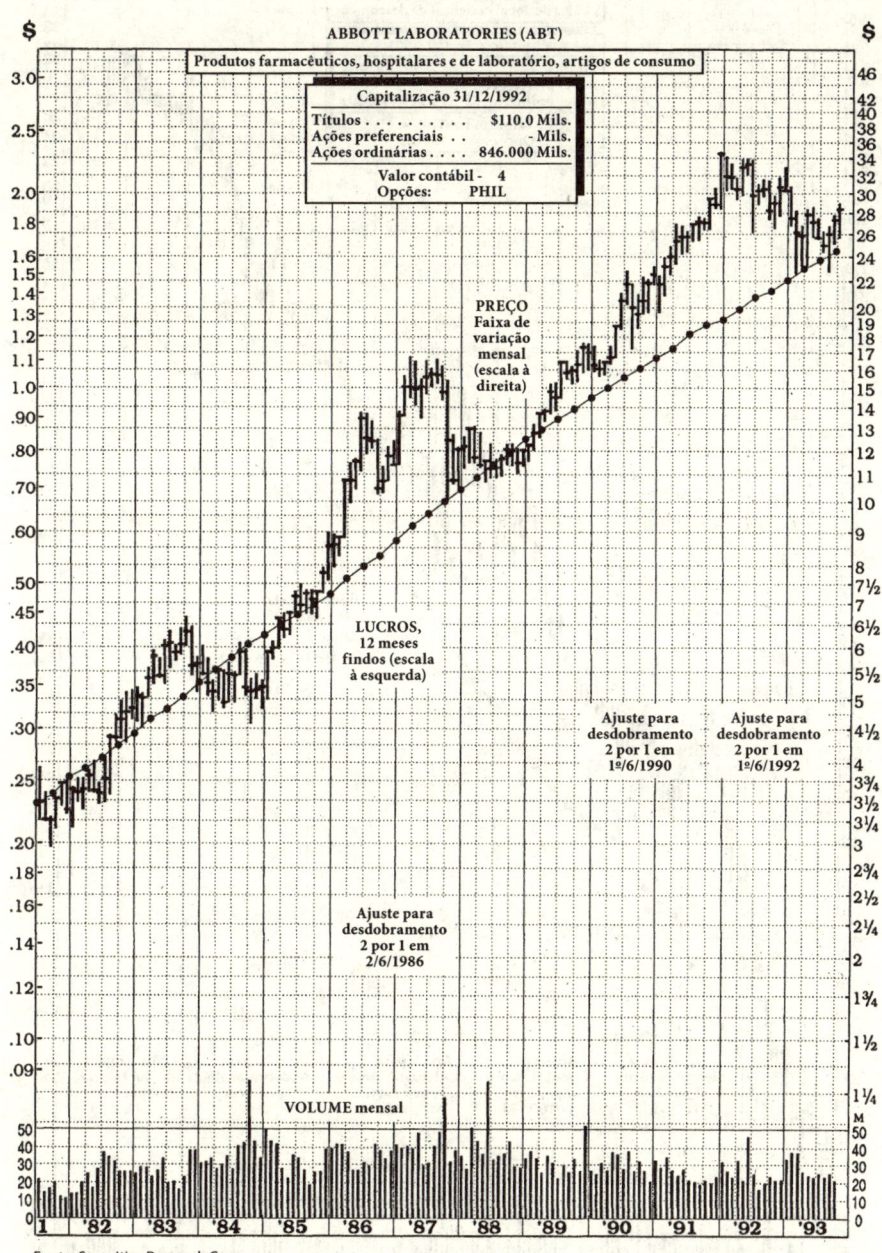

FIGURA 7-2

FIGURA 7-3

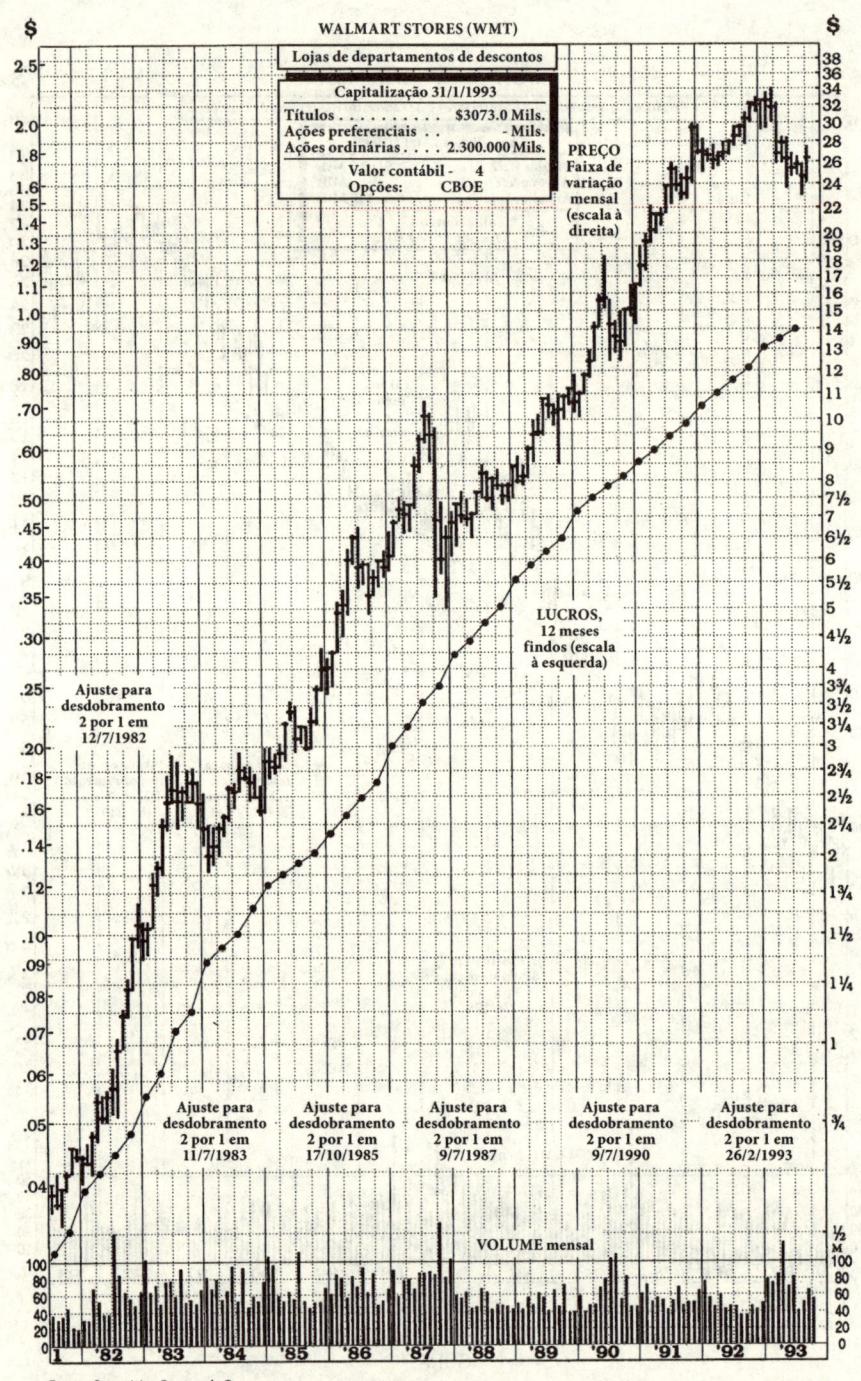

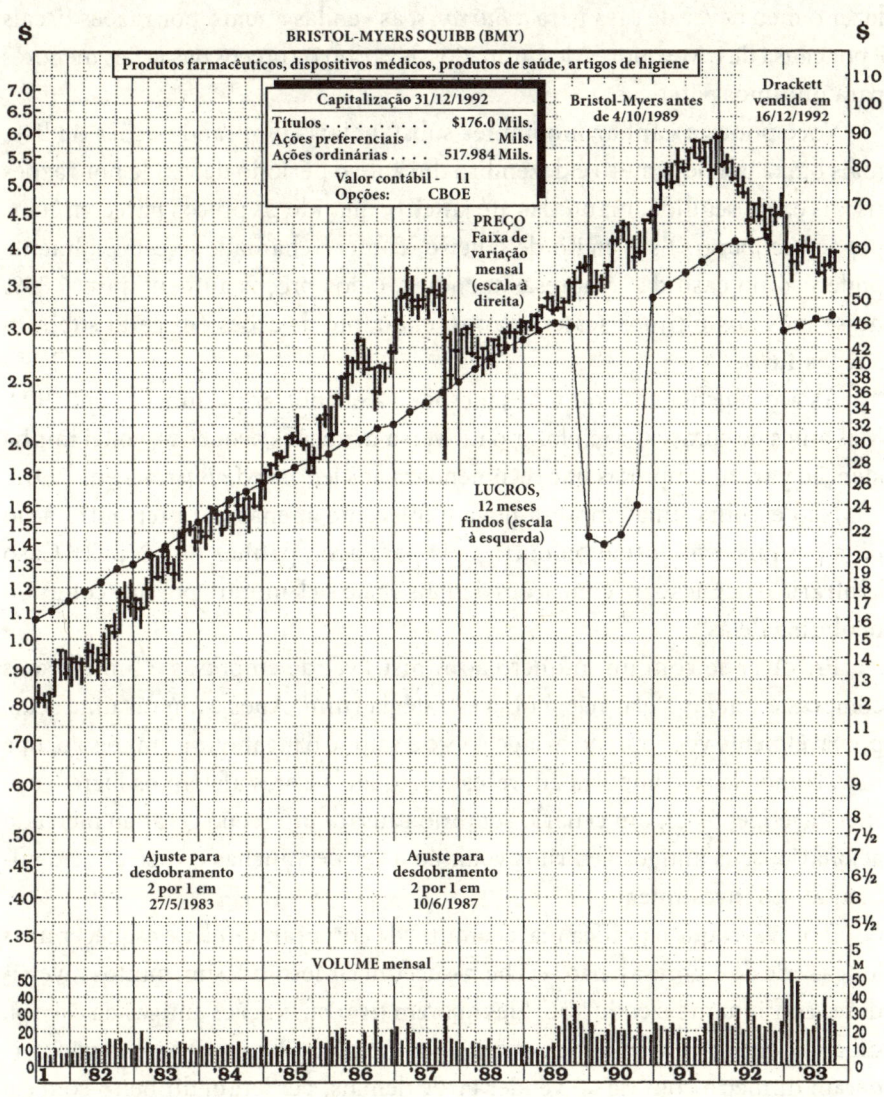

167

BRISTOL-MYERS SQUIBB (BMY)

Produtos farmacêuticos, dispositivos médicos, produtos de saúde, artigos de higiene

Capitalização 31/12/1992
Títulos . . . . $176.0 Mils.
Ações preferenciais . . - Mils.
Ações ordinárias . . . . 517.984 Mils.
Valor contábil - 11
Opções: CBOE

PREÇO
Faixa de variação mensal (escala à direita)

Bristol-Myers antes de 4/10/1989

Drackett vendida em 16/12/1992

LUCROS, 12 meses findos (escala à esquerda)

Ajuste para desdobramento 2 por 1 em 27/5/1983

Ajuste para desdobramento 2 por 1 em 10/6/1987

VOLUME mensal

Fonte: Securities Research Co.
Uma divisão da Babson-United Investment Advisors, Inc.

FIGURA 7-4

O Dow e o S&P 500 também haviam atingido níveis muito altos em relação ao valor contábil, aos lucros e a outras medidas comuns, mas muitas das ações menores não tinham. No final do outono, que é sempre quando eu começo a fazer o meu dever de casa para a *Barron's*, as vendas anuais, por razões fiscais e por causa de investidores desanimados, levaram os preços das ações menores para mínimos patéticos.

Você poderia ganhar montantes substanciais comprando ações da lista mais baixa em novembro e dezembro durante o período de venda por razões fiscais e, em seguida, mantê-las até janeiro, quando os preços parecem sempre se recuperar. Esse efeito de janeiro, como é chamado, é especialmente poderoso no caso das empresas menores, cujos preços aumentaram 6,86% nesse mês nos últimos sessenta anos, enquanto as ações em geral subiram apenas 1,6%.

As ações pequenas era onde eu esperava encontrar pechinchas em 1992. Mas antes de começar a explorar o universo das ações pequenas, voltei minha atenção para as empresas que recomendara aos leitores da *Barron's* em 1991.

Não escolha uma empresa nova e diferente apenas para ter outra ação para pesquisar no jornal ou outra sigla para acompanhar na CNBC![63] Caso contrário, você acabará com ações demais e não se lembrará por que comprou nenhuma delas.

Envolver-se com um número administrável de empresas e limitar suas compras e vendas a elas não é uma estratégia ruim. Após comprar uma ação, provavelmente você aprendeu algo sobre o setor e o lugar que a empresa ocupa nele, como ela se comporta em recessões, quais fatores afetam os lucros, etc. Inevitavelmente, algum cenário sombrio causará um recuo geral no mercado acionário, seus antigos favoritos voltarão a ser pechinchas e você poderá aumentar seu investimento.

É provável que a prática mais comum, de comprar, vender e esquecer uma longa série de empresas, não seja bem-sucedida. Mesmo assim, muitos investidores continuam fazendo isso. Eles querem tirar suas ações antigas da cabeça, uma vez que uma ação antiga evoca uma memória dolorosa. Se eles não perderam dinheiro com ela ao vender tarde demais, perderam dinheiro com ela ao vender cedo demais. De qualquer forma, é algo para esquecer.

No que concerne a uma ação que você tenha possuído no passado, sobretudo uma que tenha subido desde que você a vendeu, é da natureza humana

---

63. A CNBC é líder mundial em notícias de negócios e faz a cobertura de notícias do mercado financeiro em tempo real. (N.E.)

evitar olhar para a cotação dela na página de negócios, da mesma maneira que você pode esconder-se no corredor de um supermercado para evitar o encontro com uma velha paixão. Eu conheço pessoas que leem as tabelas de ações com os dedos sobre os olhos, para proteger-se do choque emocional de ver que a Walmart duplicou desde que elas a venderam.

As pessoas precisam treinar para superar essa fobia. Depois de comandar o Magellan, sou forçado a me envolver com ações que possuí antes, porque do contrário não sobraria nada para comprar. Ao longo do caminho, também aprendi a pensar em investimentos não como eventos desconectados, mas como sagas contínuas, que precisam, de vez em quando, ser verificadas novamente para avaliar novas reviravoltas nos enredos. A menos que uma empresa vá à falência, a história nunca acaba. Uma ação que você pode ter possuído há dez ou dois anos talvez valha a pena ser comprada novamente.

Para acompanhar minhas antigas favoritas, carrego um grande caderno de notas de espiral, estilo universitário, uma espécie de *Boswell's Life of Johnson & Johnson*,[64] no qual registro detalhes importantes dos relatórios trimestrais e anuais, além dos motivos por que comprei ou vendi cada ação da última vez. No caminho para o escritório ou em casa, tarde da noite, folheio esses cadernos, como outras pessoas folheiam cartas de amor encontradas no sótão.

Desta vez, eu revisei as 21 seleções que fiz em 1991. Elas formavam uma mistura que se saiu muito bem naquele ano, em que o mercado em geral teve uma recuperação com base ampla. O S&P subiu 30%; acho que minhas recomendações aumentaram 50% ou mais. A lista incluía Kemper (seguros e serviços financeiros), Household International (serviços financeiros), Cedar Fair (parques de diversões), EQK Green Acres (shopping center), Reebok (calçados esportivos), Caesars World (cassinos), Phelps Dodge (cobre), Coca-Cola Enterprises (engarrafamento), Genentech (biotecnologia), American Family, agora chamada de Aflac (seguro de câncer japonês), K mart (um varejista), Unimar (petróleo indonésio), Freddie Mac e Capstead Mortgage (hipotecas), SunTrust (um banco), cinco instituições de poupança e empréstimo e Fannie Mae (hipotecas), uma ação que promovi por seis anos consecutivos.

Examinei meus diários e observei várias mudanças importantes. Na maioria dos casos, os preços haviam subido. Isso não era necessariamente razão

---

64. É uma alusão a *Boswell's Life of Samuel Johnson* ou *The Life of Samuel Johnson*, de James Boswell, uma famosa biografia com status de obra-prima, do escritor inglês Samuel Johnson (1709-1784), que narra sua vida nos mínimos detalhes. Aqui, Peter Lynch faz uma brincadeira colocando a empresa da área farmacêutica e de produtos de higiene Johnson & Johnson no lugar de Samuel Johnson. (N.E.)

suficiente para não repetir uma recomendação, mas na maioria dos casos isso significava que a ação tinha deixado de ser uma pechincha.

Uma dessas ações foi a Cedar Fair, que possui parques de diversões em Ohio e Minnesota. O que havia chamado minha atenção para a Cedar Fair em 1991 foi que a ação tinha um rendimento alto (11%). Estava sendo vendida por menos de 12 dólares na época. Um ano depois, estava sendo negociada por 18 dólares e, com esse preço, o rendimento foi reduzido para 8,5%. Ainda era um bom rendimento, mas não o suficiente para me fazer querer colocar mais dinheiro na Cedar Fair. Eu precisava de algum indício de que os lucros melhorariam e, pelo que eu pude entender em um bate-papo com a empresa, não havia nada previsto que fornecesse tal impulso. Portanto, cheguei à conclusão de que havia oportunidades melhores em outro lugar.

Fiz o mesmo exercício com as outras vinte empresas. Rejeitei a EQK Green Acres por causa de uma referência passageira em seu último relatório trimestral. Sempre achei útil prestar atenção ao texto dessas pequenas brochuras. O que me chamou a atenção foi que essa empresa, proprietária de um shopping center em Long Island, estava debatendo se deveria ou não pagar o aumento trimestral regular (de um centavo) nos dividendos, como era de costume. A Green Acres havia aumentado seus dividendos todo trimestre desde que abrira o capital, seis anos antes, então, considerei como evidência de desespero de curto prazo a possibilidade de quebrar essa sequência para economizar 100 mil dólares. Quando uma empresa que tem tradição de aumentar os dividendos menciona, em público, que pode descontinuar a prática em prol de uma economia insignificante, isso é um aviso que deve ser observado. (Em julho de 1992, a EQK Green Acres não só não aumentou o dividendo, como o cortou drasticamente.)

A Coca-Cola Enterprises havia caído de preço, mas as perspectivas dessa engarrafadora eram mais sombrias do que antes, então a rejeitei. O preço da Fannie Mae havia subido, mas suas perspectivas eram excelentes, então coloquei-a de volta em minha lista pelo sétimo ano consecutivo. Só porque uma ação está mais barata do que antes não é razão para comprá-la, e só porque está mais cara não é razão para vendê-la. Decidi também repetir minha recomendação anterior sobre a Phelps Dodge e duas S&Ls, por razões que discutirei mais tarde.

8
COMPRANDO AÇÕES
O setor varejista

Depois de examinar minhas seleções do ano anterior e encontrar cinco que valessem a pena recomendar novamente, comecei minha busca por novas seleções da maneira usual. Fui direto para minha fonte favorita de ideias de investimento: o Burlington Mall.

O Burlington Mall está localizado a 40 quilômetros da minha cidade natal, Marblehead. É um shopping coberto enorme, dos quais existem cerca de 450 nos Estados Unidos, e uma atmosfera agradabilíssima para estudar grandes ações. Empresas listadas em bolsa que estão subindo, descendo, saindo ou se recuperando podem ser investigadas em qualquer dia da semana por compradores de ações amadores e profissionais. Como estratégia de investimento, ir ao shopping é muito melhor do que seguir o conselho de um corretor da bolsa ou vasculhar a imprensa financeira em busca das últimas dicas.

Muitos dos maiores ganhadores de todos os tempos podem ser encontrados em lugares que milhões de consumidores visitam o tempo todo. Um investimento de 10 mil dólares, feito em 1986, em cada uma de quatro empresas de varejo populares — Home Depot, Limited, Gap e Walmart Stores — e mantidos por cinco anos valia mais de 500 mil dólares no final de 1991.

Quando dirijo para o Burlington Mall, lembro de muitos outros varejistas que comprei e vendi no passado — saindo de Marblehead, passo por dois Radio Shacks (propriedade da Tandy — 10 mil dólares investidos lá no início de 1970 teriam resultado em 1 milhão de dólares de lucro, caso você tivesse vendido em 1982, quando a ação estava no pico); uma Toys "R" Us, que passou de 25 centavos para 36 dólares; uma Kids "R" Us; uma Ames Department Store, um lembrete de que o preço mais baixo a que uma ação pode chegar é zero; e uma

LensCrafters, uma subsidiária grande cujos problemas eram um estorvo para a U.S. Shoe.

Ao me aproximar de Burlington, vindo do norte, pela Rota 128 — a fonte de muitas das famosas ações mais procuradas de tecnologia dos anos 1960, como a Polaroid e a EG&G, quando essa área era o Vale do Silício original dos Estados Unidos —, saio da via expressa. Depois da rampa de saída, passo por uma Howard Johnson's, uma ação de grande crescimento nos anos 1950; uma Taco Bell, uma ação maravilhosa até a Pepsi assumir o controle da empresa, e um contribuinte importante para os lucros da Pepsi desde então; uma Chili's (com a sigla de mercado encantadora, EAT[65]), que não aproveitei, apesar das recomendações de minhas filhas, porque pensei "Quem precisa de outro restaurante do tipo Chili's?".

O estacionamento do Burlington Mall é quase do tamanho de todo o centro da cidade de Marblehead e está sempre cheio de carros. Na extremidade oposta, encontra-se um centro de serviços para automóveis que anuncia pneus da Goodyear, uma ação que comprei por 65 dólares e depois me arrependi, embora ela tenha se recuperado no passado recente.

O edifício principal tem o formato de uma cruz gigante, ancorada, a leste, por uma loja da Jordan Marsh e, ao sul, por uma Filene's, ambas anteriormente propriedade do incorporador imobiliário Robert Campeau. Um dia, ele entrou em meu escritório cheio de fatos e dados sobre varejo, e achei sua capacidade de entender os números tão impressionante que comprei ações de sua Campeau Corporation, outro erro. Ao norte, está a Lord & Taylor, agora uma divisão da May Department Stores, uma ótima empresa de crescimento, e a oeste está a Sears, que atingiu o pico há vinte anos e nunca mais se aproximou dele desde então.

O interior do shopping me lembra a praça de uma cidade antiga, com seus lagos, bancos de parque e grandes árvores, onde passeiam adolescentes apaixonados e idosos. Em vez de um cinema de frente para o parque, há um com quatro telas no final de um corredor; e em vez de uma drogaria, uma loja de ferragens e uma loja de conveniência, existem 160 empresas diferentes em dois andares de espaço comercial onde as pessoas podem circular.

Entretanto, não penso nesse espaço como um lugar para circular. Penso nele como uma análise fundamentalista da intrigante lista de investimentos potenciais, dispostos lado a lado para a conveniência dos compradores de ações.

---

65. Uma alusão ao verbo *eat*, que significa "comer" em inglês. (N.T.)

Aqui estão as perspectivas mais prováveis do que aquilo que você seria capaz de descobrir em um mês inteiro de conferências de investimento.

O fato de o Burlington Mall não ter um escritório de corretagem é muito ruim, porque, caso contrário, seria possível ficar sentado lá o dia todo e conferir o trânsito de pessoas entrando e saindo das várias lojas. Em seguida, poder-se-ia caminhar até a corretora para comprar as que estão mais lotadas. Essa técnica está longe de ser infalível, mas eu a colocaria muito à frente de comprar ações porque o tio Harry gosta delas, o que nos leva ao Princípio do Peter número 14:

Se você gosta da loja, é provável que ame a ação.

A mesma homogeneidade dos gostos por alimentos e roupas que torna uma cultura maçante também faz fortunas para os proprietários de empresas de varejo e de restaurante. É quase certo que aquilo que vende bem em uma cidade venderá bem em outra, como aconteceu com pães doces, refrigerantes, hambúrgueres, vídeos, apólices para lares de idosos, meias, calças, vestidos, ferramentas de jardinagem, iogurte e arranjos funerários. O selecionador de ações que entrou no ponto inicial ocidental da Home Depot, que teve início em Atlanta, ou no ponto inicial oriental da Taco Bell, que teve início na Califórnia, ou no ponto inicial setentrional da Lands' End, que teve início em Wisconsin, ou no ponto inicial meridional da Walmart, que teve início no Arkansas, ou no ponto inicial central da Gap ou da Limited, ambas nascidas no Meio-Oeste, arrecadou dinheiro suficiente para viajar pelo mundo e fugir dos shoppings e das lojas de departamentos!

Havia menos oportunidades para fazer fortunas com as ações de varejo na década de 1950, uma década famosa pela produção em massa e pelas casas pré-fabricadas, mas ainda diversificada em seus hábitos de compra e de alimentação. Quando John Steinbeck escreveu *Viajando com Charley*, ele e Charley tinham como diferenciar um lugar do outro, mas agora, se você os deixasse no Burlington Mall e depois os transportasse com os olhos vendados para um shopping de Spokane, um de Omaha e um de Atlanta, eles teriam achado que não teriam saído do lugar.

Tenho sido um fã das redes de varejo desde que fui apresentado à Levitz Furniture no início de sua multiplicação por cem — uma experiência que nunca esqueci. Essas empresas nem sempre são bem-sucedidas, mas pelo menos é fácil monitorar o progresso delas, o que é outra de suas qualidades atraentes. Antes de investir, você pode esperar uma rede de lojas ser bem-sucedida em uma área, depois se expandir e provar seu valor em diversas outras áreas.

Os funcionários dos shoppings têm a vantagem de ter informações privilegiadas, pois veem o que está acontecendo todos os dias, além de saber de seus colegas quais lojas estão prosperando e quais não. Os administradores de shoppings têm a maior vantagem — acesso total aos números de faturamento mensal que são usados para calcular os aluguéis. Qualquer operador de loja que não comprou ações da Gap ou da Limited, sabendo, em primeira mão, do sucesso que essas lojas estavam tendo mês após mês, deveria ser envolvido em fita adesiva e colocado em cima de um banquinho de burro na vitrine do escritório local da corretora Charles Schwab. Até mesmo Ivan Boesky[66] nunca teve dicas melhores do que essas — e ele trapaceou.

A família Lynch não tem parentes que sejam operadores de shopping, caso contrário eu os convidaria para jantar três ou quatro vezes por semana. Mas temos compradores, o que é a segunda melhor opção. Minha esposa, Carolyn, não faz tantas pesquisas no caixa quanto antes (embora ela tenha várias amigas que são especialistas em compras), mas nossas três filhas mais do que compensaram a ausência da mãe nos shoppings. Levei um tempo para perceber a excelente análise que elas fazem.

Há alguns anos, estávamos sentados à mesa da cozinha quando Annie perguntou: "A Clearly Canadian é uma empresa de capital aberto?", que é o tipo de pergunta que nossa família sempre foi incentivada a fazer. Eu já sabia que elas gostavam dessa nova bebida gaseificada porque nossa geladeira estava cheia de garrafas de Clearly Canadian, mas, em vez de entender a dica e fazer meu dever de casa, procurei no livro do S&P, não vi a empresa na lista e prontamente esqueci dela.

A verdade é que a Clearly Canadian estava listada nas bolsas canadenses e ainda não havia aparecido na lista do S&P. O fato de eu ter deixado de persegui-la foi extremamente lamentável. Depois que a Clearly Canadian faz sua oferta pública inicial em 1991, o preço das ações aumentou de 3 dólares para 26,75 dólares, uma subida de quase nove vezes em um ano, antes de voltar para o nível de 15 dólares. Esse é o tipo de retorno que você gostaria de obter em uma década. Certamente superou todas as minhas recomendações de 1991 na *Barron's*.

---

66. Ivan Frederick Boesky é um ex-corretor de ações americano. Em 1987, ele foi acusado e condenado por fazer investimentos usando informações privilegiadas recebidas de diretores de empresas. Recebeu uma multa com um valor recorde: 100 milhões de dólares. (N.E.)

Eu também ignorei seus relatórios positivos sobre os restaurantes Chili's. As três meninas costumavam usar moletons verdes do Chili's para dormir, o que me lembrou como fui idiota por não levar seus conselhos de investimento a sério. Quantos pais seguiram o mau conselho de um vizinho e compraram ações de uma empresa de mineração de ouro ou de uma sociedade imobiliária comercial em vez de ser arrastados pelos filhos para o shopping, onde teriam sido levados diretamente para a Gap e seu retorno de 1.000% entre 1986 e 1991? Mesmo se tivessem esperado até 1991 para seguir os filhos até a Gap, eles teriam dobrado seu dinheiro naquele ano, superando todos os principais fundos conhecidos.

Por mais que gostemos de achar que nossos filhos são únicos, eles também fazem parte de uma tribo internacional de compradores com o mesmo gosto por bonés, camisetas, meias e jeans pré-lavados. Portanto, quando minha filha mais velha, Mary, compra suas roupas na Gap, é seguro supor que adolescentes em todas as lojas do país estão fazendo o mesmo.

Mary tinha iniciado sua investigação da Gap no verão de 1990, comprando parte de seu enxoval escolar na loja do segundo andar do Burlington Mall. (Aqui está outra dica de um observador de shopping veterano: nos shoppings de dois andares, os varejistas mais populares costumam ficar no andar de cima. Os administradores do shopping organizam dessa forma para que o maior número possível de clientes passe pelo maior número possível de lojas a caminho dos lugares mais movimentados e, portanto, mais lucrativos.) Quando a Gap era uma loja de jeans, Mary tinha um conceito ruim a respeito dela, mas, como milhares de outros adolescentes, ela se sentiu atraída pelas novas mercadorias coloridas. Mais uma vez, ignorei esse poderoso sinal de compra, assim como fiz com a Chili's e a Clearly Canadian. Eu estava determinado a não repetir o erro em 1992.

Pouco antes do Natal, levei minhas três filhas ao Burlington para o que foi anunciado como um "passeio para comprar presentes de Natal" para elas, mas que para mim era mais um passeio para pesquisar. Eu queria que elas me levassem às suas lojas favoritas, que, com base em experiências anteriores, era o sinal de compra mais infalível possível. A Gap estava lotada, como de costume, mas essa não foi a loja à qual elas foram primeiro. Elas foram para a Body Shop.

A Body Shop vende cremes e óleos de banho feitos de banana, nozes e frutas vermelhas. Também vende rímel de cera de abelha, bálsamo labial de kiwi, creme hidratante de cenoura, leite de limpeza com óleo de orquídea, máscara esfoliante de mel e aveia, creme de framboesa, xampu de algas e algo ainda mais misterioso chamado xampu de lama Rhassoul. O xampu de lama Rhassoul não é algo que eu normalmente colocaria na minha lista de compras, mas obviamente muitas outras pessoas o fariam, porque a loja estava entupida de compradores.

Na verdade, a Body Shop era uma das três lojas mais movimentadas de todo o shopping, junto à Gap e à Nature Company, de propriedade da CML, que também é dona das populares esteiras NordicTrack que agora enfeitam as salas das pessoas. Pelos meus cálculos aproximados, a Body Shop e a Nature Company juntas ocupavam 300 metros quadrados, mas pareciam estar fazendo tantos negócios quanto a Sears, que tinha 10 mil metros quadrados de espaço de vendas e parecia vazia.

Enquanto eu contemplava os frascos de óleo de banho de banana que minhas filhas carregavam até o caixa, lembrei que uma jovem analista da Fidelity, Monica Kalmanson, havia recomendado a Body Shop em uma de nossas reuniões semanais em 1990. Lembrei-me também de que a bibliotecária-chefe da Fidelity, Cathy Stephenson, acabou deixando aquele trabalho bem remunerado e exigente (ela gerenciava um departamento de trinta pessoas) para abrir uma franquia da Body Shop com o próprio dinheiro.

Perguntei a um dos balconistas se a senhora Stephenson era a proprietária daquela Body Shop em particular, e descobri que ela era, embora não estivesse na loja no dia de nossa visita. Deixei uma mensagem dizendo que queria falar com ela.

A loja parecia ser bem administrada, com uma equipe de vendas jovem e entusiasmada de, pelo menos, uma dúzia de pessoas. Saímos com várias sacolas com xampus e sabonetes, cujos ingredientes fariam uma salada de frutas impressionante.

De volta ao escritório, procurei a Body Shop na lista-mestra de ações que o Magellan tinha no dia da minha partida — uma lista que era duas vezes mais longa que o catálogo telefônico de minha cidade natal. Lá, para minha tristeza, constatei que havia comprado ações dessa empresa em 1989 e, de alguma forma, havia esquecido o fato. A Body Shop foi uma das muitas ações na categoria "sintonizar mais tarde" que comprei para acompanhar os desenvolvimentos futuros, o que, nesse caso, obviamente deixei de fazer. Antes de vê-la no shopping, você poderia ter me dito que a Body Shop era uma franquia de lanternagem de automóveis e eu teria acreditado. Uma certa amnésia pode se instalar quando você tenta acompanhar 1.400 empresas.

Por meio dos relatórios dos analistas de algumas casas de corretagem, fui me atualizando sobre a história da empresa. Ela era um empreendimento britânico fundado por uma dona de casa ambiciosa, Anita Roddick, cujo marido estava frequentemente viajando a negócios. Em vez de assistir às novelas ou fazer aulas de aeróbica, ela começou a mexer com poções em sua garagem. Suas poções eram tão populares que ela começou a vendê-las na vizinhança, e esta empresa de quintal logo evoluiu e virou um negócio sério que abriu seu capital em 1984, ao preço de 5 centavos de libra (cerca de 10 centavos de dólar) por ação.

De seu modesto início, a Body Shop foi logo transformada em uma rede de franquias internacional dedicada a aplicar frutas e saladas sobre a pele. Apesar de dois grandes mergulhos (a ação perdeu metade de seu valor na Grande Correção e, novamente, na Grande Liquidação do Saddam), em seis anos a ação de 5 centavos de libra se transformara em uma de 362 centavos de libra, um retorno superior a setenta vezes sobre o investimento para os amigos sortudos dos fundadores que compraram quando da oferta inicial. A Body Shop é negociada na Bolsa de Valores de Londres, mas também pode ser comprada e vendida por meio da maioria dos corretores dos Estados Unidos.

Ela é uma empresa com consciência social, como a Celestial Seasonings ou o sorvete Ben & Jerry's. Baseia-se em ingredientes naturais (incluindo alguns extraídos de floresta tropical pelos índios Caiapó, que, se não tivessem esse trabalho, talvez derrubassem árvores para ganhar a vida), evita a publicidade, dá a todos os funcionários um dia de licença remunerada por semana para atividades de serviço comunitário, promove saúde em vez de beleza (afinal, quantos de nós um dia seremos bonitos?), recicla suas sacolas de compras e paga uma recompensa de 25 centavos por cada frasquinho de loção devolvido para ser recarregado.

O compromisso da Body Shop com algo diferente do dinheiro não inibiu as franquias de fazerem muito dele. Cathy Stephenson me disse que o proprietário de uma franquia pode esperar ter lucro no primeiro ano. Ela se deu tão bem com a loja do Burlington que estava se preparando para abrir uma segunda loja na Harvard Square, e isso em meio a uma recessão.

Em 1991, apesar da recessão, a Body Shop, em todo o mundo, informou um aumento nas vendas nas mesmas lojas. (As vendas nas mesmas lojas são um dos dois ou três fatores-chave na análise de uma operação de varejo.)[67] Os produtos da Body Shop têm preços superiores aos dos xampus e cremes vendidos em lojas

---

67. As vendas nas mesmas lojas é um indicador que permite às empresas do setor do comércio compreender a *performance* das vendas nas unidades e definir locais de atuação. Refere-se à diferença de receita gerada pelos pontos de venda em determinado período, em comparação com um período idêntico no passado. (N.E.)

de desconto, mas inferiores aos vendidos em lojas especializadas e de departamentos. Isso dá à empresa um "nicho de preço".

A melhor parte da história é que a expansão estava em seus estágios iniciais e a ideia parecia ter apelo mundial. O país com o maior número de Body Shops *per capita* era o Canadá, com 92 pontos de venda abertos para negócios. A Body Shop já havia se tornado a mais lucrativa de todos os varejistas canadenses, em vendas por metro quadrado.

Havia apenas uma Body Shop no Japão, uma na Alemanha e setenta nos Estados Unidos. Pareceu-me que, se o Canadá, com um décimo da população dos Estados Unidos, tinha capacidade para sustentar 92 lojas da Body Shop, os Estados Unidos poderiam sustentar pelo menos 920.

Com anos de crescimento pela frente, a empresa estava procedendo com cuidado e se expandindo com cautela. Você deve evitar os varejistas que se expandem muito rápido, sobretudo se eles estão fazendo isso com dinheiro emprestado. Como a Body Shop era uma operação de franquia, ela podia se expandir com o dinheiro dos franqueados.

Foi com Cathy Stephenson que aprendi sobre a abordagem cautelosa e deliberada da empresa. Ela já havia provado sua capacidade de dirigir uma Body Shop bem-sucedida em Burlington, mas, antes que fosse autorizada a comprar uma segunda franquia na Harvard Square, o presidente do conselho voou da Inglaterra para inspecionar o local e analisar o desempenho dela. Isso não teria sido tão notável se a Body Shop tivesse investindo o próprio dinheiro, mas era o dinheiro da senhora Stephenson que estava em jogo e, ainda assim, sua segunda loja não foi aprovada automaticamente.

Foi uma feliz coincidência eu conhecer a dona de uma Body Shop, mas milhões de compradores em todo o mundo podiam ter o mesmo sentimento pelo negócio ao visitar um dos pontos de venda e ler os mesmos fatos e números nos relatórios anuais e trimestrais. Mencionei a um amigo da roda de pôquer que tinha ido a uma Body Shop, e ele me disse que sua esposa e filha adoravam o lugar. Quando uma mulher de 45 e uma jovem de 13 estão entusiasmadas com a mesma loja, é hora de iniciar a investigação.

As vendas das lojas abertas há doze meses iam bem, os planos de expansão pareciam realistas, o balanço patrimonial era sólido e a empresa estava crescendo de 20% a 30% ao ano. O que havia de errado com essa história? O índice P/L de 42, com base na estimativa da S&P dos lucros em 1992.

Qualquer ação de crescimento que seja negociada por quarenta vezes seu lucro no ano seguinte tem um preço perigosamente alto e, na maioria dos casos, extravagante. Como regra geral, uma ação deve ser negociada pela taxa de crescimento ou abaixo dela, isto é, pela taxa na qual ela aumenta seus lucros a cada ano. Mesmo as empresas de crescimento mais rápido raramente conseguem atingir uma taxa de crescimento superior a 25%, e uma taxa de crescimento de 40% é uma raridade. Esse progresso frenético não pode ser sustentado por muito tempo, e as empresas que crescem muito rápido tendem a se autodestruir.

Dois analistas que acompanham a Body Shop previam que a empresa continuaria a crescer a uma taxa de 30% nos dois anos seguintes. Portanto, aqui estava uma empresa com crescimento possível de 30% sendo negociada a quarenta vezes o lucro. Em termos abstratos, não eram números atraentes, mas, da perspectiva do mercado acionário da época, eles não pareciam tão ruins.

No momento em que eu estava pesquisando essa empresa, o índice P/L de todo o S&P 500 era 23, e a Coca-Cola tinha um P/L de trinta. Se fosse necessário escolher entre possuir a Coca-Cola, uma ação com crescimento de 15% sendo negociada por trinta vezes seu lucro, e a Body Shop, uma ação com crescimento de 30% que estava sendo negociada a quarenta vezes o lucro, eu preferia a última. Uma empresa com um P/L alto que está crescendo a uma taxa rápida acabará por superar o desempenho de outra com um P/L mais baixo que está crescendo a uma taxa mais lenta.

A questão-chave era se a Body Shop poderia realmente manter uma taxa de crescimento de 25% a 30% por tempo suficiente para que as ações "alcançassem" seu preço alto de então. É mais fácil falar do que fazer, mas fiquei impressionado com a capacidade comprovada da empresa de entrar em novos mercados e com sua popularidade mundial. Ela era uma empresa internacional quase desde o início. Havia se instalado em seis continentes e mal havia arranhado a superfície de nenhum deles. Se tudo corresse conforme o planejado, poderíamos acabar vendo milhares de Body Shops, e a ação poderia subir mais 7.000%.

Foi o aspecto global singular dessa empresa que me inspirou a apoiá-la publicamente na *Barron's*. Eu não teria defendido que ela era a única ação que uma pessoa deveria possuir, e estava ciente de que o preço alto em relação aos lucros deixava pouco espaço para erro. A melhor maneira de lidar com uma situação em que você ama a empresa, mas não o preço vigente, é fazer um pequeno investimento e aumentá-lo na próxima baixa do mercado.

A parte mais fascinante de qualquer uma dessas histórias de varejo de rápido crescimento, seja Body Shop, Walmart ou Toys "R" Us, é quanto tempo você tem para descobri-las. Você pode se dar ao luxo de esperar que as coisas fiquem claras antes de investir. Você não precisa se apressar e comprar ações enquanto a inventora dos cremes Body Shop ainda está testando as poções originais em sua garagem. Você não precisa comprar ações quando cem Body Shops forem abertas na Inglaterra, ou mesmo quando trezentas ou quatrocentas forem abertas no mundo inteiro. Oito anos depois da oferta pública, quando minhas filhas me levaram à loja no Burlington, ainda não era tarde para capitalizar sobre uma ideia que claramente ainda não mostrava sinais de esgotamento.

Se alguém lhe disser que uma ação que já subiu dez ou cinquenta vezes não pode subir mais, mostre a essa pessoa o gráfico da Walmart. Vinte e três anos atrás, em 1970, a Walmart abriu o capital com 38 lojas, a maioria delas no Arkansas. Cinco anos após a oferta inicial, em 1975, a Walmart tinha 104 lojas e o preço das ações quadruplicara. Dez anos após a oferta inicial, em 1980, a Walmart tinha 276 lojas e suas ações haviam subido quase vinte vezes.

Muitos moradores sortudos de Bentonville, Arkansas, a cidade natal do fundador da Walmart, o recentemente falecido Sam Walton,[68] investiram na primeira oportunidade e multiplicaram seu dinheiro por vinte vezes na primeira década. Era hora de vender e não ser ganancioso e colocar o dinheiro em computadores? Não se eles acreditassem em ter lucro. Uma ação não se importa com quem a possui, e as questões de ganância são mais bem resolvidas na igreja ou no consultório de um psicanalista, não na conta de aposentadoria.

A questão importante a analisar não era se as ações da Walmart puniriam a ganância de seus acionistas, mas se a empresa havia saturado seu mercado. A resposta era simples: mesmo na década de 1970, depois de todos os ganhos no preço da ação e nos lucros, havia lojas da Walmart em apenas 15% do país. Restavam 85% em que a empresa ainda poderia crescer.

Você poderia ter comprado ações da Walmart em 1980, uma década depois que elas abriram seu capital pela primeira vez, depois que o ganho de vinte vezes já tinha sido alcançado e depois que Sam Walton se tornara famoso como o bilionário que dirigia uma caminhonete. Se você mantivesse as ações de 1980 a 1990, teria obtido um ganho de trinta vezes e, em 1991, teria ganhado outros 60% sobre seu investimento na Walmart, o que lhe daria um ganho de cinquenta vezes em onze anos. Os pacientes acionistas originais têm esse resultado para compensar sua ganância, além do ganho original de vinte vezes. Eles também não têm nenhum problema para pagar seus psicanalistas.

Em uma empresa varejista ou em uma rede de restaurantes, o crescimento que impulsiona os lucros e o preço das ações vem principalmente da expansão. Contanto que as vendas nas mesmas lojas estejam aumentando (esses números

---

68. Sam Walton faleceu em 1992. (N.E.)

são mostrados nos relatórios anuais e trimestrais), que a empresa não esteja prejudicada por um endividamento excessivo e que esteja seguindo seus planos de expansão, conforme descritos aos acionistas em seus relatórios, costuma valer a pena ficar com a ação.

Sigla da ação	Empresa	Preço em 13/1/92
BOSU*	Body Shop	325 p

* Negociada na Bolsa de Valores de Londres

9
GARIMPANDO EM MEIO ÀS MÁS NOTÍCIAS

Como o "colapso" no setor imobiliário
me levou à Pier 1, à Sunbelt Nursery
e à General Host

Escavar onde o ambiente é tranquilo e agradável pode ser tão pouco gratificante quanto fazer trabalho de detetive em uma poltrona. Você precisa ir a lugares onde outros investidores e, sobretudo, gestores de fundo temem pisar ou, mais precisamente, investir. Quando 1991 chegou ao fim, os lugares mais temíveis estavam todos ligados à habitação e ao setor imobiliário.

O mercado imobiliário foi a principal fonte de preocupação nacional por mais de dois anos. Dizia-se que o famoso colapso dos imóveis comerciais estava se espalhando para os imóveis residenciais — dizia-se que os preços das residências despencavam tão rápido que os vendedores logo estariam doando suas escrituras.

Eu vi esse desespero em minha própria vizinhança em Marblehead, onde brotaram tantos cartazes de venda que você pensaria que eles eram a nova flor oficial do Estado de Massachusetts.[69] Os cartazes eventualmente desapareceram à medida que os vendedores frustrados se cansaram de esperar por ofertas decentes. As pessoas reclamavam que as ofertas indecentes que receberam estavam 30% a 40% abaixo do que poderiam ter recebido dois ou três

---

[69]. Os símbolos oficiais representam a herança cultural e os tesouros naturais de cada Estado ou de todos os Estados Unidos da América. Os Estados também reconhecem ícones e emblemas como bandeiras e selos estaduais, e cada cidade e cada vilarejo têm lugares únicos: marcos, edifícios históricos, parques nacionais, estaduais e locais — e seus respectivos marcadores históricos. (N.R.T.)

anos antes. Havia muitas evidências circunstanciais, se você vivesse em um ambiente abastado, de que o grande *boom* no mercado imobiliário terminara.

Uma vez que os proprietários das casas de ricaços incluíam editores de jornais, comentaristas de tevê e gerentes financeiros de Wall Street, não é difícil entender por que o colapso do mercado imobiliário recebeu tanta atenção nas primeiras páginas e nos noticiários noturnos. Muitas dessas histórias tiveram a ver com o colapso do mercado imobiliário comercial, mas a palavra "comercial" foi deixada de fora das manchetes, dando a impressão de que todos os imóveis logo deixariam de ter valor.

Um dia, o que me chamou a atenção nas últimas páginas foi um relatório da Associação Nacional de Corretores de Imóveis: o preço da casa mediana estava subindo. Ele havia aumentado em 1989, em 1990 e, novamente, em 1991, como acontecia todos os anos desde que a organização começara a publicar essa estatística, em 1968.

O preço da casa mediana é apenas um dos muitos fatos pouco destacados que podem ser uma grande fonte de força e consolo para os investidores que desejam explorar as áreas mais assustadoras do mercado. Outros fatos úteis e pouco destacados são o "índice de acessibilidade" da Associação Nacional de Construtores de Imóveis Residenciais e a porcentagem de empréstimos hipotecários inadimplentes.

Descobri que, em várias ocasiões ao longo dos anos, os fatos pouco destacados contavam uma história muito diferente daquela que estava sendo alardeada. Uma técnica que funciona repetidamente é esperar até que a opinião predominante sobre determinado setor seja de que as coisas estão indo de mal a pior, e aí comprar ações das empresas mais fortes do ramo.

(Essa técnica não é infalível. Nas indústrias de perfuração de petróleo e gás, as pessoas diziam que as coisas não poderiam piorar mais ainda em 1984, e continuam piorando desde então. Não faz sentido investir em uma empresa cambaleante, a menos que os fatos pouco destacados mostrem que as condições vão melhorar.)

A notícia de que o preço da casa mediana havia subido em 1990 e, de novo, em 1991 foi tão mal divulgada que, quando a apresentei no painel da *Barron's*, ninguém pareceu acreditar em mim. Além disso, a queda nas taxas de juros tornara as casas mais acessíveis do que há mais de uma década. O índice de acessibilidade era tão favorável que, a menos que a recessão durasse para sempre, uma melhora do mercado imobiliário parecia inevitável.

No entanto, enquanto os fatos pouco destacados apontavam para uma direção positiva, muitas pessoas influentes ainda se preocupavam com o colapso do mercado imobiliário, e os preços das ações em qualquer empresa remotamente relacionada com a construção residencial e o financiamento habitacional refletiam o ponto de vista pessimista delas. Em outubro de 1991, dei uma conferida na Toll Brothers, uma empresa de construção conhecida que vinha aparecendo, de tempos em tempos, na minha carteira e em meus diários. Não foi surpresa descobrir que as ações da Toll Brothers haviam caído de 12,62 para 2,37 dólares — uma subida de cinco vezes invertida. Muitos dos vendedores deviam ser donos de casas de ricaços.

Escolhi a Toll Brothers para um estudo mais aprofundado porque me lembrava dela como uma empresa forte, com recursos financeiros suficientes para sobreviver a tempos difíceis. Ken Heebner, um excelente gestor de fundo que havia recomendado a Toll Brothers para mim anos antes, havia me dito que aquela operação era de primeira linha. Alan Leifer, um colega da Fidelity, também mencionara o mesmo para mim no elevador.

A Toll era estritamente uma construtora de residências, e não uma incorporadora, então não estava arriscando o próprio dinheiro especulando no mercado imobiliário. Com muitos de seus concorrentes mal capitalizados saindo do mercado, imaginei que a Toll Brothers acabaria abocanhando uma fatia maior do mercado de construção civil após a recessão. No longo prazo, a queda mais recente seria boa para a Toll.

Então, o que havia de errado com esse panorama que justificaria uma queda de cinco vezes no valor das ações da Toll Brothers? Li os últimos relatórios para entender melhor. A dívida havia diminuído em 28 milhões de dólares, e o caixa havia aumentado em 22 milhões de dólares, então o balanço patrimonial melhorara durante esses tempos difíceis. A carteira de pedidos também. A Toll Brothers tinha uma carteira de pedidos de dois anos de casas novas. Na verdade, a empresa tinha negócios demais.

A empresa havia se expandido para vários mercados novos e estava bem posicionada para se beneficiar de uma recuperação. Não era preciso um mercado imobiliário fantástico para que a Toll registrasse lucros recordes.

Você pode imaginar minha empolgação ao encontrar uma empresa com pouquíssimas dívidas e novos pedidos suficientes para mantê-la ocupada por dois anos, seus concorrentes caindo pelas tabelas e suas ações sendo negociadas por um quinto do valor máximo de 1991.

Coloquei a Toll Brothers no topo da minha lista da *Barron's* em outubro, esperando recomendá-la ao painel em janeiro, mas, nesse meio-tempo, o preço da ação quadruplicou para 8 dólares. (No momento em que o painel se reuniu, ele havia atingido 12 dólares novamente.) Aqui está uma dica dos prospectores de anomalias de final de ano: aja rapidamente! Não demora muito para os caçadores de pechinchas encontrarem as pechinchas no mercado acionário hoje em dia e, quando terminam de comprá-las, as ações não são mais pechinchas.

Mais de uma vez, identifiquei um provável vencedor que foi abandonado pelos vendedores por razões fiscais no outono apenas para vê-lo subir de preço antes que eu pudesse ver seu nome publicado na *Barron's* dois meses mais tarde. Em 1991, o preço da Good Guys, uma rede de lojas de eletrodomésticos e eletrônicos, aumentou vertiginosamente entre 14 de janeiro, o dia da reunião da *Barron's* em que recomendei a ação, e 21 de janeiro, o dia em que a revista estava programada para chegar às bancas de jornais. No dia 19 de janeiro, os editores e eu conversamos sobre essa situação, e decidimos excluir o Good Guys do texto.

Obviamente, não fui o único investidor que descobriu a barganha da Toll Brothers no outono de 1991. Frustrado por outros gritarem seus eurecas! antes que eu tivesse a chance de mencioná-la na mídia impressa, voltei minha atenção para outras empresas que imaginei que se beneficiariam, de maneiras mais sutis, da crise exagerada no mercado imobiliário. A primeira que me veio à mente foi a Pier 1.

PIER 1

Não era preciso ser uma vidente para entender que as pessoas, ao se mudar para as casas que compraram, fossem elas novas ou usadas, precisariam de lâmpadas e divisórias de ambientes, jogos americanos e escorredores de prato, tapetes, venezianas e bugigangas e talvez alguns sofás e cadeiras de vime. O Pier 1 vendia todos esses itens a preços que os clientes com orçamento limitado podiam pagar.

Naturalmente, eu havia sido dono de ações da Pier 1 no Magellan. Ela era uma subsidiária da Tandy, que se tornou independente em 1966, e as virtudes desta loja de mobiliário doméstico com um sabor de Extremo Oriente me foram apontadas por minha esposa, Carolyn, que gostava de visitar a Pier 1 localizada nos arredores do North Shore Shopping Center. Essa foi uma ação de grande crescimento na década de 1970 que perdeu força, depois teve outra grande fase na década de 1980. Os investidores que compraram essas ações durante o último renascimento da Pier l foram bem recompensados até a Grande Correção de 1987, quando o preço das ações caiu de 14 para 4 dólares. Depois disso, ele voltou para o nível de 12 dólares, no qual permaneceu até a Liquidação do Saddam, quando caiu mais uma vez — para 3 dólares.

Quando chamou minha atenção, pela terceira vez, a ação tinha subido para 10 dólares e depois caído para 7 dólares. A 7 dólares, imaginei que ela poderia estar subvalorizada, sobretudo à luz da recuperação provável do mercado imobiliário. Abri meu arquivo da Pier 1 para refrescar a memória. A empresa teve doze anos de lucros recordes antes de ser atingida pela recessão. A certa altura, um conglomerado chamado Intermark possuía 58% de suas ações e as valorizava tanto que supostamente rejeitou uma oferta externa para vendê-las por 16 dólares cada uma. A história em Wall Street era que a Intermark estava esperando por 20 dólares, mas depois, quando a Intermark estava sem dinheiro, foi forçada a vender todas as suas ações do Pier 1 por 7 dólares. Posteriormente, a Intermark foi à falência.

A absorção pelo mercado do enorme volume de ações de propriedade da Intermark foi um acontecimento promissor. Conversei com o CEO da Pier l, Clark Johnson, no final de setembro de 1991 e, de novo, em 8 de janeiro de 1992. Ele mencionou vários fatores favoráveis: (1) a empresa havia ganhado dinheiro em 1991 em um ambiente muito difícil; (2) estava se expandindo a uma taxa de 25 a quarenta novas lojas por ano; e (3) com apenas quinhentas lojas nos Estados Unidos, estava longe de saturar o mercado. A empresa também conseguiu reduzir despesas, apesar de ter aberto 25 novas lojas em 1991. Graças à dedicação da Pier 1 aos cortes de custos, as margens de lucro continuavam a melhorar.

Quanto àquele antigo indicador confiável, vendas nas mesmas lojas, Johnson informou que elas haviam caído 9% nas regiões mais atingidas pela recessão, mas que haviam aumentado no resto do país. Em uma recessão, não é incomum que as vendas nas mesmas lojas diminuam, então considerei essa notícia um fator positivo modesto. Eu ficaria mais preocupado se as vendas nas mesmas lojas tivessem diminuído em um período de prosperidade geral para os varejistas, o que não era o caso.

Sempre que estou avaliando uma empresa de varejo, além dos fatores que já discutimos, procuro olhar os estoques. Quando os estoques aumentam além dos níveis normais, é um sinal de alerta de que a administração pode estar tentando encobrir um problema de vendas fracas. Por fim, a empresa será forçada a rebaixar os preços dessas mercadorias não vendidas e admitir seu problema. Na Pier 1, os estoques haviam aumentado, mas apenas porque a empresa teve de encher as prateleiras de 25 lojas novas. Caso contrário, eles permaneceriam em níveis aceitáveis.

Aqui estava uma empresa em crescimento rápido com bastante espaço para crescer ainda mais. Estava cortando custos, melhorando suas margens de lucro e ganhando dinheiro em um ano ruim; havia aumentado seus dividendos por cinco anos consecutivos e estava perfeitamente posicionada em um setor do mercado que tinha tudo para melhorar: o de habitação. Além disso, muitas amigas da Carolyn gostam muito da Pier 1. O bônus da história era a Sunbelt Nursery.

Em 1991, a Pier 1 vendeu 50,5% de sua rede Sunbelt Nursery por meio de uma oferta pública de ações. Da receita de 31 milhões de dólares, 21 milhões foram usados para reduzir o endividamento da empresa e os outros 10 milhões foram devolvidos à Sunbelt para ajudar a financiar a renovação e a expansão da empresa. No cômputo geral, o endividamento da Pier 1 foi reduzido em 80 milhões de dólares durante 1991, para cerca de 100 milhões de dólares. Um balanço patrimonial mais forte tornava muito improvável que a Pier 1 fechasse em breve, o que, frequentemente, acontece com os varejistas mais endividados durante as recessões.

Os 31 milhões de dólares que a Pier 1 recebeu pela venda de metade da Sunbelt foram 6 milhões de dólares a mais do que ela pagara para adquirir toda a Sunbelt em 1990. Era preciso levar em conta que a outra metade da Sunbelt, que ainda era propriedade da Pier 1, também valia 31 milhões de dólares, o que representava um ativo oculto valioso para esta última.

Na época em que eu estava investigando tudo isso, as ações da Pier 1 estavam sendo negociadas por 7 dólares, com índice P/L de dez, com base em estimativas de lucro de 70 centavos por ação para 1992. Com a empresa crescendo a uma taxa anual de 15%, o P/L de dez era um número promissor. Quando voei para Nova York, em janeiro, para me encontrar com o painel, o preço das ações havia subido para 7,75 dólares. Ainda assim, considerei-a uma boa compra, tanto por seu próprio mérito quanto por causa do "ativo oculto" da Sunbelt.

Todos os meses, mais alguns dos maiores concorrentes da Pier 1 no ramo dos móveis domésticos, a maioria pequenas lojas locais, fechavam as portas. As grandes lojas de departamentos estavam fechando suas seções de decoração de interiores para se concentrar em roupas e acessórios de moda. Quando a economia mudar, a Pier 1 terá uma enorme fatia de um mercado no qual ninguém mais parece querer competir.

Talvez eu seja um casamenteiro frustrado. Sempre que me interesso por uma empresa, tento imaginar que outra empresa poderia querer adquiri-la. Em meus devaneios, imagino que a Pier 1 seria uma aquisição lógica para a K mart, que estava moderadamente satisfeita com suas aquisições anteriores de uma rede de drogarias, uma rede de livrarias e uma rede de material de escritório, e está sempre procurando novas maneiras de se expandir.

SUNBELT NURSERY

Cerca de dez segundos depois de guardar o arquivo da Pier 1, puxei o da Sunbelt Nursery. Muitas vezes, uma ação leva a outra e o selecionador de ações dedicado pega um novo caminho, da mesma forma que o cão treinado segue seu olfato e sente um novo cheiro.

A Sunbelt está no negócio varejista de gramados e jardins. Ocorreu-me que o negócio de gramados e jardins se beneficiaria com uma recuperação no setor imobiliário tanto quanto o negócio de abajures e secadores de louça. Toda casa nova necessitaria de árvores, arbustos, floreiras, etc., para melhorar sua aparência.

Ocorreu-me também, enquanto ponderava mais sobre isso, que o negócio de viveiros era um dos últimos empreendimentos de família que não haviam sido suplantados por franquias ou redes de lojas. Em teoria, havia uma grande oportunidade para que uma rede de viveiros regional ou nacional bem administrada fizesse pelos canteiros de flores o que a Dunkin' Donuts fizera pelos pães doces.

A Sunbelt poderia se tornar essa rede nacional? Operando sob os nomes de Wolfe Nursery no Texas e em Oklahoma, Nurseryland Garden Centers na Califórnia e Tip Top Nursery na região do Arizona, a Sunbelt já havia se estabelecido em seis dos onze maiores mercados de gramados e jardins dos Estados Unidos. De acordo com um relatório de pesquisa da Smith Barney que chegou à minha mesa, a empresa estava tentando atender "o cliente de gramados e jardins sofisticado e preocupado com a qualidade e que busca uma variedade mais ampla e de mais alta qualidade de plantas e suprimentos, bem como um nível de serviço superior ao geralmente associado aos varejistas focados em descontos".

Originalmente, a Sunbelt surgiu da Tandy, junto com a Pier 1. Minha primeira apresentação à entidade independente veio em agosto de 1991, quando a gerência da Sunbelt visitou Boston em uma turnê para vender algumas das 3,2 milhões de ações que a Pier 1 estava colocando no mercado. Nessa reunião, peguei uma cópia do prospecto, também conhecido como o carro de bombeiro, que recebe este apelido devido às linhas vermelhas brilhantes usadas para destacar as advertências terríveis que estão espalhadas por toda parte. Ler um prospecto é como ler as letras miúdas no verso de uma passagem aérea. A maior parte é entediante, exceto pelas partes empolgantes que fazem você nunca mais querer entrar em um avião ou comprar uma ação.

Uma vez que as ofertas públicas iniciais são, muitas vezes, totalmente vendidas com antecedência, você deve imaginar que muitos investidores estão ignorando os parágrafos destacados. Mas, além disso, há informações úteis em um prospecto que não devem ser ignoradas.

A oferta inicial da Sunbelt foi bem-sucedida, a 8,50 dólares por ação. Graças a esses recursos, a empresa começou sua vida independente com um forte balanço patrimonial — sem dívidas e com 2 dólares por ação em dinheiro. O plano era usar o dinheiro para renovar os melhores de seus 98 centros de gramados e jardins, aumentando assim a sua rentabilidade, e fechar alguns dos malogrados.

Essas lojas não tinham sido reformadas desde a Guerra do Vietnã, então havia muito a melhorar. A reforma mais importante era fazer um espaço fechado, em uma parte do viveiro, para que as plantas e flores pudessem sobreviver aos meses mais frios e não fossem deixadas para congelar até a morte e a reencarnação em forma de fertilizante.

A Pier 1 ainda era a principal acionista da Sunbelt, com sua participação de 49%, um fator que considerei muito favorável. Eu já compreendera que a Pier 1 sabia administrar um negócio de varejo, então não era como uma seguradora que tem participação majoritária em uma fábrica de papel. Além disso, a Pier 1 já havia feito a própria remodelação, e achei que a Sunbelt poderia se beneficiar da experiência da Pier 1. Os administradores de ambas as operações detinham muitas ações, o que lhes dava um incentivo substancial para fazer da Sunbelt um sucesso.

No momento em que comecei a considerar a Sunbelt como uma possível escolha da *Barron's*, as vendas fiscais de fim de ano haviam derrubado o preço da ação para tentadores 5 dólares. Depois de um único trimestre decepcionante, causado principalmente por uma série de calamidades naturais em gramados e jardins (geada prematura no Arizona, 350 milímetros de chuva no Texas), a Sunbelt perdeu metade de seu valor de mercado.

Que bonança para os investidores que tiveram a coragem de comprar mais! Essa foi a mesma empresa que abrira o capital a 8,50 dólares dois meses antes. Ainda tinha os mesmos 2 dólares em dinheiro e seus planos de reforma continuavam intactos. A 5 dólares a ação, a Sunbelt estava sendo negociada por menos do que seu valor contábil de 5,70 dólares e, com os lucros de 1992 estimados entre 50 e 60 centavos, sua relação P/L era ligeiramente inferior a dez. Essa era uma ação que crescia a 15%. Outros varejistas de gramados e jardins estavam sendo negociados pelo dobro do valor contábil e tinham índices preço/lucro de vinte.

Uma forma de estimar o valor real de uma empresa é usar a técnica do comprador de uma casa, comparando-a com propriedades semelhantes que foram vendidas recentemente no bairro. Multiplicando o preço da ação de 5 dólares pelo número de ações da Sunbelt, 6,2 milhões, cheguei à conclusão de que o valor de mercado de toda a empresa e seus 98 centros de gramado e jardim era de 31 milhões de dólares. (Normalmente, para fazer esse exercício, você subtrairia a dívida, mas, como a Sunbelt não tinha dívidas, eu poderia ignorar essa etapa.)

Verificando outras empresas de viveiros com capital aberto, descobri que a Calloway's, que opera treze lojas do tipo Sunbelt no sudeste, tinha 4 milhões de ações em circulação e elas estavam sendo negociadas por 10 dólares. Isso dava à Calloway's um valor de mercado de 40 milhões de dólares.

Se a Calloway's, com treze lojas, valia 40 milhões de dólares, como poderia a Sunbelt, com 98 lojas, valer apenas 31 milhões de dólares? Mesmo que a Calloway's fosse uma empresa superior e ganhasse mais dinheiro por loja do que a Sunbelt — o que era verdade —, a Sunbelt tinha sete vezes o número de pontos de venda e cinco vezes o faturamento total da Calloway's. Todas as outras coisas sendo remotamente parecidas, a Sunbelt deveria valer até 200 milhões de dólares, ou mais de 30 dólares por ação. Ou, caso todas as coisas não fossem parecidas — por exemplo, se a Calloway's estava sobrevalorizada e a Sunbelt fosse uma operação medíocre —, a Sunbelt ainda assim estava barata.

Quando minha dica da Sunbelt foi impressa, a ação havia saltado para 6,50 dólares.

GENERAL HOST

Embora não tenha planejado dessa forma, 1992 foi o ano em que Lynch se especializou em hortaliças. Da mesma maneira que a Pier 1 me levou à Sunbelt, a Sunbelt me levou à General Host.

Você nunca imaginaria que a General Host tinha qualquer coisa a ver com plantas. Ela já havia sido um conglomerado bastante excêntrico que possuía tudo e qualquer coisa — o que pode explicar o nome.[70] Em um ou outro momento, ela mantivera lojas e quiosques da American Salt, da Hot Sam's Pretzels e da Hickory Farms. Ela era dona das refeições prontas da All-American Gourmet TV, do peixe congelado Van De Kamp e da Frank's Nursery & Crafts. Ela

---

70. General Host significa "anfitrião geral" em português. (N.T.)

havia sido dona da Calloway's Nursery antes de a Calloway's ser desmembrada por meio da venda pública de ações mencionada acima.

Ultimamente, a General Host se desfizera dos pretzels, do sal, das refeições prontas, das lojas de fazenda e do peixe congelado para se concentrar nas 280 lojas Frank's Nursery localizadas em dezessete estados. O que me impressionou, desde o início, foi o fato de a empresa ter um programa de longo prazo para recomprar as próprias ações. Recentemente, ela havia recomprado algumas a 10 dólares por ação, o que nos diz que, na opinião especializada da empresa, a General Host deve valer mais de 10 dólares por ação; caso contrário, por que ela desperdiçaria todo esse dinheiro em si mesma?

Quando uma empresa recompra ações que antes recebiam dividendos e toma dinheiro emprestado para isso, ela desfruta de uma dupla vantagem. Os juros do empréstimo são dedutíveis do imposto de renda, e a empresa reduz suas despesas com dividendos, que são pagos com o lucro após os impostos. Há alguns anos, as ações da Exxon estavam tão depreciadas que rendiam 8% a 9%. Na época, a Exxon conseguiu tomar emprestado dinheiro a 8% a 9% para recomprar milhões dessas ações que pagavam dividendos. Como os juros do empréstimo eram dedutíveis de impostos, a Exxon estava realmente pagando apenas cerca de 5% para economizar 8% a 9% em dividendos. Essa manobra simples aumentou os lucros da empresa sem que ela precisasse refinar uma gota a mais de óleo.

Fiquei impressionado com o fato de que o preço das ações da General Host havia caído muito abaixo do preço pelo qual a empresa havia recentemente recomprado suas ações. Quando você ou eu podemos comprar parte de uma empresa por menos do que a própria empresa pagou, vale a pena examinar o negócio. É também um bom sinal quando os "detentores de informações privilegiadas", como os executivos e tudo o mais, pagam mais do que o preço atual. Embora esse tipo de pessoa não seja infalível (os detentores de informações privilegiadas em vários bancos do Texas e da Nova Inglaterra continuaram adquirindo mais ações freneticamente até elas chegarem ao fundo do poço), mas há pessoas inteligentes no mundo dos negócios que, em geral, sabem o que estão fazendo e não estão dispostas a desperdiçar dinheiro em uma missão tola. Elas também estão dispostas a trabalhar mais duro para fazer seus próprios investimentos valerem a pena. Isso nos leva ao Princípio do Peter número 15:

> **Quando os detentores de informações privilegiadas estão comprando, é um bom sinal — a menos que eles sejam banqueiros da Nova Inglaterra.**

Portanto, ao revisar a última procuração[71] da General Host, considerei um bom sinal que Harris J. Ashton, o CEO e proprietário de 1 milhão de ações, não tivesse se livrado de nenhuma delas durante a queda de preço recente. Outro detalhe tentador era que o valor contábil da General Host era 9 dólares por ação, o que excedia o preço de 7 dólares da ação. Em outras palavras, o comprador das ações estava recebendo 9 dólares em ativos por 7 dólares. Essa era minha ideia de dinheiro bem gasto.

Sempre que o valor contábil sobe, eu me faço a mesma pergunta que todos fazemos sobre os filmes: isso é baseado em uma história real ou é ficção? O valor contábil de qualquer empresa pode ser um ou outro. Para descobrir qual, volto para o balanço.

Vamos dar uma olhada mais de perto no balanço patrimonial da General Host, para ilustrar meu exercício de balanço de três minutos. Normalmente, um balanço tem um lado direito e um lado esquerdo. O lado direito mostra os passivos da empresa (isto é, a quantidade de dinheiro que ela deve), e o lado esquerdo mostra os ativos (isto é, o que ela possui). Aqui, imprimimos uma parte do lado esquerdo na página 196 e a parte do lado direito na página 197. A diferença entre os dois lados, a soma de todos os ativos menos todos os passivos, é o que pertence aos acionistas. Isso é chamado de patrimônio líquido. O patrimônio líquido dos acionistas é de 148 milhões de dólares. Este era um número confiável?

Do patrimônio líquido, 65 milhões de dólares eram dinheiro em caixa, logo essa parte era certamente confiável. Dinheiro é dinheiro. Se os 83 milhões de dólares restantes em patrimônio líquido eram um número confiável ou não, isso dependia da natureza dos ativos.

O lado esquerdo do balanço, que lista os ativos, pode ser um exercício pouco transparente. Ele inclui coisas como imóveis, máquinas e outros equipamentos, e estoque, que pode ou não valer aquilo que a empresa afirma valer. Uma usina siderúrgica pode ser avaliada em 40 milhões de dólares, mas, se o equipamento estiver desatualizado, esse valor pode chegar a zero em uma liquidação de fim de estação. Ou os imóveis registrados nos livros pelo preço de compra original podem ter diminuído em valor, embora o inverso seja mais provável.

---

71. Uma *proxy statement* (conforme consta no original) é um documento que contém as informações que a Securities and Exchange Commission (SEC) exige que as empresas forneçam aos acionistas para que possam tomar decisões informadas sobre os assuntos que serão debatidos em uma assembleia anual ou especial de acionistas. Os assuntos englobados em uma *proxy statement* podem incluir propostas para novas adições ao conselho de administração, informações sobre os salários dos conselheiros, informações sobre planos de bônus e opções para conselheiros e quaisquer declarações feitas pela administração da empresa. (N.R.T.)

No caso de um varejista, a mercadoria também é contabilizada como um ativo, e a confiabilidade desse número depende do tipo de mercadoria vendida. Podem ser minissaias que saíram de moda e agora não valem nada, ou podem ser meias brancas que sempre podem atrair um comprador. O estoque da General Host consistia em árvores, flores e arbustos, que presumi ter um valor de revenda decente.

As aquisições de uma empresa por outras empresas são refletidas na categoria marcada como "Goodwill" (ou, neste caso, "intangíveis"),[72] mostrada aqui como 22,9 milhões de dólares. O *goodwill* é o valor que foi pago por uma aquisição acima e além do valor contábil dos ativos reais. A Coca-Cola, por exemplo, vale muito mais do que o valor das fábricas de engarrafamento, dos caminhões e do xarope. Se a General Host comprasse a Coca-Cola, teria de pagar bilhões pelo nome Coca-Cola, a marca registrada e outros bens intangíveis. Essa parte do preço de compra apareceria no balanço como um *goodwill*.

Claro, a General Host é pequena demais para comprar a Coca-Cola, mas estou usando isso apenas para efeito de ilustração. O balanço patrimonial indica que ela adquiriu outras empresas no passado. Se algum dia conseguirá recuperar esses gastos com um *goodwill* é algo que está aberto à especulação e, nesse meio-tempo, a empresa precisa, aos poucos, amortizar o *goodwill* com uma parte de seus lucros.

Não posso ter certeza de que o *goodwill* de 22,9 milhões de dólares da General Host realmente vale tanto. Se metade do total de ativos da General Host consistisse de *goodwill*, eu não teria confiança alguma em seu valor contábil ou no patrimônio de seus acionistas. Nesse caso, comparado com os 148 milhões de dólares do total de ativos, os 22,9 milhões de dólares em *goodwill* não constituem uma parcela problemática.

Podemos supor, então, que o valor contábil da General Host era próximo dos 9 dólares por ação informados.

Passando para o outro lado do balanço, o passivo, vemos que a empresa tinha 167 milhões de dólares em dívidas para acompanhar os 148 milhões de dólares em patrimônio líquido. Isso *era* problemático. O que você deseja ver em um balanço é, pelo menos, duas vezes mais capital do que dívida, e quanto mais patrimônio e menos dívida melhor.

---

72. *Goodwil* é um valor reconhecido pela contabilidade financeira que pode aparecer quando ocorre a venda de uma empresa ou de parte dela. Também pode ser conhecido como ágio. Um *goodwill* ocorre quando o valor oferecido na compra da empresa é maior do que o valor contábil ou o valor justo dela. Esse adicional fica registrado como um ativo intangível. (N.R.T.)

Em alguns casos, um índice de endividamento alto como esse seria suficiente para fazer com que eu retirasse a empresa da lista de compra, mas havia um fator atenuante: grande parte dessa dívida venceria daqui a alguns anos e não era devida a bancos. Em uma empresa altamente alavancada, a dívida bancária é perigosa, porque, se a empresa tiver problemas, o banco pedirá o dinheiro de volta. Isso pode transformar uma situação controlável em uma potencialmente fatal.

De volta ao lado esquerdo, circulei o estoque de mercadorias, o que é sempre motivo de preocupação quando analiso os varejistas. Você não quer que uma empresa tenha um estoque excessivo. Se isso acontecer, pode significar que a administração está postergando prejuízos ao não baixar os preços dos itens não vendidos e se livrar deles rapidamente. Quando se permite que os estoques aumentem, isso superestima os lucros da empresa. Os estoques da General Host diminuíram em relação aos níveis anteriores, conforme mostrado na Tabela 9-1.

Contas a pagar substanciais não constituem um problema. Isso mostra que a General Host estava pagando suas contas lentamente e mantendo o dinheiro trabalhando a seu favor até o último minuto.

No texto de seu relatório anual, a General Host descreveu como estava envolvida em uma campanha vigorosa de cortes de custos para se tornar mais competitiva e mais rentável — como todo mundo na América. Embora a maioria das empresas faça tais afirmações, a prova está nas categorias V, G e A (despesas de vendas, gerais e administrativas) na demonstração do resultado (ver Tabela na página 198). Você notará que as despesas V, G e A da General Host estavam diminuindo, uma tendência que continuou em 1991.

Acontece que a General Host estava dando vários passos — tanto na terra quanto no espaço sideral — para melhorar sua sorte. No nível terrestre, a empresa estava adicionando novos dispositivos de digitalização para automatizar seu sistema de caixas registradoras. O registro de cada transação seria, então, transmitido para um satélite e, em seguida, baixado para uma central de computadores. Esperava-se que esse sistema de satélite, quando operacional, mantivesse o controle de todas as vendas em todos os viveiros, para ajudar a administração a saber quando reabastecer as poinsétias e quando transferir, digamos, alguns arbustos de hibisco da filial de Fort Lauderdale para a de Jacksonville.

Além disso, as autorizações de cartão de crédito estavam sendo aceleradas de 25 segundos por venda para cerca de três segundos, para tornar as filas nos caixas mais rápidas e aumentar a satisfação dos clientes.

Seguindo a mesma estratégia da Sunbelt Nursery, a General Host planejava construir um espaço fechado em cada um de seus pontos de venda Frank's Nursery para estender a temporada de vendas. Além disso, estava instalando quiosques de Natal em shoppings durante o feriado. Isso não era nenhum disparate — a General Host tinha experiência no negócio de quiosques por ter implantado mais de mil deles para vender seus produtos Hickory Farm.

Essa é uma maneira barata de um varejista adicionar espaço de venda. A General Host já havia instalado mais de cem quiosques da Frank's Nursery — estocados com embalagens para presentes, árvores de Natal, guirlandas e galhos — em shopping centers em 1991, e a empresa planejava aumentar o número para 150 quiosques até o Natal de 1992. Foram também tomadas providências para modificar os quiosques e torná-los mais permanentes.

Enquanto isso, a General Host estava abrindo novas unidades da Frank's Nursery em um ritmo constante e cauteloso. A meta era criar 150 Frank's novos até 1995, totalizando 430. A empresa também lançou uma nova linha de fertilizantes e sementes com marca própria.

Todas as empresas gostam de dizer a seus acionistas que os negócios vão melhorar, mas o que tornava a afirmação da General Host plausível era que a administração tinha um plano. A empresa não estava simplesmente esperando que as vendas de begônia melhorassem, estava dando passos concretos (quiosques, viveiros reformados, sistema de satélite) para aumentar seus lucros. Quando uma empresa tão antiquada como a Frank's está se modernizando em todas as frentes e se expandindo ao mesmo tempo, há várias oportunidades para os lucros melhorarem.

Um detalhe final tranquilizador foi a transação da Calloway's. Em 1991, a General Host vendeu a rede de viveiros Calloway's no Texas e usou os recursos para reduzir sua dívida, fortalecendo assim seu balanço patrimonial.

Como a General Host estava agora confinada ao negócio de viveiros, o mesmo que o da Calloway's, a venda da Calloway's nos dá outra chance de comparar dois empreendimentos semelhantes. Mais uma vez, peguei minha ferramenta de investimento mais sofisticada, uma calculadora portátil de quinze anos, para fazer as seguintes contas: a Calloway's, com treze lojas, estava avaliada em 40 milhões de dólares — ou cerca de 3 milhões de dólares por loja. A General Host era dona de 280 pontos de venda da Frank's Nursery, ou seja, 21 vezes mais lojas do que a Calloway's. Os pontos de venda da Frank's eram mais antigos, menores e menos lucrativos do que as lojas da Calloway's, mas, mesmo se assumíssemos que eles tinham a metade do valor (1,5 milhão por loja), as 280 lojas da Frank's deveriam valer 420 milhões de dólares.

TABELA 9-1. BALANÇO CONSOLIDADO — GENERAL HOST CORPORATION

27 de janeiro de 1991 e 28 de janeiro de 1990	1990	1989
(em milhares de US$)		
Ativos		
Ativo circulante:		
Dinheiro e equivalente a dinheiro	**$65.471**	$110.321
Outros títulos negociáveis	119	117
Contas e notas a receber	4.447	2.588
Imposto de renda federal a receber	4.265	13.504
Estoque de mercadorias	**77.816**	83.813
Despesas pré-pagas	7.517	7.107
Ativo circulante total	159.635	217.450
Propriedades, instalações e equipamentos, menos depreciação acumulada de 77.819 dólares e 61.366 dólares	245.212	246.316
Intangíveis, menos amortização acumulada de 5.209 dólares e 4.207 dólares	**22.987**	23.989
Outros ativos e encargos diferidos	17.901	18.138
	$445.735	$505.893
Passivos e patrimônio dos acionistas		
Passivo circulante:		
Contas a pagar	**$47.994**	$63.405
Despesas provisionadas	41.631	38.625
Porção atual da dívida de longo prazo	9.820	24.939
Passivo circulante total	99.395	126.969

Dívida de longo prazo		
Dívida privilegiada	119.504	146.369
Dívida subordinada, menos desconto na emissão original	48.419	50.067
Dívida total de longo prazo	**167.923**	196.436
Imposto de renda diferido	20.153	16.473
Outros passivos e créditos diferidos	9.632	12.337
Compromissos e contingências		
Patrimônio dos acionistas		
Ações ordinárias com valor nominal de 1,00 dólar, 100.000.000 ações autorizadas, 31.752.450 ações emitidas	31.752	31.752
Capital que excede o valor nominal	89.819	89.855
Lucros acumulados	158.913	160.985
	280.484	282.592
Prejuízo líquido não realizado com títulos negociáveis inadimplentes		(2.491)
Custo de 13.866.517 dólares e 12.754.767 ações ordinárias em tesouraria	(131.738)	(125.545)
Notas a receber do exercício de opções sobre ações	(114)	(878)
Patrimônio dos acionistas líquido	**148.632**	153.678
	$445.735	$505.893

Anos fiscais findos em 27 de janeiro de 1991, 28 de janeiro de 1990 e 29 de janeiro de 1989	1990	1989	1988
(em milhares de dólares, exceto nos valores por ação)			
Receita:			
Vendas	$515.470	$495.767	$466.809
Outras receitas	4.103	13.179	11.661
	519.573	508.946	478.470
Custos e gastos:			
Custo das vendas, incluindo compra e aluguéis	355.391	333.216	317.860
Vendas, gerais e administrativos	**145.194**	**156.804**	147.321
Despesa de juros e dívida	**21.752**	**26.813**	21.013
	522.337	516.833	486.194
Perda com operações contínuas antes do imposto de renda	**(2.764)**	**(7.887)**	(7.724)
Benefício de imposto de renda	(6.609)	(8.768)	(3.140)
Receita (perda) de operações contínuas	3.845	881	(4.584)
Prejuízo com operações descontinuadas		(3.424)	(12.200)
Receita (perda) antes de perdas extraordinárias	3.845	(2.543)	(16.784)
Perdas extraordinárias			(4.500)
Lucro líquido (perda)	$3.845	$(2.543)	$(21.284)
Lucro por ação:			
Receita (perda) de operações contínuas	$0,21	$0,05	$(0,23)
Perda com operações descontinuadas		(0,18)	(0,61)
Receita (perda) antes de perdas extraordinárias	0,21	(0,13)	(0,84)
Perdas extraordinárias			(0,23)
Lucro líquido (perda)	$0,21	$(0,13)	$(1,07)
Média de ações em circulação	18.478	19.362	19.921

Portanto, a General Host tinha um ativo de 420 milhões de dólares. Subtraindo a dívida de 167 milhões de dólares, isso deixa você com uma empresa que vale 253 milhões de dólares.

Com 17,9 milhões de ações em circulação, isso significa que as ações da General Host deveriam estar sendo negociadas a 14 dólares, ou o dobro do preço na época em que fiz o cálculo. Claramente, a empresa estava subvalorizada.

Sigla da ação	Empresa	Preço em 13/1/92
GH	General Host	7,75 dólares
PIR	Pier 1 Imports	8,00 dólares
SBN	Sunbelt Nursery	6,25 dólares

10
MINHA QUASE TOSA NA SUPERCUTS

Em dezembro de 1991, cortei o cabelo na Supercuts, que tinha recentemente sido listada em bolsa e cuja sigla é CUTS. Se um prospecto para esse empreendimento de corte de cabelo não tivesse chegado ao topo de uma pilha na minha mesa, eu nunca teria traído meu barbeiro regular, Vinnie DiVincenzo, que oferece um corte de cabelo de 10 dólares com um bate-papo agradável como bônus em seu local de trabalho em Marblehead, Massachusetts.

Conversamos sobre as crianças e se meu velho e enferrujado AMC Concord ano 1977 poderia ser classificado como uma "antiguidade" ou como um "clássico". Espero que Vinnie, que ainda não está listado em bolsa, me desculpe por essa traição em prol da minha pesquisa.

A Supercuts que visitei estava localizada na Boylston Street, número 829, em Boston, no segundo andar de um prédio de tijolos marrons. No andar de baixo, um único cartaz anunciava os preços, que devidamente registrei em outra ferramenta de investimento indispensável, o bloco de notas amarelo. O corte regular Supercut custava 8,95 dólares; um Supercut com lavagem, 12 dólares; uma lavagem apenas, 4 dólares.

Esses preços estavam de acordo com o que Vinnie teria cobrado e eram substancialmente inferiores aos preços vigentes nos salões de beleza e lojas unissex onde minha esposa e minhas filhas aparam seus cabelos e onde você teria de pegar um empréstimo bancário para financiar um tratamento de hena ou uma permanente.

Ao entrar na Supercuts e ser saudado pelo gerente, três clientes estavam cortando o cabelo, enquanto quatro outros esperavam na antessala. Todos homens. Por fim, apareceram algumas mulheres, embora em conversas posteriores com a empresa eu tenha descoberto que os homens representam mais de 80% da clientela, enquanto 95% dos cabeleireiros (eles não chamam mais essas pessoas de barbeiros, ao que parece) são mulheres. Coloquei meu nome na lista de espera e fiz uma anotação mental: muita gente deve achar que vale a pena esperar por um corte de cabelo na Supercuts.

Sentei-me e comecei a estudar o prospecto e o folheto que trouxera do escritório. Não há maneira mais útil de passar uma tarde do que pesquisando uma empresa em seu próprio habitat.

Em outubro de 1991, a Supercuts fez sua estreia no mercado acionário com um preço de oferta inicial de 11 dólares por ação. Era uma operação de franquia, a McCortes das barbearias,[73] com mais de 650 lojas já abertas. A participação dos fundadores havia sido comprada por terceiros e os novos administradores haviam embarcado em uma campanha de expansão vigorosa. Eles persuadiram Ed Faber, ex-presidente da Computerland, a largar a aposentadoria para supervisionar o projeto.

Lembrei-me de que Faber era um ex-fuzileiro naval que havia feito maravilhas pela Computerland em sua fase próspera e de crescimento acelerado, antes de a empresa desmoronar. Ele saiu, a empresa naufragou e depois ele voltou. Foi uma surpresa encontrar um ex-fuzileiro naval envolvido com cortes de cabelo, mas não importava o que a empresa fizesse. A experiência de Faber residia em transformar uma operação de franquia, a partir de um número reduzido de locais originais, em uma rede nacional.

A teoria por trás da Supercuts é que o cuidado com os cabelos é uma indústria de 15 bilhões a 40 bilhões de dólares dominada por barbeiros independentes como Vinnie e salões de cabeleireiros unissex de propriedade local. Os barbeiros são uma raça em extinção (no estado de Nova York, por exemplo, o número de salões de cabeleireiros licenciados caiu pela metade na última década). O cabelo cresce 1 centímetro por mês e, com os Vinnies do mundo desaparecendo, alguém teria de cortá-lo. Essa era uma oportunidade perfeita para uma franquia bem administrada e eficiente, presente no país inteiro, entrar e conquistar o mercado.

Esse era o mesmo tipo de situação que encontrei anos antes, quando a Service Corporation International começou a assumir as casas mortuárias familiares. As pessoas continuavam a morrer em um ritmo normal, alguém precisava enterrá-las, e a indústria era composta de centenas de pequenos operadores ineficientes cujos filhos queriam estudar direito.

---

73. No original, "the McTrim of barbershops". Provavelmente, o autor faz uma brincadeira em alusão ao McDonald's, algo como "o McDonald's das barbearias". (N.E.)

De acordo com o folheto da Supercuts, cada cabeleireiro é treinado para trabalhar rápida e eficientemente, sem demora ou conversa fiada, o que se encaixa muito bem na ética sem lenga-lenga e direto ao ponto da década de 1990. Armado com uma tesoura pequena e um "pente revolucionário", os profissionais da Supercuts conseguem executar uma média de 2,8 cortes por hora, e o corte que você faz em Albuquerque deve ser igual ao que você faz em Miami.

Há sempre algo novo para aprender sobre essas incursões — você sabia que os cabeleireiros precisam de licença para atuar? Eu não sabia, mas eles precisam, e talvez você esperasse que esse tipo de exigência fosse feita para alguém atuar como gestor de fundo. Não existem requisitos para administrar bilhões de dólares, mas, antes que alguém possa aparar suas costeletas, ele ou ela tem de passar em algum tipo de teste. Dado o histórico do gestor de fundo típico na última década, talvez devesse ser o inverso.

O profissional da Supercuts ganha 5 a 7 dólares por hora, o que não é um salário muito atraente, mas é suplementado por benefícios médicos e, a 2,8 cabeças por hora, ela (digo "ela" por causa da preponderância de mulheres que trabalham lá) pode dobrar o salário com gorjetas.

Enquanto isso, cada cabeleireiro está gerando 30 dólares por hora de receita para a franquia, e é por isso que tem sido tão lucrativo ser dono de uma Supercuts. Não é como a indústria do alumínio, na qual metade dos lucros é consumida por melhorias de instalações e equipamentos. Além do aluguel do espaço comercial, os maiores gastos contínuos em um salão de cabelereiro são com tesouras e pentes.

Como também li no prospecto, o proprietário médio de uma franquia da Supercuts investe 100 mil dólares no início — este dinheiro paga pela taxa de franquia, pelas pias, pelas cadeiras de barbeiro, pela decoração, pelo xampu, etc. Em apenas dois anos de operação, espera-se que a loja gere um retorno sobre o patrimônio líquido de 50% antes dos impostos, o que supera quase qualquer retorno que qualquer um de nós poderia obter em outro lugar e explica por que a empresa consegue recrutar futuros franqueados com tanta facilidade.

O que é bom para o proprietário também é bom para os acionistas — foi por essa parte que me interessei. A empresa recebe 5% da receita bruta e 4% das vendas dos produtos Nexxus expostos em cada franquia. (Eu os via nas prateleiras na parede oposta.) Os custos administrativos são mínimos. O maior gasto é com o treinamento dos cabeleireiros. A Supercuts contrata um novo treinador (a 40 mil dólares por ano) para cada dez novas lojas, mas calcula-se que essas dez novas lojas contribuam com 300 mil dólares por ano para as receitas anuais.

Uma das primeiras coisas que você precisa saber sobre uma operação de varejo, conforme mencionei anteriormente, é se ela tem capacidade de se expandir. Uma olhada nesse balanço me mostrou que a dívida era 31% do capital total, um número perturbador que exigia esclarecimento adicional. Tomei nota disso.

Nesta altura de minhas deliberações (os funcionários que me viram olhando em volta e fazendo anotações talvez tenham me rotulado de espião do sindicato dos barbeiros), meu nome foi chamado e fui conduzido pelas cadeiras reclináveis até a sala com os lavatórios. Uma especialista jovem e atraente lavou meu cabelo rapidamente e depois me encaminhou de volta para a área de corte, onde me envolveu com uma capa e começou a cortar tudo, inclusive minhas costeletas. Isso aconteceu tão rápido que não tive tempo de protestar. Eu me senti como a cerca viva no filme *Edward Mãos de Tesoura*.

Uma vez que em circunstâncias normais eu nunca tenho certeza de que minha aparência está boa ou ruim, mesmo quando me vi no espelho da Supercuts, não protestei; preferi esperar o veredicto que realmente conta — o da minha família. Pelo que eu sabia, o visual tosado estava na moda.

Quando cheguei em casa e fui saudado com um "O que aconteceu com você?" de Carolyn e minhas filhas, percebi que o visual tosado não estava na moda, pelo menos não quando aplicado a um homem de 48 anos com cabelos brancos como os de Warhol.[74] Vários conhecidos disseram que eu parecia "jovem", mas senti que eles apenas estavam tentando ser positivos sem mentir demais, e "jovem" era o melhor que podiam dizer. Quando as pessoas me dizem que pareço jovem, começo a perceber que um dia devem ter achado que eu parecia velho e não me disseram isso.

Aqui está uma exceção à regra de que você deve gostar da loja antes de comprar a ação. Depois de ser tosquiado na Supercuts, descobri que gostava da ação (ou pelo menos de suas perspectivas no papel) muito mais do que gostava da loja. Prometi a mim mesmo nunca mais abandonar Vinnie DiVincenzo e seu corte de cabelo normal de 10 dólares.

---

74. Uma referência a Andy Warhol (1928-1987), artista plástico e cineasta americano, um ícone da Pop Art, lembrado por suas pinturas nas latas de sopa Campbell e principalmente pela sequência de retratos de Marilyn Monroe. (N.E.)

Mencionei o problema da cerca viva ao vice-presidente sênior e diretor financeiro da Supercuts, Steven J. Thompson, em um telefonema para a Califórnia. Ele se compadeceu de mim por minhas costeletas perdidas e disse: "A boa notícia é que o cabelo volta a crescer a uma taxa de 1 centímetro por mês". Eu já me alimentara com essa esperança por ter lido o folheto.

Discutimos a ideia de que os cabeleireiros da Supercuts são todos profissionais licenciados que precisam fazer um curso de atualização a cada sete meses, e que os benefícios médicos e as gorjetas vão atrair funcionários de boa qualidade. O que me preocupava nesse caso era a alta rotatividade entre funcionários mal qualificados e/ou insatisfeitos e a má qualidade dos cortes. Perguntei sobre a taxa de rotatividade, e Thompson disse ter sido baixa até aquele momento.

A maioria das notícias foi positiva. O nível de endividamento que anotara anteriormente como um problema em potencial acabou não sendo tanto quanto eu pensava. A Supercuts tinha 5,4 milhões de dólares em fluxo de caixa livre anual, e a maior parte disso, disse Thompson, seria usada para saldar dívidas. Em 1993, a empresa esperava não ter nenhuma dívida e as despesas com juros de 2,1 milhões de dólares em 1991 desapareceriam.

Por se tratar de uma operação de franquia, o dinheiro para montar os novos Supercuts viria dos franqueados. Essa era outra grande vantagem: as Supercuts podiam se expandir rapidamente sem usar capital próprio e sem pedir empréstimos excessivos.

A maior vantagem de todas era que 250 milhões de americanos precisavam de cortes de cabelo todos os meses e, com os salões de propriedade familiar fechando suas portas, nenhuma rede de lojas dominante havia surgido para preencher o vazio. Os principais concorrentes da Supercuts incluíam a Regis Corporation, que opera Mastercuts em shopping centers, onde os aluguéis são muito mais altos e a clientela é composta principalmente de mulheres; a Fantastic Sam's, que tem o dobro de lojas da Supercuts, mas a maioria das operações é de franquias que produzem menos da metade da receita de uma loja Supercuts; e a J.C. Penney, cujos salões unissex estão confinados às lojas J.C. Penney.

A Supercuts tinha a vantagem adicional de abrir aos domingos e à noite. A empresa estava trabalhando em uma campanha publicitária nacional para dar a ela o reconhecimento de marca que nenhum de seus concorrentes tinha. Crescia a uma taxa de 20% nos estágios iniciais de sua decolagem, sendo negociada por dezesseis vezes os lucros na época em que eu a recomendei.

No final, os números excelentes venceram as costeletas perdidas e eu elogiei a Supercuts na *Barron's*. "Cortei o cabelo lá, experimentei pessoalmente", disse ao resto do painel. "É o seu corte de cabelo atual?", perguntou Mario Gabelli, e tive de admitir que sim. "Não vamos divulgar isso", disse Abelson.

Sigla da ação	Companhia	Preço em 13/1/92
CUTS	Supercuts	11,33 dólares

11

FLORES NO DESERTO

Empresas excelentes em setores ruins

SUN TELEVISION & APPLIANCES

Estou sempre caçando empresas excelentes em setores ruins. Um setor excelente em rápido crescimento, como o de computadores ou o de tecnologia médica, atrai muita atenção e muitos concorrentes. Como Yogi Berra[75] certa vez disse sobre um famoso restaurante de Miami Beach: "É tão popular que ninguém mais vai lá". Quando uma indústria se torna popular demais, ninguém ganha mais dinheiro com ela.

Como um lugar para investir, vou considerar um setor ruim em vez de um setor excelente. Em um setor ruim, que está crescendo lentamente, se é que cresce, os fracos desistem e os sobreviventes ganham uma fatia maior do mercado. Uma empresa que pode capturar uma parcela cada vez maior de um mercado estagnado está em muito melhor situação do que aquela que tem de lutar para proteger uma parcela cada vez menor de um mercado empolgante. Isso nos leva ao Princípio do Peter número 16:

> **Nos negócios, a concorrência nunca é tão saudável quanto o domínio total.**

---

75. Lawrence Peter "Yogi" Berra (1925-2015) foi um jogador de beisebol e treinador americano da Major League Baseball que atuava como apanhador. As contribuições de Berra para a história da MLB são incalculáveis, mas seu legado pode ser ainda mais lembrado pelo que ele contribuiu para a língua inglesa nos Estados Unidos. Berra proferia inúmeras expressões e frases que eram memoráveis porque a maioria delas não fazia sentido algum. (Ao mesmo tempo, cada uma trazia alguma verdade.) Os "berra-ismos" (expressões coloquiais que carecem de lógica) são incontáveis, e muitos deles são apenas atribuídos a Berra, ainda que ele nunca os tenha realmente dito. Como ele mesmo declarou certa vez, "eu nunca disse a maioria das coisas que eu disse". (N.R.T.)

Empresas excelentes em setores ruins compartilham certas características. Elas são operadoras de baixo custo e pão-duras na sala executiva. Evitam se endividar. Rejeitam o sistema de castas corporativo que cria os brâmanes de colarinho branco e os intocáveis de colarinho azul. Seus trabalhadores são bem pagos e têm uma participação no futuro das empresas. Essas empresas encontram nichos, partes do mercado que as empresas maiores ignoraram. Crescem rápido — mais rápido do que muitas empresas nos setores de crescimento rápido que estão na moda.

Salas de diretoria pomposas, salários de executivos exorbitantes, funcionários desmoralizados, endividamento excessivo e desempenho medíocre andam de mãos dadas. Isso também funciona ao contrário. Salas de diretoria modestas, salários executivos razoáveis, funcionários motivados e dívidas pequenas significam, na maioria das vezes, desempenho superior.

Liguei para John Weiss, um analista da Montgomery Securities, na Califórnia, que havia escrito relatórios sobre várias redes de lojas de eletrodomésticos de baixo preço. Queria sua opinião sobre a Good Guys, uma ação que eu vinha acompanhando desde 1991. Weiss disse que a concorrência da Circuit City estava prejudicando os lucros da Good Guys. Quando perguntei o que mais ele gostava nesse setor problemático, ele mencionou a Sun Television & Appliances.

A versão de Weiss da história da Sun TV era tão empolgante que, assim que desliguei o telefone, telefonei para a sede da empresa em Ohio para falar direto com a fonte.

Quando você consegue colocar o CEO na linha sem demora sem nunca ter conhecido essa pessoa, sabe que a empresa não sofre de hierarquia excessiva. Eu estava falando com Bob Oyster, um sujeito simpático. Nós discorremos entusiasmados sobre os méritos dos campos de golfe de Ohio antes de chegarmos ao propósito da ligação.

A Sun TV é a única varejista de alto volume no centro de Ohio para pequenos eletrodomésticos, bem como geladeiras, lavadoras e secadoras. Oyster disse que havia sete lojas da Sun TV apenas em Columbus. O ponto de venda mais lucrativo da empresa está localizado em Chillicothe, Ohio, um nome que meus colegas membros do painel da *Barron's* me parabenizaram mais tarde por ser capaz de pronunciar. Ela também tem uma posição dominante na área de Pittsburgh.

Os fãs de curiosidades e os acionistas da Sun Television & Appliances ficarão felizes em saber que 50% da população dos Estados Unidos mora em um raio de 800 quilômetros de Columbus. Na verdade, Columbus é a única grande cidade a leste do Mississippi e ao norte da linha Mason-Dixon cuja população aumentou entre 1950 e 1990.

O crescimento populacional nessa parte de Ohio, notícia que ainda não chegou à costa leste, é um bom presságio para o futuro da Sun TV. A empresa estava engajada em um programa de expansão vigoroso (sete novas lojas em 1991, mais cinco em 1992), o que elevaria o total para 22 estabelecimentos. Ela tinha uma dívida inferior a 10 milhões de dólares. Com as ações sendo negociadas a 18 dólares, seu índice P/L era de quinze. Aqui estava uma empresa que crescia a uma taxa entre 25% e 30% com um P/L de quinze. Vários de seus concorrentes lutavam para permanecer no mercado.

A Sun TV ganhou dinheiro na recessão de 1990-1991, quando a economia estava péssima, as vendas de casas estavam lentas e as pessoas não compravam eletrodomésticos. Os lucros da empresa até aumentaram em 1991. Eu não tinha razão para duvidar de que seu desempenho seria ainda melhor em 1992.

No entanto, a Sun TV tem muito a provar antes de ser convocada para meu time de estrelas de grandes empresas em setores ruins. Uma carteira hipotética dessas Sete Magníficas (mais a Green Tree, que é um membro provisório) teria dado a você os resultados mostrados na Tabela 11-1. A maioria dessas ações apresentou subidas recentes, o que me levou a omiti-las da minha lista de recomendações de 1992. Mas vale a pena sintonizar cada uma delas mais adiante.

TABELA 11-1. CARTEIRA DAS SETE MAGNÍFICAS (+ UMA)

Empresa	Retorno total, 1990-1991
Southwest Airlines	115%
Bandag	46%
Cooper Tire	222%
Green Tree Financial	188%
Dillard	75%
Crown Cork & Seal	69%
Nucor	50%
Shaw Industries	17%
Média da carteira	87%
S&P 500	26%

SOUTHWEST AIRLINES

Na década de 1980, que setor era pior do que o das companhias aéreas? Eastern, Pan Am, Braniff, Continental e Midway foram à falência, e várias outras chegaram bem perto de declará-la. No entanto, nesse intervalo desastroso de dez anos, a ação da Southwest Airlines subiu de 2,40 para 24 dólares. Por quê? Principalmente por causa de todas as coisas que a Southwest Airlines não fazia.

Ela não voava para Paris, não servia refeições requintadas, não pediu muito dinheiro emprestado para comprar muitos aviões, não pagava salários excessivos a seus executivos e não dava a seus trabalhadores um bom motivo para odiar a empresa.

A Southwest Airlines (cuja sigla é LUV) era a operadora de menor custo do setor. Como sabemos disso? A estatística reveladora é o "custo operacional por assento-milha". O da Southwest oscilava entre 5 e 7 centavos de dólar durante um período em que a média do setor era de 7 a 9 centavos de dólar.

Uma maneira de julgar o compromisso de uma empresa com relação à sua austeridade é visitar a sua sede. "O fato de uma empresa em que você coloca seu dinheiro ter um prédio grande não significa que as pessoas nele sejam inteligentes, mas significa que você ajudou a pagar pelo prédio", diz o consultor de investimentos William Donoghue. De acordo com a minha experiência, ele está certo. No Golden West Financial, na Califórnia, um campeão de pão-durismo produtivo e o operador de menor custo no ramo das S&L, a recepcionista foi substituída por um telefone preto antigo e um cartaz que dizia: "Atenda!". A Southwest Airlines operou por dezoito anos em uma sede em Love Field, em Dallas, que parecia um quartel. A melhor coisa que você poderia dizer sobre aquilo é que era "antiquado". Em 1990, a empresa esbanjou e construiu um edifício novo de três andares. Um decorador foi contratado para embelezar o interior, mas cometeu o erro de tentar trocar as placas de premiação dos funcionários e as fotografias de piqueniques da empresa por obras de arte caras. Quando o CEO Herb Kelleher soube disso, despediu o decorador e passou o fim de semana recolocando as placas e as fotografias.

Kelleher era um exemplo do espírito brincalhão da Southwest. Seu escritório era decorado com perus. O encontro anual era um churrasco de chili. Os aumentos salariais para os altos executivos eram limitados ao mesmo aumento percentual recebido pela força de trabalho. Um dia por mês, todos os figurões, de Kelleher para baixo, serviam como balconistas ou carregadores de bagagem.

As comissárias de bordo da Southwest vestiam jeans, camisetas e tênis. As refeições eram limitadas a amendoins e coquetéis. Os passageiros com os maiores furos nas meias recebiam prêmios, e as informações de segurança eram entoadas em forma de *rap*.

Enquanto outras companhias aéreas voavam em seus aviões de fuselagem larga nas mesmas rotas para Los Angeles, Nova York e Europa, a Southwest encontrou um nicho: a viagem curta. Ela se autodenominou "a única companhia aérea de frequência alta, distância curta e tarifa baixa". Enquanto as outras se suicidavam, a Southwest passou de uma operação com quatro aviões, em 1978, para a oitava maior transportadora do país. Foi a única companhia aérea dos Estados Unidos a ganhar dinheiro todos os anos desde 1973. Em termos de retorno sobre o capital, a Southwest ainda não foi superada.

À medida que seus concorrentes vacilam, a Southwest fica eminentemente preparada para tirar vantagem, o que costuma acontecer com uma empresa boa em um setor precário. Recentemente, ela se expandiu para as rotas abandonadas pela USAir e pela America West, que foram forçadas a cortar os serviços por causa de problemas financeiros.

Os acionistas que viram suas participações na Southwest aumentar dez vezes, de 1980 a 1985, tiveram sua paciência testada de 1985 a 1990, quando o preço das ações andou de lado. Poderia ter sido pior, eles poderiam ter investido na Pan Am ou na Eastern. Depois de 1990, a paciência foi recompensada, pois a Southwest dobrou os lucros novamente.

BANDAG

O que poderia ser menos empolgante do que uma empresa que fabrica pneus recauchutados em Muscatine, Iowa? Nunca estive em Muscatine, mas dei uma olhada no mapa. Fica em uma curva do Rio Mississippi, a sudoeste de Davenport e a sudeste de Moscow, Atalissa e West Liberty.

O que quer que esteja atualizado em Kansas City provavelmente não chegou a Muscatine, o que pode ser uma vantagem para essa cidade. Wall Street também não passou muito tempo em Muscatine. Apenas três analistas acompanharam a Bandag durante sua subida de 2 para 60 dólares ao longo de quinze anos.

O CEO da Bandag, Martin Carver, retribui o favor mantendo distância de Nova York. Ele detém o recorde mundial de velocidade para um caminhão a diesel. Você não o verá bebendo champanhe no pátio do Trump Plaza Hotel, mas, por outro lado, Carver está livre de dívidas.

Esta é a Southwest Airlines da recauchutagem: administração com os pés no chão (Carver agradeceu a sua família no relatório anual de 1988), devotada pão-dura e em um nicho incomum no que, de outra forma, é um negócio suicida. Todos os anos, nos Estados Unidos, 12 milhões de pneus de caminhões e ônibus usados são substituídos por pneus recauchutados. Cerca de 5 milhões dessas trocas são por pneus da Bandag.

A Bandag vem aumentando seu dividendo todo ano desde 1975. Seus lucros têm crescido a um ritmo de 17% desde 1977. Seu balanço é um pouco fraco, principalmente porque a Bandag investiu em expansão no exterior (ela agora detém 10% do mercado estrangeiro de recauchutagem) e recomprou 2,5 milhões de suas próprias ações.

Enquanto os lucros continuaram a crescer, o preço das ações da Bandag caiu drasticamente durante a Grande Correção e novamente na Liquidação do Saddam. Essa reação exagerada da parte de Wall Street foi uma oportunidade perfeita para comprar mais ações. Nas duas ocasiões, a ação recuperou todo o terreno perdido e mais um pouco.

COOPER TIRE

A Cooper Tire é outra versão da Bandag. Ela encontrou o próprio nicho no ramo dos pneus de reposição. Enquanto os gigantes da indústria travam uma batalha perdida para equipar carros novos com pneus novos, a Cooper fica longe desse caminho e equipa carros velhos com pneus novos. É um produtor de baixo custo, razão pela qual os revendedores de pneus independentes gostam de comprar da Cooper.

No final dos anos 1980, quando as três grandes (Michelin, Goodyear e Bridgestone) estavam arruinando os negócios uns dos outros, a Cooper ganhava dinheiro. Seus lucros aumentaram a cada ano, a partir de 1985, e bateram outro recorde em 1991. O preço das ações triplicou da baixa de 1987 para 10 dólares antes da Liquidação do Saddam, quando perdeu grande parte desses ganhos e caiu para 6 dólares. Os investidores ignoraram os fundamentos para se concentrar no futuro triste para os pneus após o fim do mundo. Quando isso não aconteceu, a ação subiu cinco vezes, atingindo 30 dólares.

GREEN TREE FINANCIAL

A Green Tree Financial [Financeira de Árvore Verde] pertence à *Carteira da Floresta Encantada*, juntamente com a Cedar Fair [Feira de Cedros], a Oak

Industries [Indústrias de Carvalho], a EQK Green Acres [Campos Verdes], a Maple Leaf Foods [Alimentos de Folha de Bordo] e a Pinelands, Inc. [Terras de Pinhos]. A Green Tree tem uma dívida enorme e um CEO que é mais bem pago até mesmo do que alguns jogadores de beisebol, então ela não se qualifica como uma das nossas grandes empresas em um setor ruim. Eu a incluí aqui para mostrar que mesmo uma empresa mediana em um setor ruim pode se sair bem.

O péssimo setor de que estou falando é o de empréstimos hipotecários para casas móveis.[76] A Green Tree especializou-se em tais empréstimos e o negócio está piorando. Todos os anos, desde 1985, as vendas de casas móveis diminuem. Em 1990, os compradores eram tão escassos que apenas 200 mil novas unidades foram vendidas.

Para piorar a situação, um número recorde de proprietários de casas móveis estava inadimplente com seus empréstimos e abandonando suas propriedades, deixando bilhetes para os credores: nossa casa móvel é a sua casa móvel. Não há grande valor de revenda em uma motocasa de largura dupla com dez anos de idade.

O desastre do setor foi uma bênção para a Green Tree, porque seus principais concorrentes desistiram. A Valley Federal, uma S&L infeliz da Califórnia, emprestou 1 bilhão de dólares para motocasas, perdeu dinheiro e saiu do negócio. O mesmo fez a Financial Services Corporation, subsidiária de uma seguradora de Michigan. O mesmo fez a Citicorp, o maior de todos os credores de motocasas. A Green Tree sobrou para tirar vantagem de todo o rebuliço — se e quando o rebuliço recomeçasse.

Havia tantas dúvidas a respeito de se, algum dia, a ação retomaria uma trajetória ascendente que ela caiu para 8 dólares no final de 1990. A revista *Forbes* publicou um artigo negativo em maio daquele ano. O próprio título, "As raízes da árvore estão apodrecendo?", foi o suficiente para fazer qualquer um querer vender suas ações da Green Tree. O repórter fez um trabalho minucioso ao relatar todos os infortúnios: a queda nas compras de motocasas, os problemas com os empréstimos, um processo judicial desagradável pendendo sobre os ativos da Green Tree. "Mesmo a apenas sete vezes os lucros, a Green Tree não parece uma boa pechincha", concluiu a *Forbes*.

---

76. Uma casa móvel é uma estrutura pré-fabricada construída sobre um chassi que deve ser conectada a este antes de ser transportada para algum local (sendo rebocada ou em um *trailer*). Usadas como moradias, ou para férias ou acomodação temporária, as casas móveis são, em geral, mantidas permanentemente ou semipermanentemente em um lugar, mas podem ser movidas. Em algumas situações, seus proprietários podem ser obrigados a se mudar por questões legais. (N.R.T.)

Os investidores ignoraram essa crítica negativa e as ações subiram para 36 dólares em nove meses. Como algo tão terrível acabou sendo tão bom? Sem concorrentes, a Green Tree ficou com o negócio de empréstimo de motocasas só para si. Isso resultou em um aumento acentuado no volume de empréstimos. A empresa também começou a empacotar seus empréstimos e vendê-los no mercado secundário, como a Fannie Mae faz com as hipotecas habitacionais. Ela também passou a fazer empréstimos lucrativos para reformas de casas e para motocasas usadas, e estava entrando no mercado de financiamento de motocicletas.

Se você tivesse comprado a Green Tree logo após ler o artigo da *Forbes*, teria triplicado seu dinheiro em menos de nove meses. Eu não estou aqui para repreender uma revista boa — perdi muitas Green Trees na minha carreira. A questão é que um sobrevivente em uma indústria ruim pode reverter sua sorte muito rapidamente assim que os concorrentes desaparecerem. (Recentemente, essa empresa mudou seu nome, que era Green Tree Acceptance.)

DILLARD

Aqui está outro grupo folclórico de gerentes com forte controle sobre os cordões do bolso corporativo. A família Dillard (principalmente William, de 77 anos, e seu filho William II) é dona de 8% dessa loja de departamentos e quase todas as ações com direito a voto. Eles a dirigem de Little Rock.

Com uma intensidade digna do rabugento Scrooge,[77] eles analisam as contas em busca de novas maneiras de cortar custos, mas não às custas dos funcionários. Os funcionários da Dillard são relativamente bem pagos. Onde a Dillard economiza é em dívidas. Há pouco disso no balanço patrimonial.

Os Dillard adotaram os computadores muito cedo, não apenas para controlar o dinheiro, mas também para administrar as mercadorias. Se uma camisa está vendendo bem em qualquer loja Dillard no país, o computador da loja o percebe e envia automaticamente uma mensagem com um pedido novo ao computador do depósito. O computador do depósito então repassa o pedido

---

77. A referência aqui é a Ebenezer Scrooge, personagem ganancioso e avarento retratado em "Um conto de Natal", do romancista inglês Charles Dickens (1812-1870). No início da história, ele é um homem com um coração duro e egoísta que não gosta de Natal, dos filhos ou de qualquer coisa que proporcione felicidade. Seu sobrenome se tornou, em inglês, um sinônimo de *avarento* e *misantropo*, em referência às características mais marcantes do personagem. Scrooge vive traumatizado, com sentimentos de hostilidade, raiva, mágoa, irritabilidade e, possivelmente, desejos de vingança. (N.E.)

ao fornecedor. Os gerentes de loja e os tipos administrativos sempre sabem o que está vendendo bem e onde, e a empresa não precisa sustentar um exército de especialistas itinerantes para lhe dizer o que comprar.

A Dillard se manteve afastada dos mercados mais glamorosos, onde as grandes redes de varejo tropeçam umas nas outras. As lojas Dillard são encontradas em pequenas vilas e cidades, como Wichita e Memphis. Enquanto as cadeias mais conhecidas (Federated, Allied, Macy) se reestruturam ou vão à falência, a Dillard se expande comprando algumas de suas filiais descartadas e conectando-as aos computadores da Dillard. Entre outras, ela comprou a Joske's da Allied e a J.B. Ivey da B.A.T. Industries.

Um investimento de 10 mil dólares em ações da Dillard em 1980 se transformou em 600 mil dólares hoje.

CROWN CORK & SEAL

A Crown Cork & Seal me lembra a New England Wire & Cable, a empresa que Danny DeVito tentou adquirir em *Com o dinheiro dos outros*. A sala executiva da New England Wire era uma sala bagunçada em cima da fábrica, decorada com calendários de lojas de escapamentos. A sala executiva da Crown Cork & Seal é um galpão aberto, logo acima das linhas de montagem. A New England Wire fabricava cabos, a Crown Cork & Seal fabrica latas de refrigerante, de cerveja, de tinta, recipientes de ração para animais de estimação, galões de anticongelante, tampas de garrafas, máquinas de lavar garrafas, máquinas de colocar tampas em garrafas e aquecedores de latas.

Em ambos os casos, o CEO era um empresário com ideias antiquadas. A diferença é que a New England Wire & Cable estava prestes a falir, enquanto a Crown Cork & Seal é o fabricante de latas mais bem-sucedido do mundo.

Provavelmente, não preciso dizer que a fabricação de latas é uma indústria péssima, com uma pequena margem de lucro, ou que a Crown Cork & Seal é um produtor de baixo custo. Sua proporção entre despesas e vendas é de 2,5%, vários degraus abaixo da média do setor, de 15%.

Esse nível insignificante de despesas, beirando o monástico, foi inspirado por John Connelly, o CEO, que morreu recentemente.[78] A hostilidade de Connelly à extravagância nos leva ao Princípio do Peter número 17:

---

78. John Connelly faleceu em 1990. (N.E.)

Se todos os demais fatores forem equivalentes, invista na empresa com o menor número de fotografias coloridas no relatório anual.

O relatório anual de Connelly não tinha uma única fotografia. Mas ele não se importava em gastar dinheiro com novas tecnologias de fabricação de latas que permitiam à CC&S manter seu status de produtor de menor custo.

Os lucros que não eram reinvestidos na melhoria da operação de fabricação de latas eram usados para recomprar ações. Isso aumentava os lucros das ações restantes, o que aumentava o preço das ações para os acionistas sortudos que não as tinham vendido. A impressão que dava era que o senhor Connelly estava trabalhando para os acionistas, o que é algo excêntrico de se fazer em muitas empresas.

Desde a morte do senhor Connelly, a empresa mudou de tática. Ela agora usa seu fluxo de caixa considerável para comprar os rivais e crescer por meio desse método familiar. Os gastos de capital aumentaram e também o nível de endividamento, mas até agora a nova tática tem sido tão lucrativa quanto a antiga. O preço da Crown Cork & Seal subiu de 54 para 92 dólares em 1991.

NUCOR

Ninguém quer estar no ramo da siderurgia hoje em dia, com toda a concorrência dos japoneses e os bilhões investidos em equipamentos que podem, em breve, ficar obsoletos. Os grandes produtores, U.S. Steel (também conhecida por USX) e Bethlehem Steel, antigos símbolos da pujança dos Estados Unidos, testaram a paciência de seus acionistas por doze anos. A Bethlehem caiu para 5 dólares a ação, em 1986, e já percorreu um longo caminho desde então, mas ao preço atual, de 13 dólares, ainda tem um longo caminho a percorrer para voltar ao máximo de 32 dólares, atingido em 1981. A USX também ainda não voltou a seu pico de 1981.

Enquanto isso, se você tivesse investido na Nucor em 1981, suas ações de 6 dólares valeriam 75 dólares hoje e você pensaria que o ramo da siderurgia é um grande negócio, afinal. Ou se você tivesse entrado na Nucor por 1 dólar a ação em 1971, agora estaria convencido de que a siderurgia é um dos melhores negócios de todos os tempos. Você não pensaria assim se tivesse comprado a Bethlehem por 24 dólares a ação em 1971, porque agora teria 13 dólares, o tipo de resultado que dá uma boa reputação ao investimento em títulos do Tesouro.

Aqui, novamente, temos um dissidente visionário e pão-duro, F. Kenneth Iverson, que não hesita em levar clientes corporativos sofisticados para almoçar no Phil's Deli, em frente à sede da empresa em Charlotte, Carolina do Norte. Não há sala de jantar executiva na Nucor, não há limusines no estacionamento, não há jato corporativo no aeroporto e não há privilégios especiais para aqueles que usam terno — quando os lucros caem, tanto as pessoas de terno quanto as que vestem macacão levam menos para casa. Quando os lucros aumentam (como costuma acontecer), todos recebem um bônus.

Os 5.500 funcionários da Nucor não pertencem a um sindicato, mas se saem melhor do que seus colegas sindicalizados em outras siderúrgicas. Eles têm participação nos lucros e não podem ser despedidos. Seus filhos recebem bolsas de estudos para cursar faculdade. Se a economia desacelera e a produção diminui, toda a força de trabalho tem uma semana mais curta; assim, o sofrimento da demissão é compartilhado.

A Nucor ocupou dois nichos ao longo de sua história. Na década de 1970, especializou-se em transformar sucata em aço para construção. Ultimamente, à medida que outras empresas aderiram a esse processo, a Nucor tem se mantido um passo à frente delas ao aprender a produzir aço laminado plano de alta qualidade. Essas folhas laminadas planas podem ser usadas em carrocerias de automóveis e eletrodomésticos. Com essa nova técnica de "fundição de placas finas", a Nucor agora pode competir diretamente com as Bethlehems e as USXs.

SHAW INDUSTRIES

Uma busca em revistas por artigos especializados sobre essa empresa produziu duas referências. Havia um parágrafo na *Textile World* e uma frase em um obscuro periódico de tecnologia chamado *Datamation*. Encontrei também dois artigos importantes no *The Wall Street Journal* e um no *PR Newswire*. Aparentemente, muito pouco foi escrito sobre essa empresa de 1 bilhão de dólares, que em breve será uma empresa de 2 bilhões de dólares, que conquistou 20% dos negócios de tapetes nos Estados Unidos.

Em consonância com nosso tema Grandes Oportunidades em Lugares Estranhos, a sede da Shaw fica em Dalton, Geórgia, está localizada em uma curva meridional das Montanhas Blue Ridge e a pelo menos duas horas de distância de qualquer aeroporto grande. Historicamente, Dalton é famosa pela produção de bebida caseira ilegal, danças com tamancos e pelo fato de que, em 1895, uma jovem da região descobriu uma maneira de fazer colchas de matelassê. Essa nova tecnologia levou a uma procura grande pelas colchas de matelassê, o que gerou uma procura grande por tapetes, mas a Shaw não existia naquela época.

A Shaw só começou em 1961. O fundador, Robert Shaw, agora com 58 anos, ainda é o presidente e CEO, e seu irmão, J.C., ainda é o presidente do conselho administrativo. Nos artigos publicados na imprensa e pouco esclarecedores, Robert Shaw é descrito como uma pessoa de poucas palavras, a maioria delas séria. Atrás da mesa do presidente está pendurada uma faixa com este lema cativante: "Mantenha uma fatia de mercado suficiente para permitir a utilização plena de nossas unidades de produção".

Certa vez, ele provocou risadas ao anunciar que a Shaw Industries se tornaria uma empresa de 1 bilhão de dólares. As gargalhadas puderam ser ouvidas até nos escritórios da West Point-Pepperell, um gigante do setor que vendia o dobro da quantidade de tapetes vendida por Shaw. Elas pararam no dia em que Shaw comprou as operações de carpetes da West Point-Pepperell.

Não havia um setor pior na América contemporânea. Na década de 1960, quando os irmãos Shaw entraram no ramo, qualquer um que tivesse 10 mil dólares para investir em uma fábrica de tapetes o fazia. A área ao redor de Dalton foi pontilhada com pequenas fábricas, à medida que 350 novos fabricantes de tapetes aceleravam seus teares para atender à demanda do país por um tapete em cada piso. A demanda era grande, mas a oferta era maior, e logo os fabricantes de tapetes responderam cortando os preços. O resultado foi que nem eles nem seus rivais conseguiram ser lucrativos.

Então, em 1982, os proprietários de casas redescobriram os pisos de madeira e o sucesso dos carpetes chegou ao fim. Metade dos 25 maiores fabricantes havia saído do mercado em meados da década. Desde então, a indústria de tapetes não cresce e a Shaw tem prosperado como produtora de baixo custo. A cada concorrente que fracassa, ela consegue mais negócios.

A Shaw injeta cada dólar disponível na melhoria das operações e na redução ainda maior dos custos. Cansada de pagar preços altos pelos fios, ela adquiriu uma fábrica de fios e eliminou o intermediário. Possui uma rede de distribuição e uma frota própria de caminhões. Em sua busca incessante por economia, a Shaw optou por não manter um *showroom* comercial caro em Atlanta. Ela envia um ônibus para Atlanta e transporta seus clientes para Dalton.

Durante os piores momentos dos tapetes, a Shaw conseguiu manter sua taxa de crescimento anual de 20%. O preço das ações seguiu obedientemente, subindo cinquenta vezes desde 1980. Caiu um pouco em 1990-1991 e dobrou novamente em 1992. Quem diria que veríamos uma subida de cinquenta vezes em tapetes?

Em maio de 1992, a Shaw comprou a Salem Carpet Mills, fortalecendo ainda mais seu controle sobre a indústria. A Shaw agora prevê que, até o final deste século, três ou quatro empresas grandes dominarão a fabricação de tapetes em todo o mundo. Os concorrentes temem que uma única grande empresa acabe dominando a fabricação de tapetes, e eles já sabem qual delas vai ser.

Sigla da ação	Empresa	Preço em 13/1/92
SNTV	Sun Television & Appliances	18,50 dólares

12
É UMA COMPRA MARAVILHOSA

As instituições de poupança e empréstimos[79] (*savings and loans* ou S&Ls, em inglês) são as últimas intocáveis entre as ações. Mencione-as e as pessoas esconderão suas carteiras. Elas pensarão na fatura de socorro financeiro das S&Ls, com valor de 500 bilhões de dólares, que todos nós precisamos pagar; nas 675 instituições falidas que foram fechadas desde 1989; nos gastos extravagantes de seus funcionários e diretores; nos 10 mil casos de fraude bancária pendentes no FBI. A palavra "poupança" já nos fez lembrar de Jimmy Stewart em *A felicidade não se compra*. Agora, ela nos lembra de Charles Keating[80] algemado.

Desde 1988, é impossível pegar um jornal e não ler alguma história sobre a falência de uma S&L, um processo civil, uma acusação ou disputas no Congresso com relação ao projeto de socorro financeiro. Pelo menos cinco livros foram escritos sobre o lamentável assunto, e nenhum se chama *Como fazer uma fortuna com ações das S&Ls*.

Ainda assim, para as dezenas de S&Ls que não tiveram problemas ou que sobreviveram, a vida continua maravilhosa. Com base na imobilização do patrimônio líquido, a medida mais fundamental de solidez financeira, mais de

---

79. S&Ls em inglês, ou *"savings and loans"*. (N.E.)
80. Charles H. Keating (1923-2014) foi um banqueiro americano conhecido por protagonizar a crise de poupanças e empréstimos nas décadas de 1980 e 1990, que resultou no fechamento de cerca de metade de todas as associações de poupanças e empréstimos nos Estados Unidos e na falência da Federal Savings and Loan Insurance Corporation (FSLIC). Até a crise das hipotecas subprime de 2007-2008, a crise de poupanças e empréstimos foi considerada o pior desastre financeiro nos Estados Unidos desde a Grande Depressão. Keating, cuja atividade criminosa como gerente da Lincoln Savings and Loan levou ao seu colapso espetacular em 1989, tornou-se o rosto da crise. Foi condenado, em 1993, a doze anos de prisão por fraude financeira. Quando o banco Lincoln Savings faliu, causou prejuízo a cerca de 20 mil investidores. (N.E.)

cem S&Ls são mais fortes hoje do que o banco mais forte do país, o J.P. Morgan. A People's Savings Financial de New Britain, Connecticut, para citar apenas uma, tem um índice de imobilização do patrimônio líquido de 12,5, enquanto o da J.P. Morgan é de 5,17.

Outros fatores entram em jogo para tornar o J.P. Morgan o banco proeminente que é, por isso a comparação com a People's Savings Financial é um pouco fantasiosa. O ponto essencial é que muitas S&Ls estão em excelente situação financeira, o que é o oposto do que temos ouvido.

Há também muitas S&Ls em péssima situação financeira, por isso é importante fazer distinções. Identifiquei três tipos básicos: os bandidos que perpetraram a fraude, os gananciosos que arruinaram um negócio bom e os Jimmy Stewarts. Vamos examinar um de cada vez.

1. OS BANDIDOS

O esquema já testado e aprovado, que foi rapidamente repetido por escroques em toda a nação, funcionava da seguinte maneira. Um grupo de pessoas se reunia, digamos dez para simplificar, e investia, digamos, 100 mil dólares cada uma para comprar a S&L Fé em Deus na Avenida Central. Com seu patrimônio de 1 milhão de dólares, eles poderiam receber 19 milhões de dólares em depósitos e fazer novos empréstimos com valor aproximado de 20 milhões de dólares.

Para adquirir os 19 milhões de dólares, eles ofereciam uma taxa de juros excepcionalmente alta para atrair certificados de depósito bancários e contratavam corretoras, como a Merrill Lynch e a Shearson, para levantar o dinheiro. Alguns anos atrás, você provavelmente viu os anúncios nos jornais: "Fé em Deus oferece um CDB jumbo de 13%, garantido pela FSLIC".[81] Com o apoio do governo, a Fé em Deus não tinha problemas para vender CDBs tão rápido quanto podia imprimi-los. As corretoras ficaram encantadas com as comissões polpudas.

Em pouco tempo, os proprietários e diretores da Fé em Deus estavam emprestando os 20 milhões de dólares da receita dos CDBs a amigos, parentes e associados para financiar uma variedade de projetos de construção de mérito duvidoso. Isso criou uma explosão de construções em muitos lugares que não

---

81. A Federal Savings and Loan Insurance Corporation (FSLIC) é uma instituição governamental extinta dos Estados Unidos que fornecia seguro de depósito para instituições de poupança e empréstimo até sua dissolução no final da década de 1980. Suas responsabilidades foram transferidas para a Federal Deposit Insurance Corporation (FDIC) em 1989. A FSLIC tem a mesma função do Fundo Garantidor de Créditos (FGC) aqui no Brasil. (N.E.)

precisavam dessas construções. Enquanto isso, a S&L parecia muito lucrativa no papel, por causa das enormes comissões iniciais que recebia desses empréstimos.

Esses "lucros" eram adicionados ao patrimônio da S&L e, para cada dólar de aumento do patrimônio, os proprietários e diretores podiam fazer mais 20 dólares em empréstimos. O sistema se autoalimentava, e foi assim que as S&Ls de cidades pequenas, como Vernon, no Texas, se tornaram operações bilionárias. À medida que os empréstimos cresciam, o patrimônio aumentava, até que logo havia dinheiro suficiente para pagar propinas a contadores e auditores e para fazer homenagens a deputados e senadores nos poderosos comitês bancários, sobrando o suficiente para alugar jatinhos e fazer festas com prostitutas e elefantes importados.

Com algumas exceções notáveis, como a de Charles Keating, a grande maioria das S&Ls fraudulentas era de capital fechado. Os proprietários e diretores envolvidos nos truques sujos não poderiam tolerar o escrutínio de uma empresa de capital aberto.

2. OS GANANCIOSOS

Você não precisava ser um bandido ou um vigarista para afundar uma S&L. Tudo o que você precisava era ser ganancioso. O problema começa quando os diretores da Poupança Fim de Mundo olham ao redor e veem seus concorrentes na Fé em Deus e em outros lugares enriquecendo com comissões sobre grandes empréstimos comerciais que concederam a seus amigos. Enquanto outras instituições ganham milhões da noite para o dia e se gabam disso em coquetéis, a Poupança Fim de Mundo continua na mesma trilha de sempre, fazendo empréstimos hipotecários habitacionais antiquados.

Esses diretores da Poupança Fim de Mundo contratam um especialista de Wall Street, o senhor Suspensórios, para aconselhá-los sobre como maximizar os lucros. O senhor Suspensórios sempre tem a mesma ideia: pedir emprestado tanto dinheiro quanto as regras permitirem, diretamente do Federal Home Loan Bank, e aplicá-lo em alguns daqueles acordos comerciais maravilhosos que as outras S&Ls estão fazendo.

Portanto, a Poupança Fim de Mundo toma dinheiro emprestado do Federal Home Loan Bank e também vende CDBs, e seus anúncios aparecem nos jornais ao lado dos da Fé em Deus. Ela pega o dinheiro e o entrega a incorporadores que desejam construir conjuntos de escritórios, conjuntos residenciais e shopping centers. A Poupança Fim de Mundo pode até se tornar sócia em alguns desses projetos, para obter mais lucros. Então, chega a recessão e os possíveis inquilinos para os conjuntos de escritórios, conjuntos residenciais e shopping centers desaparecem, e os incorporadores deixam de pagar os empréstimos. O patrimônio líquido da Poupança Fim de Mundo, que foi acumulado ao longo de cinquenta anos, evapora em menos de cinco.

Essencialmente, esta é a história da Fé em Deus mais uma vez, exceto pelo fato de que os diretores da Poupança Fim de Mundo não emprestaram o dinheiro para seus amigos e não receberam propinas por baixo da mesa.

3. OS JIMMY STEWARTS

As S&Ls do tipo Jimmy Stewart são minhas favoritas. Silenciosamente, elas tiveram lucro o tempo inteiro. São operadoras simples e de baixo custo que recebem depósitos da vizinhança e se contentam em fazer empréstimos hipotecários habitacionais do estilo antigo. Elas podem ser encontradas em pequenas cidades em toda a América e em certas áreas urbanas que os bancos comerciais desprezaram. Muitas têm agências grandes com bases de depósito enormes, que são muito mais lucrativas do que um número grande de agências minúsculas.

Ao se restringir a essa função simples, uma S&L do tipo Jimmy Stewart pode evitar a contratação dos analistas de empréstimos bem remunerados e de outros profissionais metidos a besta e caros, que são empregados pelos grandes bancos. Além disso, pode evitar gastos com a construção de um templo grego para sediar a empresa, com móveis no estilo rainha Anne para o saguão, com dirigíveis, *outdoors*, celebridades patrocinadas e obras de arte originais para as paredes. Cartazes de turismo são suficientes.

Um banco de centro financeiro, como a Citicorp, costuma gastar o equivalente a 2,5 a 3 pontos percentuais de toda a sua carteira de empréstimos somente para cobrir suas despesas gerais e gastos relacionados. Portanto, ele precisa obter um *spread* de, pelo menos, 2,5% entre o que paga pelos depósitos e o que recebe de seus empréstimos para atingir o equilíbrio financeiro.

Uma S&L do tipo Jimmy Stewart pode sobreviver com um *spread* muito menor. Seu ponto de equilíbrio é de 1,5%. Teoricamente, poderia ser lucrativa sem fazer nenhum empréstimo hipotecário. Quando ela paga 4% em juros aos poupadores de cadernetas, pode investir a receita em títulos do Tesouro a 6% e ainda ganhar dinheiro. Quando subscreve hipotecas de 8% ou 9%, torna-se altamente lucrativa para os acionistas.

Durante anos, a inspiração para todas as S&Ls do tipo Jimmy Stewart foi o Golden West, com sede em Oakland, Califórnia. O Golden West possui e opera três subsidiárias S&L, todas elas dirigidas por um casal encantador, Herb e Marion Sandler. Eles têm o comedimento de Ozzie e Harriet[82] e a inteligência de Warren Buffett, que é a combinação perfeita para administrar um negócio de sucesso. Como Ozzie e Harriet, eles conseguiram evitar muita agitação desnecessária. Eles evitaram a empolgação de investir em títulos de alto risco, as quais resultaram em inadimplências, e em empreendimentos imobiliários comerciais, que ficaram inadimplentes. Ambos lhes permitiram evitar a empolgação de ser adquiridos pela Resolution Trust Corporation.[83]

Os Sandler sempre relutaram em gastar dinheiro com tolices. Sua desconfiança das coisas modernas fez com que nunca instalassem caixas eletrônicos. Eles nunca atraíram depositantes com torradeiras ou baldes de gelo. Eles perderam a grande febre dos empréstimos para construções mal orientadas. Limitaram-se a hipotecas habitacionais, que ainda representam 96% da carteira da Golden West.

Quando se trata de economizar no escritório, os Sandler são campeões. Visitei sua sede, não em São Francisco, onde a maioria dos bancos mais sofisticados está localizada, mas em um bairro com aluguéis mais baratos em Oakland. Os visitantes da sala corporativa tinham de anunciar, eles mesmos, sua chegada por meio de um telefone preto na recepção.

Os Sandler não se importam de gastar dinheiro nas agências, onde o objetivo é deixar o cliente o mais feliz e confortável possível. Equipes de "consumidores" disfarçados, como os Sandler os chamam, são enviadas periodicamente para avaliar a qualidade do serviço.

Em um incidente famoso, em meados da década de 1980, Marion Sandler estava fazendo um discurso para seus colegas em uma conferência de S&Ls na Virgínia Ocidental sobre um de seus tópicos favoritos, "produtividade e controle de despesas". O assunto era tão interessante para os outros diretores de S&L que estavam na plateia que um terço deles foi embora. Eles haviam lotado a sala para ouvir sobre novos e empolgantes sistemas de computação e máquinas de contagem, mas não para ouvir a senhora Sandler falar sobre cortes de custos. Talvez, se tivessem ficado para essa palestra e feito boas anotações, mais deles ainda estariam em atividade hoje em dia.

Antes da década de 1980, a Golden West era uma das poucas S&Ls listadas em bolsa. Então, em meio a uma onda de ofertas de ações em meados da década, centenas das instituições de poupança, anteriormente privadas, que

---

82. Personagens principais de *The Adventures of Ozzie and Harriet*, uma das primeiras comédias de situação transmitidas na televisão americana. (N. T.)
83. A Resolution Trust Corporation foi uma agência de propriedade do governo criada em 1989 para liquidar os ativos de S&Ls insolventes. (N. T.)

operavam como "bancos de poupança mútua", abriram seu capital ao público mais ou menos ao mesmo tempo. Adquiri muitas delas para o fundo Magellan. Fui tão seletivo em minhas compras, durante esse período, que eu comprava qualquer coisa que contivesse a palavra "primeiro" ou "confiança". Certa vez, confessei ao painel da *Barron's* que havia investido em 135 das 145 instituições de poupança cujos prospectos haviam chegado à minha mesa. A reação de Abelson foi típica: "O que aconteceu com as outras?".

Há duas explicações para a minha atração indiscriminada e, por vezes, fatal pelas S&Ls. A primeira é que meu fundo era tão grande e elas eram tão pequenas que, para extrair nutrientes suficientes deles, tive de consumir grandes quantidades, como as baleias que são forçadas a sobreviver de plâncton. A segunda é a maneira singular com que as S&Ls abriram seu capital, o que as tornou uma pechincha automática desde o início. (Para saber como você também pode conseguir algo por um preço baixo, vá para a página 241.)

Os especialistas da SNL Securities, em Charlottesville, Virgínia, que mantêm registros de todas as instituições de poupança em atividade, recentemente me enviaram uma atualização sobre o que aconteceu com as 464 S&Ls que eram listadas em bolsa desde 1982. Noventa e nove delas foram posteriormente compradas por bancos e S&Ls maiores, na maioria das vezes com um grande lucro para os acionistas. (O exemplo divisor de águas é o Morris County [New Jersey] Savings Bank. Em 1983, o preço da oferta inicial foi 10,75 dólares a ação, e a Morris foi comprada três anos mais tarde por 65 dólares.) Sessenta e cinco das S&Ls listadas em bolsa faliram, geralmente com perda total para os acionistas. (Sei disso por experiência própria porque possuía várias nessa categoria.) Isso significa que trezentas continuam em atividade.

COMO AVALIAR UMA S&L

Sempre que sinto vontade de investir em uma S&L, penso no Golden West, mas, depois que ele dobrou de preço em 1991, decidi buscar alvos potenciais melhores. Ao examinar a lista de S&Ls enquanto me preparava para o painel da *Barron's* de 1992, encontrei várias delas. Ninguém poderia ter inventado um clima melhor para o surgimento de pechinchas.

A história das fraudes nas S&Ls tinha saído das primeiras páginas dos jornais, sendo substituída pela história do colapso do mercado habitacional. Esse foi um temor popular durante dois anos consecutivos: o mercado habitacional quebraria e derrubaria o sistema bancário com ele. As pessoas se lembravam de que, quando o mercado habitacional entrou em colapso no Texas, no início dos anos 1980, vários bancos e S&Ls entraram em colapso por tabela e esperavam que as S&Ls tivessem o mesmo destino, no nordeste e na Califórnia, onde os preços das casas de ricaços já estavam sofrendo uma correção.

Os últimos fatos pouco destacados, divulgados pela Associação Nacional de Construtores de Residências, de que o preço médio de uma residência havia subido em 1990 e novamente em 1991, me convenceram de que o colapso do mercado imobiliário era, em grande parte, uma invenção da imaginação dos ricaços. Eu sabia que as melhores S&Ls do tipo Jimmy Stewart tinham um envolvimento limitado com casas caras, imóveis comerciais ou empréstimos para construção. Em sua maior parte, suas carteiras estavam concentradas em hipotecas residenciais de 100 mil dólares. Essas instituições apresentavam um crescimento de lucros bom, uma base sólida de depositantes leais e um patrimônio superior ao do J.P. Morgan.

No entanto, as virtudes das S&Ls do tipo Jimmy Stewart se perderam em meio ao pânico generalizado. Wall Street não apreciava essas ações, e o investidor típico também não. O próprio fundo Select S&L, pertencente à Fidelity, havia diminuído de tamanho, de 66 milhões de dólares em fevereiro de 1987 para um mínimo de 3 milhões de dólares em outubro de 1990. As corretoras haviam reduzido sua cobertura do setor de poupança e algumas pararam de cobri-lo.

Costumava haver dois analistas em tempo integral na Fidelity designados para S&Ls: Dave Ellison para as instituições maiores e Alec Murray para as menores. Murray foi fazer uma pós-graduação em Dartmouth e não foi substituído. Ellison recebeu outras grandes empresas para acompanhar, incluindo Fannie Mae, General Electric e Westinghouse, portanto, para ele, as S&Ls haviam se tornado um emprego de meio expediente.

Existem quase cinquenta analistas no país que acompanham a Walmart e outros 46 que rastreiam a Philip Morris, mas apenas alguns se dedicam a acompanhar as S&Ls de capital aberto. Isso nos leva ao Princípio do Peter número 18:

Quando até mesmo os analistas estão entediados, é hora de começar a comprar.

Intrigado com os preços baratos a que muitas ações das S&L estavam sendo negociadas, mergulhei em um exemplar de *The Thrift Digest* — minha ideia do *thriller* de cabeceira perfeito. Ele é publicado pela SNL Securities, empresa que já mencionei anteriormente, e é editado por Reid Nagle, que faz um excelente trabalho. *The Thrift Digest* é tão espesso quanto o catálogo telefônico metropolitano de Boston, e o custo de recebimento das atualizações mensais é de 700 dólares ao ano. Menciono o preço para que você não saia correndo para encomendá-lo e depois descubra que poderia ter comprado duas passagens de ida e volta para o Havaí com o dinheiro gasto com ele.

Se você decidir prosseguir com o assunto das S&Ls subvalorizadas — o que, para mim, é muito mais emocionante do que qualquer viagem ao Havaí —, seria aconselhável procurar o exemplar mais recente de *The Thrift Digest* na biblioteca local ou pedir um emprestado ao seu corretor. Eu pedi um emprestado à Fidelity.

Passei tanto tempo com o nariz enfiado nesse livro antes do jantar, durante o jantar e depois do jantar, que Carolyn começou a se referir a ele como o Velho Testamento. Com o Velho Testamento em mãos, desenvolvi meu próprio placar de S&Ls, listando 145 das instituições mais fortes por estado e anotando os seguintes detalhes importantes. Isso, em poucas palavras, é tudo o que você precisa saber sobre uma S&L:

Preço atual
Autoexplicativo.

Preço de oferta inicial
Quando uma S&L está sendo negociada abaixo do preço pelo qual ela foi primeiro oferecida ao público, isso é um sinal de que a ação pode estar subvalorizada. Outros fatores, é claro, precisam ser levados em consideração.

Imobilização do patrimônio líquido
O número mais importante de todos. Mede a solidez financeira e a "capacidade de sobrevivência". Quanto maior o índice Ativo Permanente/Patrimônio Líquido (AP/PL), melhor. Os índices AP/PL têm uma gama de variação incrível, desde tão baixos quanto um ou dois (candidatos à pilha de sucata) até tão altos quanto vinte (quatro vezes mais forte do que o J.P. Morgan). Um AP/PL de 5,5 a seis é a média, mas, abaixo de cinco, entra-se na zona de perigo das S&Ls problemáticas.

Antes de investir em qualquer S&L, gosto de verificar que seu índice AP/PL é de, pelo menos, 7,5. Esse valor não serve apenas para proteger contra desastres, mas também porque uma S&L com um índice AP/PL alto é uma candidata atraente para aquisição. Esse excesso de capital lhe confere uma capacidade de empréstimo excedente, a qual um banco ou uma S&L de maior porte pode querer utilizar.

DIVIDENDOS
Muitas S&Ls pagam dividendos acima da média. Quando uma delas atende a todos os outros critérios e também tem um rendimento de dividendos alto, essa é uma vantagem.

VALOR CONTÁBIL
A maioria dos ativos de um banco ou de uma S&L está em seus empréstimos. Depois de se assegurar de que uma S&L tenha evitado empréstimos de alto risco (veja a seguir), você pode começar a ter confiança de que seu valor contábil, conforme relatado nas demonstrações financeiras, é um reflexo preciso do valor real da instituição. Hoje, muitos dos Jimmy Stewarts mais lucrativos estão sendo negociados a preços bastante inferiores ao valor contábil.

ÍNDICE PREÇO-LUCRO
Como acontece com qualquer ação, quanto menor for esse número, melhor. Algumas S&Ls com taxas de crescimento de 15% ao ano têm índices preço/lucro de sete ou oito, com base nos lucros dos doze meses anteriores. Isso é muito promissor, sobretudo se considerarmos o fato de que o P/L geral do S&P 500 era de 23 quando fiz esta pesquisa.

ATIVOS IMOBILIÁRIOS DE ALTO RISCO
Essas são as áreas de problemas comuns, sobretudo os empréstimos comerciais e os concedidos para construção, os quais têm arruinado tantas S&Ls. Quando os ativos de alto risco ultrapassam 5% a 10%, começo a ficar nervoso. Se todo o restante for equivalente, prefiro investir em uma S&L que tenha uma porcentagem pequena de seus ativos na categoria de alto risco. Como é impossível para o investidor casual analisar uma carteira de empréstimos comerciais a distância, o caminho mais seguro é evitar investir nas S&Ls que fazem esses empréstimos.

Mesmo sem o *The Thrift Digest*, é possível fazer seu próprio cálculo dos ativos de alto risco. Verifique, no relatório anual, o valor em dólar de todos os empréstimos para construção e imóveis comerciais, listados entre os "Ativos". Em seguida, encontre o valor em dólar de todos os empréstimos pendentes. Divida o último pelo primeiro e você chegará a uma boa estimativa da porcentagem de alto risco.

ATIVOS INADIMPLENTES HÁ NOVENTA DIAS
Esses são os empréstimos que já estão inadimplentes. O que se deseja ver aqui é um número muito baixo, de preferência inferior a 2% dos ativos totais da S&L.

Além disso, é preferível que esse número esteja diminuindo, e não aumentando. Alguns pontos percentuais adicionais em empréstimos inadimplentes podem aniquilar todo o patrimônio de uma S&L.

IMÓVEIS PRÓPRIOS

Estas são as propriedades cuja hipoteca a S&L já executou. A categoria REO,[84] como é chamada em inglês, é um indicador dos problemas do passado, porque tudo o que aparece aqui já foi registrado como perda nos livros.

Uma vez que esse "rombo" financeiro já foi absorvido, uma porcentagem alta de bens imóveis não é tão preocupante quanto uma porcentagem alta de ativos inadimplentes. Mas é preocupante quando a REO faz uma curva ascendente. As S&Ls não estão no ramo imobiliário e a última coisa que desejam é retomar a posse de mais conjuntos residenciais ou edifícios de escritórios que são caros de manter e difíceis de vender. Na verdade, onde há muita REO, deve-se presumir que a S&L está tendo problemas para se livrar dessas propriedades.

~

Acabei escolhendo sete S&Ls para recomendar ao painel da *Barron's*, o que mostra quanto gostei do grupo. Cinco delas eram instituições de poupança fortes do tipo Jimmy Stewart, e duas eram apostas arriscadas — eu as chamo de renascidas — que haviam voltado da beira da falência. Duas das cinco S&Ls fortes, a Germantown Savings e a Glacier Bancorp, foram recomendações repetidas de 1991.

As cinco Jimmy Stewarts obtiveram notas excelentes em várias categorias: valor contábil (quatro vendidas com desconto), imobilização do patrimônio líquido (todas com índice AP/PL de seis ou mais), empréstimos de alto risco (menos de 10%), inadimplência de noventa dias (2% ou menos), imóveis próprios (menos de 1%) e índice P/L (abaixo de onze). O fato de duas delas andarem recomprando as próprias ações nos últimos meses foi outro aspecto positivo. Nos casos da Glacier e da Germantown, a porcentagem de empréstimos comerciais era um pouco alta, mas isso me incomodou menos após ouvir as explicações dos banqueiros.

Nos casos das duas renascidas, muitos de seus números são bastante sombrios — tudo o que um investidor conservador deve tentar evitar. Eu as escolhi como apostas arriscadas porque elas ainda mantinham índices altos de imobilização

---

84. Em inglês, Real State Owned, chamada de REO. (N.E.)

do patrimônio líquido, apesar de seus problemas. Ter esse colchão de capital dava a elas alguma margem de manobra para resolver seus problemas. A região em que essas duas S&Ls fazem negócios, perto da divisa entre Massachusetts e New Hampshire, estava começando a dar sinais de estabilidade.

Eu não podia garantir que essas renascidas vingariam, mas os preços de suas ações haviam caído a níveis tão baixos (no caso da Lawrence Savings, de 13 dólares para 75 centavos) que eu sabia que os caçadores de pechincha fariam um monte de dinheiro se elas sobrevivessem.

Dezenas de S&Ls em todo o país são tão ou mais fortes do que minhas cinco escolhas. Você pode encontrar uma ou mais delas em sua própria vizinhança. Muitos investidores ficarão muito satisfeitos por ter se concentrado nesse setor. As Jimmy Stewarts continuarão a prosperar por conta própria ou serão adquiridas por instituições maiores a preços muito superiores aos atuais.

Uma S&L com excesso de capital, excesso de capacidade de empréstimo e uma base de depositantes leais é um prêmio cobiçado pelos bancos comerciais. Estes só podem receber depósitos em seus estados de origem (essa regra está mudando, em certa medida), mas podem emprestar dinheiro em qualquer lugar. Isso é o que torna a aquisição de uma S&L uma proposta muito tentadora.

Se eu fosse o Bank of Boston, por exemplo, estaria enviando bilhetes de amor para a Home Port Bancorp, de Nantucket, Massachusetts. A Home Port tem um índice de imobilização do patrimônio líquido de 20%, o que provavelmente a torna a instituição financeira mais forte do mundo moderno. Ela também tem um mercado cativo em uma ilha com um grupo de depositantes conservadores da Nova Inglaterra, que não estão dispostos a mudar seus hábitos bancários e fugir para um fundo de curto prazo recém-chegado.

Talvez o Bank of Boston não queira fazer empréstimos em Nantucket, mas, se ele adquirir o patrimônio da Home Port e sua base de depósitos, poderá usar o excesso de capacidade de empréstimo para fazer empréstimos em Boston ou em qualquer outro lugar do país.

Durante 1987-1990, uma época terrível para as S&Ls, mais de cem foram adquiridas por instituições maiores que viram o mesmo tipo de potencial que o Bank of Boston deveria ver na Home Port. Os bancos e as instituições de poupança continuarão a se consolidar em um ritmo rápido e por bons motivos. Atualmente, os Estados Unidos têm mais de 7 mil bancos, instituições de poupança e outros tomadores de depósitos diversos — o que significa um excedente de cerca de 6.500.

Existem seis tomadores de depósitos diferentes em minha pequena cidade de Marblehead, metade do número de toda a Inglaterra.

TABELA 12-1.

Nome	Preço no terceiro trimestre de 1991	Preço da oferta pública inicial	Patrimônio/ Ativos	Dividendo	Valor contábil	Ativos inadimplentes há 90 dias	Imóveis próprios	Empréstimos imobiliários e comerciais
				Instituições fortes				
Germantown	$ 14 +	$ 9+	7,5	40cts	$26,25	0,9%	0,2%	9,2%
Glacier	$ 12	$ 8+	11,0	40cts	$11,5	2,0%	0,9%	2,7%
People's	$ 11	$ 10+	13,0	68cts	$18,62	1,8%	0,7%	2,9%
Eagle	$ 12	$ 11+	9,7	60cts	$19,12	0,9%	0,4%	3,9%
Sovereign	$ 9+	$ 4+	6,0	16cts	$10,25	0,9%	0,2%	9,2%
				Renascidas				
First Essex	$ 2	$ 8	9,0	—	$7,87	10,0%	3,5%	13,0%
Lawrence	75 cts	$ 13+	7,8	—	$6,5	9,6%	7,5%	21,0%

Fonte: SNL Quarterly Thrift Digest.
(Os valores são em dólar.)

13
UMA OLHADA MAIS DE PERTO NAS S&Ls

O selecionador de ações casual poderia parar por aqui, escolher cinco S&Ls que se encaixassem no perfil Jimmy Stewart, investir um montante igual em cada uma delas e aguardar os retornos favoráveis. Uma S&L teria um desempenho melhor do que o esperado, três teriam um desempenho razoável e uma seria pior, e o resultado geral seria superior ao de ter investido em uma Coca-Cola ou em uma Merck sobrevalorizada.

No entanto, por ser um sujeito curioso, e não querendo confiar inteiramente em informações de segunda mão, costumo tentar melhorar minhas chances telefonando para as empresas antes de gastar dinheiro com elas. Isso aumenta a conta telefônica, mas compensa no longo prazo.

Em geral, converso com o presidente, o CEO ou com algum outro funcionário do alto escalão. Da mesma forma, tento descobrir algo específico ou investigar surpresas que não tenham ainda atraído a atenção dos analistas de Wall Street. O Glacier Bancorp, por exemplo, havia feito mais empréstimos comerciais do que eu gostaria de ver em uma instituição de poupança forte. Eu não teria comprado as ações, ou as recomendado, sem antes explorar esse assunto com a empresa.

Você não precisa ser um especialista para falar com uma S&L, mas precisa ter uma ideia básica de como o negócio funciona. Uma S&L precisa de depositantes leais para manter o dinheiro em suas contas-correntes e de poupança. Ela precisa ganhar dinheiro com esse dinheiro, emprestando-o, mas não para devedores inadimplentes. E precisa de despesas operacionais baixas para maximizar seus lucros. Os banqueiros gostam de viver com três e seis: pegar dinheiro emprestado a 3%, emprestar dinheiro a 6%, jogar golfe às três.

De qualquer forma, dei seis telefonemas para seis S&Ls (quatro fortes e as duas renascidas) para reunir detalhes relevantes. Não me preocupei em ligar para o Eagle Financial. Uma vez que o Eagle estava em um ano fiscal que ia de setembro a setembro, o relatório anual chegou à minha mesa a tempo de eu ver os detalhes impressos. Parecia o sonho de uma agência reguladora de bancos. Os relatórios anuais das outras S&Ls não chegam até fevereiro ou março. A seguir, apresento o que descobri em minhas conversas.

GLACIER BANCORP

Conversei com o Glacier Bancorp no dia seguinte ao Natal. Cheguei ao meu escritório, em Boston, vestindo calças xadrez e um moletom. O prédio estava vazio, exceto pela minha presença e a de um segurança.

A temporada de festas de fim de ano é uma época excelente para fazer esse tipo de trabalho. Sempre fico impressionado quando encontro executivos sentados a suas mesas no dia 26 de dezembro.

Acima dos destroços na minha mesa, abri meu arquivo do Glacier Bancorp. A ação estava sendo negociada por 12 dólares, uma subida de 60% em relação ao ano anterior. Ela crescia entre 12% e 15%, sendo negociada a dez vezes o lucro — não era uma pechincha espetacular, mas também não havia muito risco.

O Glacier Bancorp era chamado de First Federal Savings and Loan of Kalispell, e gostaria que eles tivessem mantido o nome antigo. Parecia provinciano e antiquado, o que para mim é sempre reconfortante. Prefiro o provinciano e antiquado ao sofisticado e badalado, o que, em geral, significa uma empresa desesperada para melhorar a sua imagem.

Gosto de empresas que se concentram nos negócios e deixam a imagem cuidar de si mesma. Existe uma tendência infeliz, entre as instituições financeiras, de tirar a palavra "banco" de seus nomes e substituí-la por "bancorp". Eu sei o que é um banco, mas a palavra "bancorp" me deixa nervoso.

De qualquer forma, a pessoa que atendeu o telefone no Glacier Bancorp, em Kalispell, me disse que estavam dando uma festa de aposentadoria para um dos executivos, mas informaria ao presidente, Charles Mercord, que eu ligara. Eles devem tê-lo arrastado para fora da festa, porque poucos minutos depois Mercord retornou minha ligação.

Perguntar a um presidente ou CEO sobre os lucros de uma empresa é algo delicado. Você não vai chegar a lugar nenhum perguntando: "Qual será seu lucro no próximo ano?". Primeiro, você precisa estabelecer uma relação com a pessoa. Conversamos sobre as montanhas. Eu disse que a família Lynch inteira tinha visitado todos os estados do oeste para ver os parques nacionais e que amávamos Montana. Conversamos sobre a indústria madeireira, a coruja-pintada, a área de esqui de Big Mountain e a grande fundição de cobre de propriedade da Anaconda, uma empresa que eu costumava visitar quando era analista.

Em seguida, passei para perguntas mais sérias, sobre investimento, tais como "Qual o tamanho da população da cidade?" e "Qual é a elevação da cidade?", passando à mais substantiva "Você está abrindo agências novas ou mantendo as que já tem?". Eu estava tentando ter uma ideia do estado de espírito no Glacier.

"Alguma coisa incomum aconteceu no segundo semestre?", continuei. "Vi que vocês tiveram um lucro de 38 centavos." É melhor temperar essas pesquisas com algumas informações, para que sua fonte veja que você fez o dever de casa.

O clima no Glacier Bancorp era otimista. Os empréstimos inadimplentes eram quase inexistentes. Em todo o ano de 1991, esse bancorp teve de dar baixa em apenas 16 mil dólares em empréstimos inadimplentes. Ele havia aumentado seus dividendos pelo décimo quinto ano consecutivo. Acabara de comprar duas outras S&Ls com nomes maravilhosos: First National Banks de Whitefish e Eureka, respectivamente.

É assim que muitas das S&L mais fortes vão acelerar seu crescimento nos próximos anos. Elas estão adquirindo os depósitos valiosos de S&Ls problemáticas e extintas. O Glacier pode integrar o First National of Whitefish a seu próprio sistema e emprestar mais dinheiro com os depósitos adicionais do Whitefish. Ele também pode fazer alguns cortes nos custos administrativos, uma vez que duas S&L combinadas podem operar com menos dinheiro do que uma.

"Você está construindo um bom ativo aí", eu disse, introduzindo o assunto Whitefish. "Tenho certeza de que é uma boa jogada, em termos contábeis." Minha única preocupação era que o Glacier poderia ter pago um preço alto demais por sua aquisição, um tópico que abordei obliquamente. "Suponho que você teve de pagar muito mais do que o valor contábil dela", eu disse, convidando o presidente do Glacier a admitir o pior. Mas não, o preço pago pelo Glacier não havia sido excessivo.

Conversamos sobre os 9,2% dos empréstimos comerciais do Glacier, a única estatística preocupante que eu havia encontrado no *The Thrift Digest*. Se isso fosse uma S&L da Nova Inglaterra, aquele número alto teria me assustado, mas

Montana não era Massachusetts. O presidente do Glacier me garantiu que sua S&L não estava emprestando dinheiro para construtoras de torres de escritórios vazias ou condomínios de férias invendáveis. Os empréstimos comerciais do Glacier eram, sobretudo, para habitações multifamiliares, que estavam em grande demanda. A população de Montana estava crescendo. Todos os anos, milhares de fugitivos da poluição atmosférica e dos impostos da Califórnia fixavam residência no estado, cujo apelido era Big Sky [Céus Amplos], um estado que acreditava em um governo de tamanho pequeno.

Nunca termino um telefonema com uma fonte sem perguntar: o que outras empresas fazem que você mais admira? Não significa muito quando o CEO da Bethlehem Steel me diz que ele admira a Microsoft, mas, quando o chefe de uma S&L diz que ele admira outra S&L, isso, em geral, significa que a outra S&L está fazendo alguma coisa certa. Tenho encontrado muitas ações boas dessa maneira. Então, quando Mercord mencionou o United Savings e o Security Federal, aninhei o telefone no pescoço e abri meu guia de ações da S&P, que sempre tenho à mão, para verificar as siglas, UBMT e SFBM, e digitei-as no Quotron enquanto ele os descrevia. Ambos eram S&Ls de Montana com proporções impressionantes entre capital e ativos (20% no caso do Security Federal!). Eu os acrescentei à minha lista de "sintonizar mais tarde".

GERMANTOWN SAVINGS

Liguei para o Germantown em janeiro, um dia antes de voar para Nova York para me encontrar com a Mesa Redonda. Esta foi outra das minhas recomendações do ano anterior. A ação valia 10 dólares na época, 14 dólarcs no presente. O Germantown tinha um lucro de 2 dólares por ação, dando a ela um P/L inferior a sete. Ele tinha um valor contábil de 26 dólares, uma imobilização do patrimônio líquido de 7,5 e menos de 1% de empréstimos inadimplentes.

O Germantown estava localizado nos subúrbios da Filadélfia. Tinha 1,4 bilhão de dólares em ativos e um relatório maravilhoso, mas nenhuma corretora se preocupara em pesquisar sua história. Eu me preparei para meu telefonema lendo o último relatório anual. Os depósitos haviam aumentado, o que significava que os clientes estavam mantendo seu dinheiro no banco, mas os empréstimos haviam diminuído. Houve uma queda no lado dos ativos do balanço patrimonial. Isso significava que os banqueiros estavam sendo conservadores e evitando fazer empréstimos.

Encontrei mais evidências da prudência dos banqueiros no item "investimento em títulos financeiros", que aumentara em 50 milhões de dólares do ano anterior até aquele momento. Os investimentos em títulos financeiros incluem letras do Tesouro, títulos, ações e dinheiro. Uma S&L que está preocupada com a economia ou a qualidade de crédito dos tomadores de empréstimo estaciona seus ativos em títulos, da mesma forma como agem os investidores individuais. Quando a economia melhora e é seguro emprestar dinheiro, o Germantown venderá seus títulos de investimento e fará mais empréstimos, e isso gerará um aumento nos lucros.

Sobre esse assunto, examinei o relatório de lucros para ver se algum fator incomum poderia estar dando uma impressão falsa aos investidores. Você não quer ser enganado e comprar uma ação após a empresa relatar um aumento de receita, descobrindo, em seguida, que o aumento era uma aberração, causada por algum evento único, como a venda de títulos de investimento. Ali encontrei o inverso: o Germantown teve um pequeno prejuízo com a venda de alguns de seus títulos, o que havia depreciado seus lucros regulares, mas não o suficiente para fazer muita diferença.

"Temos uma história bem maçante", disse o CEO, Martin Kleppe, quando entrei em contato com ele por telefone. Esse era exatamente o tipo de história que ele devia saber que eu gostava. "Também temos um balanço patrimonial do tipo fortaleza. Quando temos problemas, outros caras estão andando na prancha."

As perdas com empréstimos e inadimplências já eram escassas, e vinham ficando cada vez mais raras. Mesmo assim, o Germantown se protegeu por meio de um aumento em suas reservas para prejuízos com empréstimos, o que castiga os lucros no curto prazo, mas os aumenta mais tarde, quando as reservas não utilizadas forem devolvidas à tesouraria da empresa.

A área ao redor do Germantown não é o que você chamaria de um espaço repleto de prosperidade, mas as pessoas sempre foram poupadoras e depositantes leais. O Germantown Savings não desperdiçaria esse dinheiro. Achei que essa S&L prudente sobreviveria a muitos de seus concorrentes mais selvagens e granjearia lucros grandes em algum momento.

SOVEREIGN BANCORP

Na edição da *Barron's* datada de 25 de novembro de 1991, encontrei um artigo intitulado "Hometown Lender to the Well-Heeled".[85] Ele descrevia como o Sovereign Bancorp atendia a pessoas ricas, no sudeste da Pensilvânia, de sua

---

85. Algo como "Credor local dos ricaços". (N.E.)

sede em Reading. Gostei da menção ao fato de que um sino sempre é tocado nas agências do Sovereign quando um empréstimo hipotecário é aprovado.

Essa não foi a única vez, em minha carreira, em que fui apresentado a uma ação por uma revista semanal. Verifiquei os relatórios anuais e trimestrais. Em todas as categorias importantes, o Sovereign obteve boas notas. Os empréstimos inadimplentes constituíam 1% dos ativos. Os empréstimos comerciais e de construção formavam outros 4%. O Sovereign tinha destinado reservas suficientes para cobrir 100% de seus empréstimos inadimplentes.

O Sovereign tinha adquirido, da Resolution Trust Corporation, duas S&Ls de Nova Jersey, o que aumentara seus depósitos e, mais adiante, aumentaria seus lucros. Para revisar alguns dos detalhes, liguei para Jay Sidhu, o presidente do Sovereign, nascido na Índia. Conversamos sobre Bombaim e Madras, que eu havia visitado no ano anterior em uma viagem de caridade.

Quando passamos a tratar de assuntos sérios, o senhor Sidhu disse que a administração estava determinada a "fazer o negócio crescer" a uma taxa de, pelo menos, 12% ao ano. Enquanto isso, com base nas últimas estimativas dos analistas para 1992, a ação estava sendo negociada a um índice P/L de oito.

O único detalhe negativo foi que a Sovereign tinha vendido 2,5 milhões de ações adicionais em 1991. Já vimos antes como, em geral, é uma coisa boa quando uma empresa recompra suas ações, desde que tenha condições financeiras para fazê-lo. Por outro lado, é uma coisa ruim quando uma empresa aumenta o número de ações. Isso tem o mesmo resultado que um governo imprimir mais dinheiro: barateia a moeda.

Pelo menos, o Sovereign não estava desperdiçando o produto da venda de suas ações. Estava usando os lucros para comprar, da Resolution Trust, mais instituições de poupança problemáticas.

Fiquei satisfeito em descobrir que o senhor Sidhu admirava o modelo do Golden West. Basicamente, ele queria copiar o pão-durismo dos Sandler, pelo aumento do volume de empréstimos e pelo corte de despesas. Com a folha de pagamento que o Sovereign herdou de suas aquisições recentes, as despesas gerais representavam 2,25% do total, muito maior do que o 1% da Golden West, mas o senhor Sidhu parecia determinado a reduzir isso. O fato de ser proprietário de 4% das ações dava-lhe um incentivo considerável para levar a cabo esse plano.

Em vez de manter as hipotecas, como muitas S&Ls fazem, o Sovereign tinha decidido se especializar em fazer empréstimos e, em seguida, vendê-los para agregadores, tais como a Fannie Mae ou a Freddie Mac. Essa estratégia permitia que o Sovereign recuperasse seu dinheiro rapidamente e o aplicasse em hipotecas novas, lucrando com o *spread* e outras taxas iniciais. O risco de possuir as hipotecas era transferido para terceiros.

Mesmo assim, o Sovereign estava sendo muito conservador nos tipos de empréstimo que aprovava. Ele se dedicava às hipotecas residenciais. Não havia feito um único empréstimo comercial desde 1989. Seu empréstimo residencial médio não ultrapassava 69% do valor do imóvel sobre o qual o empréstimo fora feito. Os poucos empréstimos inadimplentes eram minuciosamente investigados para que o Sovereign pudesse saber quem ou o que deu errado e não repetir os mesmos erros.

Como sempre acontece em minhas conversas com empresas, aprendi algo novo com Sidhu. Ele descreveu um método sorrateiro pelo qual bancos e S&Ls inescrupulosos camuflam seus empréstimos problemáticos. Se um incorporador, digamos, solicita um empréstimo de 1 milhão de dólares para um projeto comercial, o banco oferece a ele 1,2 milhão de dólares com base em uma avaliação inflacionada. Os 200 mil dólares adicionais são mantidos em reserva pelo banco. Se o incorporador não pagar o empréstimo, o banco pode usar esse dinheiro adicional para cobrir os pagamentos do incorporador. Dessa forma, aquilo que se tornou um empréstimo ruim ainda pode ser contabilizado como um empréstimo bom — pelo menos durante um tempo.

Não sei quão difundida essa prática se tornou, mas se Sidhu estiver certo, é mais um motivo para evitar investir em bancos e em S&Ls com carteiras grandes de imóveis comerciais.

PEOPLE'S SAVING FINANCIAL

Liguei para o CFO John G. Medvec, na sede da empresa em New Britain, Connecticut, perto de Hartford. O senhor Medvec disse que muitos bancos fracos haviam falido nas redondezas, o que fortalecera a posição do People's como um lugar seguro para guardar dinheiro. O People's havia tirado vantagem da situação com publicidade: a essência da sua mensagem era que a instituição era segura com uma imobilização do patrimônio líquido de treze. Como resultado da publicidade, os depósitos do People's haviam aumentado para 242 milhões de dólares em 1991, contra os 220 milhões de dólares em 1990.

O índice de imobilização do patrimônio líquido do People's teria sido ainda maior se parte de seu patrimônio não tivesse sido usada para recomprar ações. Em duas fases, essa S&L de Connecticut havia resgatado 16% de suas ações e gastado 4,4 milhões de dólares no processo. Se continuasse a recomprar ações dessa maneira, algum dia elas seriam muito escassas e valiosas. Com menos ações em circulação, o lucro por ação aumentará mesmo com os negócios estáveis. Quando os negócios fossem bem, o preço das ações poderia até mesmo disparar.

Muitas vezes, os gerentes corporativos falam da boca para fora em "aumentar o valor para os acionistas" e depois saem gastando dinheiro em aquisições fantasiosas, ignorando a maneira mais simples e direta de recompensar os acionistas — recomprando ações. Negócios triviais, como a International Dairy Queen e a Crown Cork & Seal, têm tido um desempenho espetacular no mercado acionário porque suas administrações estavam comprometidas com a recompra de ações. Foi assim que a Teledyne subiu cem vezes.

Quando o People's Savings Financial abriu o capital, em 1986, suas ações foram negociadas a 10,25 dólares. Agora, cinco anos mais tarde, ele era uma operação maior e mais rentável, com menos ações em circulação e elas estavam sendo negociadas a 11 dólares. O que estava deprimindo essas ações, suspeitei, era que a empresa tinha de operar em um estado deprimido. Eu me refiro a Connecticut, e não ao seu estado emocional.

Levando tudo em consideração, prefiro investir em uma S&L que provou que pode sobreviver em um estado que passa por uma depressão a investir em uma que prospera em uma economia em expansão e nunca foi testada em tempos difíceis.

Em meu exemplar do *The Thrift Digest*, observei que os empréstimos inadimplentes eram relativamente modestos, de 2%, mas queria verificar isso mais a fundo. Medvec disse que a maior parte desses 2% foi causada por um único empréstimo para construção e que o People's não estava fazendo nenhum novo empréstimo desse tipo.

O People's já havia sofrido o "golpe" nos lucros ao dar baixa nesses empréstimos inadimplentes. A próxima etapa seria executar a hipoteca sobre as propriedades. Medvec reiterou o que eu tinha ouvido em outro lugar, que o processo de execução hipotecária é lento e caro. Pode levar dois anos para expulsar um mutuário inadimplente. Isto não é como Scrooge despedindo Bob Cratchit e forçando-o a sair de casa junto com Tiny Tim, uma vez que a maioria das inadimplências no People's Savings era da variedade comercial ou de casas de ricaços, que os inadimplentes podem ocupar durante meses, gratuitamente, até que seus recursos legais sejam esgotados.[86]

---

86. Aqui, cita-se mais uma vez Scrooge e mencionam-se outros personagens do romance "O conto de Natal", de Charles Dickens. Bob Cratchit é um funcionário de Scrooge e pai de Tiny Tim. (N.E.)

Por fim, a propriedade hipotecada entra na categoria denominada "imóveis próprios" e, a partir daí, o credor lesado pode tentar vendê-la e receber algo em troca do empréstimo há muito perdido. Em alguns casos, o credor recebe mais do que o esperado, portanto existe uma vantagem potencial nesses casos.

Medvec e eu também discutimos as condições dos negócios na região. Você se preocupa com tais coisas ao falar sobre Connecticut em 1992. Ele disse que os fabricantes de *hardware* costumavam ser os maiores empregadores em New Britain, mas a Stanley Works era a única que sobrara. A Central Connecticut State University e o New Britain General Hospital haviam compensado parte da perda, mas o desemprego ainda era alto.

Antes de desligar, fiz a pergunta de despedida habitual: diga qual é o seu concorrente mais impressionante. Medvec mencionou o American Savings Bank of New Britain, com um índice de imobilização do patrimônio líquido de 12%, que ainda não abrira o capital. Eu estava tentado a ir até lá e abrir uma conta para que pudesse participar de uma possível primeira etapa de oferta pública. Se você for até a página 241, descobrirá por quê.

FIRST ESSEX

Esta era a primeira de minhas duas renascidas. Aqui está um caso em que não fazia sentido para a empresa recomprar as próprias ações. O First Essex abriu seu capital em 1987, com 8 milhões de ações vendidas a 8 dólares cada uma, e, passados dois anos, depois que as ações não tiveram um bom desempenho, a administração recomprou 2 milhões dessas ações pelos mesmos 8 dólares. Se a administração tivesse esperado apenas até 1991, poderia ter obtido um desconto de 75%, porque a essa altura as ações haviam caído para 2 dólares.

Havia alguns números assustadores no meu arquivo do First Essex — 10% de ativos inadimplentes, 3,5% de imóveis próprios e 13% de empréstimos comerciais e de construção. Essa minúscula S&L em Lawrence, Massachusetts, havia perdido 11 milhões de dólares em 1989 e outros 28 milhões de dólares em 1990, vítima de empréstimos zelosos para incorporadores de prédios residenciais e magnatas do mercado imobiliário que desapareceram na recessão. Lawrence está localizada do outro lado da divisa com New Hampshire, em um dos locais mais depreciados de toda a Nova Inglaterra.

"Pescar no fundo com uma linha de 200 metros" é a forma como o CEO do First Essex, Leonard Wilson, descreveu sua situação quando lhe telefonei. Durante três anos terríveis, esta S&L havia enfrentado uma sequência de execuções de hipotecas, cada uma exigindo uma redução nos lucros, cada uma obrigando o First Essex a tomar posse de mais imóveis, até que a S&L ficou sem dinheiro e cheia de edifícios desocupados que ninguém queria comprar. A região, que já era cheia de imóveis cujos proprietários eram ausentes — dos quais o First Essex era um dos principais —, passou a sofrer também de ausência de inquilinos.

Ainda assim, o First Essex tinha um valor contábil de 7,87 dólares e patrimônio suficiente para lhe dar um índice de imobilização de patrimônio líquido de nove. E essa era uma ação de 2 dólares.

Essa é a natureza da aposta naquelas S&Ls, como o First Essex, que passam por tempos difíceis. Se o mercado imobiliário comercial se estabilizar e as execuções cessarem, a instituição sobreviverá e acabará recuperando suas perdas. Essa poderia facilmente se tornar uma ação de 10 dólares. O problema é que é impossível saber quando (ou se) o mercado comercial vai se estabilizar ou quão profunda será a recessão.

Pude discernir no relatório anual que o First Essex tinha um total de 46 milhões de dólares em empréstimos comerciais no final de 1991. Ele tinha também 46 milhões de dólares em patrimônio líquido. Essa proporção de um para um entre patrimônio e empréstimos comerciais era bastante tranquilizadora. Se 50% dos empréstimos comerciais restantes fossem irrecuperáveis, o First Essex perderia 50% de seu patrimônio, mas ainda assim sobreviveria.

LAWRENCE SAVINGS

O Lawrence é outra aposta arriscada que vem da mesma área, o vale do Rio Merrimack. Ele tem o mesmo problema do First Essex — uma economia local ruim. Suas histórias também são parecidas: uma S&L lucrativa se envolve em empréstimos comerciais tentadores, perde milhões de dólares e o preço das ações despenca.

De acordo com o relatório anual de 1990, o Lawrence ainda tinha um índice de imobilização de patrimônio líquido de 7,8, mas, de acordo com minha análise, a situação aqui era mais arriscada do que no First Essex. No caso do Lawrence, os empréstimos imobiliários comerciais representavam 21% da carteira de empréstimos, enquanto no First Essex eles representavam 13%. O Lawrence havia feito mais empréstimos comerciais (no valor de 55 milhões de dólares) e tinha menos patrimônio líquido (27 milhões de dólares) do que o First Essex. Essa era uma margem de erro muito menor. Se metade dos empréstimos comerciais restantes do Lawrence fossem irrecuperáveis, ele seria um caso perdido.

Esta é a maneira como você olha para uma S&L que é uma aposta arriscada: descubra qual é o patrimônio líquido e compare-o com os empréstimos comerciais pendentes. Suponha o pior.

Sigla da ação	Empresa	Preço em 13/1/92 (valores em dólares)
EAG	Eagle Financial	12,06
FESX	First Essex Bancorp	2,13
GSBK	Germantown Savings	14,50
GBCI	Glacier Bancorp	11,14
LSBX	Lawrence Savings Bank	1,00
PBNB	People's Savings	11,00
SVRN	Sovereign Bancorp	6,95

A PROPOSTA (QUASE) SEM RISCO DE PREJUÍZO QUE CHARLES GIVENS PERDEU

Imagine comprar uma casa e depois descobrir que os ex-proprietários pegaram o cheque do pagamento da entrada e deixaram o mesmo valor em dinheiro em um envelope na gaveta da cozinha, junto com um bilhete que diz: "Fique com isso, sempre foi seu". Você tem a casa e não lhe custou nada.

Esse é o tipo de surpresa agradável que aguarda os investidores que compram ações em qualquer S&L que abre o capital pela primeira vez. E como 1.178 S&Ls ainda não deram esse passo, haverá muito mais oportunidades de os investidores serem surpreendidos.

Aprendi sobre o dinheiro escondido na gaveta no início de minha carreira no Magellan. Isso explica por que comprei ações em quase todas as S&L e nos bancos de poupança mútua (outro nome para o mesmo tipo de instituição) que apareciam em meu Quotron.

Tradicionalmente, uma S&L ou um banco de poupança mútua local não tem acionistas. Ele é propriedade cooperativa de todos os depositantes, da mesma forma que as concessionárias de energia elétrica rurais são organizadas em cooperativas e de propriedade de todos os seus clientes. O patrimônio líquido de um banco de poupança mútua, que pode ter sido constituído ao longo de cem anos, pertence a todos os que têm uma conta de poupança ou conta-corrente em uma das agências.

Enquanto a forma mútua de propriedade é mantida, os milhares de depositantes não recebem nada por sua participação na empresa. Isso e 1,50 dólar lhes darão um copo de água mineral.

Quando um banco de poupança mútua chega a Wall Street e vende ações por meio de uma oferta pública, acontece uma coisa fascinante. Em primeiro lugar, os diretores da S&L que montaram o negócio e os compradores das ações estão do mesmo lado da mesa. Os próprios diretores comprarão ações. Você pode descobrir quantas na circular de oferta que acompanha o negócio.

Como os diretores calculam o preço de uma ação que eles próprios vão comprar? Por baixo.

Tanto os depositantes quanto os diretores terão a oportunidade de comprar ações ao preço da oferta inicial. A parte interessante desse arranjo é que cada dólar levantado na oferta, menos as taxas de subscrição, acabará no cofre da S&L.

Não é o que acontece quando outros tipos de empresas abrem o capital. Nesses casos, uma parte considerável do dinheiro é embolsada pelos fundadores e acionistas originais, que, em seguida, tornam-se milionários e compram palácios na Itália ou castelos na Espanha. Mas, nesse caso, uma vez que o banco de poupança mútua é propriedade dos depositantes, seria inconveniente dividir os resultados de uma venda de ações entre milhares de vendedores que também são compradores. Em vez disso, o dinheiro é devolvido à instituição, integralmente, para se tornar parte do patrimônio da S&L.

Digamos que sua S&L local tivesse 10 milhões de dólares em valor contábil antes de abrir o capital. Então, ela vende 10 milhões de dólares em ações na oferta inicial — 1 milhão de ações a 10 dólares cada uma. Quando esses 10 milhões de dólares da venda de ações retornam ao cofre, o valor contábil da empresa acaba de dobrar. Uma empresa com valor patrimonial de 20 dólares agora está sendo negociada por 10 dólares a ação.

Isso não garante que o que você está obtendo de graça seja necessariamente uma coisa boa. Você pode estar recebendo uma S&L do tipo Jimmy Stewart, ou pode ser uma do tipo cataclismo com uma administração inepta que esteja perdendo dinheiro e acabe perdendo também todo o seu patrimônio e chegue à falência. Mesmo nessa situação sem risco de prejuízo, você deve investigar a S&L antes de investir nela.

Na próxima vez em que você passar por um banco de poupança mútua ou uma S&L que ainda seja de propriedade de uma cooperativa, pense em entrar e abrir uma conta. Dessa forma, você terá a garantia de uma oportunidade de comprar ações ao preço de oferta inicial. É claro que você sempre pode esperar até depois da oferta para comprar suas ações no mercado aberto e, ainda assim, ainda conseguirá uma pechincha.

Entretanto, não espere muito. Wall Street parece estar se dando conta do truque do dinheiro na gaveta, e o aumento nos preços das ações dos bancos de poupança mútua e das S&Ls que abriram o capital desde 1991 é nada menos do que extraordinário. Tem sido uma bonança em quase qualquer lugar que você olhe, de um extremo ao outro do país.

Em 1991, dezesseis S&Ls e bancos de poupança mútua abriram o capital. Dois foram adquiridos a mais de quatro vezes o preço de oferta e, dos catorze restantes, o pior aumentou 87% em valor. O preço de todos os outros dobrou ou teve um desempenho melhor, e há quatro ações cujos preços subiram três vezes, uma cujo preço subiu sete vezes e uma que subiu dez vezes. Imagine multiplicar seu dinheiro por dez em 32 meses ao investir no Magna Bancorp, Inc., de Hattiesburg, Mississippi.

Em 1992, outras 42 instituições de poupanças mútua abriram o capital. O único perdedor nesse grupo tem sido o First FS&LA de São Bernardino, e ele caiu modestos 7,5%. Todos os demais subiram — 38 deles em 50% ou mais e 23 em 100% ou mais. Esses ganhos vieram em vinte meses!

Há duas ações cujos preços subiram quatro vezes no grupo — o Mutual Savings Bank of Bay City, Michigan, e o United Postal Bancorp em St. Louis. Uma carteira dos cinco melhores desempenhos combinados produziu um retorno de 285%. Até mesmo uma pessoa que teve o azar de ter escolhido as cinco S&Ls de pior desempenho que abriram o capital em 1992 conseguiu um lucro de 31% sobre seu dinheiro até setembro de 1993. Um investimento nas cinco piores instituições superou o S&P 500 e a maioria dos fundos mútuos de ações.

Durante os primeiros nove meses de 1993, outras 34 instituições de poupança mútua abriram o capital e, neste período mais curto, a pior subiu 5%, 26 subiram 30% ou mais, vinte subiram 40% ou mais e nove subiram mais do que 50%. (Todos esses números foram fornecidos pelos analistas habilidosos da SNL Securities.)

De Asheboro, Carolina do Norte, a Ipswich, Massachusetts, na costa leste; de Pasadena, Califórnia, a Everett, Washington, no oeste; de Stillwater, Oklahoma, a Kankakee, Illinois, passando por Rosenberg, no centro do Texas, as S&Ls locais têm sido os melhores investimentos que centenas de milhares de pessoas já fizeram. Esse é o exemplo definitivo de como os investidores individuais podem ter sucesso ao ignorar empresas cujas ações são amplamente controladas por instituições e investigar aquilo que está perto de casa. O que poderia estar mais perto de casa do que a S&L local onde você guarda seu cofre e sua conta-corrente?

TABELA 13-1. IPOS DE INSTITUIÇÕES DE POUPANÇA CONCLUÍDOS EM 1991†

Sigla	Nome	Cidade	Estado	Data da IPO	Preço de oferta (em dólares)*	Preço em 30/9/93 (em dólares)	Diferença do preço da oferta inicial (%)
MGNL	Magna Bancorp	Hattiesburg	MS	8/3/91	3,542	37,750	965,78
CRGN	Cragin Financial Corp.	Chicago	IL	6/6/91	6,667	36,375	445,60
FFSB	FF Bancorp, Inc.	New Smyrna Beach	FL	2/7/91	3,333	13,625	308,79
COOP	Cooperative Bank for Savings	Wilmington	NC	16/8/91	5,333	20,00	275,02
KOKO	Central Indiana Bancorp	Kokomo	IN	1/7/91	7,500	27,000	260,00
AMBS	Amity Bancshares	Tinley Park	IL	16/12/91	10,000	34,000	240,00
AFFC	AmeriFed Financial Corp.	Joliet	IL	10/10/91	10,000	33,750	237,50
FCVG	FirstFed Northern Kentucky Bancorp, Inc.	Covington	KY	3/12/91	10,000	30,000	200,00
UFBI	UF Bancorp, Inc.	Evansville	IN	18/10/91	10,000	27,750	177,50
LBCI	Liberty Bancorp	Chicago	IL	24/12/91	10,000	26,250	162,50
CRCL	Circle Financial Corp.	Sharonville	OH	6/8/91	11,000	27,250	147,73
CENF	CENFED Financial Corp.	Pasadena	CA	25/10/91	6,667	16,250	143,74
KFSB	Kirksville Bancshares	Kirksville	MO	1/10/91	10,000	21,000	110,00
BELL	Bell Bancorp	Chicago	IL	23/12/91	25,000	46,750	87,00
FFBS	FedFirst Bancshares	Lumberton	NC	27/3/91	10,000	**	
DKBC	Dakota Bancorp, Inc.	Watertown	SD	16/4/91	8,000	***	

Dezesseis poupanças mútuas e bancos de poupança abriram o capital em 1991. Dois foram adquiridos. Todos os catorze restantes subiram; o valor de treze desses catorze aumentou em mais de 100%.
* Ajustado para desdobramentos.
† Dois bancos das listas originais foram adquiridos recentemente:
** O FedFirst Bancshares foi adquirido pelo Southern National em 29 de janeiro de 1993, por 48,00 dólares.
*** O Dakota Bancorp, Inc., foi adquirido pelo South Dakota Financial em 30 de julho de 1993, por aproximadamente 36,00 dólares.
Nota: O Kirksville Bancshares, Inc., não é mais seguido pela SNL Securities. Esta empresa relata que as ações são pouco negociadas.
Fonte: SNL Securities, L. P.

TABELA 13-2. OS 10 MELHORES E OS 10 PIORES RESULTADOS: IPOS DE INSTITUIÇÕES DE POUPANÇA CONCLUÍDOS EM 1992

Sigla	Nome	Cidade	Estado	Data da IPO	Preço de oferta (em dólares)*	Preço em 30/9/93 (em dólares)	Diferença do preço da oferta inicial (%)
UPBI	United Postal Bancorp	St. Louis	MO	11/3/92	5,000	28,750	475,00
MSBK	Mutual Savings Bank	Bay City	MI	17/7/92	4,375	23,750	442,86
LGFB	LGF Bancorp, Inc.	La Grange	IL	18/6/92	10,000	27,250	172,50
RESB	Reliable Financial Corp.	Bridgeville	PA	30/3/92	10,000	27,000	170,00
CTZN	CitFed Bancorp, Inc.	Dayton	OH	10/1/92	9,000	24,000	166,67
HFBS	Heritage Federal Bancshares†	Kingsport	TN	8/4/92	7,667	20,000	160,86
HFFC	HF Financial Corp.	Sioux Falls	SD	8/4/92	10,000	24,750	147,50
ABCW	Anchor Bancorp Wisconsin	Madison	WI	16/7/92	10,000	24,750	147,50
AADV	Advantage Bancorp, Inc.	Kenosha	WI	23/3/92	11,500	28,000	143,48
AMFF	AMFED Financial, Inc.	Reno	NV	20/11/92	10,455	25,125	140,32
CNIT	CENIT Bancorp, Inc.	Norfolk	VA	5/8/92	11,500	20,500	78,26
ABCI	Allied Bank Capital, Inc.	Sanford	NC	9/7/92	11,500	19,500	69,57
PVSB	Park View Federal SB	Bedford Heights	OH	30/12/92	10,000	16,750	67,50
KNKB	Kankakee Bancorp, Inc.	Kankakee	IL	30/12/92	9,875	16,500	67,09
BASF	Brentwood Financial Corp.	Cincinnati	OH	29/12/92	10,000	16,250	62,50
MIFC	Mid-Iowa Financial Corp.	Newton	IA	13/10/92	10,000	16,000	60,00
FDNSC	Financial Security Corp.	Chicago	IL	29/12/92	10,000	14,750	47,50
COLB	Columbia Banking System^^	Bellevue	WA	23/6/92	8,875	12,000	35,21
FFML	First Family Federal S&LA	Eustis	FL	9/10/92	6,5000	7,500	15,38
FSSB	First FS&LA of San Bernardino	São Bernardino	CA	30/12/92	10,000	9,250	-7,50

* Ajustado para desdobramentos.
† Não estava presente na lista original.
Fonte: SNL Securities, L. P.

TABELA 13-3. OS 10 MELHORES E OS 10 PIORES RESULTADOS: IPOS DE INSTITUIÇÕES DE POUPANÇA CONCLUÍDOS EM 1993 ATÉ 30/9/93

Sigla	Nome	Cidade	Estado	Data da IPO	Preço de oferta (em dólares)*	Preço em 30/9/93 (em dólares)	Diferença do preço da oferta inicial (%)
WAYN	Wayne Savings & Loan Co. MHC	Wooster	OH	23/6/93	10,000	19,875	98,75
FSOU	First Southern Bancorp	Asheboro	NC	24/2/93	10,000	18,500	85,00
JSBA	Jefferson Savings Bancorp	Baldwin	MD	8/4/93	10,000	17,000	70,00
MARN	Marion Capital Holdings	Marion	IN	18/3/93	10,000	17,000	70,00
CGFC	Coral Gables Fedcorp, Inc.	Coral Gables	FL	31/3/93	10,000	16,750	67,50
HFSB	Hamilton Bancorp, Inc.	Brooklyn	NY	1/4/93	10,800	17,500	62,04
CASH	First Midwest Financial	Storm Lake	IA	10/9/93	10,000	15,750	57,50
FDEF	First Federal Savings & Loan of Defiance	Defiance	OH	21/7/93	10,000	15,250	52,50
MORG	Morgan Financial Corp.	Fort Morgan	CO	8/1/93	10,000	15,000	50,00
LFCT	Leader Financial Corp.	Memphis	TN	30/9/93	10,000	14,875	48,75
FFWD	Wood Bancorp, Inc.	Bowling Green	OH	31/8/93	10,000	13,250	32,50
FFEF	FFE Financial Corp.	Englewood	FL	26/8/93	10,000	13,250	32,50
ROSE	TR Financial Corp.	Garden City	NY	29/6/93	9,000	11,500	27,78
KSBK	KSB Bancorp, Inc.	Kingfield	ME	23/6/93	10,000	12,750	27,50
FBHC	Fort Bend Holding Corp.	Rosenberg	TX	30/6/93	10,000	12,500	25,00
SCBN	Suburban Bancorporation	Cincinatti	OH	30/9/93	10,000	12,500	25,00
TRIC	Tri-County Bancorp	Torrington	WY	28/9/93	10,000	12,250	22,50
COSB	CSB Financial Corp.	Lynchburg	VA	24/9/93	10,000	13,125	21,25
ALBC	Albion Banc Corp.	Albion	NY	23/7/93	10,000	11,250	12,50
HAVN	Haven Bancorp.	Woodhaven	NY	23/9/93	10,000	10,500	5,00

* Ajustado para desdobramentos.
Fonte: SNL Securities, L. P.

Uma conta em qualquer uma dessas S&Ls lhe dá o direito de participar da IPO[87] se e quando isso acontecer, mas certamente você não é obrigado a fazê-lo. Você pode ir à reunião em que a transação é explicada aos acionistas em potencial, ver se os detentores de informações privilegiadas estão comprando as ações, ler o prospecto para descobrir o valor contábil, o índice P/L, quais são os lucros, a porcentagem de ativos inadimplentes, a qualidade da carteira de empréstimos, etc., e assim obter todas as informações de que precisa para tomar uma decisão bem informada. É uma oportunidade de dar uma olhada em uma empresa local — e é grátis. Se você não gostar do negócio, da organização ou da administração, simplesmente não invista.

Existem 1.372 S&Ls que ainda não abriram o capital. Verifique se alguma delas está localizada em sua área. Ao abrir uma caderneta de poupança em qualquer uma delas, você terá o direito de participar da IPO, quando ela ocorrer. Relaxe e aguarde o que está por vir.

---

87. Initial Public Offering (oferta pública inicial). O termo foi usado no texto antes, mas traduzido. (N.E.)

14
SOCIEDADES LIMITADAS MÁSTER[88]
Um negócio com rendimento

Aqui está outro grupo de empresas cujos benefícios estão sendo ignorados por Wall Street. O próprio nome "sociedade limitada" traz de volta memórias do sofrimento de milhares de investidores que foram atraídos para esquemas de incentivos fiscais (*tax shelters*)[89] — sociedades de petróleo e gás, sociedades imobiliárias, sociedades cinematográficas, sociedades agrícolas e sociedades que vendem sepulturas — em que as perdas excederam em muito o valor dos impostos que eles esperavam evitar pagar.

A má reputação dessas sociedades dúbias acaba atingindo as boas sociedades que são negociadas em bolsa (as chamadas sociedades limitadas máster, ou MLPs, na sigla em inglês). Essas são empresas que funcionam em base contínua e cujo propósito é fazer dinheiro, não perdê-lo apenas para enganar o imposto

---

88. No original, Master Limited Partnership (MLP), que é como se denomina o que poderíamos traduzir literalmente como "parcerias limitadas principais", um termo que não é usual no Brasil. As MLPs são companhias listadas na bolsa de valores que, diferentemente das corporações (S.A.s [sociedades anônimas] no caso do Brasil), são isentas do pagamento de Imposto de Renda. Para obter tal benefício, as MLPs precisam gerar ao menos 90% de suas receitas de fontes qualificadas, como produção, processamento, estocagem e transporte de recursos minerais ou naturais. A primeira MLP foi constituída em 1981 pela Apache Corporation (Apache Petroleum Company [APC]). No entanto, em 1987, o Congresso americano efetivamente limitou o uso delas aos setores de bens imóveis e recursos naturais. Essas limitações foram estabelecidas em virtude de uma preocupação com a perda excessiva de receita tributária corporativa, uma vez que as MLPs não pagam imposto de renda federal. Atualmente, existem mais de 90 MLPs em atividade nos Estados Unidos. (N.R.T.)

89. *Tax shelter* é um veículo financeiro que pode ser usado para reduzir suas obrigações fiscais e, assim, manter uma parte maior de seu dinheiro. É uma maneira legal de "esconder" o dinheiro e evitar que ele seja tributado. Uma *tax shelter* é diferente de um paraíso fiscal, por exemplo, porque este existe fora do país e sua legalidade pode, às vezes, ser questionável. Uma *tax shelter* é totalmente legal e mantém todo o dinheiro dentro do país de origem do cidadão. (N.R.T.)

de renda. Mais de cem MLPs são negociadas nas várias bolsas de valores. Todos os anos, encontro uma pechincha ou duas nesse grupo.

O acionista em uma MLP precisa dar conta de uma papelada adicional. Formulários fiscais especiais precisam ser preparados. Isso é menos incômodo do que costumava ser, uma vez que o departamento de relações com os investidores da sociedade fornece todas as informações. Uma vez por ano, você recebe uma carta que lhe pede que confirme quantas ações possui e se comprou ou não ações adicionais.

No entanto, esse procedimento é incômodo suficiente para afastar muitos investidores, sobretudo os gestores de fundo, dos investimentos nessas ações. Eu responderia questionários escritos em sânscrito se achasse que ajudaria as sociedades limitadas máster a se tornar menos populares do que já são, uma vez que essa falta de popularidade mantém os preços baixos e ajuda a criar as pechinchas que costumam ser encontradas nesse grupo de empresas.

Outra característica atraente do grupo das MLPs é que essas empresas tendem a se envolver em atividades bem práticas, como jogar basquetebol (o Boston Celtics é uma MLP) ou bombear petróleo e gás. A ServiceMaster administra um serviço de zeladoria e limpeza, a Sun Distributors comercializa peças de automóveis, a Cedar Fair administra um parque de diversões e a EQK Green Acres é dona de um shopping center em Long Island.

Até mesmo os nomes das sociedades limitadas principais parecem antiquados e fora de sincronia com nossa cultura de alta tecnologia. *Cedar Fair* [Feira de Cedro] poderia facilmente ter sido uma história escrita por William Makepeace Thackeray[90] e *Green Acres* [Campos Verdes], por Jane Austen,[91] e eu não ficaria surpreso em ver a Tenera aparecer em Dartmoor[92] com outros personagens de Thomas Hardy.[93]

Isso tudo resulta em um monte de empresas com nomes estranhamente românticos, envolvidas em atividades triviais e organizadas de uma maneira complicada que requer papelada extra. É necessário que uma pessoa seja imaginativa para se sentir atraída pela ideia de possuir ações em uma sociedade limitada e, depois, deparar com a exigência de ter de lidar com uma papelada que a maioria das pessoas imaginativas não consegue suportar. Sobra uma

---

90. William Makepeace Thackeray (1811-1863) foi um romancista britânico da Era Vitoriana, autor de *Feira das vaidades*. (N.E.)
91. Jane Austen (1775-1817), escritora britânica. (N.E.)
92. Dartmoor é um área montanhosa no sul do condado de Devon, na Inglaterra. (N.E.)
93. Thomas Hardy (1840-1928), romancista, contista e poeta britânico. (N.E.)

pequena minoria de pessoas imaginativas extremamente detalhistas para colher os frutos.

A maior diferença entre uma MLP e uma empresa normal é que a MLP distribui todos os seus lucros aos acionistas, seja em forma de dividendos, seja em forma de retorno de capital. Os dividendos, via de regra, são excepcionalmente altos. A característica do retorno de capital permite que determinada porcentagem da distribuição anual seja isenta de impostos federais.

A primeira dessas sociedades negociadas em bolsa entrou em cena em 1981. A maioria apareceu em 1986, após mudanças nas leis tributárias que tornaram essa forma de organização ainda mais vantajosa do que antes. Enquanto as sociedades imobiliárias e de recursos naturais podem continuar a existir indefinidamente, todas as outras devem ser encerradas em 1997-1998. Elas perdem seus benefícios fiscais naquele momento. Uma MLP que tem um lucro de 1,80 dólar hoje pode estar ganhando apenas 1,20 dólar em 1998. Isso é algo com que se preocupar daqui a três ou quatro anos, mas não hoje.

A maioria das minhas MLPs favoritas está listada na Bolsa de Valores de Nova York. No painel da *Barron's* de 1991, recomendei a EQK Green Acres e a Cedar Fair e, um ano depois, escolhi a Sun Distributors e a Tenera. O que se segue é um resumo dos motivos pelos quais fui atraído por cada uma delas.

EQK GREEN ACRES

A EQK Green Acres chamou minha atenção após a Liquidação do Saddam. (A EQ vem da Equitable Life Assurance Society, uma das sócias da empresa. K significa Kravco.) A empresa abrira o capital a 10 dólares, quatro anos antes, e chegou a atingir um pico de 13,75 dólares, mas no verão de 1990, quando os investidores estavam preocupados com o desaparecimento dos shopping centers junto com o resto do setor varejista, o preço caiu para 9,75 dólares. A esse preço, a EQK Green Acres tinha um rendimento de 13,5%, tão bom quanto o rendimento de alguns títulos de alto risco, e achei que ela era mais segura do que alguns desses títulos. O principal ativo da empresa era um enorme shopping center coberto em Long Island.

Não apenas as ações tiveram uma chance de valorizar, mas os administradores eram donos de um pacote de ações, e os dividendos haviam sido aumentados a cada trimestre desde que a empresa abrira o capital.

Lembrei-me de alguns desses detalhes porque, é claro, comprei algumas ações da EQK Green Acres para o Magellan. Quem me falou dela foi um gestor de fundos da Fidelity, Stuart Williams, mas 750 mil detentores de informações privilegiadas em Long Island receberam, essencialmente, a mesma informação. Essa é a quantidade de pessoas que vive em um raio de 8 quilômetros do shopping Green Acres, situado no meio do densamente povoado condado de Nassau.

Esse é o tipo de história de que sempre gostei, aquela que pode ser avaliada no shopping. Visitei o Green Acres e comprei um par de sapatos lá — ele é um lugar popular. Existem apenas 450 desses shoppings cobertos em todo o país e, ao contrário da impressão geral, poucos estão sendo construídos. Se você quisesse construir um shopping concorrente de magnitude semelhante, teria problemas para cumprir as regras de zoneamento e não seria fácil encontrar 40 hectares vazios para pavimentar e fazer um estacionamento.

Os shoppings a céu aberto vêm sendo construídos em todo lugar, mas os cobertos têm o que vem a ser um nicho. Se você acredita no valor desse nicho e quer investir em um shopping center, a Green Acres é a única empresa de capital aberto que conheço que se dedica exclusivamente à administração de um.

A maior fonte de preocupação de qualquer dono de shopping é o número de lojas vazias. Essa foi a primeira coisa que verifiquei ao ler o relatório anual. Os shoppings, em geral, tinham uma taxa média de vacância de 4% na época; a do Green Acres era menor. Um verdadeiro detentor de informações privilegiadas (isto é, um residente do condado de Nassau que faz compras no Green Acres) tem a vantagem de poder verificar se há lojas vagas todas as semanas, mas fiquei convencido de que as lojas vagas não eram um problema.

Além disso, um supermercado da Waldbaum e uma loja Pergament Home Center estavam se instalando no shopping e, juntos, certamente aumentariam a receita dos aluguéis. Um terço das lojas do shopping estava sujeito a aumentos substanciais de aluguel em 1992-1993. Isso era um bom presságio para os lucros futuros.

Os elementos preocupantes eram um balanço patrimonial altamente alavancado (a empresa precisava pagar todas as suas dívidas em 1997), um índice P/L alto e a vulnerabilidade de qualquer shopping a uma recessão. Esses eram superados, pelo menos no curto prazo, pelos excelentes dividendos e pelo fato de que o preço da ação já estava depreciado. Um índice P/L alto é uma característica comum das sociedades limitadas máster.

Quando comecei a preparar minhas seleções para 1992, a ação da Green Acres era negociada a 11 dólares. Se acrescentarmos o rendimento, o retorno total em 1991 excedeu 20%. Foi um lucro interessante, mas, ao revisar a história, encontrei mais motivos para preocupação. Uma péssima temporada de festas para os varejistas havia depreciado os aluguéis, que se baseiam, em parte, em uma parcela das vendas. Se uma loja vai mal, o shopping ganha menos.

Presumivelmente, todos os shoppings e todos os varejistas estavam enfrentando a mesma situação, então não era como se a Green Acres tivesse um desempenho pior do que o resto. Acredito que a depressão geral em um setor é muito menos incômoda do que uma empresa específica estar com problemas enquanto seus concorrentes prosperam. No entanto, em um parágrafo revelador em seu relatório do terceiro trimestre de 1991, a Green Acres admitiu que poderia abrir mão de um aumento de 1 centavo por ano em seus dividendos.

Essa possibilidade aparentemente inócua era um chamariz, como mencionei no Capítulo 2. Se uma empresa vem elevando seu dividendo por treze trimestres consecutivos, como fez a Green Acres, ela tem um poderoso incentivo interno para continuar a fazê-lo. Suspeitei que quebrá-lo por causa de 1 centavo, ou um montante total de 100 mil dólares, era um sintoma de problemas mais profundos.

Outro fator na minha decisão de não recomendar a Green Acres pela segunda vez foram as notícias fantásticas que estavam no horizonte. A empresa havia anunciado que estava em negociação com dois potenciais inquilinos grandes, a Sears e a J.C. Penney, para alugar espaço na expansão do segundo andar do shopping. Isso não era o mesmo que a assinatura de um contrato. Se a empresa tivesse anunciado um acordo assinado com a Sears e a J.C. Penney, eu teria comprado o maior número de ações possível. Um acordo potencial era duvidoso demais.

A receita popular "Compre ao som de canhões, venda ao som de trombetas" pode ser um conselho equivocado. Comprar com base em más notícias pode ser uma estratégia muito cara, sobretudo porque as más notícias têm o hábito de piorar. Quantas pessoas perderam substanciais quantidades de seu capital de investimento ao comprar com base nas más notícias que vinham do Bank of New England após a ação já ter caído de 40 para 20 dólares, ou de 20 para 10 dólares, ou de 10 para 5 dólares, ou de 5 para 1 dólar, para depois vê-la cair para zero e acabar com 100% de seu investimento?

Comprar com base em boas notícias é saudável a longo prazo, e você melhorará suas chances consideravelmente se esperar pelas provas. Talvez você perca cerca de 1 dólar por ação esperando o anúncio de um contrato assinado entre a Sears e a Green Acres, em vez de comprar com base em rumores de que haverá um contrato, mas, se existir um negócio real, ele adicionará muitos mais dólares ao preço das ações no futuro. E, se não houver um negócio real, você se protegeu esperando. Adiei novos compromissos e fiz uma anotação para ficar atento ao anúncio esperado.

CEDAR FAIR

Esta foi a segunda das MLPs que recomendei em 1991. A Cedar Fair é uma festa de cidade do interior permanente do centro dos Estados Unidos. Ela possui e opera dois parques de diversões, um — o Cedar Point — nas margens do Lago Erie em Ohio e o outro — o Valley Fair — em Minnesota. Eles ficam abertos de maio até o Dia do Trabalho[94] e nos finais de semana no outono.

O Cedar Point tem dez montanhas-russas diferentes, incluindo a que tem a maior queda do mundo, a Magnum, e a montanha-russa de madeira mais alta do mundo, a Mean Streak. Há um grande pôster emoldurado da Mean Streak na parede em frente à minha mesa. Isso e a fotografia da sede da Fannie Mae em Washington são as únicas lembranças corporativas que dividem espaço com as obras de arte de minhas filhas e todas as fotografias de minha família.

O parque Cedar Point está em seu 120º ano de existência, e tem montanhas-russas há cem anos. Sete presidentes dos Estados Unidos visitaram esse parque, e Knute Rockne[95] teve empregos de verão nele. Durante um de seus verões ali, Rockne aparentemente inventou o passe em profundidade. Uma placa histórica comemora o fato.

Na semana seguinte, alguém pode inventar um novo medicamento para a aids e as empresas que fabricam os medicamentos concorrentes perderão metade de seu valor da noite para o dia, mas ninguém vai se infiltrar e gastar 500 milhões de dólares instalando brinquedos nas margens do Lago Erie.

Um dos benefícios colaterais de possuir ações em um parque de diversões, ao contrário, digamos, de uma empresa de petróleo, é que uma visita anual, completa, com passeios exploratórios na roda-gigante e análise fundamentalista na montanha-russa, pode ser interpretada como pesquisa para fins de investimento. Isso dá aos adultos que amam os parques de diversões uma ótima desculpa para frequentá-los.

Também me ocorreu que, em meio a uma recessão, os cerca de 6 milhões ou mais de pessoas que moram em um raio de três horas de carro de Cedar

---

94. Feriado celebrado na primeira segunda-feira de setembro nos Estados Unidos. (N.T.)
95. Knute Rockne (1888-1931) foi um jogador e treinador de futebol americano universitário, considerado um dos melhores da história. (N.E.)

Point podem decidir abrir mão de uma viagem de verão para a França em favor de ficar no Cedar Point Hotel e andar algumas vezes na montanha-russa mais alta do mundo. Essa era uma empresa que poderia se beneficiar de uma crise econômica.

Em 1991, as ações da Cedar Fair subiram de 11,50 para 18 dólares, o que, junto com os dividendos, deu aos acionistas um retorno superior a 60% em um ano. No início de 1992, eu me perguntei: essa ação continua sendo uma compra? O rendimento foi de 8,5%, ainda um bom retorno, mas, não importa quão bom seja o dividendo, uma empresa não prosperará no longo prazo se seus lucros não continuarem a melhorar.

Essa é uma avaliação de fim de ano útil para qualquer selecionador de ações: analise sua carteira, empresa por empresa, e tente encontrar um motivo pelo qual o ano seguinte será melhor do que o anterior. Se você não consegue encontrar esse motivo, a próxima pergunta é: por que essa ação está em minha carteira?

Com isso em mente, liguei diretamente para a empresa e falei com o presidente, Dick Kinzel. Se o Zé Ninguém nem sempre consegue falar com o presidente, ele pode obter informações no departamento de relações com investidores. Ter a atenção da administração não necessariamente o transformará em um investidor melhor, do mesmo modo que ter a atenção do dono de um cavalo de corrida não o fará um apostador melhor. Os proprietários sempre podem dar a você um motivo para seus cavalos vencerem, mas estão errados 90% das vezes.

Mantendo minha técnica discreta, não perguntei a Kinzel "Como os lucros vão melhorar?" imediatamente. Perguntei sobre o clima em Ohio. Perguntei sobre as condições dos campos de golfe de Ohio, sobre a economia em Cleveland e em Detroit, e se tinha sido difícil contratar funcionários temporários no verão daquele ano. Só depois de quebrar o gelo com minha fonte é que fiz as perguntas importantes.

Quando eu ligava para a Cedar Fair em anos anteriores, sempre havia alguma nova atração — uma nova montanha-russa, um brinquedo de *looping*, etc. — que aumentaria os lucros. Em 1991, a inauguração da montanha-russa de madeira mais alta do mercado definitivamente contribuiu para aumentar os lucros, mas em 1992 não havia grandes novidades emocionantes nos parques de diversões, além da expansão de um hotel. A participação na Cedar Fair, em geral, diminui um ano após o lançamento de uma nova atração.

No final da nossa conversa, não vi potencial para outra grande subida nos lucros da Cedar Fair em 1992. Eu gostava mais da Sun Distributors.

SUN DISTRIBUTORS

A Sun Distributors não tem nada a ver com energia solar. Essa empresa, que se tornou independente da Sun Oil em 1986, vende vidros automotivos, vidros laminados, vidros térmicos, cabos, espelhos, vidro de para-brisa, fechos, rolamentos de esferas e sistemas hidráulicos para construtores e oficinas de reparos automotivos. Essas são atividades que colocam para dormir os alunos formados em nossas escolas de administração. Os analistas financeiros preferem contar as placas que forram o teto a acompanhar uma empresa que vende peças de automóveis.

Na verdade, uma única analista, Karen Payne, da Wheat First Securities, estava cobrindo a empresa, mas seu relatório de abril de 1990, aparentemente, foi o último. Até mesmo o presidente da Sun, Don Marshall, a quem telefonei em 23 de dezembro de 1991, não parecia saber o que havia acontecido com ela.

Esse era o primeiro ponto a favor da Sun: Wall Street a ignorava.

Eu tive ações dela quando estava no Magellan (é claro), e seu desempenho ruim, no final de 1991, mais uma vez chamou minha atenção. Na verdade, havia dois tipos de ações: as ações Classe A, que pagavam um dividendo grande, e as Classe B, que não pagavam. Ambas eram negociadas na Bolsa de Valores de Nova York. Essa era mais uma complicação suplementar à complicação normal de uma sociedade limitada máster: duas classes de ações e a papelada adicional correspondente. "A Sun Distributors é um negócio simples e bem administrado, escondido em uma estrutura financeira complicada", foi o que a senhora Payne escreveu em seu comunicado final sobre o tema.

Exceto pelo dividendo, as ações Classe A ofereciam vantagens muito pequenas — eventualmente, a empresa acabará recomprando essas ações por 10 dólares cada uma, e elas já estavam sendo negociadas a 10 dólares. Toda a possibilidade de lucro seria com as ações Classe B. O preço delas caíra pela metade, de 4 para 2 dólares, em 1991.

Com base no último relatório da senhora Payne, descobri que a Shearson Lehman era dona de 52% dessas ações B e que a administração da Sun Distributors tinha a opção de comprar até metade da metade da Shearson Lehman a um preço fixo. Isso dava aos administradores um poderoso incentivo para aumentar o valor dessas ações ao melhorar o desempenho da empresa. O fato de o presidente estar em seu gabinete recebendo telefonemas no dia 23 de dezembro, dois dias antes do Natal, era uma prova contundente de que a administração levava sua missão a sério.

Marshall é um tipo despretensioso cuja trajetória de vida não foi contada na revista *Vanity Fair*, mas pode ser encontrada em um livro chamado *The service edge*.[96] Sob seu comando econômico, os executivos não recebem bônus, a menos que a empresa tenha um bom desempenho em determinado ano. Sucesso, e não status, é a base para recompensas.

A essência de minha investigação foi a mesma de todas as empresas cujas ações levaram uma surra do mercado. A Sun Distributors sobreviverá? Ela fez alguma coisa para merecer essa punição ou foi simplesmente a vítima das vendas anuais por motivos fiscais que criam barganhas ano após ano?

Obviamente, ela ainda estava ganhando dinheiro, porque ainda tinha lucros. A Sun Distributors ganhara dinheiro todos os anos desde 1986, quando tornou-se independente. Ela teve lucro até mesmo em 1991, apesar do fato de o negócio de vidros ser péssimo em geral, assim como o de peças elétricas, e eles também não estavam satisfeitos com a divisão de energia de fluidos. Mas esse foi outro caso em que uma operadora de baixo custo foi uma sobrevivente e os tempos ruins acabaram funcionando a seu favor, pois os concorrentes vacilaram e desapareceram.

Como eu sabia que esta era uma operadora de baixo custo? Eu pude constatar isso com base nas informações que encontrei na demonstração de resultados (ver Tabela 14-1). Ao dividir o custo das vendas pelas vendas líquidas, chego à margem bruta da Sun, ou ao seu retorno sobre as vendas. Essa relação havia se mantido estável por dois anos, em cerca de 60%. Enquanto isso, a Sun havia aumentado suas vendas, e seus lucros gerais também vinham aumentando. Uma empresa com uma margem bruta de 60% obtém um lucro de 40 dólares sobre cada 100 dólares de produtos que vende. Este era o melhor entre todos os distribuidores de vidro, fechos, etc.

Esse negócio requer muito pouco investimento de capital, outra vantagem no *checklist*. Os gastos de capital foram a ruína de muitos fabricantes importantes, como as siderúrgicas, que podem faturar 1 bilhão de dólares por ano, mas precisam gastar 950 milhões de dólares para alcançar esse resultado. Uma loja regional de para-brisas e peças de reposição não tem esse problema. Pude verificar na página dois do relatório anual que o desembolso da Sun Distributors para despesas de capital era de apenas 3 a 4 milhões de dólares ao ano. Comparado com suas receitas, isso era irrisório.

---

96. *The service edge*: 101 companies that profit from customer care, de Dick Schaaf e Ron Zemke. Ainda não tem tradução para o português. (N.E.)

TABELA 14-1. SUN DISTRIBUTORS E SUBSIDIÁRIA — DEMONSTRAÇÕES DE RESULTADOS CONSOLIDADOS
(em milhares de dólares, exceto para valores dos juros da sociedade)

	1990	1989	1988
Vendas líquidas	$594.649	$561.948	$484.376
Custo das vendas	357.561	340.785	294.640
Lucro bruto	237.088	221.163	189.736
Despesas operacionais:			
Despesas de vendas, gerais e administrativas	187.762	175.989	151.784
Taxa de administração do sócio geral	3.330	3.330	3.330
Depreciação	5.899	6.410	7.024
Amortização	4.022	3.920	3.282
Despesas operacionais totais	201.013	189.649	165.420
Lucro operacional	36.075	31.514	24.316
Rendimentos de juros	352	283	66
Despesas com juros	(12.430)	(12.878)	(11.647)
Outras receitas (despesas), líquidas	173	678	(384)
Receita antes da provisão para imposto de renda estatal e estrangeiro	24.170	19.597	12.951
Provisão para imposto de renda estatal e estrangeiro	1.024	840	637
Receita líquida	23.146	$18.757	$12.314
Lucro líquido alocado aos sócios:			
Sócio geral	$231	$188	$123
Sócios limitados Classe A	$13.820	$18.569	$12.191
Sócios limitados Classe B	$9.095	—	—
Número médio ponderado em circulação de interesses de sócios limitados:			
— Interesses da Classe A	11.099.573	11.099.573	11.099.573
— Interesses da Classe B	22.127.615	22.199.146	22.199.146
Lucro por interesse de sócio limitado:			
— Interesses da Classe A	$1,25	$1,67	$1,10
— Interesses da Classe B	$0,41	—	—
Lucro pró-forma por interesse de sócio limitado:			
— Interesses da Classe A	$1,10	$1,10	$1,10
— Interesses da Classe B	$0,48	$0,29	—

Por ser uma operação mão-fechada em uma indústria que não cresce e que capturava uma fatia cada vez maior do mercado à medida que seus concorrentes perdulários ficavam pelo meio do caminho, a Sun Distributors merecia ser incluída na minha categoria "flores no deserto". Se não fosse uma MLP, eu a teria colocado lá.

Mais importante ainda do que os lucros era o fluxo de caixa. Eu me concentro na situação do fluxo de caixa de qualquer empresa que faz muitas aquisições. Desde 1986, a Sun havia comprado nada menos que 36 empresas relacionadas e as incorporado às suas operações, reduzindo suas despesas gerais e tornando-as mais lucrativas. Essa era a estratégia de crescimento da Sun. Seu objetivo, explicou Marshall, era se tornar um supermercado de cabos, fechos, vidro e outros artigos semelhantes.

Quando você compra uma empresa, em geral, precisa pagar mais do que o valor contábil. Esse ágio se transforma em um *goodwill* e precisa ser contabilizado no balanço patrimonial.

Antes de 1970, as empresas não precisavam penalizar os lucros para compensar o patrimônio de marca. No sistema de contabilidade antigo, quando a Empresa X comprava a Empresa Y, a Empresa X poderia carregar o preço da compra total da Empresa Y como um ativo. Uma das consequências era que, se a Empresa X pagasse demais pela Empresa Y, a imprudência da compra era escondida dos acionistas, que não tinham nenhuma maneira de saber se o preço de compra da Empresa Y algum dia seria recuperado.

Para resolver esse problema, as pessoas que estabelecem as regras de contabilidade mudaram o sistema. Agora, quando a Empresa X compra a Empresa Y, o valor que ela paga acima do valor dos ativos tangíveis, ou seja, o ágio de patrimônio de marca, deve ser deduzido dos lucros da Empresa X ao longo de vários anos.

Essa "penalização" dos lucros é uma transação no papel, que resulta nos lucros relatados pela empresa, sendo inferiores a seus lucros reais. Em consequência, as empresas que fazem aquisições parecem ser menos lucrativas do que realmente são, uma situação que, muitas vezes, resulta na subvalorização de suas ações.

Nesse caso, a Sun Distributors precisava dar baixa em 57 milhões de dólares de patrimônio de marca, e esse exercício contábil reduziu seus lucros reportados para as duas classes de ações a 1,25 dólar por ação — quando, na verdade, o lucro dela tinha sido quase o dobro desse valor. Esses lucros fantasmas que a empresa tem, mas não pode reivindicar como lucros, são chamados de fluxo de caixa livre.

Um nível saudável de fluxo de caixa livre dá à empresa a flexibilidade para mudar de rumo em bons e em maus momentos. Isso era particularmente importante no caso da Sun Distributors, uma vez que o nível de endividamento da empresa era bastante alto — 60% da capitalização total. Fiquei aliviado ao descobrir que o fluxo de caixa era suficiente para cobrir os juros da dívida em quatro vezes.

Quando a economia ia bem, a Sun Distributors usou seu fluxo de caixa para expandir, gastando 41 milhões de dólares na compra de outras empresas. Em 1991, disse Marshall, a resposta da empresa à recessão foi reduzir as aquisições e usar o fluxo de caixa para reduzir a dívida. Os 110 milhões de dólares que ela havia pegado emprestado a 9,5% poderiam ser pagos em dois anos se a Sun usasse todo o seu fluxo de caixa excedente para essa finalidade. Aparentemente, foi isso que ela decidiu fazer.

Se os tempos ficarem ainda mais difíceis, a Sun pode vender algumas de suas aquisições, como a divisão de autopeças, para reduzir ainda mais sua dívida.

É possível que a moratória temporária sobre as aquisições faça com que os lucros da Sun não aumentem tão rápido quanto antes, mas, por outro lado, o balanço patrimonial será fortalecido. O movimento para cortar a dívida me tranquilizou porque me mostrou que a administração estava enfrentando a realidade e que a empresa sobreviverá para fazer mais aquisições no futuro.

A Sun Distributors sobreviverá mesmo em uma economia ruim, mas, se as coisas melhorarem, ela pode se tornar muito próspera. Por fim, quando a MLP expirar, a empresa inteira pode ser vendida. Os 11 milhões de acionistas Classe A terão os seus 10 dólares por ação, conforme prometido, e os 22 milhões de acionistas da Classe B terão o restante do dinheiro, que poderá chegar a um valor entre 5 e 8 dólares por ação. Se isso acontecer, o investimento dos acionistas da Classe B mais do que dobrará.

TENERA LIMITED PARTNERS

Esta era uma empresa com problemas. Sua maior virtude era que o preço da ação tombara de 9 dólares para 1,25 dólar no verão de 1991. Ela estava envolvida com *software* e consultoria — o primeiro era um negócio de alta tecnologia que eu considerava incompreensível e, portanto, pouco confiável, e o segundo era muito vago para eu me sentir confortável. Seus maiores clientes eram a indústria de energia nuclear e os empreiteiros do governo federal.

Depois de alguns telefonemas, fiquei sabendo por que o preço das ações havia despencado. A empresa estava brigando com uma de suas principais fontes de receita: os federais. Os federais acusavam a Tenera de cobrar demais por certos serviços e cancelaram alguns contratos. Pior do que isso, um programa de *software*, cujo desenvolvimento custou milhões e que Tenera esperava vender para concessionárias de eletricidade em todo o mundo, não estava dando frutos.

A empresa tinha sido forçada a cortar drasticamente sua força de trabalho. Alguns executivos importantes, incluindo o presidente, Don Davis, renunciaram. Entre os que ficaram, o clima estava longe de ser harmonioso. Os concorrentes da Tenera no negócio de consultoria estavam falando mal dela para seus clientes.

Em junho de 1991, o dividendo foi cancelado. A empresa anunciou que "levaria muito tempo" para restaurá-lo ao nível anterior de 20 centavos de dólar por trimestre.

Não quero elogiar demais a Tenera. Se esta empresa tivesse, pelo menos, 10 centavos de dívida, eu não teria lhe dado um segundo de atenção. Como não tinha dívidas e nem grandes despesas a pagar, imaginei que não fecharia as portas na semana seguinte. Os pontos positivos eram: dívida zero, nenhum gasto de capital substancial (de que precisam os consultores, exceto uma mesa, uma calculadora para calcular seus honorários e um telefone?) e uma divisão de serviços nucleares bem-conceituada que poderia ser vendida com lucro em caso de liquidação.

A Tenera tivera um lucro entre 77 e 81 centavos por ação em cada um dos quatro anos anteriores a 1991; ainda era lucrativa. Talvez nunca chegasse a 80 centavos novamente, mas, se rendesse 40 centavos, a ação poderia valer 4 dólares.

Em condições tão desesperadoras como essas, eu não estava contando com os lucros. Eu estava contando com o valor potencial dos ativos como peças sobressalentes. Achei que, em um leilão, a Tenera valia mais de 1,50 dólar por ação (o preço na época em que fiz essa análise) e, sem dívidas nem despesas, todo o valor menos os honorários legais iria para os acionistas.

Se a empresa resolvesse alguns de seus problemas, as ações teriam uma grande recuperação e, se não o fizesse, as ações teriam uma recuperação pequena. Essa, pelo menos, era a minha expectativa.

A Tenera contratou Bob Dahl, um cara que conheci quando ele trabalhava no setor de telecomunicações, para supervisionar a recuperação. Dahl me encontrou em Nova York na noite anterior ao painel da *Barron's*. Ele deu a entender que uma reviravolta nas operações da empresa seria possível nos próximos seis a doze meses. Ele também disse que os detentores de informações privilegiadas estavam mantendo suas ações. Isso me convenceu de que ainda havia algum valor na empresa.

Sigla da ação	Empresa	Preço em 13/1/92 (em dólares)
SDP.B	Sun Distributors L. P., Classe B	2,75
TLP	Tenera L. P.	2,38

15

AS CÍCLICAS

O mundo dá voltas

Quando a economia está estagnada, o gestor profissional de dinheiro começa a pensar em investir nos setores cíclicos. A ascensão e a queda de alumínio, aço, produtores de papel, fabricantes de automóveis, produtos químicos e companhias aéreas, da explosão à recessão, e vice-versa, é um padrão bem conhecido, tão confiável quanto as estações.

O que confunde a questão é a ânsia perpétua do gestor do fundo de se antecipar à concorrência ao retornar às ações cíclicas antes de todo mundo. Parece-me que Wall Street está antecipando cada vez mais cedo o renascimento das indústrias cíclicas, o que torna o investimento em ações cíclicas uma proposta cada vez mais complicada.

No caso da maioria das ações, um índice preço/lucro baixo é considerado uma coisa boa, mas não com relação às cíclicas. Quando os índices P/L de empresas cíclicas são muito baixos, em geral, isso é um sinal de que elas estão no final de um interlúdio próspero. Investidores incautos continuam a manter as cíclicas em carteira porque o negócio ainda vai bem e as empresas continuam a apresentar lucros elevados, mas isso mudará em breve. Os investidores espertos já estão vendendo suas ações para evitar a pressa.

Quando uma grande multidão começa a vender uma ação, o preço só pode ir em uma direção. Quando o preço cai, o índice P/L também cai, o que, para os não iniciados, torna a cíclica mais atraente do que antes. Isso pode ser um equívoco caro.

Em breve, a economia vacilará e os lucros da cíclica diminuirão a uma velocidade estonteante. À medida que mais investidores se dirigem para as portas de saída, o preço das ações despencará. Comprar uma ação cíclica após vários anos de lucros recordes e quando o índice P/L atinge um ponto baixo é um método comprovado de perder metade do seu dinheiro em um período de tempo curto.

Por outro lado, um índice P/L alto, que no caso da maioria das ações é considerado uma coisa ruim, pode ser uma notícia boa para uma ação cíclica. Muitas vezes, isso significa que a empresa está ultrapassando o pior momento da crise, e logo seus negócios melhorarão, os lucros superarão as expectativas dos analistas e os gestores de fundo começarão a comprar as ações a sério. Então, o preço das ações subirá.

O fato de o jogo cíclico ser um jogo de antecipação torna duplamente difícil ganhar dinheiro com essas ações. O maior perigo é comprar cedo demais, desanimar e vender. É perigoso investir em uma ação cíclica sem ter um conhecimento prático da indústria (cobre, alumínio, aço, automóveis, papel, qualquer que seja) e de seus ritmos. Se você é um encanador que acompanha o preço do fio de cobre, tem mais chances de ganhar dinheiro com a Phelps Dodge do que alguém com MBA que decida colocar a Phelps Dodge em sua carteira porque "parece barata".

Minha experiência pessoal com as ações cíclicas é moderadamente positiva e, sempre que há uma recessão, presto atenção a esse grupo. Como sempre penso positivamente e presumo que a economia melhorará, não importa quantas manchetes sombrias apareçam nos jornais, estou disposto a investir nas cíclicas em seu ponto mais baixo. Logo quando parece que as coisas não podem piorar com essas empresas, as coisas começam a melhorar. A volta de uma cíclica depreciada, mas com um balanço forte, é inevitável, o que me leva ao Princípio do Peter número 19:

> **A não ser que você costume vender a descoberto ou seja um poeta em busca de uma esposa rica, nunca vale a pena ser pessimista.**

PHELPS DODGE

Já falamos sobre como foi frustrada minha tentativa de aproveitar o repique do mercado imobiliário por meio da compra de ações de construtoras de casas — muitos outros compradores tinham chegado na minha frente. Mas eles ainda não haviam antecipado o repique no mercado de cobre, e foi difícil ignorar o negócio que apareceu diante de mim em janeiro de 1992 na forma da Phelps Dodge. Liguei para meu encanador e ele confirmou que o preço dos canos de cobre estava subindo.

A Phelps Dodge era uma ação que eu havia recomendado em 1991 e não tinha ido a lugar algum durante o ano inteiro. O fato de uma ação não ter ido a lugar algum não é necessariamente um motivo para relegá-la ao ostracismo e pode ser um motivo para comprar mais dela. Em 2 de janeiro de 1992, revisei a história da Phelps Dodge e ela parecia ainda melhor do que no ano anterior.

Eu costumava visitar a Phelps Dodge em Nova York, porém, após a mudança da empresa para o Arizona, a comunicação passou a ser feita por telefone. Liguei, então, para falar com o presidente, Douglas Yearly.

Como resultado de flertes anteriores com essa empresa, aprendi alguns fatos sobre o cobre que me convenceram de que era uma mercadoria mais valiosa do que, digamos, o alumínio. Existe uma quantidade enorme de alumínio na crosta terrestre (8%, para ser mais exato), e não apenas o alumínio é tão comum quanto a erva-cidreira, mas também é relativamente fácil de extrair. Para começar, o cobre é mais escasso que o alumínio e é um bem que está em processo de extinção. As minas que ficam sem cobre ou inundadas são forçadas a fechar. Não é como a linha de montagem das bonecas Cabbage Patch, na qual é possível conseguir mais bonecas Cabbage Patch ao abrir mais um turno de trabalho.

As regulamentações ambientais forçaram o fechamento de muitas das fundições de nosso país, e muitas empresas desistiram de fundir cobre para sempre. Já existe uma escassez de fundições nos Estados Unidos e uma escassez semelhante está ocorrendo no mundo inteiro. As pessoas que vivem na direção para onde sopra o vento das fundições podem respirar melhor por causa dessa tendência, assim como os acionistas da Phelps Dodge. A Phelps Dodge tem muitas fundições e um número muito menor de concorrentes do que antes.

Embora a demanda por cobre tenha diminuído no curto prazo, imaginei que ela aumentaria. Todas as nações em desenvolvimento, incluindo as muitas partes da antiga União Soviética, se dedicam a melhorar seus sistemas telefônicos. Todo mundo quer ser capitalista hoje em dia, e é difícil ser capitalista sem telefones.

Um sistema telefônico tradicional requer quilômetros e quilômetros de fio de cobre. A menos que todos esses países iniciantes optem por um telefone celular em cada bolso (estratégia improvável), eles serão compradores frequentes no mercado de cobre. Os países em desenvolvimento são usuários muito mais intensivos de cobre do que os países desenvolvidos, e a preponderância dos primeiros é um bom presságio para o futuro desse metal.

Em tempos recentes, as ações da Phelps Dodge haviam seguido o padrão cíclico típico. Em 1990, antes da recessão, a empresa teve um lucro de 6,50 dólares (ajustado para um desdobramento recente), e as ações foram negociadas na faixa de 23 a 36 dólares, resultando em um índice P/L baixo, entre 3,5 e 5,5. Em 1991, os lucros caíram para 3,90 dólares e o preço das ações recuou de 39 para 26 dólares. O fato de ele não recuar ainda mais é uma demonstração de que muitos investidores têm uma opinião positiva sobre as perspectivas de longo prazo dessa empresa. Ou talvez que aqueles que apostam nas cíclicas estivessem apostando no próximo ciclo de alta antes da hora.

A pergunta mais importante a fazer sobre uma ação cíclica é se o balanço da empresa é forte o suficiente para sobreviver à próxima desaceleração. Encontrei a informação na página trinta do relatório anual da Phelps Dodge de 1990, o mais recente em que eu consegui colocar as mãos naquele momento. A empresa tinha um patrimônio líquido de 1,68 bilhão de dólares e endividamento total (menos o caixa) de apenas 318 milhões de dólares. Claramente, não era uma candidata à falência, independentemente do preço do cobre (bem, zero seria um problema). Muitos concorrentes mais fracos seriam forçados a fechar suas minas e tomar o rumo de casa antes que a Phelps Dodge precisasse de refinanciamento.

Como esta é uma empresa grande e se diversificou em muitos setores além do cobre, eu queria ver como essas outras empresas estavam se saindo. O CEO, Yearly, deu todo o relatório: o carbono negro estava bem, disse ele; o fio magnético estava bem; as rodas de caminhão iam bem e a Canyon Resources, a mina de ouro de Montana, na qual a Phelps Dodge tem uma participação de 72%, poderia se tornar uma grande fonte de dinheiro.

Esses empreendimentos subsidiários tiveram um lucro inferior a 1 dólar por ação em um ano ruim (1991), e não era exagero presumir que poderiam ganhar até 2 dólares em um ano decente. Atribuindo a eles um índice P/L modesto de cinco a oito, concluí que, individualmente, eles poderiam valer de 10 a 16 dólares por ação. As operações de ouro podem valer 5 dólares por ação para a Phelps Dodge.

Costumo fazer esse tipo de avaliação sumária das várias divisões de uma empresa, que podem representar um ativo oculto considerável. Esse é um exercício útil para realizar com qualquer tipo de empresa cujas ações você queira comprar. Não é incomum descobrir que as partes valem mais do que o todo.

É fácil descobrir se uma empresa tem mais de uma divisão — o relatório anual informa isso. Ele também fornece a discriminação dos lucros. Se você pegar os lucros de cada divisão e multiplicar por um índice P/L genérico (digamos, de oito a dez para uma cíclica com lucro médio ou de três a quatro em relação aos lucros de pico), você terá, pelo menos, uma ideia aproximada de quanto vale cada divisão.

No exercício da Phelps Dodge, se a mina de ouro valia 5 dólares por ação, as outras divisões auxiliares valiam de 10 a 16 dólares por ação e as ações estavam sendo negociadas por 32 dólares, você estava obtendo o negócio de cobre por muito pouco.

TABELA 15-1. BALANÇO CONSOLIDADO — PHELPS DODGE CORPORATION
(em milhares de dólares, exceto valores por ação)

	31 de dezembro de 1990	31 de dezembro de 1989
ATIVOS		
Ativos correntes:		
Caixa e investimentos de curto prazo, ao custo	$ 161.649	12.763
Recebíveis, menos provisão para contas duvidosas (1990 – US$ 16.579; 1989 – US$ 11.484)	307.656	346.892
Inventários	256.843	238.691
Suprimentos	95.181	84.283
Despesas pré-pagas	17.625	8.613
Ativos correntes	838.954	691.242
Investimentos e recebíveis de longo prazo	93.148	79.917
Imobilizado líquido	1.691.176	1.537.359
Outros ativos e encargos diferidos	204.100	196.109
	$2.827.378	2.504.627
PASSIVOS		
Passivo circulante:		
Dívida de curto prazo	$ 43.455	92.623
Parcela corrente da dívida de longo prazo	32.736	33.142
Contas a pagar e despesas provisionadas	362.347	307.085
Imposto de renda	51.193	46.197
Passivo circulante	489.731	479.047
Dívida de longo prazo	403.497	431.523
Imposto de renda diferido	110.006	67.152
Outros passivos e créditos diferidos	116.235	156.743
	1.119.469	1.134.465
INTERESSES MINORITÁRIOS EM SUBSIDIÁRIAS	24.971	20.066
PATRIMÔNIO LÍQUIDO DOS ACIONISTAS ORDINÁRIOS		
Ações ordinárias, valor nominal de US$ 6,25; 100 milhões de ações autorizadas; 34.441.346 em circulação* (1989 – 34.618.723) após a dedução de 3.152.955 ações (1989 – 2.975.578) mantidas em tesouraria	215.258	215.367
Capital em excesso do valor nominal	268.279	281.381
Lucros acumulados	1.269.094	917.848
Ajustes acumulativos de conversão e outros	(70.143)	(65.500)
Patrimônio líquido	1.682.938	1.350.096
	$2.827.378	$2.504.627

$ 479 milhões dívida/endividamento
→ 161 milhões menos dinheiro em caixa
$ 318 milhões dívida / endividamento total

claramente, não era candidata à falência

*Antes do recente desdobramento 2 por 1.

Examinei também os gastos de capital, que são a ruína de muitas empresas industriais. Isso não parecia ser um problema para a Phelps Dodge. Em 1990, ela gastou 290 milhões de dólares para atualizar suas fábricas e seus equipamentos, menos da metade de seu fluxo de caixa.

A página 31 do relatório anual de 1990 (ver Tabela 15-2) mostra um fluxo de caixa de 633 milhões de dólares, que excedia os gastos de capital e os pagamentos de dividendos combinados. Mesmo em um ano ruim, 1991, o fluxo de caixa excedeu os gastos de capital. É sempre um bom sinal quando uma empresa está ganhando mais dinheiro do que gasta.

As minas e outras instalações da Phelps Dodge estavam em excelente estado. Ao contrário de uma empresa de informática que precisa gastar grandes somas, todos os anos, no desenvolvimento de produtos novos ou na canibalização de produtos antigos, a Phelps Dodge gasta muito pouco na manutenção de suas minas. Também está em melhor situação do que uma siderúrgica que investe uma fortuna na modernização de suas fábricas, para depois ser espremida por concorrentes estrangeiros que vendem aço a um preço inferior.

Não importa o que acontece com os gastos de capital ou de suas várias subsidiárias, o destino da Phelps Dodge está ligado ao preço do cobre. A matemática básica é a seguinte. A Phelps Dodge produz 1,1 bilhão de libras[97] de cobre ao ano (isso é declarado no relatório anual); portanto, um aumento de 1 centavo no preço por libra gera 11 milhões de dólares adicionais de lucros pré-impostos. Com 70 milhões de ações em circulação, os 11 milhões de dólares adicionais em lucros valem 10 centavos por ação após os impostos. Sendo assim, cada vez que o preço do cobre sobe 1 centavo por libra, os lucros sobem 10 centavos de dólar, e, se o cobre sobe 50 centavos de dólar por libra, os lucros aumentam em 5 dólares por ação.

Se as pessoas souberem qual será o preço do cobre no próximo ano e no ano seguinte, então elas automaticamente se tornarão gênios no assunto de quando comprar e vender a Phelps Dodge. Não tenho tal clarividência, mas achei que o cobre estava barato em 1990-1991 por causa da recessão e imaginei que não continuaria barato para sempre, e eu estava certo de que, quando ele ficasse mais caro, os acionistas da Phelps Dodge seriam os principais beneficiários. Tudo o que precisamos fazer é esperar, ser pacientes e continuar a receber os dividendos.

---

97. Essa quantidade é equivalente a 500 mil toneladas. É necessário usar "libra" aqui para a conta demonstrada fazer sentido, já que considera o peso em libras. (N.E.)

TABELA 15-2. DEMONSTRAÇÃO CONSOLIDADA DE FLUXOS DE CAIXA — PHELPS DODGE CORPORATION
(valores em dólar)

	1990	1989	1988
ATIVIDADES OPERACIONAIS			
Receita líquida	$454.900	267.000	420.200
Ajustes para reconciliar o lucro líquido ao fluxo de caixa das operações:			
Depreciação, esgotamento e amortização	132.961	133.417	116.862
Imposto de renda diferido	$50.918	(53.670)	70.323
Lucros não distribuídos de investimentos em capital	(5.280)	(8.278)	(15.807)
Provisão para ativos não produtivos e outros	—	374.600	50.000
Fluxo de caixa de operações	633.499	712.979	641.578
Ajustes para reconciliar o fluxo de caixa das operações com o caixa líquido fornecido pelas atividades operacionais:			
Mudança em ativos e passivos correntes:			
Aumento ou diminuição das contas a receber	42.115	76.850	(69.278)
Aumento ou diminuição dos estoques	(24.700)	11.394	(26.706)
Aumento ou diminuição de suprimentos	(9.713)	(2.801)	(6.344)
Aumento ou diminuição das despesas pré-pagas	(10.565)	1.778	6.986
Aumento ou diminuição nos juros a pagar	(983)	(2.958)	(918)
Aumento ou diminuição em outras contas a pagar	35.016	(38.816)	(6.770)
Aumento ou diminuição do imposto de renda	2.702	(11.292)	14.687
Aumento ou diminuição em outras despesas acumuladas	23.500	24.898	(2.031)
Outros ajustes	(48.995)	(27.833)	(8.413)
Caixa líquido gerado pelas atividades operacionais	641.876	744.199	542.791

ATIVIDADES DE INVESTIMENTO

Despesas de capital	(290.406)	(217.407)	(179.357)
Juros capitalizados	(1.324)	(1.529)	(6.321)
Investimento em subsidiárias	(4.405)	(68.797)	(253.351)
Receitas de vendas de ativos	3.155	5.131	35.413
Caixa líquido fornecido por atividades de investimento	292.980	(282.602)	(403.616)

ATIVIDADES FINANCEIRAS

Aumento da dívida	19.124	79.830	184.727
Pagamento da dívida	(98.184)	(114.244)	(235.048)
Compra de ações ordinárias	(21.839)	(141.235)	(30.371)
Dividendos preferenciais	—	(4.284)	(15.000)
Dividendos ordinários	(103.654)	(454.307)	(29.202)
Outros	4.543	13.102	1.959
Caixa líquido usado em atividades de financiamento	(200.010)	(621.138)	(122.395)
AUMENTO (DIMINUIÇÃO) EM CAIXA E INVESTIMENTOS DE CURTO PRAZO	148.886	(159.541)	16.240
CAIXA E INVESTIMENTOS DE CURTO PRAZO NO INÍCIO DO ANO	12.763	172.304	156.064
CAIXA E INVESTIMENTOS DE CURTO PRAZO NO FINAL DO ANO	161.649	12.763	172.304

GENERAL MOTORS

As montadoras de automóveis, muitas vezes erroneamente identificadas como *blue chips*, constituem um setor cíclico clássico. Comprar uma ação de uma montadora e guardá-la por 25 anos é como voar sobre os Alpes, você pode tirar alguma vantagem disso, mas não tanto quanto o caminhante que experimenta todos os altos e baixos.

Em 1987, reduzi minhas participações em ações da Chrysler, da Ford e outras ações de montadoras que haviam sido minhas maiores posições no fundo Magellan porque percebi que a grande onda de compra de carros que começara no início dos anos 1980 estava prestes a terminar. Mas em 1991, um ano após o início da recessão, com as ações de automóveis caindo 50% em relação às altas recentes e com o desânimo generalizado nos *showrooms* de automóveis e os vendedores de carros e caminhões jogando cartas para passar o tempo, decidi dar uma nova olhada nos automóveis.

Até que alguém invente um Hovercraft[98] confiável para uso doméstico, é certo que os carros continuarão a ser o bem pessoal mais querido da América. Mais cedo ou mais tarde, todos nós trocamos de carro, seja porque estamos cansados do antigo, seja porque os freios estão gastos e podemos ver a estrada através do piso enferrujado. Resisti o máximo que pude com meu AMC Concord de 1977, mas até meu Velho Companheiro está começando a engasgar.

Quando comprei uma posição grande no setor automotivo, no início dos anos 1980, as vendas anuais de carros e caminhões nos Estados Unidos tinham diminuído de 15,4 milhões de veículos em 1977 para 10,5 milhões em 1982. Era possível, é claro, que as vendas caíssem ainda mais, mas eu sabia que elas não poderiam chegar a zero. Na maioria dos estados, os carros precisam passar por uma vistoria anual, outra razão pela qual as pessoas não conseguem guardar seus calhambeques para sempre. Em algum momento, esses cacos velhos serão banidos da estrada.

É verdade que um novo truque pode ter postergado a recuperação da indústria automotiva da última recessão: o empréstimo de sessenta meses para automóveis. Nos velhos tempos do empréstimo para compra de automóveis de 36 meses, um carro estava completamente pago no momento em que o proprietário decidia se livrar dele. Normalmente, havia algum patrimônio no carro quando ele era levado ao pátio da revendedora para uma troca. O financiamento de sessenta meses mudou tudo isso. Muitos carros antigos, de quatro

---

98. Hovercraft é um veículo que flutua sobre um colchão de ar e pode ser usado em vários tipos de solo e na água. Também conhecido como aerobarco ou aerodeslizador. (N.E.)

e cinco anos, agora valem menos do que os saldos dos empréstimos pendentes e seus proprietários não têm condições de negociá-los. Contudo, esses empréstimos acabarão sendo pagos.

Um indicador útil para quando você comprar ações de montadoras é o preço dos carros usados. Quando os negociantes de carros usados baixam seus preços, isso significa que eles estão tendo problemas para vender carros, e um mercado péssimo para eles é pior ainda para as concessionárias de carros novos. Mas, quando os preços dos carros usados estão em alta, esse é um sinal de bons tempos à frente para as montadoras.

Um indicador ainda mais confiável é "unidades de demanda reprimida". Localizei essa estatística reveladora em um gráfico que foi incluído em uma publicação da Chrysler Corporation chamada *Corporate Economist* — outro bom candidato para a leitura de verão na praia. (O gráfico está inserido na Tabela 15.3.)

Na segunda coluna, encontramos as vendas reais de carros e caminhões, organizadas por ano-calendário, com cada número representando mil veículos. A terceira coluna, chamada "Tendência", é uma estimativa de quantos carros e caminhões *deveriam* ter sido vendidos, com base em dados demográficos, vendas em anos anteriores, a idade dos carros em uso e outras considerações. A diferença entre os dois nos dá as unidades de demanda reprimida.

Nos quatro anos de 1980 a 1983, quando a economia estava em declínio e as pessoas tentavam economizar dinheiro, as vendas reais de automóveis ficaram abaixo da tendência em 7 milhões de veículos — 7 milhões de pessoas que deveriam ter comprado carros e caminhões adiaram suas compras. Isso nos dizia que deveríamos esperar uma explosão nas vendas de automóveis. Com certeza, tivemos uma explosão entre 1984 e 1989, anos em que as vendas de automóveis e caminhões excederam a tendência em 7,8 milhões de unidades combinadas.

Depois de quatro ou cinco anos em que as vendas ficam abaixo da tendência, demora mais quatro ou cinco anos de vendas acima da tendência antes que o mercado de automóveis consiga recuperar o atraso. Se você não souber disso, pode vender suas ações do setor cedo demais. Por exemplo, após o ano de explosão de vendas de 1983, quando as vendas de automóveis aumentaram de 10,5 milhões para 12,3 milhões de veículos, você pode ter decidido realizar seus lucros em ações da Ford ou da Chrysler porque o *boom* automotivo havia acabado. Mas, se você conferisse a tendência, veria que ainda havia uma demanda reprimida por mais de 7 milhões de veículos, que não se esgotou até 1988.

TABELA 15-3. VENDAS DA INDÚSTRIA DE AUTOMÓVEIS E
CAMINHÕES DOS ESTADOS UNIDOS, REAL *VERSUS* TENDÊNCIA
(em mil unidades, por ano-calendário)

Ano	Real	Tendência	Unidades acima (ou abaixo) da tendência	Unidades de demanda reprimida
1960	7.588	7.700	(112)	(112)
1970	10.279	11.900	(1.621)	(2.035)
1980	11.468	12.800	(1.332)	(1.336)
1981	10.794	13.000	(2.206)	(3.542)
1982	10.537	13.200	(2.663)	(6.205)
1983	12.310	13.400	(1.090)	(7.295)
1984	14.483	13.600	883	(6.412)
1985	15.725	13.800	1.925	(4.487)
1986	16.321	14.000	2.321	(2.166)
1987	15.189	14.200	989	(1.177)
1988	15.788	14.400	1.388	211
1989	14.845	14.600	245	456
1990	14.147	14.800	(653)	(197)
1991	12.541	15.000	(2.459)	(2.656)
Estimativas*				
1992	13.312	15.200	(1.888)	(4.544)
1993	14.300	15.400	(1.100)	(5.644)

Fonte: Chrysler Corporation
* Estimativas de Peter Lynch

Muito embora as vendas, em 1992, estejam acima dos níveis de 1991, ainda estamos muito abaixo da tendência, e serão necessários quatro a cinco anos de boas vendas de automóveis e caminhões para compensar o déficit.

Um ano bom para vender as ações do setor automotivo foi 1988, quando a demanda reprimida do início da década de 1980 foi totalmente esgotada. O público havia comprado 74 milhões de veículos novos em cinco anos, e as vendas estavam mais propensas a cair do que a subir. Embora 1989 tenha sido um ano razoável para a economia em geral, as vendas de automóveis caíram 1 milhão de unidades. As ações das montadoras despencaram.

A partir de 1990, começamos mais uma vez a acumular uma pequena demanda reprimida. Tivemos dois anos com vendas abaixo da tendência e, se as coisas continuarem em seu curso atual, acumularemos 5,6 milhões de unidades de demanda reprimida até o final de 1993. Isso deve produzir um *boom* nas vendas de automóveis em 1994-1996.

Mesmo que as vendas em 1992 superem as de 1991, ainda estamos bem abaixo da tendência e precisaremos de quatro a cinco anos de boas vendas de carros e caminhões para nos recuperarmos.

Acertar a duração dos ciclos do setor automotivo é apenas metade da batalha. A outra metade é escolher as empresas que mais lucrarão com a recuperação. Se você estiver certo sobre o setor e errado sobre a empresa, pode perder dinheiro com a mesma facilidade com que se engana sobre o setor.

Durante a recuperação iniciada em 1982, concluí (1) que era um bom momento para possuir ações do setor automotivo e (2) que Chrysler, Ford e Volvo tinham mais a ganhar do que a General Motors. Como a GM era a fabricante de automóveis número um, você pensaria que ela teria o melhor desempenho, mas não foi o que aconteceu. Isso porque a reputação de excelência da GM excedia em muito qualquer desejo dela de se empenhar para ter um comportamento compatível com esse status. A empresa era arrogante, míope e descansava sobre os louros, mas fora isso estava em ótima forma.

O cineasta do documentário *Roger & Eu*[99] não foi a única pessoa que teve problemas para entrar nos edifícios da GM. Em certa visita, fui acompanhado por um cara de relações com os investidores que não conseguiu encontrar o centro de pesquisa e desenvolvimento, que era aproximadamente do tamanho de um grande campus universitário. Demorou umas duas horas para descobrirmos onde ele ficava. Quando o departamento de relações com os investidores não sabe ler um mapa, você pode presumir que o restante da empresa está igualmente perdido.

Na década de 1980, a GM deixou uma má impressão entre os compradores de ações de automóveis. As ações da GM dobraram em dez anos, mas as pessoas que compraram a Chrysler perto do fundo do poço em 1982 ganharam quase cinquenta vezes seu investimento em cinco anos, e as que compraram a Ford ganharam dezessete vezes. No final da década, os pontos fracos da GM não eram segredo. Um homem na rua poderia lhe dizer que a montadora número um dos Estados Unidos havia perdido a guerra para os japoneses.

No entanto, no mercado acionário raramente vale a pena levar as notícias de ontem muito a sério ou manter uma opinião por muito tempo. À medida que a GM declinava, a opinião popular em Wall Street era de que se tratava de uma empresa poderosa com um futuro lucrativo. Em 1991, a opinião popular

---

[99]. A referência é a Michael Moore (1954-) e seu primeiro documentário, no qual ele buscava falar com o presidente da GM, Roger Smith, para esclarecer a demissão em massa e o fechamento de onze fábricas da montadora em Flint, Michigan. (N.E.)

era que a GM era uma empresa fraca com um futuro apavorante. Embora eu não tivesse sido fã da GM no passado, meu palpite era que essa opinião popular mais recente se provaria tão equivocada quanto a anterior.

Você quase poderia pegar os artigos antigos que diziam que a Chrysler era o gigante cambaleante de 1982 e substituir o nome Chrysler por General Motors, e você teria a mesma história novamente. A única diferença é que a GM tem um balanço patrimonial melhor em 1992 do que a Chrysler tinha em 1982. O resto é o mesmo: empresa poderosa esquece como fazer carros, perde a confiança do público, demite milhares de trabalhadores, vai para a lata de lixo das empresas ultrapassadas.

Foi toda essa negatividade com relação à GM que me atraiu em 1991. Uma simples olhada no relatório do terceiro trimestre de 1990 me mostrou que eu estava no caminho certo. Embora o que chame mais a atenção sejam as vendas declinantes de carros da GM nos Estados Unidos, verifica-se que ela pode ter sucesso sem vender mais carros nos Estados Unidos. Seus negócios mais lucrativos são as operações europeias, seu braço financeiro (GMAC) e a Hughes Aircraft, a Delco e a Electronic Data Systems (obrigado, Ross Perot).[100]

Todas essas outras divisões da GM estão indo tão bem que, se a empresa pudesse apenas deixar de perder dinheiro com as vendas de automóveis nos Estados Unidos, poderia ganhar de 6 a 8 dólares por ação em 1993. Se atribuirmos a esses lucros um índice P/L de oito, as ações deveriam ser negociadas na faixa de 48 a 64 dólares, uma alta significativa em relação ao preço atual. Se o negócio automotivo da GM melhorar além do ponto de equilíbrio, como deve acontecer quando a economia se recuperar, a empresa pode ter um lucro de 10 dólares por ação.

O fechamento de várias fábricas custará a milhares de trabalhadores seus empregos, mas também permitirá que a GM corte custos em seu empreendimento menos lucrativo. A empresa não precisa vencer a guerra com o Japão e reconquistar o comprador americano de automóveis. A GM está aborrecida porque sua participação no mercado encolheu de 40% para 30%, mas isso ainda é maior do que a participação no mercado de todas as montadoras japonesas juntas. Mesmo que a GM conquiste apenas 25% dos compradores de automóveis nos Estados Unidos, suas divisões automotivas podem, mais uma vez, contribuir para os lucros, reduzindo a escala de suas fábricas e suas despesas (algo que já começaram a fazer).

---

100. Ross Perot (1930-2019) foi um empresário que fundou a Electronic Data Systems em 1962. (N.E.)

Na mesma semana em que cheguei a essa conclusão, os jornais noticiaram que vários carros da GM haviam ganhado prêmios importantes, incluindo o tão menosprezado Cadillac, que mais uma vez encantou os críticos. Os caminhões pareciam bons, os carros de tamanho médio também, e a empresa tinha bastante dinheiro em caixa. Já que a reputação da GM dificilmente poderia ser pior, todas as surpresas devem ser boas.

Sigla da ação	Empresa	Preço em 13/1/92 (valores em dólar)
GM	General Motors	31,00
PD	Phelps Dodge	32,50

16
NUCLEARES EM DIFICULDADES
CMS Energy

As ações das prestadoras de serviços públicos foram as ações de crescimento alto da década de 1950, mas desde então sua principal atração tem sido o rendimento. Para aqueles investidores que precisam de uma renda, comprar ações das prestadoras de serviços públicos tem sido mais lucrativo no longo prazo do que comprar CDBs de um banco. Com um CDB, você recebe os juros mais seu dinheiro de volta. Com a ação de uma prestadora de serviços públicos você recebe o dividendo, que provavelmente aumentará a cada ano, além de uma chance de ganho de capital.

Mesmo recentemente, quando a demanda por energia elétrica tem diminuído na maior parte do país e as prestadoras de serviços públicos já não são consideradas ações de crescimento alto, tem havido alguns grandes vencedores dentro desse grupo, incluindo a Southern Company (de 11 para 33 dólares em cinco anos), a Oklahoma Gas and Electric (de 13 para 40 dólares) e a Philadelphia Electric (de 9 para 26 dólares).

Por breves períodos no Magellan, eu mantive 10% do fundo investido em prestadoras de serviços públicos. Normalmente, isso acontecia quando as taxas de juros estavam caindo e a economia estava fraquejando. Em outras palavras, eu tratava as prestadoras de serviços públicos como cíclicas de taxas de juros e tentava sincronizar minhas entradas e saídas de acordo com isso.

No entanto, as prestadoras de serviços públicos com as quais mais ganhei foram as problemáticas. Na Fidelity, ganhamos um monte de dinheiro para nossos acionistas com a General Public Utilities após o desastre da Three Mile Island e mais montes de dinheiro com títulos da Public Service of New Hampshire, Long Island Lighting, Gulf States Utilities e da antiga Middle

South Utilities, que mudou seu nome para Entergy. Isso nos leva ao Princípio do Peter número 20:

As empresas, assim como as pessoas, mudam seus nomes por uma das seguintes razões: ou elas se casaram ou estiveram envolvidas em algum fiasco, do qual esperam que o público se esqueça.

Cada uma das empresas problemáticas mencionadas anteriormente tinha dificuldades com usinas nucleares ou com o financiamento de usinas nucleares que nunca foram construídas, e os temores do setor nuclear depreciaram os preços de suas ações.

O motivo pelo qual meu histórico com as prestadoras de serviços públicos problemáticas é melhor do que com as empresas problemáticas em geral é que as primeiras são regulamentadas pelo governo. Uma prestadora de serviços públicos pode declarar falência e/ou eliminar seus dividendos, mas, enquanto as pessoas precisarem de eletricidade, será necessário encontrar uma maneira de a concessionária continuar funcionando.

O sistema regulatório determina quais preços a concessionária pode cobrar pela eletricidade ou pelo gás, que lucro ela pode obter e se os custos de seus erros podem ser repassados aos clientes. Uma vez que o governo estadual tem interesse permanente na sobrevivência da empresa, as chances são imensas de que a concessionária com problemas receba os recursos para superar seus problemas.

Recentemente, um trabalho de três analistas do NatWest Investment Banking Group (Kathleen Lally, John Kellenyi e Philip Smyth) chamou minha atenção. Conheço Kellenyi há anos. Ele é um excelente analista.

Esses observadores dos serviços públicos identificaram o que denominaram "ciclo da prestadora de serviços públicos problemática" e dão quatro exemplos de empresas que passaram por ele: a Consolidated Edison, que enfrentou uma crise de caixa após o aumento dos preços do petróleo durante o embargo de 1973; a Entergy Corporation, que estava sobrecarregada com uma usina nuclear dispendiosa, pela qual não tinha condições de pagar; a Long Island Lighting, que construiu uma usina nuclear e depois não conseguiu obter uma licença para operá-la; e a General Public Utilities, proprietária da Unidade 2 da Three Mile Island, que sofreu um acidente memorável.[101]

---

101. No dia 28 de março de 1979, a usina americana da Three Mile Island, na Pensilvânia, foi palco do pior acidente nuclear ocorrido até então, causado por falha humana, segundo uma comissão

As ações de todas as quatro concessionárias em dificuldades caíram tanto e tão rápido que seus acionistas também ficaram em dificuldades, e aqueles que venderam durante o pânico ficaram ainda mais aflitos ao ver os preços quadruplicarem ou quintuplicarem durante a recuperação. Enquanto isso, os compradores dessas ações depreciadas comemoram sua boa sorte, o que prova mais uma vez que o sofrimento de uma pessoa é a oportunidade de outra. O investidor teve muito tempo para lucrar com cada uma dessas quatro recuperações, que, segundo os três analistas, passaram por quatro etapas distintas.

Na primeira etapa, ocorre o desastre. A prestadora de serviços públicos enfrenta uma perda repentina de receita, seja porque algum custo enorme (o aumento nos preços dos combustíveis no caso da Con Ed) não pode ser repassado aos clientes, ou porque um ativo grande (geralmente a usina nuclear) é desativado e removido da base tarifária. Consequentemente, a ação sofre e perde de 40% a 80% de seu valor em um período de um a dois anos: a Con Ed caiu de 6 dólares para 1,50 dólar em 1974, a Entergy de 16,75 para 9,25 dólares em 1983-1984, a General Public Utilities de 9 para 3,88 dólares em 1979-1981 e a Long Island Lighting de 17,50 para 3,75 dólares em 1983-1984. Essas quedas são terríveis para as pessoas que consideram as prestadoras de serviços públicos investimentos seguros e estáveis.

Logo, a empresa em dificuldades está sendo negociada por cerca de 20% a 30% de seu valor contábil. A ação levou essa surra porque Wall Street teme que o dano à empresa possa ser fatal, sobretudo quando uma usina nuclear multibilionária foi desativada. O tempo que demora para reverter essa impressão varia de desastre para desastre. No caso da Long Island Lighting, a ameaça de falência levou as ações a ser negociadas a 30% do valor contábil durante quatro anos.

Na segunda etapa, que o nosso trio de especialistas chama de "gerenciamento de crise", a concessionária tenta responder ao desastre cortando os gastos de capital e adotando um orçamento de austeridade. Como parte da austeridade, o dividendo sobre as ações é reduzido ou eliminado. Começa a parecer que a empresa sobreviverá às dificuldades, mas o preço das ações não reflete a melhoria das perspectivas.

Na terceira etapa, "estabilização financeira", a administração conseguiu cortar custos a ponto de a empresa poder operar com o dinheiro que recebe de seus clientes que pagam contas. Os mercados de capital podem não estar

---

nomeada pelo então presidente dos Estados Unidos, Jimmy Carter. Uma bolha de um gás altamente radioativo se instalou na parte de cima do reator, impedindo o acesso da água de refrigeração. Somente no dia 2 de abril os técnicos conseguiram reduzir a bolha de gás em volta do reator. (N.R.T.)

dispostos a lhe emprestar dinheiro para projetos novos, e a empresa ainda não está gerando nenhum lucro para seus acionistas, mas sua sobrevivência já não está em dúvida. O preço das ações se recupera um pouco e elas passam a ser negociadas por cerca de 60% a 70% do seu valor contábil. As pessoas que as compraram nas etapas um ou dois dobraram seu dinheiro.

Na quarta etapa, "finalmente a recuperação!", a prestadora de serviços públicos, mais uma vez, é capaz de gerar algum lucro para os acionistas, e Wall Street tem motivos para esperar lucros melhores e o restabelecimento do dividendo. As ações agora são negociadas pelo valor contábil. A maneira como as coisas progridem desse ponto em diante depende de dois fatores: (1) a recepção dos mercados de capital, uma vez que sem capital a empresa não consegue expandir sua base tarifária, e (2) o suporte, ou a falta de suporte, dos reguladores, ou seja, quantos custos eles permitem que a empresa repasse aos clientes na forma de tarifas mais altas.

As Figuras 16-1, 16-2, 16-3 e 16-4 mostram um histórico dos preços de ações para cada um de nossos quatro exemplos. Como é possível ver, não era preciso investir de forma afobada nessas prestadoras de serviços públicos problemáticas para obter lucros substanciais. Em cada um dos casos, teria sido possível esperar até a crise diminuir e provar que os pessimistas estavam errados e, ainda assim, dobrar, triplicar ou quadruplicar seu dinheiro em um prazo relativamente curto.

Compre na supressão do dividendo e aguarde as boas notícias. Ou compre quando as primeiras boas notícias chegarem, na segunda etapa. O problema que algumas pessoas têm com isso é que, se a ação cair para 4 dólares e depois subir para 8 dólares, elas acham que perderam a oportunidade. Uma usina nuclear problemática tem um longo caminho a percorrer e você precisa esquecer o fato de que não acertou o ponto mais baixo. É necessário apagar isso da memória.

A diferença entre uma usina nuclear em dificuldade e uma ópera é que a usina nuclear problemática tem mais probabilidade de ter um final feliz. Isso sugere uma maneira simples de ganhar a vida com as prestadoras de serviços públicos problemáticas: compre-as quando o dividendo for suprimido e guarde-as até que o dividendo seja restaurado. Essa é uma estratégia com uma excelente taxa de sucesso.

No verão de 1991, os especialistas da NatWest identificaram mais cinco prestadoras de serviços públicos em dificuldades (Gulf States, Illinois Power, Niagara Mohawk, Pinnacle West e Public Service Company of New Mexico) em vários estágios de recuperação, todas sendo negociadas abaixo do valor contábil. Mas tive outra ideia para recomendar à *Barron's*: a CMS Energy.

CONSOLIDATED EDISON CO. OF NEW YORK, INC. (ED)
Serviços de eletricidade e gás na cidade de Nova York

LUCROS, 12 meses findos

DIVIDENDOS, Rendimento anual

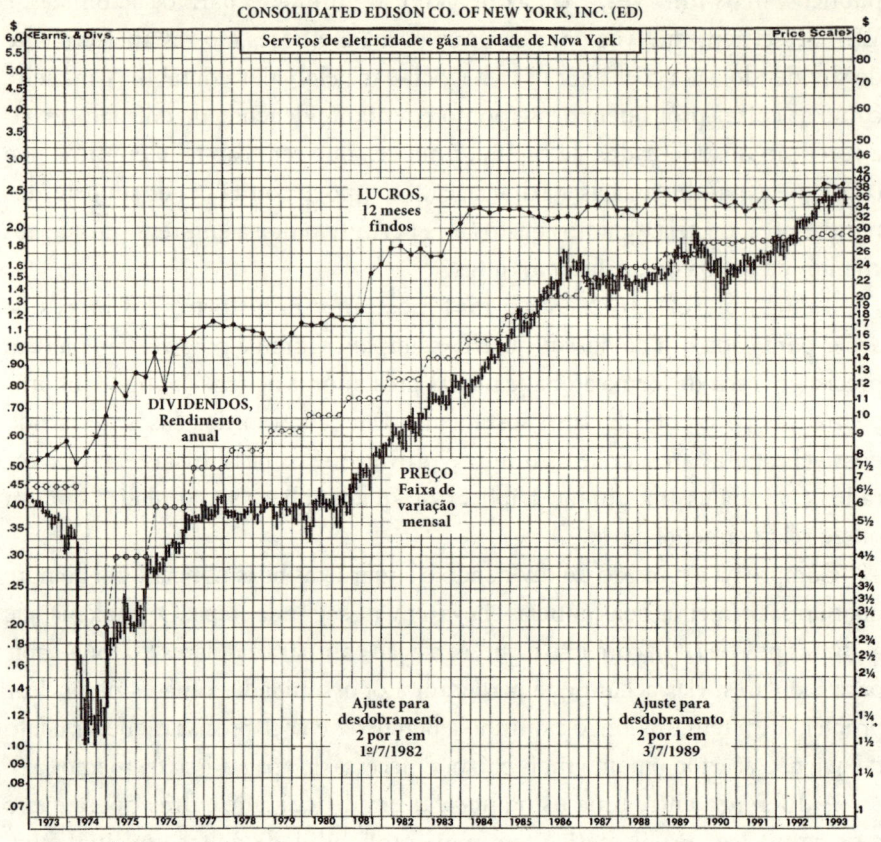

PREÇO Faixa de variação mensal

Ajuste para desdobramento 2 por 1 em 1º/7/1982

Ajuste para desdobramento 2 por 1 em 3/7/1989

Fonte: Securities Research Co.
Uma divisão da Babson-United Investment Advisors, Inc.

FIGURA 16-1

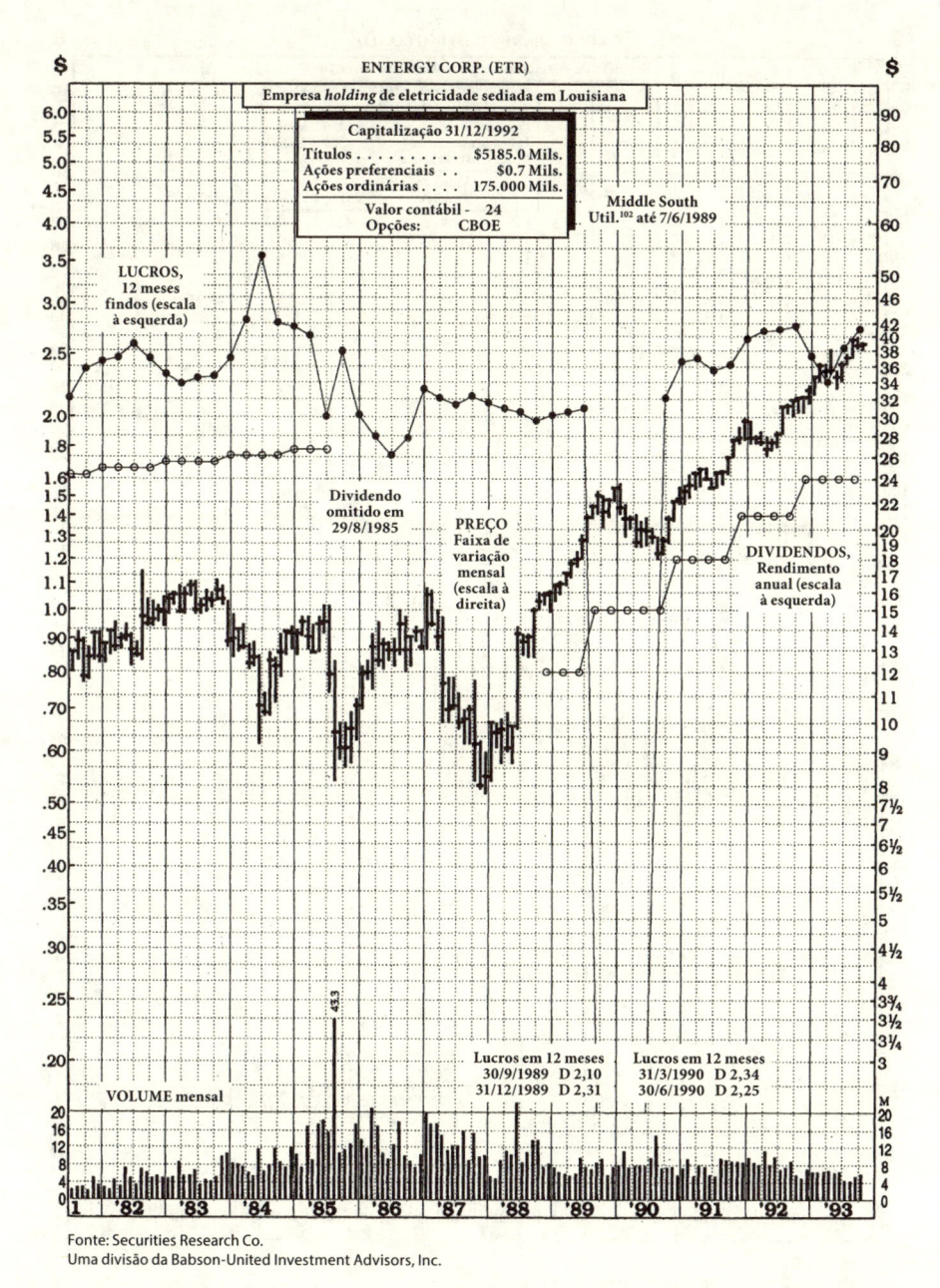

FIGURA 16-2

---

102. Aqui a referência é ao nome anterior da Entergy Corp., que era Middle South Utilities. (N.E.)

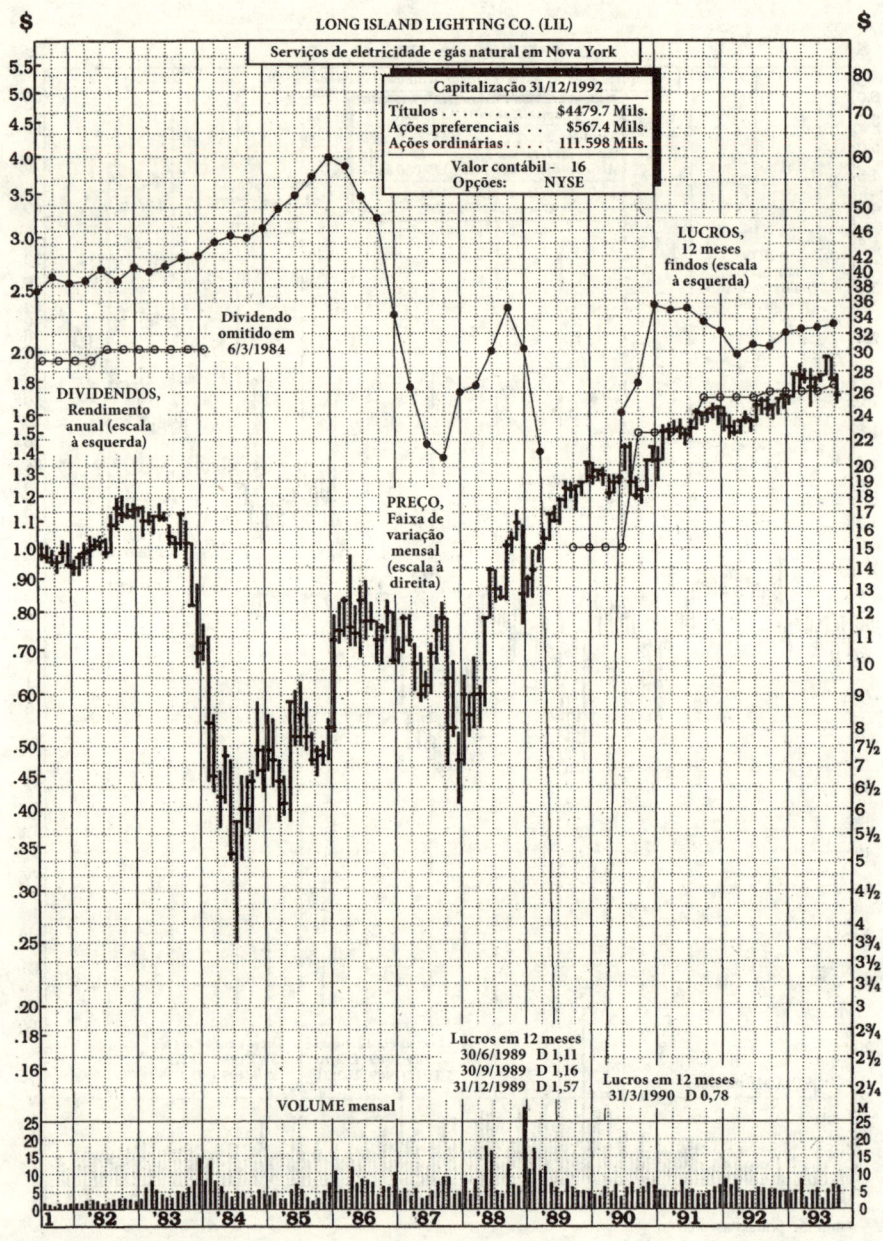

FIGURA 16-3

GENERAL PUBLIC UTILITIES CORP. (GPU)
Serviços de eletricidade na Pensilvânia e em Nova Jersey

LUCROS, 12 meses findos

Dividendo omitido em 7/2/1980

PREÇO, Faixa de variação mensal

DIVIDENDOS, Rendimento anual

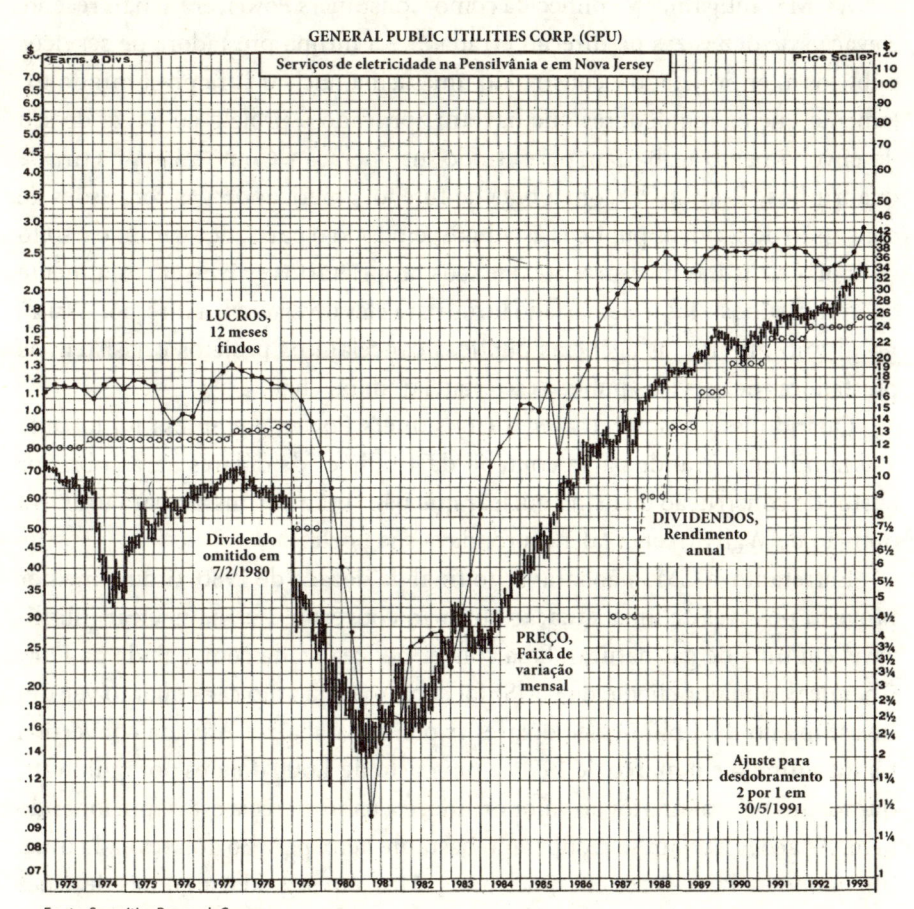

Ajuste para desdobramento 2 por 1 em 30/5/1991

Fonte: Securities Research Co.
Uma divisão da Babson-United Investment Advisors, Inc.

FIGURA 16-4

Essa era a antiga Consumers Power of Michigan. Mudou de nome depois de construir a usina nuclear de Midland — algo que ela esperava que os acionistas esquecessem. As ações estavam navegando na casa dos 20 dólares e depois despencaram para 4,50 dólares em menos de um ano, atingindo o fundo do poço logo depois que o dividendo foi suprimido, em outubro de 1984.

A CMS, antigamente conhecida como Consumers Power, era a mais recente elevação de dez vezes na direção errada,[103] e a última prestadora de serviços públicos a ter projetado e construído uma usina nuclear cara presumindo tolamente que os reguladores que haviam aprovado o projeto ao longo de seu desenvolvimento acabariam permitindo sua operação. Como a Lucy da tira de quadrinhos "Peanuts"[104] com a bola de futebol americano,[105] as comissões de concessão de serviços públicos estaduais, em todo o país, adquiriram o hábito de apoiar as usinas nucleares até que seus proprietários estivessem totalmente comprometidos e fosse demasiado tarde para eles inverterem a direção. Assim, no último minuto, as agências públicas cancelam os projetos e assistem às prestadoras de serviços públicos se estatelarem no chão.

Quando isso aconteceu com a Consumers Power, a empresa foi forçada a assumir uma grande baixa contábil de 4 bilhões de dólares para cobrir os custos de construção da usina nuclear que não tinha permissão para usar. Na opinião de Wall Street, a falência rondava sua porta.

Entretanto, a CMS não faliu e, no final da década de 1980, tirou o melhor proveito possível de uma situação ruim ao converter a usina nuclear inutilizável em uma de gás natural. Essa conversão (realizada com a ajuda da Dow Chemical, o maior cliente da CMS) foi cara, mas não tão cara quanto ver um investimento de 4 bilhões de dólares ir por água abaixo. A usina convertida foi inaugurada em março de 1990, a um custo de 1.600 dólares por quilowatt, que foi um pouco inferior ao valor orçado, e a usina parecia estar funcionando bem. As ações haviam se recuperado bastante bem, para 36 dólares cada uma, um ganho de nove vezes em cinco anos. Mas, em seguida, algumas decisões desfavoráveis sobre as tarifas, tomadas pela Comissão de Serviços Públicos de

---

103. No original, "was the latest 10-bagger in the wrong direction". Aqui o autor usa de ironia em sua expressão. Aparentemente, ele quer dizer que, em vez de ter decuplicado o valor (dado um retorno de dez vezes o investimento inicial), ela fez o contrário, ou seja, deu um prejuízo de dez vezes em relação ao valor aplicado. (N.E.)
104. Conhecida como Snoopy ou Turma do Snoopy no Brasil. (N.E.)
105. A referência à bola de futebol americano se deve a uma piada recorrente na tira: Lucy segura uma bola de futebol americano e incentiva seu amigo Charlie Brown a chutá-la, mas, no último segundo, tira a bola do lugar, fazendo com que ele chute o ar e caia de costas no chão. (N.E.)

Michigan, derrubou o preço para 17 dólares, que era onde ele estava quando tropecei nela.

Soube dessa história por meio de Danny Frank, gestor do Fundo para Situações Especiais da Fidelity, que chamou a atenção da Fidelity para várias das empresas de energia nuclear problemáticas. Frank havia investigado exaustivamente a situação da CMS. Ele mostrou que os problemas mais recentes da CMS, que estavam relacionados principalmente com uma comissão hostil, não justificavam a desvalorização de 50% no preço das ações.

Em 6 de janeiro de 1992, conversei com o novo presidente da CMS, Victor Fryling, que conheci anos antes, quando ele trabalhava para a empresa de energia/oleodutos Coastal. Fryling mencionou alguns acontecimentos positivos. O primeiro era que a usina de Midland, convertida para gás, estava produzindo eletricidade a um custo de 6 centavos por quilowatt, em comparação com os 9,2 centavos que é o custo normal da produção de eletricidade em uma usina a carvão nova e os 13,3 centavos de uma usina nuclear. A Midland era uma operação de baixo custo, do tipo que eu gosto.

O segundo era que a demanda por eletricidade em Michigan estava aumentando. Ela havia crescido por doze anos consecutivos. Mesmo na recessão de 1991, a região consumiu 1% mais eletricidade do que no ano anterior. Em dias de pico do uso de eletricidade, a CMS tinha apenas 19,6% de capacidade de geração adicional em reserva, o que nos círculos das prestadoras de serviços públicos é considerado uma margem muito estreita. Havia poucas novas usinas entrando em operação no Meio-Oeste para atender à crescente demanda, e são precisos de seis a doze anos para construir uma do zero. Além disso, algumas usinas antigas estavam sendo desativadas. No primeiro período de economia, o aluno aprende que, quando a demanda cresce mais rápido do que a oferta, o resultado são preços mais altos. Preços mais altos geram lucros maiores.

O balanço patrimonial da CMS ainda tinha muitas dívidas remanescentes do fiasco nuclear. A empresa vendeu 1 bilhão de dólares em títulos para financiar a conversão da Midland para o gás. (Observei que os detentores de títulos deviam ter fé nesses títulos, uma vez que o preço havia aumentado desde a oferta inicial.) A CMS também vendeu 500 milhões de dólares em notas privilegiadas, e fiquei feliz em ver que elas não poderiam ser resgatadas por dez anos. Quando uma empresa está profundamente endividada, você quer que a dívida não precise ser integralmente paga tão cedo.

A CMS tinha fluxo de caixa suficiente para pagar os juros aos credores, com sobras. Eu me assegurei disso lendo o balanço patrimonial. Peguei os lucros e acrescentei-os à depreciação, depois dividi pelo número de ações e obtive um fluxo de caixa de 6 dólares por ação. Uma vez que a maioria dos equipamentos de geração da CMS era nova, a empresa não precisava gastar muito dinheiro em reparos. O dinheiro reservado para depreciação podia ser usado para outros fins. A empresa poderia (a) recomprar as próprias ações, (b) fazer aquisições ou (c) aumentar o dividendo, todos os quais acabariam por beneficiar os acionistas. Minha preferência era por (a) e (c).

Perguntei a Fryling sobre o que a CMS pretendia fazer com o dinheiro. Ele disse que a CMS o usaria para expandir a usina de gás e para melhorar a eficiência das linhas de transmissão; ambas as ações aumentariam a capacidade de geração da empresa. Quando uma prestadora de serviços públicos acrescenta, digamos, 10% à sua capacidade, ela automaticamente adiciona 10% a seus lucros, com base na fórmula que é aplicada pelos reguladores que definem as tarifas. É maravilhoso para os acionistas quando uma prestadora de serviços públicos constrói uma usina nova (pelo menos se ela receber uma licença para operar) ou toma outras medidas para aumentar sua capacidade. Quando a capacidade aumenta, o mesmo acontece com a base tarifária e com os lucros.

Fryling e eu também discutimos a recente descoberta de petróleo no Equador, em terras de propriedade da CMS, em conjunto com a Conoco. A produção está programada para começar em 1993, e, se isso tudo correr de acordo com o plano, haverá um aumento de 25 milhões de dólares nos lucros anuais da CMS em 1995. Esses 25 milhões de dólares adicionarão 20 centavos por ação aos lucros. Fryling também me informou que o chamado Power Group, uma subsidiária da CMS que possui várias usinas pequenas de cogeração e tem perdido dinheiro ultimamente, poderia voltar a ser lucrativo em 1993.

A CMS esperava ir para Long Island e ajudar a Long Island Lighting a converter sua usina nuclear Shoreham, desativada por motivos políticos, para gás natural. Essa colaboração se desfez em 1991. Mas a maior decepção contínua foi com os reguladores.

Nas etapas finais de recuperação, uma prestadora de serviços públicos depende dos reguladores para tratá-la com cuidado e repassar os custos de seus erros, mas a comissão de Michigan não cooperou. Ela tomara três decisões consecutivas desfavoráveis ao aumento de tarifas e se recusara a permitir que a CMS cobrasse de seus clientes o preço integral do gás natural queimado na usina de Midland.

Aparentemente, a empresa tinha motivos para acreditar que um membro recém-nomeado para a comissão seria mais complacente, ou seja, apenas levemente hostil. Levemente hostil seria uma melhoria em relação à atitude tradicional da comissão. O próprio secretariado da comissão havia produzido um estudo que favorecia certas concessões à CMS, e a comissão inteira logo votaria essas concessões.

Se a CMS obtivesse uma decisão razoável para a empresa, seria autorizada a ganhar 2 dólares por ação no ano seguinte, em vez do 1,30 dólar que Wall Street esperava, e os lucros poderiam crescer continuamente depois disso. Essa possibilidade estava muito presente em minha mente quando recomendei as ações à *Barron's*.

Achei também que a CMS era mais do que apenas uma aposta na política regulatória de Michigan. No longo prazo, eu esperava que a empresa prosperasse com ou sem uma comissão de serviços públicos complacente. Seu fluxo de caixa poderoso permitiria que ela reentrasse nas fileiras das grandes prestadoras de serviços públicos e, quando isso acontecesse, poderia voltar a tomar dinheiro emprestado a taxas de juros mais baixas.

Se todos os problemas fossem resolvidos a favor da empresa, a CMS seria autorizada a ganhar 2,20 dólares; do contrário, ganharia cerca de 1,50 dólar, mas de qualquer forma prosperaria no longo prazo. Se os reguladores restringissem seus lucros, ela poderia investir o dinheiro no aumento da capacidade de geração de energia e expandir os negócios internamente. Com as ações sendo negociadas a 18 dólares e abaixo do valor contábil, vi uma grande recompensa potencial sem muito risco.

Se você não gosta da CMS Energy, pode sempre procurar a desafortunada Public Service Company of New Mexico ou a mais desafortunada ainda Tucson Electric. Você pode ter certeza de que o responsável pelas relações com os investidores não vai estar ocupado demais para falar com você.

Sigla da ação	Empresa	Preço em 13/1/92 (valores em dólar)
CMS	CMS Energy	18,50

17
VENDA DE GARAGEM DO TIO SAM
Allied Capital II

Quando o Tio Sam ou a Rainha da Inglaterra estão fazendo uma venda de garagem, sempre tento comparecer. A Não-Tão-Grã-Bretanha[106] está muito à frente de nós no patrocínio desses eventos, tendo vendido tudo, desde os reservatórios de água até as companhias aéreas, mas, se nossos próprios gastos deficitários continuarem no ritmo atual, algum dia teremos de privatizar os parques nacionais, o Centro Espacial Kennedy e até o Jardim das Rosas da Casa Branca só para poder pagar os juros da nossa dívida nacional.

A privatização é um conceito estranho. Você pega algo que é propriedade pública e depois vende de volta ao público e, então, isso se torna privado. Do ponto de vista prático, o que é útil saber sobre isso é que sempre que os americanos ou britânicos privatizam algo por meio da venda de ações, isso costuma ser um bom negócio para os compradores.

O motivo não é difícil de imaginar. Nos países democráticos, os compradores de indústrias privatizadas também são eleitores, e os governos já têm problemas suficientes para ser reeleitos sem ter de enfrentar uma massa de investidores descontentes por terem perdido dinheiro com a companhia telefônica ou com a usina de gás.

Os britânicos aprenderam essa lição em 1983, depois que duas de suas primeiras privatizações, a Britoil e a Amersham International, acabaram sobrevalorizadas, criando um mau humor generalizado quando os preços caíram. Desde então, os britânicos estruturaram suas ofertas de uma maneira que

---

106. Aqui o autor faz um jogo de palavras com o termo "grã", que significa "grande", querendo dizer que a Grã-Bretanha (ou, em sentido literal, Grande Bretanha) não é tão grande assim. (N.E.)

torna improvável que os investidores tenham prejuízo, pelo menos no início. A British Telecom dobrou de preço em um dia. Três milhões de britânicos abocanharam as ações. Não admira que os conservadores ainda estejam no poder. Isso nos leva ao Princípio do Peter número 21:

O que quer que a rainha esteja vendendo, compre.

Há alguns anos, fui apresentado a uma proposta tentadora por um contingente britânico que apareceu em nossos escritórios na Fidelity. Eles se apresentaram como lorde Fulano de Tal e *sir* Sicrano de Tal. Trouxeram um grande volume encadernado que era, na verdade, um prospecto para um grupo de concessionárias de abastecimento de água britânicas que estava prestes a ser privatizado. O prospecto era numerado, como se fosse uma edição limitada de uma gravura rara. Na capa estavam os nomes e os logotipos corporativos das empresas novas — Northumbrian Water, Severn Trent, Yorkshire Water, Welsh Water PLC, etc.

Embora o Magellan já tivesse participado das bonanças da British Telecom (a maior abertura de capital ao público que o mundo já tinha visto na época — 4 bilhões de dólares) e da British Airways, eu não estava preparado para os benefícios que haviam sido incorporados a esses negócios de concessionárias de abastecimento de água. Elas eram monopólios, assim como as concessionárias de abastecimento de água em todos os lugares do mundo tendem a ser — e é sempre bom possuir um monopólio. O governo britânico, antes de libertá-las, havia absorvido a maior parte das dívidas existentes.

Essas empresas estavam nascendo sem dívidas, com capital adicional fornecido pelo governo, que lhes dera um "dote verde" para começarem com o pé direito. Elas concordaram em embarcar em um programa de dez anos de melhoria dos sistemas de abastecimento de água, um esforço que seria parcialmente subsidiado pelo dote verde, com o restante pago pelo aumento das contas de água.

Na conversa em meu escritório, os lordes da água me disseram que as contas de água na Inglaterra eram tão baixas (100 libras por ano) que, mesmo que esses preços dobrassem, os clientes não se ressentiriam. E, mesmo que se ressentissem, não havia nada que pudessem fazer a não ser parar de usar água, o que era improvável. A demanda de água na Inglaterra estava crescendo 1% ao ano.

Essas novas ações de água poderiam ser adquiridas em parcelas, igual aos carros, aparelhos de som ou tapetes. Você poderia pagar 40% à vista e o restante em duas parcelas facilitadas, uma com vencimento em doze meses e a outra em vinte meses. Os britânicos haviam oferecido o mesmo tipo de negócio, que chamaram de "ações parcialmente pagas", no caso da British Telecom. Quando a British Telecom abriu seu capital a 30 dólares, tudo o que o comprador precisou pagar à vista foram 6 dólares. Assim, quando o preço da ação subiu para 36 dólares, o comprador que pagou 6 dólares pôde vendê-la e dobrar seu dinheiro.

Não consegui compreender as implicações desse conceito de pagamento parcial no caso da British Telecom. Achei que o preço das ações estava subindo rápido demais, mas, quando finalmente entendi os benefícios do recurso de pagamento parcial, pude entender que o frenesi de compra era justificado. O mesmo tipo de negócio foi oferecido no caso das empresas de água, como segue.

Além de permitir que você compre ações e pague em parcelas, as empresas de abastecimento de água pagavam um dividendo de 8%, com início imediato. Durante pelo menos um ano, você recebia esse dividendo de 8% sobre o valor total das ações adquiridas com uma entrada de 40%. Isso representava um retorno de 20% sobre seu investimento nos primeiros doze meses — mesmo que o preço das ações permanecesse estável.

É fácil entender por que as ações britânicas de água eram bastante populares. Antes da oferta pública inicial, os gestores de fundo americanos e outros investidores institucionais receberam uma cota. Para o Magellan, levei tudo o que estava alocado para a empresa, e depois comprei mais ações no mercado pós-abertura, quando elas começaram a ser negociadas na Bolsa de Londres. Uma carteira com todas as cinco concessionárias de abastecimento de água dobrou de valor em três anos.

As outras empresas britânicas que abriram seu capital tiveram um desempenho tão bom ou melhor em um período de seis meses a um ano após as ofertas. Isso nos leva a outro fundo hipotético, o Fundo da Venda de Garagem da Rainha. Qualquer investidor americano poderia ter montado uma carteira das ações mostradas na Tabela 17-1 e obtido os resultados mostrados lá.

Todas as vezes que uma companhia telefônica foi privatizada, em qualquer país — Filipinas, México, Espanha — os acionistas obtiveram recompensas únicas na vida. Os políticos em todo o mundo se dedicam a melhorar o serviço telefônico e, nos países em desenvolvimento, existe tanta demanda por telefones que essas empresas estão crescendo entre 20% e 30% ao ano. O que você tem aqui é uma combinação da taxa de crescimento de uma pequena empresa em crescimento, com o tamanho e a estabilidade de uma *blue chip* e com o sucesso garantido de um monopólio. Se você perdeu a AT&T em 1910, poderia ter compensado com os telefones espanhóis e mexicanos no final dos anos 1980.

TABELA 17-1. FUNDO DE VENDA DE GARAGEM DA RAINHA

Nome da empresa	Ações emitidas em	% de aumento um ano depois
British Airways	2/1981	103,0
British Gas	12/1986	194,0
British Steel	12/1988	116,0
British Telecom	11/1984	200,0
Northumbrian Water	12/1989	75,9
Severn Trent	12/1989	54,6
Welsh Water	12/1989	76,9
Yorkshire Water	12/1989	74,4

Fonte: DataStream
Com base no preço das ações vendidas no mercado dos Estados Unidos.

Os acionistas do Magellan ganharam muito dinheiro com a telefonia mexicana. Não era preciso visitar a companhia telefônica mexicana para saber que uma bonança estava a caminho. O país sabia que tinha de melhorar o serviço de telefonia antes que o resto da economia pudesse se expandir. Os telefones eram tão importantes quanto as estradas. O país também sabia que não poderia ter um bom sistema telefônico sem uma companhia telefônica bem capitalizada e bem administrada. E não poderia atrair capital sem permitir que os acionistas tivessem um lucro decente.

Aqui está outra grande carteira hipotética, Telefones de Nações Emergentes:

TABELA 17-2. TELEFONES DE NAÇÕES EMERGENTES

Nome da empresa	% de aumento	Período de tempo
Compañía de Teléfonos de Chile	210,0	7/1990–9/1992
Teléfonos de México	774,8	7/1990–9/1992
Hong Kong Telecommunications Ltd.	72,3	12/1988–9/1992
Telefónica de España	100,0	6/1987–9/1992
Philippine Long Distance	565,0	1/1990–9/1992

Com base nos preços das ações vendidas no mercado americano, em dólares.

Em 1990, as vendas acumuladas de empresas privatizadas em todo o mundo chegaram a 200 bilhões de dólares, com mais por vir. Os franceses venderam suas concessionárias de eletricidade e seus trens; a Escócia vendeu suas usinas hidrelétricas; os espanhóis e os argentinos se desfizeram de suas petroleiras; os mexicanos, de suas companhias aéreas. Um dia, a Grã-Bretanha pode vender suas ferrovias e seus portos; o Japão, seus trens-bala; a Coreia, seu banco estatal; a Tailândia, sua companhia aérea; a Grécia, uma empresa de cimento; e Portugal, seus telefones.

Nos Estados Unidos, não houve tantas privatizações como vimos no exterior, porque não há tanto o que privatizar aqui. Nossas empresas de petróleo, telefonia e geração de eletricidade são privadas desde o início. O maior negócio recente foi a Conrail, ou, mais formalmente, a Consolidated Rail Corporation, que foi montada a partir dos destroços da Penn Central e de cinco outras ferrovias falidas do nordeste. Por vários anos, o governo administrou a Conrail com déficit, até que o governo Reagan decidiu que privatizar a Conrail era a única maneira de impedi-la de buscar mais subsídios do governo, que já haviam ultrapassado 7 bilhões de dólares.

Algumas facções políticas favoreciam a venda da Conrail para uma ferrovia já existente, sendo a Norfolk Southern a compradora mais provável, mas, depois de muitas disputas no Congresso, um plano de abrir seu capital prevaleceu. Em março de 1987, a Conrail se tornou a maior oferta pública da história dos Estados Unidos, com valor de 1,6 bilhão de dólares. O governo gastou uma fortuna folheando a ouro essa ferrovia, atualizando os trilhos e equipamentos e injetando dinheiro nela. O preço inicial era de 10 dólares por ação e, no momento em que este livro foi escrito, essa mesma ação valia 46 dólares.

Em uma reunião para comemorar o negócio da Conrail, o presidente Reagan brincou: "E aí, quando venderemos a TVA?". É claro que nenhuma tentativa séria foi feita para privatizar a Tennessee Valley Authority, mas, se isso acontecesse, eu estaria na fila para receber o prospecto. Certa vez, falou-se em privatizar a ferrovia Amtrak e também as reservas de petróleo da Marinha na Califórnia e no Wyoming, e eu também estaria na fila para receber esses prospectos. Talvez um dia eles vendam a National Gallery, a banda dos fuzileiros navais ou as Cataratas do Niágara.

Do jeito que estava, não havia novas privatizações empolgantes chegando ao mercado na época em que eu procurava ações para o painel da *Barron's*. As mais antigas que eu sigo, como a empresa de telefonia mexicana (a Taco Bell original) e a empresa de telefonia espanhola (a Flamenco Bell), tinham apresentado grandes ganhos no ano anterior e pareciam estar indo bem até demais. Isso significava que não havia como um investidor lucrar com brindes governamentais em 1992? Não enquanto tivermos uma Resolution Trust Corporation.[107]

---

107. A Resolution Trust Corporation foi uma empresa de gestão de ativos de propriedade do governo dos Estados Unidos instituída em 1989. Em 1995, suas funções foram transferidas para o Savings Association Insurance Fund (Saif), que foi, por sua vez, integrado ao Fundo de Seguro de Depósito (DIF) em 2006. (N.E.)

Já discutimos uma maneira de tirar proveito da confusão das S&Ls — comprando as ações das S&Ls saudáveis que estão adquirindo as agências e os depósitos de suas irmãs falidas. Outra maneira era comprar ações de uma empresa chamada Allied Capital II.

A Allied Capital é uma das poucas empresas de capital de risco [*venture capital*] que é negociada em bolsa. Ela empresta dinheiro, sobretudo para pequenas empresas, e em troca recebe uma taxa de juros relativamente alta, além de um "reforço" (opções de ações, warrants,[108] etc.) que dá à Allied uma participação nos lucros se o empreendimento tiver sucesso. Essa estratégia tem sido tão produtiva que uma pessoa que investiu 10 mil dólares na Allied Capital I, quando ela abriu seu capital em 1960, hoje está sentado em cima de 1,5 milhão de dólares.

Um resultado tangível de um empréstimo para *startup* feito pela Allied Capital é o purificador de ar que fica em nosso quarto em Marblehead. Esse incrível equipamento remove tanta poeira do ar que nosso quarto tem uma classificação de qualidade do ar igual ao de um laboratório de engenharia genética. Dei um aparelho desses à minha sogra e outro à minha secretária, para que elas também possam tirar o pó de suas vidas. A máquina é fabricada pela Envirocare, uma empresa de alta tecnologia na qual a Allied Capital agora detém uma grande participação acionária para acompanhar o empréstimo.

Recentemente, o pessoal da Allied Capital decidiu dar um bis. Eles criaram uma segunda reserva de dinheiro (92 milhões de dólares) com a venda de ações da Allied Capital II, que agora é negociada no mercado de balcão. A ideia básica era a mesma da primeira Allied. A empresa usa seus recursos próprios, nesse caso, 92 milhões de dólares, para tomar emprestado outros 92 milhões de dólares. Agora, ela tem um montante de 184 milhões de dólares, e o usa para comprar empréstimos que pagam, digamos, juros de 10%.

Se o custo de empréstimos da própria Allied II for, digamos, 8%, e ela adquirir uma carteira de empréstimos que pagam 10%, ela pode oferecer um *spread* confortável para seus acionistas, mais o eventual "adoçante" de capital, conforme descrito anteriormente. A empresa tem poucos funcionários e poucas despesas.

A chave do sucesso da Allied tem sido a capacidade da administração de reaver seu dinheiro. Ao contrário dos banqueiros, os responsáveis por autorizar os empréstimos da Allied têm sido muito exigentes quanto a quem pode pegar

---

108. *Warrant* é um título de garantia emitido pelo vendedor de uma *commodity* que expressa o crédito e o valor de mercadorias em depósito, ou seja, como o próprio nome sugere, o significado de *warrant* é "garantia". O *warrant* assegura ao comprador que o título é considerado como uma mercadoria de valor. (N.R.T.)

o dinheiro emprestado e muito rigorosos quanto à quantidade das garantias que os mutuários devem oferecer. Ouvi dizer que a Allied Capital II estava usando uma parte de seu fundo de dinheiro para comprar empréstimos da Resolution Trust Corporation.

Normalmente, pensamos na Resolution Trust Corporation como uma vendedora de edifícios, campos de golfe, talheres folheados a ouro, obras de arte sobrevalorizadas e jatos corporativos outrora pilotados pelos proprietários de S&Ls falidas. Mas a RTC também vende empréstimos feitos por esses caras malucos. Entre os muitos empréstimos vagabundos nessas carteiras de S&L, existem, na verdade, alguns bons concedidos a mutuários de boa reputação com garantias sólidas.

As casas de investimento de Wall Street e os grandes bancos compraram muitos desses empréstimos na categoria de milhões de dólares, mas não era tão fácil para a RTC se desfazer dos empréstimos de 1 milhão de dólares ou menos. Foi aí que a Allied Capital II planejou entrar no leilão.

Liguei para a empresa para ter certeza de que a mesma equipe que comandava a Allied Capital original era a mesma que estava tomando as decisões na Allied Capital II. E era. As ações da Allied II estavam sendo negociadas a 19 dólares, com um dividendo de 6%. Investir na Allied II parecia uma maneira simples de transformar o fiasco das S&Ls em algo vantajoso. Aqui estava uma chance de recuperar alguns dos impostos que todos nós temos de pagar para financiar o resgate das S&Ls.

Sigla da ação	Empresa	Preço em 13/1/92 (valores em dólares)
ALII	Allied Capital Corporation II	19,00

18
MEU DIÁRIO DA FANNIE MAE

Todos os anos, desde 1986, recomendo a Fannie Mae para o painel da *Barron's*. Está ficando chato. Eu a elogiei, em 1986, como a "melhor empresa, literalmente, dos Estados Unidos", observando que a Fannie Mae tinha um quarto dos funcionários que tinha a Fidelity e dez vezes os lucros. Eu a elogiei, em 1987, como a "instituição de poupança e empréstimo definitiva". Em 1988, eu disse que era "uma empresa muito melhor do que há um ano, e as ações estão oito pontos mais baixas". Em 1989, quando Alan Abelson perguntou "Qual é sua ação favorita?", respondi: "Uma empresa da qual você já ouviu falar, a Federal National Mortgage Association".

Não é por acaso que existe uma fotografia da sede da Fannie Mae entre as fotos de minha família na prateleira de lembranças do meu escritório. Aquece meu coração pensar nesse lugar. A ação está tão boa que deveriam aposentar sua sigla de cotação em bolsa.

Durante meus últimos três anos no Magellan, a Fannie Mae foi a maior posição do fundo — vale meio bilhão de dólares. Outros fundos da Fidelity também investiram na Fannie Mae. Entre as ações e os bônus de subscrição (opções para comprar mais ações a determinado preço), a Fidelity e seus clientes obtiveram mais de 1 bilhão de dólares em lucros com a Fannie Mae na década de 1980.

Estou enviando este resultado para o *Guinness Book*: o maior montante de dinheiro já ganho com uma ação, na história das finanças, por um grupo de fundos mútuos.

A Fannie Mae era uma vencedora óbvia? Em retrospecto, sim, mas uma empresa não diz a você que a compre. Sempre há algo com que se preocupar. Sempre há investidores respeitados que dizem que você está errado. Você precisa conhecer a história melhor do que eles e confiar no que sabe.

Para que uma ação tenha um desempenho melhor do que o esperado, a empresa deve ser amplamente subestimada. Caso contrário, seria negociada a um preço mais alto para começo de conversa. Quando a opinião prevalecente é mais negativa do que a sua, você precisa conferir e reavaliar os fatos constantemente, para se assegurar de que não está sendo tolamente otimista.

A história continua mudando, para melhor ou para pior, e você precisa acompanhar essas mudanças e agir de acordo com elas. Com relação à Fannie Mae, Wall Street ignorava as mudanças. A antiga Fannie Mae tinha causado uma impressão tão forte que as pessoas tiveram dificuldade em ver a nova Fannie Mae surgindo diante de seus olhos. Eu vi, mas não imediatamente. Não imediatamente, mas cedo o bastante para o Magellan auferir um lucro de seis vezes seu investimento de 200 milhões de dólares. Este é meu diário da Fannie Mae.

1977

Comprei minha primeira posição nessa ação de 5 dólares. O que eu sabia sobre a empresa? Que havia sido fundada em 1938 como uma empresa estatal e privatizada na década de 1960. Sua razão de ser era fornecer liquidez ao mercado hipotecário, o que ela fazia por meio da compra de hipotecas de bancos e de S&Ls. Seu lema era "Pegue emprestado a curto prazo e empreste a longo prazo". A Fannie Mae tomava dinheiro emprestado a taxas baratas, usava o dinheiro para comprar hipotecas de longo prazo que pagavam juros fixos mais altos e embolsava a diferença.

Essa estratégia funcionava bem nas épocas em que as taxas de juros estavam em queda. A Fannie Mae ganhava muito dinheiro nessas épocas, porque o custo de seus empréstimos diminuía, enquanto o produto de sua carteira de hipotecas de taxa fixa permanecia constante. Quando as taxas de juros aumentavam, o custo dos empréstimos aumentava e a Fannie Mae perdia muito dinheiro.

Vendi as ações alguns meses depois de comprá-las, com um pequeno lucro. Eu vi que as taxas de juros estavam subindo.

1981

A Fannie Mae tinha muito em comum com a heroína de *As aventuras de Elaine*:[109] estava tentando evitar a última calamidade. Todas as hipotecas de

---

109. *As aventuras de Elaine* (no original, *The perils of Pauline*) é um seriado americano do cinema mudo de 1914 em que em cada episódio a protagonista enfrenta um perigo que pode lhe ser fatal. (N.E.)

longo prazo que ela comprou em meados dos anos 1970 pagavam de 8% a 10%. Enquanto isso, as taxas de curto prazo dispararam para 18% a 20%. Não há como ir muito longe tomando emprestado a dezoito para ganhar nove. Os investidores sabiam disso, e é por isso que a ação, que foi negociada por até 9 dólares cada uma em 1974, caiu para um mínimo histórico de 2 dólares.

Este foi um daqueles raros períodos em que um proprietário poderia dizer: "Minha casa é boa, mas minha hipoteca é ainda melhor". Diante da janela, podia haver um depósito de lixo a céu aberto, mas as pessoas não queriam se mudar. Elas estavam paradas por causa de suas belas hipotecas. Isso era ruim para os bancos e terrível para a Fannie Mae. Havia rumores de que a empresa faliria.

1982

Embaixo do meu nariz, a Fannie Mae estava prestes a passar por uma grande mudança de personalidade. Algumas pessoas notaram. Elliot Schneider, da Gruntal & Co., um analista conhecido como o observador da Fannie mais dedicado do mundo, previu e disse aos seus clientes: "A Fannie Mae se tornará o tipo de garota que você quer apresentar para sua mãe".

A empresa que todos pensávamos entender como uma jogada vinculada às taxas de juros, perdendo milhões em um ano, ganhando milhões no próximo, estava tentando se reinventar. Um sujeito chamado David Maxwell foi contratado. Maxwell era advogado e um ex-agente de seguros da Pensilvânia que antes havia fundado a própria seguradora de hipotecas e a transformado em um sucesso. Ele conhecia o setor.

Maxwell estava determinado a acabar com as oscilações violentas da Fannie Mae. Ele queria transformá-la em uma empresa estável e madura com lucros confiáveis. Ele esperava conseguir isso de duas maneiras: (1) acabando com o esquema de tomar emprestado a curto prazo e emprestar a longo prazo e (2) imitando a Freddie Mac.

A Freddie Mac, formalmente conhecida como Federal Home Loan Mortgage Corporation, também foi fundada pelo governo federal. Sua missão era comprar hipotecas apenas de S&Ls. A Freddie Mac se tornou uma empresa de capital aberto em 1970. Além de simplesmente comprar hipotecas e mantê-las em carteira, a Freddie Mac tinha tropeçado na ideia inovadora de fazer combos de hipotecas.

A ideia era simples: comprar um monte de hipotecas, agrupá-las e vendê-las a bancos, S&Ls, seguradoras, fundos patrimoniais de universidades, instituições de caridade, etc.

A Fannie Mae copiou a ideia da Freddie Mac e começou a fazer pacotes de hipotecas em 1982. Digamos que você tivesse uma hipoteca para sua casa que foi originada pelo Banco X. O Banco X vendia sua hipoteca para a Fannie Mae. A Fannie Mae a juntava a outras hipotecas para criar um "título lastreado em hipotecas".[110] Ela poderia então vender o título lastreado em hipotecas a qualquer pessoa, até mesmo de volta aos bancos que deram origem às hipotecas do pacote.

A Fannie Mae recebia uma boa remuneração por fazer isso. E, ao vender hipotecas que costumava manter na própria carteira, repassava o risco da taxa de juros para novos compradores.

Esse serviço de pacotes era muito popular nos meios bancários. Antes do surgimento dos títulos lastreados em hipotecas, os bancos e as S&Ls estavam presos a milhares de hipotecas pequenas. Era difícil controlá-las, e era difícil vendê-las em caso de dificuldades. Agora os bancos podiam vender todas as suas pequenas hipotecas para a Fannie Mae e usar a receita para fazer mais hipotecas, de modo que seu dinheiro não ficasse amarrado. Se eles ainda quisessem possuir as próprias hipotecas, poderiam comprar alguns títulos lastreados em hipotecas da própria Fannie Mae.

Logo surgiu um mercado para os títulos lastreados em hipotecas, e eles podiam ser negociados instantaneamente, como uma ação, um título ou uma garrafa de vodca em Moscou. Hipotecas aos milhares, e mais tarde aos milhões, foram convertidas em pacotes. Essa pequena invenção, se é que se pode chamá-la assim, estava destinada a se tornar uma indústria de 300 bilhões de dólares ao ano, maior do que as grandes siderúrgicas, as grandes minas de carvão ou as grandes petrolíferas.

No entanto, em 1982, eu ainda estava olhando para a Fannie Mae como uma jogada de taxa de juros. Comprei as ações pela segunda vez em minha carreira, pois as taxas de juros estavam caindo. Nas anotações que fiz após

---

110. Os títulos lastreados em hipotecas (em inglês, *Mortgage Backed Securities* [MBS]) desempenharam um papel direto na Crise do Subprime de 2008. Um MBS permite que um banco retire uma hipoteca de seus livros e a transforme em uma garantia, vendendo-a aos investidores. Com os investidores encorajados pela força tradicional do mercado imobiliário e pelas altas classificações certificadas pelas agências de risco, havia uma demanda por essas hipotecas "reembaladas". A demanda por MBS encoraja os bancos a ir mais longe em termos de capacidade creditícia para fornecer mais aos investidores ansiosos. Assim, o mercado começou a vender mais MBS *subprime* (com alto risco de inadimplência). Com a Freddie Mac e a Fannie Mae também apoiando agressivamente o mercado de hipotecas, a qualidade dos títulos lastreados em hipotecas teve um declínio abaixo de suas classificações. Quando os tomadores de empréstimos *subprime* começaram a ficar inadimplentes, o mercado imobiliário se contraiu e começou a entrar em colapso, prejudicando até mesmo os detentores de hipotecas convencionais. (N.R.T.)

ligar para a empresa em 23 de novembro de 1982, escrevi: "acho que eles terão um lucro de 5 dólares por ação". Naquele ano, as ações se recuperaram no estilo típico da Fannie Mae, de 2 dólares para 9 dólares. É o que acontece com as ações cíclicas: a empresa perdeu dinheiro em 1982 e as ações aumentaram quatro vezes, à medida que os investidores antecipavam a próxima era de ouro.

1983

Quando telefonei para a empresa em fevereiro, ela ganhava 1 bilhão de dólares ao mês com esses novos títulos lastreados em hipotecas. Ocorreu-me que a Fannie Mae era parecida com um banco, mas também tinha muito mais vantagens do que um banco. Os bancos tinham despesas gerais de 2% a 3%. A Fannie Mae tinha despesas gerais de 0,2%. Não era dona de um dirigível. Não dava torradeiras de graça para atrair clientes. Não pagava Phil Rizzuto[111] para promover títulos lastreados em hipotecas na tevê. A sua folha de pagamento inteira tinha cerca de 1.300 pessoas, espalhadas em quatro escritórios localizados em quatro cidades diferentes. O Bank of America tinha tantas agências quanto a Fannie Mae tinha funcionários.

Graças ao seu status de entidade paragovernamental, a Fannie Mae podia emprestar dinheiro mais barato do que qualquer banco, mais barato do que a IBM ou a General Motors ou milhares de outras empresas. Ela poderia, por exemplo, pegar dinheiro emprestado por quinze anos a 8%, usar o dinheiro para comprar uma hipoteca de quinze anos a 9% e ganhar um *spread* de 1%.

Nenhum banco, S&L ou outra empresa financeira nos Estados Unidos poderia ter lucro com um *spread* de 1%. Não parece muito, mas um spread de 1% sobre 100 bilhões de dólares em empréstimos continua sendo 1 bilhão de dólares.

A Fannie Mae tinha começado a desbastar o que ela chamava de "bloco de granito" — a carteira de hipotecas de longo prazo que adquiriu em meados da década de 1970 a taxas desfavoráveis. Esse foi um processo lento. As hipotecas chegavam ao fim, e a Fannie Mae as substituía por hipotecas que pagavam taxas de juros mais altas. Mesmo assim, ela possuía 60 bilhões de dólares dessas hipotecas, que rendiam coletivamente 9,24%, enquanto o custo médio de sua dívida era de 11,87%.

A empresa havia chamado a atenção de Thomas Hearns, da Merrill Lynch, Mark Alpert, da Bear Stearns, e Thomas Klingenstein, da Wertheim. Muitos

---

111. Phil Rizzuto (1917-2007) foi um jogador americano de beisebol que jogou durante toda a sua carreira no New York Yankees. Entrou para o Hall da Fama do Beisebol em 1994. (N.E.)

analistas diziam coisas boas a respeito dela. Eles viram que novas quedas nas taxas de juros iriam, como disse um deles, "mandar os lucros para as alturas".

Depois de oito trimestres consecutivos de prejuízos, a Fannie Mae realmente teve lucro em 1983. As ações não foram a lugar algum.

1984

Meu compromisso com as ações era um colossal 0,1% dos ativos do Magellan. Mas mesmo uma posição pequena me permitia acompanhá-la. Aumentei-a, cautelosamente, para 0,37% no final do ano. As ações caíram pela metade novamente, de 9 para 4 dólares, sempre no velho estilo da Fannie Mae — as taxas de juros subiram e os lucros caíram. Os benefícios dos títulos lastreados em hipotecas ainda não compensavam o peso do bloco de granito.

Para evitar essa situação difícil no futuro, a Fannie Mae começou a "combinar" os empréstimos que tomava com os empréstimos que fazia. Em vez de tomar emprestado dinheiro de curto prazo a taxas mais baratas, ela passou a oferecer títulos de três, cinco e dez anos a taxas mais elevadas. Essa oferta aumentou o custo do dinheiro para a Fannie Mae, penalizando os lucros no curto prazo. Mas, no longo prazo, ela tornou a empresa menos vulnerável às oscilações das taxas que haviam sido seu bicho-papão no passado.

1985

Eu começava a perceber o potencial dessas coisas. Os títulos lastreados em hipotecas poderiam ser um setor imenso — a Fannie Mae agora estava fazendo pacotes deles de 23 bilhões de dólares por ano, o dobro do valor de 1983-1984. Grandes pedaços do bloco de granito estavam sendo arrancados. A administração agora falava na "carteira antiga" e na "carteira nova". Havia dois negócios diferentes: fazer combos de hipotecas e vendê-las, e criar hipotecas e mantê-las.

Um novo medo surgiu: não provocado pelas taxas de juros, mas pelo Texas. As S&Ls malucas de lá estavam emprestando dinheiro durante o *boom* da prospecção de petróleo. As pessoas em Houston que haviam assinado hipotecas com uma entrada de 5% estavam deixando as chaves na porta e largando suas casas e hipotecas. A Fannie Mae era dona de muitas dessas hipotecas.

Em maio, visitei a empresa em Washington e conversei com David Maxwell. Vários concorrentes importantes no negócio de hipotecas haviam desistido dele. Com menos concorrentes comprando e vendendo hipotecas, as margens de lucro dos empréstimos aumentaram. Isso aumentaria os lucros da Fannie Mae.

Devo ter ficado impressionado com o progresso da Fannie Mae. Comprei mais ações — o suficiente para tornar a Fannie Mae 2% do fundo, uma das minhas dez maiores participações.

A partir do início de julho, liguei para Paul Paquin no departamento de relações com os investidores para receber notícias regulares sobre o andamento dos negócios. Os dois números que apareciam com mais frequência nas contas de telefone do meu escritório eram o da Fannie Mae e o da minha casa em Marblehead.

Aqui está a pergunta-chave a ser feita sobre uma ação arriscada, mas promissora: se as coisas derem certo, quanto posso ganhar? Qual é o lado positivo da equação? Achei que, se a Fannie Mae pudesse pagar suas despesas gerais com a receita dos títulos lastreados em hipotecas e, em seguida, ter um lucro de 1% sobre sua própria carteira de 100 bilhões de dólares, ela poderia ganhar 7 dólares por ação. A preços de 1985, isso dava à ação um índice P/L de um. Quando uma empresa pode ter um lucro equivalente ao preço de suas ações em um ano, você encontrou um bom negócio.

No início, escrevi páginas e mais páginas de anotações sobre minhas conversas com a Fannie Mae, mas agora eu conhecia a empresa tão bem que poderia anotar as novidades em uma única folha.

A Fannie Mae teve um prejuízo de 87 centavos por ação em 1984, mas ganhou 52 centavos em 1985. As ações foram de 4 para 9 dólares.

1986

Recuei um pouco. Agora, apenas 1,8% do fundo estava investido na Fannie Mae. Wall Street ainda se preocupava com o Texas e as chaves nas portas. Em minhas anotações de 19 de maio, havia um acontecimento mais importante: a Fannie Mae acabara de vender 10 bilhões de dólares de seu bloco de granito e restavam apenas 30 bilhões de dólares desses empréstimos desfavoráveis. Pela primeira vez, eu disse a mim mesmo: "Essa ação vale a pena ser comprada apenas pelos títulos lastreados em hipotecas!".

Outra novidade surgiu: a Fannie Mae estava endurecendo as exigências com os empréstimos para novas hipotecas. Isso acabou sendo uma jogada muito inteligente, porque protegeu a Fannie Mae na recessão subsequente. Enquanto bancos como o Citicorp estavam facilitando a obtenção de hipotecas com pouca documentação — hipotecas sem documentação, hipotecas com poucos documentos, hipotecas *chame-o-doc* —, a Fannie Mae estava tornando as coisas mais difíceis. A Fannie Mae não queria repetir o erro do Texas. Nesse Estado, ela estava promovendo a hipoteca do tipo "nem que a vaca tussa".

As manchas na Fannie Mae estavam desviando a atenção da beleza dos títulos lastreados em hipotecas. Esse negócio certamente cresceria, já que o refinanciamento se transformara em passatempo nacional. Mesmo que novas casas não estivessem sendo vendidas, o negócio de hipotecas prosperaria. Os idosos se mudavam de casas antigas e os jovens compravam as casas antigas, e novas hipotecas tinham de ser feitas. Muitas delas acabavam nos pacotes da Fannie Mae, que recebia mais comissões.

A empresa havia se renovado e estava à beira da grande explosão que Thomas Klingenstein previra em 1983, mas a maioria dos analistas agora estava cética. A Montgomery Securities disse a seus clientes que "a Fannie Mae está sobrevalorizada em relação à típica instituição de poupança em nossa cobertura". Essa era realmente uma típica instituição de poupança? "A queda significativa recente nos preços do petróleo", continuou a Montgomery, "poderá impactar negativamente os 18,5 bilhões de dólares que a empresa tem em hipotecas expostas à região [sudoeste]".

A Fannie Mae estava tirando lascas do bloco de granito. Ela vendeu outros 10 bilhões de dólares de suas antigas hipotecas, que tinham taxas de juros desfavoráveis à empresa.

Nos últimos cinco meses de 1986, a ação subiu de 8 para 12 dólares. A empresa teve um lucro de 1,44 dólar no ano.

1987

Entre 2% e 2,3% do Magellan foram investidos na Fannie Mae ao longo do ano. A ação oscilou entre 12 e 16 dólares, voltou para 12 dólares, voltou para 16 dólares e depois sofreu um revés para 8 dólares na Grande Correção de outubro. Os observadores dos altos e baixos ficaram confusos.

Estou me adiantando. Em fevereiro, conversei com quatro executivos da Fannie Mae em uma teleconferência. Fiquei sabendo que as execuções de casas hipotecadas pela Fannie Mae ainda estavam aumentando. A Fannie Mae havia recuperado tantas casas no Texas que se tornou, literalmente sem querer, a maior magnata do mercado imobiliário do Texas.

Apenas em Houston, 38 funcionários da Fannie Mae estavam trabalhando para se livrar dessas casas. A empresa precisou gastar milhões em processos de execução hipotecária e mais milhões para cortar a grama e pintar o exterior das casas e, de outra forma, cuidar das casas abandonadas até que compradores pudessem ser encontrados. No momento, os compradores eram escassos.

No Alasca, o mercado imobiliário também se deteriorou. Felizmente para a Fannie Mae, o mercado imobiliário do Alasca é muito pequeno.

Em minha mente, esses fatores negativos foram ofuscados pelo incrível sucesso dos títulos lastreados em hipotecas — no valor de 100 bilhões de dólares empacotados nesse único ano. Além disso, a Fannie Mae havia resolvido o problema dos altos e baixos. Ela não poderia mais ser classificada como uma ação cíclica. Estava começando a se assemelhar à Bristol-Myers ou à General Electric, uma empresa de crescimento estável com lucros previsíveis. Mas estava crescendo muito mais rápido do que a Bristol-Myers. Seus lucros saltaram de 83 centavos para 1,55 dólar.

Em 13 de outubro, dias antes da Grande Correção, liguei novamente para a empresa. David Maxwell, o CEO, fez uma afirmação interessante que confirmou minhas suposições: se as taxas de juros subissem 3%, disse ele, os lucros da Fannie Mae cairiam apenas 50 centavos. Jamais tal coisa poderia ser dita sobre a velha Fannie Mae. Esse foi um divisor de águas — a empresa estava nos dizendo que a transformação havia sido bem-sucedida.

Junto com todas as outras ações, a Fannie Mae levou uma surra em 19 de outubro. Os investidores entraram em pânico e os comentaristas previram o fim do mundo. Fiquei consolado pelo fato de que, embora a taxa de execuções de hipotecas da Fannie Mae ainda estivesse subindo, suas hipotecas com inadimplência igual ou superior a noventa dias estavam caindo. Uma vez que a inadimplência leva a execuções hipotecárias, essa queda na taxa de inadimplência sugeria que a Fannie Mae já havia passado pelo pior.

Lembrei-me do Panorama Ainda Mais Amplo, de que vale a pena possuir ações de empresas boas. Eu estava convencido de que a Fannie Mae era uma empresa boa — qual era a pior coisa que poderia acontecer com ela? Uma recessão que se transformasse em depressão? Nessa situação, as taxas de juros cairiam e a Fannie Mae se beneficiaria ao refinanciar sua dívida a taxas de curto prazo mais baixas. Enquanto as pessoas continuassem a pagar suas hipotecas, a Fannie Mae seria o negócio mais lucrativo do planeta.

À medida que o fim do mundo se aproximava e as pessoas deixavam de pagar suas hipotecas, a Fannie Mae ia por água abaixo junto com o sistema bancário e todos os outros sistemas, mas isso não aconteceria da noite para o dia. A última coisa da qual as pessoas desistiriam (exceto em Houston, aparentemente) seria de suas casas. Eu não poderia imaginar um lugar melhor para investir no crepúsculo da civilização do que as ações da Fannie Mae.

A Fannie Mae deve ter concordado comigo. Após a Grande Correção, a empresa anunciou que estava recomprando até 5 milhões de suas ações.

1988

Existem diferentes tipos de compra. Existem as do tipo "O que mais vou comprar?". Existem as compras "Talvez isso dê certo". Existem as compras "Compre agora e venda depois". Existem as compras "Compre para sua sogra". Existem as compras "Compre para sua sogra e todos os tios, tias e primos". Existem as compras "Venda a casa e coloque o dinheiro nisso". Existem as compras "Venda a casa, o barco, os carros e a churrasqueira e coloque o dinheiro nisso". Existem as compras "Venda a casa, o barco, os carros e a churrasqueira e insista com sua sogra, suas tias, seus tios e primos para que façam o mesmo". A Fannie Mae estava se tornando esse último tipo de compra.

Aumentei a participação do Magellan para 3% durante a maior parte de 1988. A empresa teve um lucro de 2,14 dólares, comparado com o 1,55 dólar que obteve no ano anterior. Sessenta por cento de sua carteira de hipotecas havia sido adquirida sob os novos e mais rígidos padrões.

As execuções da Fannie Mae tinham caído pela primeira vez desde 1984.

Além disso, o governo havia estabelecido novas regras de contabilidade para o negócio hipotecário. Até então, as comissões pela concessão de hipotecas eram "registradas" como receita assim que a Fannie Mae as recebia. A empresa podia receber 100 milhões de dólares em comissões em um trimestre e 10 milhões de dólares no seguinte. Esse sistema contábil causava grandes oscilações nos lucros trimestrais da Fannie Mae. Não era incomum para a Fannie Mae relatar um trimestre "de baixa", o que assustava os investidores e incentivava uma liquidação das ações.

De acordo com as novas regras, as comissões pela concessão precisavam ser amortizadas ao longo da vida de cada novo empréstimo hipotecário. A Fannie Mae não sofreu um trimestre de baixa desde que essas regras entraram em vigor.

1989

Observei que o grande investidor Warren Buffett possuía 2,2 milhões de ações. Conversei várias vezes com a empresa. Julho mostrou uma grande melhora nos ativos inadimplentes. Houve um pequeno problema com as inadimplências no Colorado, mas o problema no Texas estava chegando ao fim. Milagre dos milagres: os preços das casas estavam subindo em Houston.

Na Pesquisa Nacional de Inadimplência, meu mais novo entretenimento de cabeceira, descobri que a taxa de inadimplência de noventa dias da Fannie Mae caíra novamente, de 1,1% em 1988 para 0,6% em 1989. Verifiquei também a estatística do "preço da casa média" para reassegurar-me de que os preços das casas não estavam caindo. Não estavam. Estavam subindo, como de costume.

Esse foi o ano em que dei a ré no caminhão. "Dar ré no caminhão" é um termo técnico de Wall Street que significa comprar quantas ações você tem capacidade de pagar. Agora, 4% dos ativos do Magellan estavam investidos na Fannie Mae e, no final do ano, alcancei meu limite de 5%. Era, de longe, minha maior posição.

A Fannie Mae agora empacotava 225 bilhões de dólares em novos títulos lastreados em hipotecas. Ela agora teria um lucro de 400 milhões de dólares ao ano com um negócio de pacotes que não existia em 1981. Nenhuma S&L do universo queria ter uma hipoteca agora. Elas enviavam todas para a Freddie Mac ou a Fannie Mae.

Finalmente, Wall Street estava aceitando a ideia de que essa empresa poderia continuar a crescer a uma taxa entre 15% e 20%. A ação subiu de 16 para 42 dólares, uma subida de 2,5 vezes em um ano. Como tantas vezes acontece no mercado acionário, vários anos de paciência foram recompensados em um.

Mesmo com esse preço mais alto, a Fannie Mae ainda estava subvalorizada, com um P/L de dez. Um artigo negativo sobre o mercado imobiliário, chamado "Crumbling Castles" [Castelos se esfarelando], apareceu na *Barron's* em dezembro. A linha fina dizia: "A recessão no mercado imobiliário tem implicações sinistras". A ilustração mostrava uma casa de dois andares com uma placa no jardim da frente que dizia: "Para alugar, para vender, para qualquer coisa!".

Não fosse o medo que o mercado habitacional ainda sentia, a Fannie Mae teria sido uma ação de 100 dólares.

1990

Tentei manter o limite de 5%, o máximo permitido pela SEC [a Comissão de Valores Mobiliários]. As ações da Fannie Mae haviam subido de preço a ponto de, por um curto período, a participação, na verdade, representar 6% do valor do fundo. Tudo bem, contanto que o limite de 5% tivesse sido excedido porque o preço das ações havia subido, e não porque eu havia comprado mais ações.

No verão e no outono, observei, com fascínio, como as angústias de fim de semana afundavam a ação, enquanto tudo na empresa estava indo bem. Saddam Hussein invadiu o Kuwait e nós invadimos Saddam. A preocupação desta vez era que a Guerra do Golfo produziria uma depressão nacional no mercado imobiliário, uma versão de costa a costa da calamidade do Texas. Centenas de milhares de pessoas abandonariam suas casas e enviariam as chaves para a Fannie Mae. Esta se tornaria o senhorio do país, desperdiçando todos os seus bilhões em tinta, cartazes de venda e contas de advogados.

Nunca em todos os meus anos vendo empresas dignas levar uma surra sem uma boa razão, eu tinha visto uma que merecesse menos. Os problemas de inadimplência da Fannie Mae agora eram minúsculos, mas ainda assim ela sofria de medo por associação. Em novembro de 1990, o *The Wall Street Journal* publicou um artigo intitulado "Citicorp Lenders Lament" [Os responsáveis pelos empréstimos do Citicorp lamentam], que descrevia como a inadimplência dos empréstimos daquele banco havia aumentado de 2,4% para 3,5%. Isso não tinha nada a ver com a Fannie Mae, mas o preço da ação da Fannie Mae (junto com o de muitas ações relacionadas com hipotecas) caiu em solidariedade.

Uma pena para os acionistas que focaram o cenário global em vez de focar os acontecimentos na empresa e venderam suas ações por causa da depressão iminente no mercado imobiliário. Exceto no que concernia às casas de ricaços, não havia depressão iminente no setor imobiliário. Posteriormente, a Associação Nacional de Corretores de Imóveis relatou que, em 1990, e novamente em 1991, o preço da casa média aumentara de valor.

Se você acompanhasse a história, saberia que a Fannie Mae não tinha feito nenhuma hipoteca para ricaços acima de 202 mil dólares, então não estava envolvida no mercado das casas extravagantes. Sua hipoteca média valia 90 mil dólares. Saberia que ela havia endurecido suas exigências para pedidos de empréstimos e não fazia mais empréstimos no estilo do Texas com apenas 5% de entrada. Saberia que o negócio dos títulos lastreados em hipotecas ainda crescia rapidamente.

As ações da Fannie Mae caíram de 42 para 24 dólares durante a Liquidação do Saddam e, em seguida, subiram novamente para 38 dólares.

1991

Saí do Magellan. Cabia ao meu sucessor, Morris Smith, manter o controle sobre a Fannie Mae. Ele o fez, e essas ações continuaram sendo a maior posição. O preço subiu novamente, de 38 para 60 dólares. A empresa teve um lucro recorde de 1,1 bilhão de dólares.

1992

Pelo sexto ano consecutivo, recomendei a Fannie Mae na *Barron's*. A ação estava sendo negociada a 69 dólares e tinha um lucro de 6 dólares, dando a ela um índice P/L de onze, que se comparava muito favoravelmente com o P/L do mercado, de 23.

Mais uma vez, a história subjacente melhorara. A Fannie Mae estava reduzindo seu risco com as taxas de juros ao emitir dívidas resgatáveis. A dívida resgatável dava à Fannie Mae o direito de recomprar seus títulos quando tal decisão fosse favorável à empresa, sobretudo quando as taxas de juros caíssem e ela tivesse como tomar dinheiro emprestado a taxas mais baratas.

Ela sofre agora uma penalidade de curto prazo por emitir dívida resgatável, uma vez que precisa pagar uma taxa de juros mais alta para atrair tomadores que, de outra forma, não gostariam de ter títulos resgatáveis. Mas, no longo prazo, essa é outra maneira por meio da qual a Fannie Mae pode proteger seus lucros, não importa o que aconteça com os juros.

A Fannie Mae ainda crescia entre 12% e 15% e ainda estava subvalorizada, como vinha sendo nos últimos oito anos. Algumas coisas nunca mudam.

Sigla da ação	Empresa	Preço em 13/1/92 (valores em dólares)
FNM	Federal National Mortgage Association	68,75

19
TESOURO NO QUINTAL

O Colonial Group de fundos mútuos

Por vários anos, não aproveitei um dos grupos de melhor desempenho em Wall Street, o setor de fundos mútuos. Como o gerente de shopping que deixou de comprar a Gap enquanto os resultados das vendas passavam bem debaixo de seus nariz, deixei de comprar Dreyfus, Franklin Resources, Colonial Group, T. Rowe Price, State Street Bank, Alliance Capital Management e Eaton Vance. Não sei por quê, na verdade. Talvez eu estivesse tão distraído na floresta que não consegui enxergar as árvores. A única que comprei foi a United Asset Management, uma empresa que tinha entre trinta e quarenta gestores de fundo sob contrato e os alugava para outras instituições.

Essas empresas são chamadas de jogadas diretas de fundos mútuos,[112] ao contrário, digamos, da Putnam, que é uma subsidiária da Marsh-McLennan, ou da Kemper, que tem um negócio de fundos, mas comercializa, principalmente, seguros. Todas essas oito citadas se saíram bem em 1988 e em 1989, uma vez que o medo do colapso da indústria de fundos mútuos após a Grande Correção de 1987 revelou-se exagerado.

Essa correção me deu a chance de comprar essas outras empresas de fundos mútuos, as quais eu desprezara antes, e a preços baixos. Aqui está outra das minhas carteiras hipotéticas favoritas: se você tivesse dividido seu dinheiro igualmente entre essas oito ações e as mantivesse em carteira do início de 1988

---

112. No original, *Direct Mutual Fund*: o fundo mútuo direto é um tipo de fundo mútuo oferecido diretamente pela gestora de ativos ou pela casa de fundos. Não há envolvimento de terceiros — corretores ou distribuidores. Como não há agentes terceirizados envolvidos, não há comissões ou corretagem. Consequentemente, a proporção de despesas de um fundo mútuo direto é menor. Por isso o retorno é maior, em virtude do menor índice de despesas. (N.R.T.)

até o final de 1989, você teria tido um desempenho superior a 99% dos fundos que essas empresas promovem.

Durante os períodos em que os fundos mútuos são populares, investir nas empresas que vendem os fundos pode ser mais vantajoso do que investir em seus produtos. Lembro-me de que, na época da corrida do ouro, as pessoas que vendiam picaretas e pás se saíam melhor do que os garimpeiros.

Quando as taxas de juros estão caindo, os fundos de títulos e ações tendem a atrair mais dinheiro, e as empresas que se especializam em tais fundos (a Eaton Vance e o Colonial, por exemplo) são excepcionalmente lucrativas. A Dreyfus administra uma grande quantidade de ativos de curto prazo, por isso, quando as taxas de juros sobem e as pessoas saem do mercado acionário e dos títulos de longo prazo, a Dreyfus prospera. A Alliance Capital administra dinheiro para clientes institucionais e também administra fundos mútuos que são vendidos a pessoas físicas por corretores. Ela é negociada em bolsa desde 1988. O preço de suas ações teve uma ligeira queda em 1990 e, em seguida, saltou direto para a estratosfera.

Dados os bilhões de dólares que recentemente foram despejados em fundos mútuos de títulos, de ações e de curto prazo, não deveria surpreender que essas empresas de fundos mútuos tenham superado o mercado. Se algo surpreende é o fato de ninguém ter lançado ainda o fundo mútuo das empresas de fundos mútuos.

As informações sobre quem está entrando e saindo de que tipo de fundo são publicadas pela indústria, e tanto profissionais como amadores têm a oportunidade de tirar proveito disso. Se você não comprou essas ações após a última grande correção, poderia tê-las comprado durante a Liquidação do Saddam, no final de 1990, que fez com que a Eaton Vance tivesse uma queda de 30% em um ano, a Dreyfus uma de 18,86% e as outras, quedas menores, mas ainda assim significativas.

Mais uma vez, os rumores do colapso dessa indústria eram infundados. Tudo o que você precisava fazer para dissipar os temores mais recentes era olhar para os números das vendas dos fundos mútuos em dezembro de 1990 e janeiro de 1991. No entanto, apesar da minha determinação de não voltar aos meus velhos hábitos, fui pego cochilando mais uma vez e fracassei ao não recomendar uma única empresa de fundo mútuo para o painel da *Barron's* de 1991. Os fãs das previsões de Lynch (se é que existe algum, além de minha esposa) perderam as recuperações da Franklin (uma alta de 75% em 1991), da Dreyfus (55%), da T. Rowe Price (116%), da United Asset Management (80%), do Colonial Group (40%) e do State Street Bank (81,77%). Nossa mítica carteira do fundo mútuo das empresas de fundo mútuo quase dobrou de valor naquele ano.

Em minha defesa, meritíssimo, eu espero que esteja autorizado a falar que cheguei a recomendar a Kemper, uma seguradora com uma participação considerável no negócio de fundos mútuos por meio dos fundos que administra, cujo valor é de 50 bilhões de dólares. Esse não foi o único motivo pelo qual escolhi a Kemper — seu negócio de seguros estava começando a mudar, assim como suas subsidiárias de corretagem, incluindo a Prescott, Ball, and Turben. As ações da Kemper também dobraram de valor em 1991, então talvez eu esteja redimido.

No início de 1992, eu me lembrei de não cometer o mesmo erro que cometera antes de 1987 e, de novo, em 1991. Desta vez, eu analisei, em pormenores, a situação dos fundos. Com taxas de juros em queda, e 200 bilhões de dólares em certificados de depósito bancários vencendo a cada mês, uma grande corrente de capital estava fluindo dos bancos e entrando em todo tipo de fundo. Isso, certamente, foi positivo para os sete grandes mencionados anteriormente. Por outro lado, depois de enormes altas em 1991, a maioria dessas ações parecia cara. Uma que não parecia cara era a do Colonial Group.

Apesar da valorização de 40% de suas ações em 1991, o Colonial Group estava sendo negociado pelos mesmos 17 dólares que valia em 1985, por ocasião de sua oferta pública inicial. Naquela época, a Colonial administrava entre 5 bilhões e 6 bilhões de dólares em fundos mútuos e tinha um lucro de 1 dólar por ação. Agora, administrava 9 bilhões de dólares em fundos mútuos e tinha um lucro de 1,55 dólar por ação, além de ter acumulado 4 dólares por ação em dinheiro e recomprado 7% de suas ações. Portanto, seis anos após a oferta, uma empresa muito mais forte poderia ser comprada pelo mesmo preço e, se você subtraísse os 4 dólares em dinheiro, a obteria por 4 dólares a menos do que em 1985. A empresa não tinha dívidas. Nenhum analista de Wall Street proferira uma palavra sobre o Colonial Group nos dois anos anteriores.

A técnica de encontrar uma ação subvalorizada em um grupo atraente é uma que utilizei com bons resultados diversas vezes. A T. Rowe Price estava sendo negociada por vinte vezes os lucros, a Franklin estava sendo negociada por vinte vezes os lucros, mas o Colonial Group estava sendo negociado por apenas dez vezes os lucros. É claro que era preciso se perguntar por que o Colonial estava subvalorizado.

Um dos motivos pode ter sido que esses lucros haviam permanecido inalterados durante quatro anos. O Colonial quase dobrou os ativos sob sua administração, mas isso foi apenas uma gota na grande maré de capital que se transferiu, de modo geral, para os fundos. As pessoas tinham ouvido falar de Dreyfus, T. Rowe Price e Eaton Vance, mas Colonial não era uma palavra familiar.

Mas isso significava que o Colonial merecia ter metade da valorização de seus concorrentes? Eu não conseguia entender por quê. A empresa estava ganhando dinheiro. Ela tinha o hábito de aumentar seu dividendo e recomprar ações. Ela poderia usar os lucros futuros para fazer mais do mesmo.

Conversei com o tesoureiro corporativo, Davey Scoon, em 3 de janeiro. Ele disse que os negócios haviam melhorado, sobretudo nos fundos de títulos municipais. O Colonial tem vários deles, então se beneficiará da popularidade crescente desses títulos para escapar de impostos mais altos. O grupo havia lançado alguns novos fundos interessantes, como um fundo de prestadoras de serviços públicos.

Aprendi, há muito tempo, que se você fizer dez pesquisas em dez empresas diferentes, vai descobrir pelo menos um acontecimento inesperado. Acontecimentos inesperados são o que fazem as ações subir e descer, e Scoon tinha uma história interessante para contar. O Colonial Group acabara de ser escolhido pelo State Street Bank para comercializar alguns dos novos fundos que o State Street havia inventado.

O State Street é um banco comercial que cuida da papelada, também conhecido como "escritório de apoio", para a maior parte da indústria de fundos mútuos. Essa função de escritório de apoio (atendimento ao cliente, registro de compras e vendas, acompanhando quem é dono do quê) tem sido muito lucrativa para o banco. As ações do State Street tiveram uma alta de 81% em 1991.

Quando Scoon mencionou o State Street, isso me lembrou de um erro que cometi com minha sogra. Alguns anos atrás, quando pareceu que os ativos do mercado de curto prazo estavam em declínio, convenci minha sogra a vender suas ações do State Street, alegando que: (1) os lucros da empresa estavam propensos a cair e (2) ela já tinha dobrado seus investimentos naquelas ações. Desde que aceitou esse brilhante conselho, a ação do State Street triplicou novamente, um fato triste que passou despercebido por ela por causa da confusão com o desdobramento de três por um das ações do banco. Quando ela lê o jornal, parece que o preço das ações não mudou desde que dei o sinal de venda. Ela sempre me dá os parabéns por esse telefonema inteligente e, até agora, não tive coragem de confessar a ela a verdade.

Os desdobramentos de ações podem ser uma dor de cabeça, mas uma das coisas boas sobre eles é que permitem ao selecionador de ações encobrir o erro de ter vendido muito cedo, pelo menos daqueles amigos ou parentes que não acompanham o mercado de perto.

Em qualquer caso, a experiência do State Street como escritório de apoio para os fundos mútuos de terceiros levou-o a considerar a criação de seus próprios fundos mútuos, para entrar na linha de frente dessa bonança. Mas o State Street não queria irritar seus clientes ao competir com eles diretamente, e é por isso que decidiu camuflar os fundos do State Street contratando o Colonial Group para comercializá-los. Esse negócio adicional beneficiará o Colonial.

Sigla da ação	Empresa	Preço em 13/1/92 (valores em dólares)
COGRA	Colonial Group	17,38

20

AS AÇÕES DE RESTAURANTES

Colocando seu dinheiro onde sua boca está

Em 1992, não recomendei nenhuma ação de cadeias de restaurante, mas deveria tê-lo feito. A cada ano, ao que parece, uma nova safra aparece nos aeroportos, nos shoppings ou nas saídas das rodovias. Desde a década de 1960, quando o *fast food* se tornou um acessório do automóvel e as pessoas aprenderam a almoçar, depois a tomar café da manhã e, finalmente, a jantar na estrada, as cadeias de restaurantes se tornaram empresas de crescimento importantes, com redes novas sempre tomando o lugar das velhas.

O potencial das cadeias de restaurantes foi comprovado para mim em 1966, no início de minha carreira como analista da Fidelity, quando uma das primeiras empresas que me despertou interesse foi a Kentucky Fried Chicken. A Kentucky Fried Chicken foi cria do desespero, depois que uma superestrada desviou o tráfego do restaurante rural de propriedade do coronel Sanders. À beira da falência devido à falta de clientes, esse empreendedor de 66 anos pôs o pé na estrada, em seu Cadillac caindo aos pedaços, e saiu oferecendo sua receita de frango a restaurantes mais bem localizados em troca de *royalties*. Ele usava um terno escuro, não o traje branco de proprietário de plantação que mais tarde se tornou sua marca registrada.

As ações da KFC começaram a ser negociadas em 1965. Antes disso, a Dunkin' Donuts tinha sido listada em bolsa em Massachusetts (ela apresentou 32 anos de lucros ininterruptos a partir de então), e a Howard Johnson's, a pioneira dos restaurantes de rodovia, era negociada na Bolsa de Valores de Nova York desde 1961. A Bob Evans Farms, famosa no Meio-Oeste, foi lançada em seguida, em 1963, e, em meados dos anos 1960, a MacDonald's e a Shoney também fizeram suas estreias no mercado acionário. Centenas de milhares de clientes que conseguiram enxergar que esses lugares eram muito lucrativos tiveram a chance de lucrar com essa observação.

Na época, Wall Street teria zombado da ideia de que um monte de lojas de pães doces e hamburguerias pudessem competir com as ações famosas das *Nifty Fifty*, a maioria das quais eram ações de tecnologia que provaram ser altamente superestimadas, enquanto a Shoney's se tornou uma subida de 168 vezes (subindo de 22 centavos por ação, ajustados para desdobramentos, para um pico de 36,25 dólares), a Bob Evans Farms, uma subida de 83 vezes, e o McDonald's, uma subida de quatrocentas vezes. A Howard Johnson's era uma ação cujo preço subira quarenta vezes quando foi comprada por capital privado, e a Kentucky Fried Chicken era uma ação que subira 27,5 vezes quando foi adquirida pela PepsiCo.

Se você tivesse investido 10 mil dólares nessas cinco ações, colocando seu dinheiro onde estava sua boca, teria se tornado um milionário, pelo menos duas vezes, na altura do final da década de 1980, e teria se tornado quatro vezes milionário se tivesse investido todo os 10 mil dólares apenas no McDonald's. O McDonald's tem tido um dos mais gratificantes desempenhos do mercado acionário da história moderna, devido à sua recusa em descansar sobre os louros e à constante reestruturação de seu cardápio com McPratos novos, bem como sua prática de exportar seus arcos dourados.

Hamburguerias, lanchonetes (Luby's, Morrison's), churrascarias (Ponderosa, Bonanza), restaurantes diversificados (Denny's, Shoney's), sorveterias, iogurterias, restaurantes de comida caseira, restaurantes de comida internacional, cafés, pizzarias, restaurantes de rodízio e bufês têm cada um deles produzido um ou mais vencedores gigantescos no mercado acionário, sob o nariz de uma nação inteira de investidores. Nós todos conhecemos estabelecimentos que são populares e bem mantidos, que estão decadentes e ultrapassados, que atingiram o ponto de saturação e que têm espaço para crescer.

Se você perdeu os restaurantes na década de 1960, quando os *baby boomers*[113] estavam tirando suas primeiras carteiras de habilitação e transformando seus carros em lanchonetes portáteis, poderia ter compensado na década de 1970 comprando a International Dairy Queen, a Wendy's, a Luby's, a Taco Bell, a Pizza Hut e a Jerrico quando a Long John Silver's[114] apareceu em

---

113. Os *baby boomers* são indivíduos nascidos numa geração entre 1945 e 1964. A tradução literal seria "explosão de bebês", em virtude do crescimento populacional ocorrido nos Estados Unidos nessa época, quando os combatentes da Segunda Guerra Mundial finalmente puderam voltar para casa e constituir família. (N.R.T.)

114. A Long John Silver's é uma rede americana de restaurantes de *fast-food* especializados em frutos do mar. O nome da marca é uma alusão a um pirata do romance *Ilha do Tesouro* (1883), de Robert

cena. Você teria se saído especialmente bem se tivesse investido após a quebra do mercado de 1972, quando franquias sólidas estavam sendo vendidas por uma ninharia. A Taco Bell, que nunca teve um trimestre decepcionante, caiu para 1 dólar por ação, logo se recuperou para 40 dólares e depois foi adquirida pela PepsiCo, que gosta de ser proprietária de empresas alimentícias porque elas ajudam a vender refrigerantes da marca Pepsi.

Na década de 1980, você poderia ter descoberto a Cracker Barrel, com sua popular loja de presentes e frutos do mar e biscoitos deliciosos; ou a Chili's, que abriu o capital em 1984 e eu tolamente ignorei; ou a Sbarro (1985), a Ryan's Family Steak Houses (1982) e a Uno Restaurants (1987). A Chi-Chi's foi outro investimento rentável — e ela acabou sendo comprada.

Cada região do país tem sido a incubadora de um ou mais desses sucessos de cidades pequenas que conquistaram os estômagos e as carteiras do país: Luby's, Ryan's e Chili's no sudoeste, McDonald's no Meio-Oeste, Chi-Chi's e International Dairy Queen em Minneapolis, Sbarro em Nova York, Dunkin' Donuts na Nova Inglaterra, Shoney's e Cracker Barrel nas profundezas do sul, Sizzler e Taco Bell no extremo oeste.

Uma rede de restaurantes, assim como um varejista, tem uma perspectiva de quinze a vinte anos de crescimento rápido à medida que se expande. Supostamente, esse é um negócio cruel, mas a empresa de restaurantes iniciante está protegida da concorrência de uma forma que uma empresa de eletrônicos ou de calçados não está. Se há uma rede nova de *fish and chips*[115] na Califórnia e uma melhor em Nova York, qual é o impacto da rede de Nova York na rede da Califórnia? Nenhum.

Demora muito tempo para uma empresa de restaurantes se expandir por todo o país e, enquanto isso, não existe concorrência vinda de fora. A Denny's ou a Pizza Hut nunca precisam se preocupar com importações de baixo custo da Coreia.

O que continua a separar os triunfos dos fracassos entre as redes de restaurantes é uma administração competente, financiamento adequado e uma abordagem metódica para a expansão. Devagar e sempre pode não ser uma estratégia vencedora nas 500 milhas de Indianápolis, mas ganha esse tipo de corrida.

A história de duas franquias de hambúrguer, a Chili's e a Fuddrucker, é instrutiva. Ambas começaram no Texas (Chili's em Dallas, Fuddrucker em

---

Louis Stevenson (1850-1894). Jerrico era a empresa-mãe da rede, responsável por sua criação e seu desenvolvimento. (N.E.)

115. *Fish and chips* é um prato típico da culinária do Reino Unido. Consiste em peixe empanado e frito acompanhado por batatas fritas. (N.E.)

San Antonio). Ambas tinham como destaque o hambúrguer gourmet. Ambas criavam um ambiente agradável e distinto, embora a Chili's tivesse serviço de mesa e a Fuddrucker tivesse o estilo de uma cafeteria. Uma ficou famosa e perdeu uma fortuna, enquanto a outra alcançou fama e fortuna.

Por quê? Um dos motivos foi que a Chili's diversificou seu cardápio, à medida que o hambúrguer saía de moda, enquanto a Fuddrucker continuou vendendo hambúrgueres. Mas a principal diferença é que a Fuddrucker se expandiu rápido demais. Quando uma empresa tenta abrir mais de cem novas unidades ao ano, é provável que tenha problemas. Em sua corrida rumo à glória, ela escolhe os locais ou os gerentes errados, pagando muito por imóveis e deixando de treinar adequadamente os funcionários.

A Fuddrucker caiu nessa armadilha e seguiu o caminho de Flakey Jake, Winners e TGI Friday's, todos os quais se expandiram rápido demais e sofreram por isso. A Chili's, por outro lado, tem mantido um ritmo razoável de acréscimo de trinta a 35 unidades novas por ano. Receitas, vendas e lucro líquido têm crescido constantemente sob o olhar experiente de Norman Brinker, fundador dessa rede, assim como da Steak & Ale e da Bennigan's. A Chili's planeja atingir um teto de quatrocentos a 450 restaurantes em 1996-1998, os quais ela espera que gerem um faturamento de 1 bilhão de dólares.

Existem várias maneiras de uma rede de restaurantes aumentar seus lucros. Ela pode abrir mais restaurantes, como está fazendo a Chili's, ou pode melhorar suas operações existentes, como fez a Wendy's. Alguns restaurantes ganham dinheiro com alta rotatividade nas mesas e refeições de baixo preço (Cracker Barrel, Shoney's e McDonald's se encaixam nessa categoria), enquanto outros têm baixa rotatividade e refeições com preços mais altos (Outback Steakhouse e Chart House são exemplos recentes). Alguns obtêm seus maiores lucros com a venda de alimentos e alguns com lojas de presentes (Cracker Barrel). Alguns têm margens de lucro altas porque seus alimentos são feitos de ingredientes baratos (Spaghetti Warehouse), outros porque seus custos operacionais são baixos.

Para uma empresa de restaurante atingir o ponto de equilíbrio, as vendas precisam ser iguais ao montante de capital investido na operação. Você segue a história de um restaurante da mesma forma que segue um varejista. Os principais elementos são taxa de crescimento, endividamento e vendas nas mesmas lojas. Queremos ver as vendas nas mesmas lojas aumentando a cada trimestre. A taxa de crescimento não deve ser rápida demais — acima de cem pontos de venda novos por ano, a empresa está em uma zona de risco potencial. O endividamento deve ser baixo ou inexistente, se possível.

A Montgomery Securities, na Califórnia, mantém um acompanhamento regular de todo o setor de restaurantes e produz excelentes relatórios. Sua última análise é que hamburguerias, como McDonald's e Wendy's, estão sofrendo de superexposição (as cinco principais cadeias têm 24 mil locais de venda nos Estados Unidos), e que a geração dos *baby boomers* está deixando de consumir *fast food*. A direção mudou para restaurantes de nicho, como Au Bon Pain e Spaghetti Warehouse, e para restaurantes familiares de preço médio que oferecem um menu variado.

Se você tivesse comprado as oito ações mais importantes da lista de restaurantes recomendados pela Montgomery Securities no início de 1991, teria dobrado seu dinheiro em dezembro. Esses vencedores foram os seguintes:

Bertucci's
Cracker Barrel
Brinker International (Chili's)
Spaghetti Warehouse
Shoney's
Rally's
Applebee's
Outback Steakhouse

Várias dessas ações podem estar sobrevalorizadas neste momento, com um índice P/L de trinta ou mais, mas vale a pena acompanhá-las. O grupo de restaurantes como um todo está crescendo a apenas 4% ao ano (em breve, essa será outra indústria que não cresce), mas os operadores superiores com balanços fortes prosperarão no futuro, como eles sempre o fizeram no passado. Enquanto os americanos continuarem a fazer 50% das suas refeições fora de casa, novas subidas de vinte vezes surgirão nas praças de alimentação dos shoppings e em nossos bairros, e o cliente observador será capaz de detectá-las.

A Au Bon Pain é uma que localizei — onde mais? — no Burlington Mall. Ela começou em minha própria vizinhança, Boston, em 1977, e abriu o capital em 1991 a 10 dólares a ação. Não consigo pronunciar o nome corretamente, mas é um grande conceito. É possível que você tenha visto uma Au Bon Pain em um aeroporto ou em uma praça de alimentação. É uma cafeteria com croissants e consegue combinar sensibilidade francesa com eficiência americana.

Lá você pode comprar um *croissant* simples para o café da manhã, ou um *croissant* com recheio de presunto e queijo para o almoço, ou um *croissant* com recheio de chocolate para a sobremesa, tudo em menos de três minutos. O pão é feito em um ponto central e chega cru aos pontos de venda, onde ele cresce e é colocado no forno para sair quente e recém-assado.

Ultimamente, a Au Bon Pain lançou suco de laranja fresco e salada de frutas, e está prestes a lançar o *bagel* de última geração. Se a questão é escolher entre investir em um computador com chip de última geração ou no *bagel* de última geração, vou sempre escolher o *bagel*.

No início de 1992, as ações dobraram de preço e apresentavam um índice P/L de quarenta (com base nos lucros esperados para 1992), razão pela qual decidi não recomendá-las. Contudo, nove meses depois, o preço caiu para 14 dólares, ou menos de vinte vezes o lucro de 1993. Sempre que você encontrar uma ação que cresce 25% sendo negociada por vinte vezes o lucro, essa é uma boa compra. Se o preço caísse ainda mais, eu daria ré no caminhão. Esta empresa está indo bem em uma recessão e pode crescer por um longo tempo sem saturar o mercado. Ela também tem muito potencial de crescimento no exterior.

21
A REVISÃO DE SEIS MESES

Uma carteira saudável requer revisões regulares — talvez a cada seis meses, mais ou menos. Mesmo com as *blue chips*, as maiorais, as principais empresas da *Fortune* 500, a estratégia de comprar e esquecer pode ser improdutiva e francamente perigosa. As Figuras 21-1, 21-2 e 21-3 ilustram esse ponto. Os investidores que compraram e se esqueceram da IBM, da Sears e da Eastman Kodak lamentam tê-lo feito.

A revisão de seis meses não é apenas uma questão de pesquisar o preço das ações no jornal, um exercício que, muitas vezes, simula a pesquisa de Wall Street. Como selecionador de ações, você não deve presumir nada. Você precisa acompanhar as histórias. Você está tentando obter respostas para duas perguntas básicas: (1) as ações ainda estão com preços atrativos em relação aos lucros e (2) o que está acontecendo na empresa para fazer com que os lucros aumentem?

Então, você pode chegar a uma destas três conclusões possíveis: (1) a história melhorou, caso em que você pode querer aumentar seu investimento, (2) a história piorou, caso em que você pode querer diminuir seu investimento, ou (3) a história não mudou e, nesse caso, você pode manter seu investimento ou colocar o dinheiro em outra empresa com perspectivas mais interessantes.

Com isso em mente, em julho de 1992, fiz uma revisão de seis meses das 21 escolhas que apresentei à *Barron's* em janeiro. Como um grupo, essas 21 tiveram um desempenho extremamente positivo em um mercado medíocre. O valor da "carteira" aumentou 19,2%, enquanto o S&P 500 apresentou um retorno de apenas 1,64%. (Ajustei todos esses números para os diversos desdobramentos de ações, dividendos especiais, etc. que foram declarados nesse período de seis meses.)

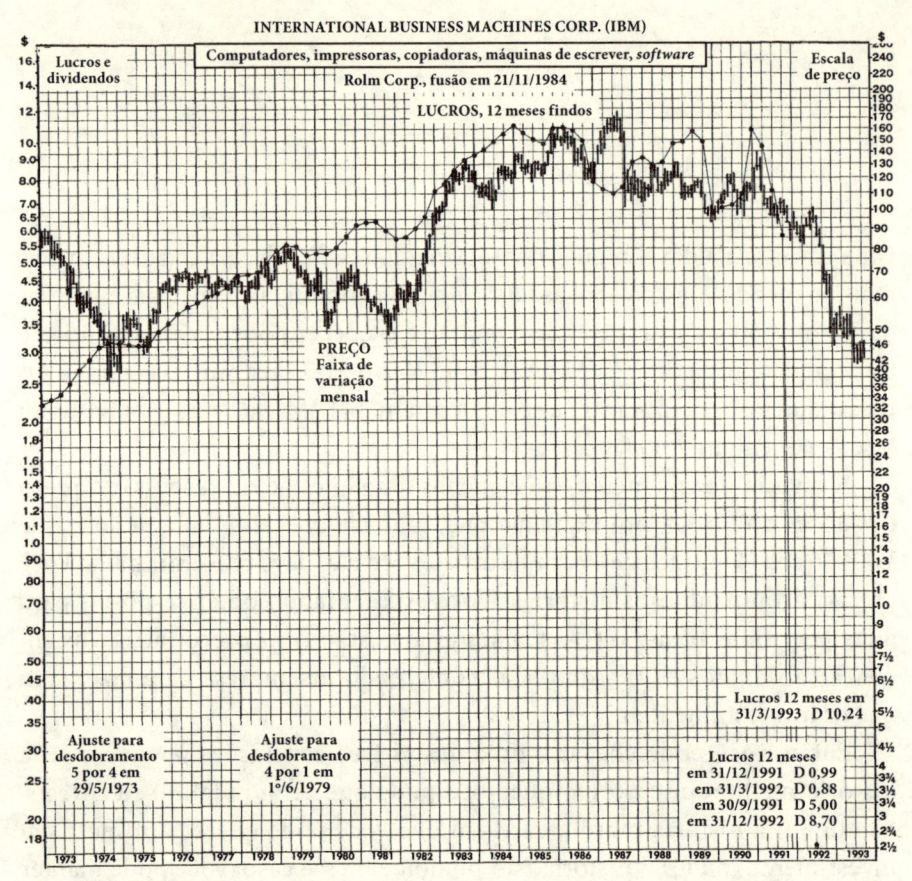

FIGURA 21-1

321

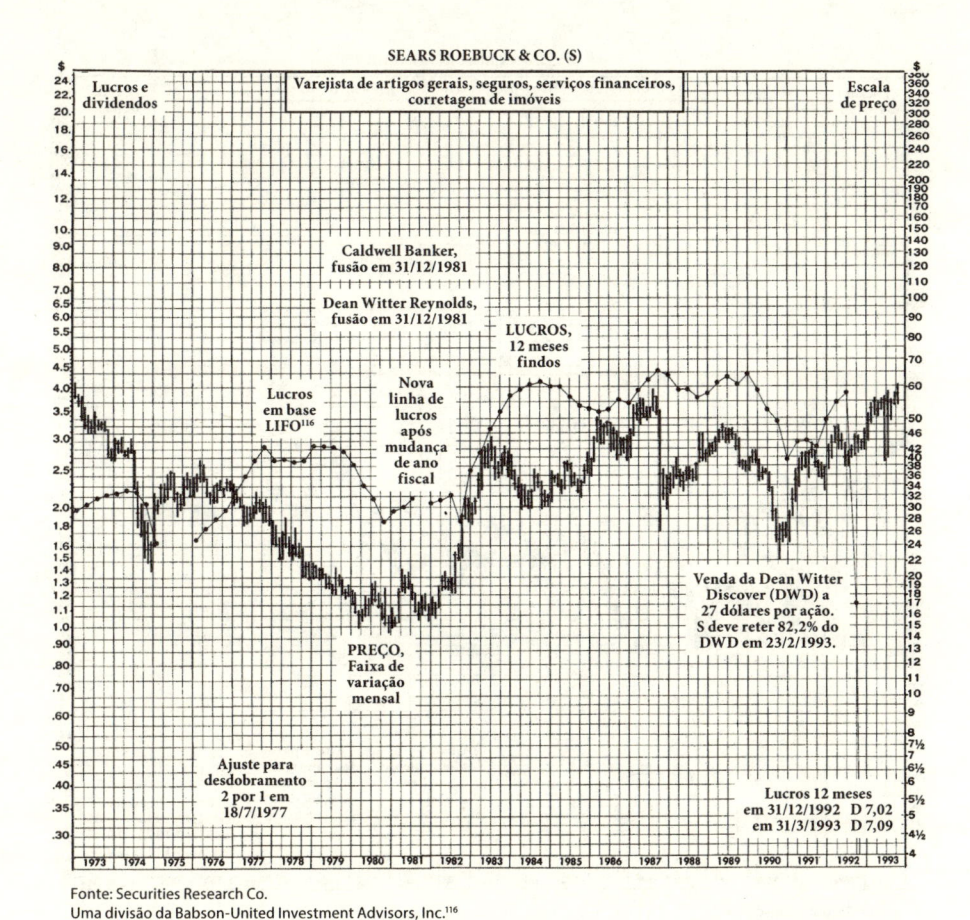

FIGURA 21-2

Fonte: Securities Research Co.
Uma divisão da Babson-United Investment Advisors, Inc.[116]

---

116. LIFO significa "Last-In, First-Out" [último a entrar, primeiro a sair]. É um método que considera que os últimos produtos a entrar no estoque são vendidos primeiro, o que faz com que o valor pago por eles seja adotado no cálculo. (N.E.)

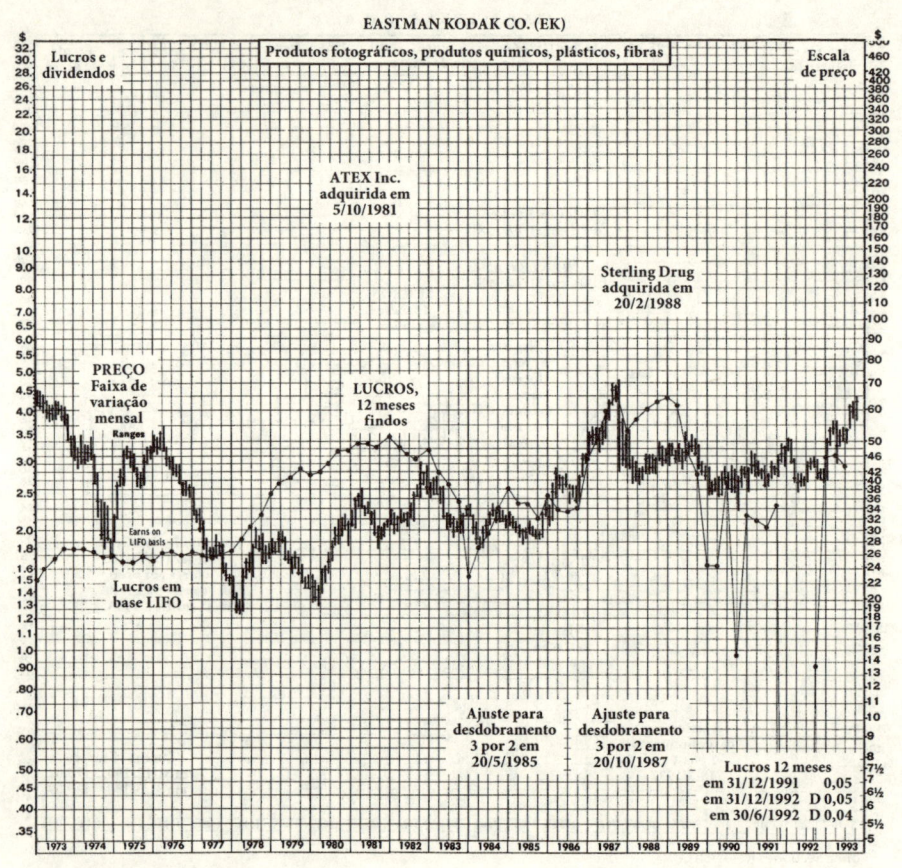

FIGURA 21-3

Li os últimos relatórios trimestrais de todas as 21 empresas e liguei para a maioria delas. Algumas histórias haviam perdido a graça, enquanto outras eram mais empolgantes do que antes e, em alguns casos, minha pesquisa me levou a outras empresas de que gostei mais do que as que havia recomendado. É assim com as ações. É uma situação fluida em que nada é absolutamente certo. Eu procedi da seguinte forma:

BODY SHOP

Em janeiro, concluí que a Body Shop era uma empresa maravilhosa, mas cara demais em relação aos lucros que estava apresentando. Eu estava procurando uma queda no preço como uma chance de comprar mais. Não demorou muito para chegar uma — em julho, a ação havia caído 12,3%, de 325 para 263 centavos de libra. A Body Shop estava sendo negociada agora por vinte vezes os lucros previstos em 1993. Não me importo de pagar vinte vezes os lucros por uma empresa que cresce a uma taxa anual de 25%. No momento em que este livro foi escrito, toda a Bolsa de Valores de Nova York estava sendo negociada a vinte vezes os lucros, para empresas que, em média, estavam crescendo a uma taxa de 8% a 10%.

A Body Shop é uma ação britânica. As ações britânicas haviam sofrido uma queda terrível nos últimos meses e a Body Shop recebera publicidade negativa. Um chefe da tribo indígena Caiapó, que a Body Shop havia contratado para produzir o condicionador de cabelo de castanha-do-pará, foi preso em Londres e acusado de estuprar a babá portuguesa de alguns de seus numerosos filhos. Não importa quanto você tente imaginar o próximo evento que causará problemas para uma empresa, em geral ele será algo em que você jamais pensou.

Verificando o histórico de preços dessa ação, percebi que ela havia sofrido dois grandes contratempos, um em 1987 e o outro em 1990. Ambos ocorreram apesar de a empresa estar crescendo sem nenhum sinal de desaceleração. Atribuo essas vendas exageradas ao fato de que os acionistas britânicos não estão tão familiarizados com as pequenas empresas em crescimento quanto nós e, portanto, as abandonam mais prontamente em uma crise de mercado. Além disso, uma vez que a Body Shop é um empreendimento global, os investidores britânicos podem compará-la com vários fracassos notáveis de expansão no exterior — por exemplo, a Marks & Spencer.

TABELA 21-1. AÇÕES SELECIONADAS PARA A MESA REDONDA DA *BARRON'S* EM 1992: REVISÃO DE SEIS MESES

Empresa	Preço em 13/1/92	Retorno em seis meses (até 13/7/92)
Allied Capital Corporation II	US$19,00	6,00[117]
Body Shop	325p	-12,31
CMS Energy	US$ 18,50	-4,11
Colonial Group	US$ 17,38	18,27
Eagle Financial	US$ 10,97*	38,23
Federal National Mortgage Association	US$ 68,75	-6,34
First Essex Bancorp	US$ 2,13	70,59
General Host	US$ 7,75	10,39
General Motors	US$ 31,00	37,26
Germantown Savings	US$ 14,50	59,31
Glacier Bancorp	US$ 10,12*	40,91
Lawrence Savings Bank	US$ 1,00	36,78
People's Savings Financial	US$ 11,00	26,00
Phelps Dodge	US$ 32,50	48,96
Pier 1 Imports	US$ 8,00	3,31
Sovereign Bancorp	US$ 4,59*	64,50
Sun Distributors LP, Classe B	US$ 2,75	6,95
Sun Television & Appliances	US$ 9,25*	-10,74
Sunbelt Nursery	US$ 6,25	-30,00
Supercuts	US$ 11,33	0,73
Tenera LP	US$ 2,38	0,00
Portfólio Lynch		19,27%
S&P 500		1,64%
Índice Industrial Dow Jones (DJIA)		6,29%
Nasdaq		-7,68%
Value Line		-2,13%

* Uma vez que esses preços foram ajustados para desdobramentos até 30/9/93, alguns deles são diferentes dos preços fornecidos anteriormente no livro.

---

117. Os valores desta coluna são dados em porcentagem. (N.E.)

TABELA 21-2.

	Atualização do desempenho da ação (em 13/7/92)	História	Providência
Allied Capital Corporation II	ligeira alta	inalterada	comprar
Body Shop	ligeira baixa	ligeira piora	manter/comprar
CMS Energy	ligeira baixa	confusa	manter Colonial Group
Eagle Financial	alta acentuada	inalterada	manter
Federal National Mortgage Association	ligeira baixa	inalterada	comprar
First Essex Bancorp	alta acentuada	melhor	manter/comprar
General Host	ligeira alta	inalterada	manter/comprar
General Motors	alta acentuada	ligeira piora	trocar pela Chrysler
Germantown Savings	alta acentuada	ligeira melhora	manter
Glacier Bancorp	alta acentuada	inalterada	manter
Lawrence Savings Bank	alta acentuada	ligeira piora	manter
People's Savings Financial	alta	inalterada	manter
Phelps Dodge	alta acentuada	inalterada	manter
Pier 1 Imports	ligeira alta	inalterada	comprar
Sovereign Bancorp	alta acentuada	ligeira melhora	manter
Sun Distributors L. P., Classe B	ligeira alta	inalterada	comprar
Sun Television & Appliances	baixa	melhora	forte comprar
Sunbelt Nursery	baixa acentuada	piora	manter/comprar
Supercuts	inalterada	melhora	comprar
Tenera L.P.	inalterada	ligeira melhora	comprar

Ainda que você tivesse comprado ações da Body Shop após o revés de 1990, tinha de estar preparado para mais quedas, quando talvez pensasse em comprar mais. Mas os fundamentos ainda precisavam ser favoráveis, que era o objetivo da revisão. Liguei para a empresa. Jeremy Kett, diretor financeiro, disse-me que as vendas nas mesmas lojas e os lucros tinham aumentado em 1991, um feito considerável dado o fato de que os quatro principais mercados da Body Shop são Inglaterra, Austrália, Canadá e Estados Unidos — todos países lutando com recessões.

Outra carta promissora havia surgido no baralho. A empresa estava usando parte de seu dinheiro para adquirir fornecedores de várias poções e loções. Isso reduziria o custo da mercadoria e melhoraria a margem de lucro. Essa foi a técnica que ajudou a Shaw Industries a se tornar a fabricante de carpetes de baixo custo.

Falei com Cathy Stephenson, minha velha amiga da biblioteca da Fidelity, que é dona da Body Shop no Burlington Mall e daquela em Harvard Square. Ela relatou um ganho de 6% nas vendas em relação aos resultados do ano anterior no Burlington e disse que era muito cedo para falar sobre a loja de Harvard Square. Seus clientes estavam migrando para vários novos produtos, incluindo a série Complete Color para olhos, maçãs do rosto e lábios; hidratante facial colorido com protetor solar; esfoliante de pedra-pomes para os pés; e manteiga corporal de manga, que estava sumindo das prateleiras — "Quem é que sabe o que estão fazendo com aquilo?".

O mercado de loções, poções e óleos de banho ainda é grande, e tem muito espaço para crescer. A Body Shop permanecia com seu plano de expansão de quarenta novas lojas nos Estados Unidos em 1993, mais cinquenta em 1994, cinquenta por ano na Europa, um número igual no Extremo Oriente. Coloquei a empresa na fase atraente da meia-idade — a segunda década de trinta anos de crescimento.

PIER 1 IMPORTS

A Pier 1 Imports teve uma boa subida, de 8 a 9,50 dólares, mas logo isso se reverteu. Este é um exemplo de que Wall Street está surda para boas notícias. Os analistas estimaram que os lucros do primeiro trimestre da Pier 1 seriam entre 18 e 20 centavos, mas a Pier 1, na verdade, ganhou 17 centavos e as ações levaram uma surra. Esperava-se que a empresa tivesse um lucro de 70 centavos ao ano, e isso em um ambiente de aperto financeiro.

A Pier 1 fortaleceu seu balanço com a venda de 75 milhões de dólares em debêntures conversíveis e com o uso das receitas para saldar dívidas. A dívida de longo prazo, que já havia sido reduzida, foi reduzida ainda mais.

A Pier 1 cortou dívidas, reduziu o estoque e continuou a se expandir. Seus principais concorrentes, as lojas de departamentos, estavam saindo do mercado de móveis domésticos. Quanto mais durasse essa recessão, mais concorrentes seriam expulsos do mercado. Quando a recuperação chegar, o Pier 1 poderá ter o monopólio virtual de talheres escandinavos, mesas laterais de vime e biombos orientais.

Não era muito exagero imaginar a Pier 1 com um lucro de 80 centavos de dólar por ação de suas lojas próprias, mais 10 a 15 centavos adicionais de uma Sunbelt Nursery ressuscitada e esbelta, uma empresa na qual a Pier 1 continua a ter uma posição significativa. Isso dá um dólar por ação, o que, dado um índice P/L razoável de catorze, torna a Pier 1 uma ação de 14 dólares.

GENERAL HOST, SUNBELT NURSERY

A General Host é outra ação que subiu e, em seguida, voltou para um pouco acima do ponto em que eu havia recomendado. Os vendedores ágeis obtiveram um ganho de 30%, enquanto os investidores de longo prazo viram seus lucros hipotéticos cair de 2 dólares para 50 centavos.

Uma carta decepcionante foi virada. Em abril, a empresa emitiu 65 milhões de dólares em novas ações preferenciais conversíveis com rendimento de 8%. Isso foi exatamente o que a Pier 1 fez, exceto pelo fato de que a General Host teve de pagar uma taxa de juros mais alta devido à sua condição financeira mais precária.

Os detentores de ações conversíveis ou debêntures têm o direito de trocá-las por ações ordinárias a um preço fixo em algum momento no futuro. Isso cria mais ações ordinárias, o que dilui os lucros para os atuais acionistas ordinários. Anteriormente, a General Host havia recomprado algumas de suas ações ordinárias, o que era um movimento positivo, e agora havia mudado de direção ao emitir as conversíveis, o que era uma jogada negativa.

Enquanto a Pier 1 usava os lucros de sua venda de conversíveis para pagar dívidas, reduzindo assim as despesas com juros, a General Host usava seus lucros para renovar ainda mais suas lojas Frank's Nursery. Essa era uma proposta mais arriscada, sem benefícios imediatos.

Enquanto isso, as vendas nos viveiros da Frank's estavam entre lentas e moribundas, à medida que a recuperação do mercado imobiliário começava a fraquejar. Em janeiro, quando as ações estavam sendo negociadas por 7,75 dólares, esperava-se que a empresa tivesse um lucro de 60 centavos no ano, mas agora ela era uma ação de 8 dólares em uma empresa cujos lucros previstos eram de 45 centavos.

Ainda assim, a General Host tinha um fluxo de caixa forte, seus dividendos haviam aumentado pelo 14º ano consecutivo, as ações estavam sendo negociadas por menos do que o valor contábil e a expansão estava ocorrendo de acordo com o planejado. Ao digitar a sigla GH em meu Quotron, descobri que Mario Gabelli havia comprado 1 milhão de ações para seu fundo fundamentalista. Considerei essa ação como uma a ser mantida em carteira.

A Sunbelt, minha outra recomendação de viveiro, tinha perdido dinheiro desde janeiro. Um excesso de chuva no sudoeste, onde a Sunbelt está localizada, diminuíra o entusiasmo das pessoas por trabalhar em jardins. O que havia sido uma ação de 8,50 dólares em sua oferta pública inicial em 1991 era agora uma ação de 4,50 dólares, e isso para uma empresa eficiente, com 1,50 dólar por ação em dinheiro. Se você comprasse a Sunbelt agora, compraria todas as lojas de jardim por 3 dólares e, algum dia, quando as chuvas diminuíssem e as pessoas redescobrissem as flores, elas também teriam uma atitude mais ensolarada em relação às ações da Sunbelt.

O que me impede de dar ré no caminhão e comprar mais ações da Sunbelt é a Calloway's. Você deve se lembrar que a Calloway's era considerada a melhor empresa do setor, a qual eu não recomendei da primeira vez porque a Sunbelt era mais barata. Mas, ao verificar a Sunbelt, descobri que as ações da Calloway's também haviam caído pela metade durante o período de chuva.

Para saber mais, liguei para a Calloway's para falar com Dan Reynolds, o responsável pelas relações com os investidores. Ele me disse que havia vinte funcionários no escritório administrativo, todos compartilhando o mesmo espaço de 300 metros quadrados. Eu conseguia ouvi-los ao fundo. Obviamente, não existe falta de comunicação nessa empresa; para chamar a atenção dos gerentes, tudo o que você precisa fazer é se levantar e gritar.

A Calloway's tem treze viveiros, além de 50 centavos por ação em dinheiro, e espera-se que tenha um lucro de 50 centavos em 1993. Isso dá à ação um índice P/L de dez. A Calloway's não tem seguidores em Wall Street, e a empresa está recomprando as próprias ações.

Quando a melhor empresa em um setor está sendo negociada a preço de banana, em geral vale a pena comprá-la, em vez de investir em um concorrente menor que pode estar sendo negociado a um preço inferior. Eu preferia ter comprado a Toys "R" Us à Child World, a Home Depot à Builder's Square, ou a Nucor à Bethlehem Steel. Ainda gosto da Sunbelt, mas agora acho que gosto um pouco mais da Calloway's.

SUPERCUTS

Após uma forte subida e um desdobramento de ações de três por dois, a Supercuts também retornou ao preço de janeiro. Duas cartas ruins foram viradas. A primeira é o fato de Ed Faber, o especialista da Computerland que era craque em implantar franquias, ter deixado a empresa. O que se diz é que Faber quer se dedicar à administração de seu próprio salão Supercuts. Essa explicação não soa muito convincente.

A segunda carta ruim é algo que notei na procuração para os acionistas. Deve ter passado despercebido por mim antes. Um grupo chamado Carlton Investments possui 2,2 milhões de ações da Supercuts. Acontece que a Carlton faz parte da Drexel Burnham Lambert, a corretora falida de Wall Street. Os credores da Drexel certamente exigirão a liquidação da Carlton, o que significa que, junto com tudo o mais, serão vendidas 2,2 milhões de ações da Supercuts. Isso fará com que o preço caia. Na verdade, o preço já pode ter caído por temor desse "excesso", que é o que em Wall Street se define como um grande bloco de ações que está prestes a ser despejado no mercado.

A empresa em si está tendo um bom ano. A Supercuts foi nomeada "fornecedora oficial de serviços de cabeleireiro para as Olimpíadas", então a mesma mulher que cortou minhas costeletas talvez tenha de raspar a cabeça dos nadadores. Os dados importantes de vendas nas mesmas lojas aumentaram 6,9% no primeiro trimestre de 1992. Várias novas Supercuts foram abertas no interior do estado de Nova York, onde o prefeito de Rochester recebeu um corte de cabelo cerimonial gratuito.

À medida que as vendas nas mesmas lojas melhorarem e a empresa tiver sucesso em novos mercados, aumentarei minha posição, embora comece a temer que a empresa esteja se expandindo rápido demais. Entre oitenta e cem novas franquias estão planejadas para 1993.

Já vi várias franquias promissoras, da Color Tile à Fuddrucker's e à Bildner's, serem arruinadas por conquistadores corporativos excessivamente ansiosos. "Se você tem de escolher entre atingir sua meta em quinze ou cinco anos, a melhor escolha é quinze", aconselhei o CEO da Supercuts em julho.

AS SETE S&LS

Até agora, os melhores desempenhos das minhas 21 escolhas da *Barron's* são os das S&Ls. Não é por acaso. Pegue o setor que está cercado por mais desgraça e tristeza e, se os fundamentos forem positivos, você encontrará alguns grandes vencedores. Com a queda das taxas de juros, este tem sido um ano feliz para as instituições financeiras em geral. Elas estão ganhando muito graças à diferença entre as taxas de juros que cobram para empréstimos hipotecários e as taxas que pagam em contas de poupança e CDBs.

Desde que os recomendei, o Germantown Savings subiu 59%, o Sovereign declarou dois dividendos de ações de 10% e também subiu 64,5%, o Eagle Financial avançou de 11 para 16 dólares, o Glacier Bancorp subiu mais de 40% e o People's Savings Financial subiu 26%.

Das minhas duas S&Ls de risco, o Lawrence subiu 37% e o First Essex subiu 70%, provando que as ações mais arriscadas, em geral, trazem as maiores recompensas. Liguei para o CEO do First Essex, Leonard Wilson, para ver como estavam as coisas. Esse é o homem que anteriormente descreveu sua situação como "pescar no fundo com uma linha de 200 metros", mas no final da primavera ele havia reduzido o comprimento da linha para 20 metros.

Wilson relatou melhorias em várias frentes: as propriedades retomadas estavam sendo vendidas, os empréstimos inadimplentes estavam diminuindo e o mercado de hipoteca estava melhorando. O First Essex não só conseguiu empatar no primeiro trimestre, mas também se atreveu a fazer um novo empréstimo para construção. Embora eu normalmente não goste de empréstimos para construção, o fato de o First Essex se sentir otimista o suficiente para conceder um, após ter sido levado para a beira da falência, significava que alguém achava que essa região tem futuro.

Wilson está bastante animado com a notícia de que o Shawmut Bank, seu maior concorrente na região, também se recuperou o suficiente para escapar da unidade de terapia intensiva financeira. O First Essex ainda tem um valor contábil de 7 dólares e suas ações estão sendo negociadas por 3,62. Se o mercado imobiliário continuar a melhorar, o First Essex pode auferir um lucro de 1 dólar por ação. Neste caso, a ação valerá entre 7 e 10 dólares.

Contatei o Lawrence Savings, a outra S&L com verrugas, em abril e, de novo, em junho. Em abril, o CEO, Paul Miller, relatou que sete páginas de empréstimos inadimplentes haviam sido reduzidas a uma e que os negócios com hipotecas novas estavam indo bem. Ele parecia otimista. Em junho, ele parecia desanimado.

Nesta altura, Lawrence ainda tinha 55 milhões de dólares em empréstimos imobiliários comerciais pendentes e seu patrimônio líquido havia caído para 21 milhões de dólares. Se metade desses empréstimos comerciais fracassarem, o Lawrence será aniquilado.

Esta é a maior diferença entre o Lawrence e o First Essex. O First Essex tinha 46 milhões de dólares em patrimônio líquido e 56 milhões de dólares em empréstimos comerciais pendentes; portanto, se metade de seus empréstimos comerciais se tornarem inadimplentes, o First Essex poderá sobreviver. O Lawrence está em uma posição mais precária. Se a recessão piorar e houver outra onda de inadimplência, o Lawrence afundará.

First Federal of Michigan

Seis meses depois, avaliei seis das sete S&Ls que escolhi na *Barron's* como ações a ser mantidas em carteira, sobretudo porque já haviam subido de preço. Além disso, uma oportunidade de compra melhor havia entrado em cena: o First Federal of Michigan (FFOM).

Dave Ellison, analista de S&Ls da Fidelity, foi quem chamou minha atenção para o FFOM durante um voo para Nova York que fizemos em janeiro. Àquela altura, era tarde demais para fazer a lição de casa, então coloquei a ideia de lado. Fico feliz por ter feito isso, porque, embora o valor de todas essas outras S&Ls tivesse aumentado, o do FFOM não havia mudado.

Se todas as ações subissem na mesma velocidade, não sobraria nada para comprar e os selecionadores de ações em todos os lugares estariam no olho da rua. Felizmente, esse não é o caso. Sempre há um retardatário ao qual recorrer, uma vez que você tenha vendido uma ação que tenha subido demais. Em julho de 1992, o FFOM era exatamente essa ação.

Trata-se de uma S&L de 9 bilhões de dólares do tipo Jimmy Stewart, que evitou os empréstimos comerciais e tem custos operacionais mínimos. Ela está sendo freada por dois fatores negativos: o dinheiro que tomou emprestado do Federal Home Loan Bank (FHLB) e alguns contratos futuros de taxas de juros desfavoráveis.

A maioria das S&L se beneficiou da queda das taxas de juros nos últimos anos, mas não o FFOM. Isso porque o FFOM financiou suas operações, em parte, com empréstimos do FHLB, e esses empréstimos têm uma taxa de juros fixa. O FFOM deve continuar a pagar entre 8% e 10% ao FHLB até 1994, quando todos esses papéis caros vencem. Enquanto isso, seus próprios mutuários estão refinanciando suas hipotecas a taxas cada vez mais baixas. Isso deu um aperto no FFOM.

Quando você é dono de hipotecas que lhe pagam de 8% a 10% e tomou dinheiro emprestado no mesmo nível de juros, não terá muito lucro. Essa é uma lição dolorosa que o FFOM teve de aprender. Suas operações, em geral, são lucrativas, mas o "bloco de granito" do FHLB vem segurando os lucros.

Essa situação lamentável se reverterá assim que a dívida com o FHLB for liquidada e os contratos futuros de taxas de juros expirarem. Então, os ganhos do FFOM terão um aumento enorme. A resolução desses dois problemas tem o potencial de adicionar mais de 2 dólares por ação aos lucros em 1994-1996. Com o lucro atual de 2 dólares por ação, esta é uma ação de 12 dólares, então imagine o que acontecerá se a empresa tiver um lucro de 4 dólares.

Além disso, o FFOM tem um valor contábil superior a 26 dólares por ação. Em 1989, essa era uma operação improvisada com uma imobilização de patrimônio líquido de apenas 3,81. Desde então, ultrapassou o limite mágico de cinco. Restabeleceu o dividendo no início de 1992 e depois começou a aumentá-lo. Seus empréstimos inadimplentes representam menos de 1% dos ativos.

Se as taxas de curto prazo continuarem caindo, a ação pode baixar para menos de 10 dólares, mas os investidores que conhecem a história estarão preparados para comprá-la durante a queda. Não há cobertura das principais corretoras.

COLONIAL GROUP

Um artigo publicado no *The Wall Street Journal* em 30 de junho lembrou-me de que bilhões de dólares continuavam a ser despejados nos fundos de títulos. O Colonial Group é especializado em fundos de títulos, sobretudo os fundos do governo dos Estados Unidos com isenção de impostos e vencimento limitado, que gozam de grande popularidade atualmente. Apenas 9% do dinheiro que administra são investidos em fundos de ações. Se tivermos um mercado de baixa, como muitas pessoas agora preveem, os investidores que largarem as ações por medo se refugiarão nos fundos de títulos, e o Colonial Group se tornará ainda mais lucrativo do que já é.

Davey Scoon, o tesoureiro, me disse que as vendas dos fundos do Colonial Group haviam aumentado 58% no último trimestre. Agora ele administra 9,5 bilhões de dólares em ativos, em contraste com os 8,1 bilhões de dólares que administrava um ano antes. O Colonial tem 4 dólares por ação em dinheiro, com as ações agora sendo negociadas por cerca de 20 dólares. Subtraindo o dinheiro, temos uma ação de 16 dólares de uma empresa que deve ter um lucro de pelo menos 1,80 dólar em 1992. Para acrescentar mais boas notícias, a empresa anunciou uma recompra de ações de 10 milhões de dólares.

CMS ENERGY

As ações dessa prestadora de serviços públicos de Michigan subiram para 20 dólares com os rumores de que a comissão de serviços públicos estava disposta a aceitar um acordo de tarifas que era um tanto favorável para a empresa. Depois que a comissão rejeitou o acordo, a ação voltou a cair para 16 dólares e, em seguida, subiu ligeiramente para 17,75 dólares. E, sem nenhum acordo à vista, a Moody's rebaixou sua classificação dos títulos da CMS para níveis especulativos.

Esse é sempre o problema com as prestadoras de serviços públicos em dificuldades na fase de recuperação. Quanta latitude os órgãos de governo permitirão? Na ausência de uma decisão equitativa da comissão estadual, a CMS terá de dar uma baixa contábil nos lucros para pagar alguns dos custos que ela não pode repassar aos clientes. A ação pode cair para 10 dólares. A menos que você se prepare com antecedência para responder a essa queda comprando mais ações, é melhor não ter a CMS em carteira durante essa fase problemática.

No longo prazo, estou convencido de que a CMS terá um bom desempenho. A empresa está ganhando muito dinheiro, e seu fluxo de caixa excedente acabará gerando lucros mais altos. A demanda por energia está crescendo no Meio-Oeste e poucas novas usinas — ou até mesmo nenhuma — estão sendo construídas para atendê-la. Com oferta limitada e demanda ascendente, você sabe o que acontecerá com os preços da eletricidade.

SUN TELEVISION & APPLIANCES

Como aconteceu com várias outras ações de nossa lista, o preço da Sun TV subiu no início e depois recuou abaixo de onde eu havia recomendado. Liguei para Bob Oyster, o CEO, em 5 de junho. Ele me lembrou que a Sun TV tem uma dívida total de apenas 4 milhões de dólares. Trata-se de uma empresa muito forte, cujos concorrentes mais fracos continuam a desaparecer. Desde janeiro, um concorrente fechou suas lojas na área de Ohio e outro saiu completamente do setor de negócios.

A Sun TV está ganhando dinheiro apesar da recessão. Poderia ter ganhado mais, não fosse o clima frio na primavera e no início do verão, que prejudicou as vendas de aparelhos de ar-condicionado. Pessoas que estão congelando não compram esses aparelhos. Mas elas ainda estão comprando geladeiras e aparelhos de televisão, e a Sun TV mantém seu plano de abrir de quatro a seis novas lojas em 1993.

O senhor Oyster observou que a Sun TV tem capacidade para pagar por vários anos de expansão sem vender mais ações nem contrair mais dívidas.

AS SOCIEDADES LIMITADAS MÁSTER: SUN DISTRIBUTORS, TENERA

Lou Cissone, vice-presidente de finanças da Sun, relatou o desempenho de suas várias divisões. Seu relatório soou tão pessimista que fiquei surpreso que a empresa como um todo tivesse um primeiro trimestre lucrativo. O grande problema continua sendo a dívida, da qual 22 milhões de dólares vencem em fevereiro de 1993. A Sun está se preparando para esse pagamento da mesma forma que você e eu faríamos — cortando custos e reprimindo o instinto de ir às compras. A Sun continuou a se abster de fazer novas aquisições. Isso era uma pena, de acordo com Cissone, pois muitas empresas na linha de negócios da Sun — vidro, hidráulica e peças automotivas — podiam ser compradas a preço de banana.

A história aqui, como você deve se lembrar, é que os acionistas da Classe A receberão de volta 10 dólares por ação em 1997, enquanto os acionistas da Classe B recebem os ativos restantes. Se a economia melhorar, acho que as ações da Classe B podem valer entre 5 e 8 dólares cada uma; no mercado atual, elas continuam sendo negociadas por 3 dólares.

Enquanto isso, lembro que, se a economia piorar, a Sun pode facilmente vender qualquer de suas divisões adquiridas anteriormente para levantar dinheiro para cobrir o pagamento de suas dívidas. Esses negócios valiosos fornecem à empresa alguma proteção contra desastres.

A Tenera, a firma de consultoria nuclear em dificuldades, é outra vítima das boas notícias. A empresa anunciou dois novos contratos, um com a Martin Marietta e o outro com a Commonwealth Edison, a maior operadora de usinas nucleares nos Estados Unidos. Isso provou que o negócio de consultoria da Tenera ainda é viável — caso contrário, por que a Martin Marietta e a Commonwealth Edison perderiam tempo com essas pessoas? Em seguida, a empresa anunciou que estava perto de fechar um acordo em uma ação judicial coletiva que vai custar menos do que alguns investidores temiam e, além disso, não apresentou prejuízo no primeiro trimestre. A ação respondeu não indo a lugar algum.

Lembro-me do que me atraiu para a Tenera em primeiro lugar: a empresa não tinha dívidas e tinha um negócio de consultoria valioso, embora a divisão de *software* estivesse em frangalhos e as ações custassem 2 dólares. Se a Tenera conseguir faturar apenas 40 milhões de dólares em receitas anuais, o que parece mais provável agora do que parecia em janeiro, a empresa poderá ter um lucro de 40 centavos por ação. Esta é uma aposta arriscada em que a história está ficando cada vez melhor, mas o preço continua o mesmo. Isso a coloca na lista de compra.

Cedar Fair

Não posso revisar uma ou duas sociedades limitadas máster sem verificar algumas das outras que já possuí e recomendei no passado. Os altos rendimentos e as vantagens fiscais tornam esse grupo muito atraente. Desta vez, encontrei mais duas para colocar na lista de compras: a Cedar Fair e a Unimar.

A Cedar Fair administra o parque de diversões Cedar Point nas margens do Lago Erie. Minha família e eu vamos lá para andar na montanha-russa no início de agosto. Essa é minha pesquisa de verão favorita.

A Cedar Fair acaba de fazer um anúncio importante: está adquirindo o Dorney Park, um grande palácio de diversões nos arredores de Allentown, e outro lugar onde fazer pesquisas de verão. Essa empresa adotou a sigla de ações FUN [Diversão] com razão.

O que me impediu de recomendar a Cedar Fair no início de 1992 foi o fato de eu não conseguir imaginar como a empresa aumentaria seus lucros. A aquisição do Dorney Park é a resposta. A Cedar Fair assumirá o Dorney Park, adicionará a ele novos brinquedos, usará as técnicas comprovadas da Cedar Fair para atrair mais clientes e cortará custos.

Enquanto entre 4 e 5 milhões de pessoas moram a uma distância de carro curta da Cedar Point, no Lago Erie, 20 milhões podem chegar ao Dorney Park em menos de três horas.

O pessoal da Cedar Fair não está exatamente correndo atrás de aquisições — essa é a segunda que eles fazem em vinte anos. A matemática parece muito favorável. O preço de compra do Dorney é de 48 milhões de dólares. Uma vez que o Dorney teve um lucro de quase 4 milhões de dólares no ano anterior, o P/L da aquisição é doze.

A Cedar Fair não está pagando tudo em dinheiro. Ela está pagando 27 milhões de dólares em dinheiro, financiados por dívidas, e o saldo em um milhão de ações da Cedar Fair, a ser entregues aos proprietários do Dorney Park.

Veja como analiso o negócio. A Cedar Fair estava com um lucro de 1,80 dólar por ação antes da compra. Com 1 milhão de novas ações nos livros, ela precisará gerar 1,8 milhão de dólares adicionais em lucros para manter o *status quo*. Também terá de pagar 1,7 milhão de dólares em juros sobre os 27 milhões de dólares que tomou emprestado para fazer a aquisição.

Onde a Cedar Fair conseguirá esses 3,5 milhões de dólares em lucros adicionais mais pagamentos de juros? Dos lucros anuais estimados do Dorney Park de 4 milhões de dólares. Diante disso, esse negócio aumenta os lucros da Cedar Fair. Então, o que aconteceu quando a venda do Dorney Park foi anunciada? As ações da Cedar Fair não mudaram de 19 dólares por semanas. Você não precisa ser um detentor de informações privilegiadas para entrar nesse negócio. Você pode ler sobre isso nos jornais, analisar com calma a situação e ainda comprar ações da Cedar Fair ao preço pré-negócio.

Unimar

A Unimar não possui funcionários. A folha de pagamento não existe. Trata-se de uma *holding* com uma tarefa simples: arrecadar o produto da venda de gás natural liquefeito que vem da Indonésia. Esses recursos são distribuídos trimestralmente aos acionistas como um grande dividendo, que tem alcançado atraentes 20% ao ano em tempos recentes.

No terceiro trimestre de 1999, o contrato que a Unimar tem com os produtores de petróleo e gás da Indonésia será dissolvido e a ação perderá todo o seu valor. Essa é uma corrida contra o tempo — quanto gás pode ser extraído e vendido e quantos dividendos serão pagos nos seis anos e meio restantes antes do término do contrato?

Enquanto escrevo este livro, as ações da Unimar estão sendo negociadas a 6 dólares. Se, até 1999, o acionista receber 6 dólares em dividendos, então a Unimar não foi um grande investimento. Se ele receber 10 dólares em dividendos, será um investimento razoável e, se receber 12 dólares em dividendos, a Unimar começa a ficar interessante.

O tamanho do dividendo depende de dois fatores: quanto gás natural a Unimar pode extrair dos campos da Indonésia (recentemente, a empresa ampliou a produção, o que aumenta a atratividade dessa ação) e a que preço pode vender o gás. Se os preços do petróleo e do gás subirem, a comissão da Unimar aumentará: se os preços caírem, a comissão também diminuirá.

A Unimar oferece aos investidores a chance de lucrar com um aumento futuro nos preços do petróleo e receber um belo dividendo ao longo do caminho.

Isso é melhor do que comprar contratos futuros de petróleo e gás, que é um jogo caro e mais perigoso.

FANNIE MAE

Outra oscilação no preço das ações dá aos investidores a enésima chance de adquirir ações dessa empresa notável com um desconto. As ações caíram para cerca de 50 dólares porque a legislação favorável à Fannie Mae está parada no Congresso.

Enquanto isso, a empresa teve um primeiro e um segundo trimestre bons, e a carteira de títulos lastreados em hipotecas cresceu para 413 bilhões de dólares. Em meio a uma recessão imobiliária, a inadimplência dos empréstimos da Fannie Mae é de minúsculos seis décimos de 1%, a metade do nível de cinco anos atrás. A empresa terá um lucro de 6 dólares em 1992 e de 6,75 dólares em 1993; ela está mantendo sua taxa de crescimento de dois dígitos e ainda está sendo negociada a um P/L de dez.

Liguei para Janet Point, porta-voz da empresa, em 23 de junho de 1992, para obter informações sobre essa legislação paralisada. Ela me garantiu que não é nada demais. É quase certo que um projeto de lei que define os papéis da Fannie Mae, da Freddie Mac, etc. passará pelo Congresso, mas, se vai ou não passar, isso tem pouca importância para a Fannie Mae, que pode viver perfeitamente bem sem ele.

ALLIED CAPITAL II

Essas são as pessoas que fazem empréstimos de capital de risco em troca de uma participação nas empresas que pedem dinheiro emprestado. O que me atraiu para a Allied Capital II foi seu plano de adquirir alguns dos melhores empréstimos que originalmente foram feitos por S&Ls falidas. Esses empréstimos estavam sendo leiloados pela Resolution Trust, geralmente com desconto.

Desde que recomendei a Allied Capital II, foi lançado um fundo Allied inteiramente novo para comprar diferentes tipos de empréstimo, o Allied Capital Commercial. Existem agora cinco fundos na família Allied. Essa proliferação me fez ficar interessado pela Allied Capital Advisors, uma empresa separada que recebe as taxas de administração das outras empresas da Allied. A Allied Capital Advisors também tem ações negociadas em bolsa e é aí que os executivos que criaram os cinco fundos colherão seus frutos.

AS CÍCLICAS: PHELPS DODGE E GENERAL MOTORS

Você não pode manter uma ação cíclica da mesma maneira que mantém um varejista em meio à expansão. A Phelps Dodge subiu 50% em seis meses. Ela é um dos maiores vencedores das minhas 21 selecionadas, mas temo que todo o dinheiro fácil já tenha sido ganho. Ela era extremamente barata no início de 1992, com base nos ganhos desse ano, mas sua prosperidade futura depende do que acontecer com os preços do cobre em 1993.

Conversei com Doug Yearly, o CEO, que observou que, à medida que o preço das ações subia, os analistas de Wall Street aumentavam suas estimativas de lucro para a empresa. Esse é um exemplo de como adaptar os meios para se adequar aos fins. Uma vez que ninguém pode prever se os preços do cobre subirão ou descerão, é bem possível que sejam videntes os que estão fazendo as estimativas. Eu não compraria a Phelps Dodge por esse preço. Prefiro colocar meu dinheiro na Pier 1, na Sun TV ou no First Federal of Michigan.

A General Motors avançou 37% em relação ao preço de janeiro, depois começou a sacrificar parte dos lucros. Com as vendas de carros ainda vários milhões abaixo da tendência, prevejo alguns bons anos pela frente para as montadoras de automóveis. A demanda deve ser alta, e o dólar mais baixo e os problemas no Japão ajudarão as montadoras americanas a reconquistar uma fatia maior do mercado.

Gosto da GM e da Ford, mas minhas pesquisas mais recentes me convenceram a colocar a Chrysler de volta no topo da minha lista. Estou fazendo isso apesar do fato de as ações da Chrysler já terem dobrado de preço em 1992, superando o desempenho das outras duas montadoras. Estou surpreso com esse resultado.

Rejeitar uma ação porque o preço dobrou, triplicou ou mesmo quadruplicou no passado recente pode ser um erro grande. Se 1 milhão de investidores ganharam ou perderam dinheiro com a Chrysler no mês passado, isso não tem relação com o que acontecerá no próximo mês. Tento tratar cada investimento potencial como se não tivesse história — a abordagem "aqui agora". O que quer que tenha ocorrido antes é irrelevante. O importante é se a ação a 21 ou 22 dólares, hoje, está barata ou cara, com base em seu potencial de lucro de 5 a 7 dólares por ação.

Nesse sentido, as últimas notícias da Chrysler foram empolgantes. Embora essa empresa tenha patinado na beira da falência, ela conseguiu acumular 3,6 bilhões de dólares em dinheiro, o suficiente para pagar a sua dívida de longo prazo de 3,7 bilhões de dólares. A crise financeira da Chrysler está agora superdimensionada. Com a empresa em melhor forma do que antes, sua subsidiária financeira, a Chrysler Financial, poderá pedir dinheiro emprestado a taxas satisfatórias. Isso vai melhorar os lucros da Chrysler.

A nova versão do Jeep Cherokee é tão popular que a Chrysler não tem problemas para vendê-lo sem desconto. A empresa ganha vários milhares de dólares em cada jipe e também em cada minivan. Só esses dois produtos geram 4 bilhões de dólares ao ano em um mercado automotivo difícil.

A picape T300 de porte normal, que os fãs de carros estão chamando de "BMW das estradas de terra", dá à Chrysler seu primeiro grande concorrente no mercado de caminhonetes, onde a Ford e a GM tiveram seus maiores lucros. A Chrysler nunca fabricou uma picape de porte normal antes. Suas linhas de utilitários medíocres, o Sundance e o Shadow, estão sendo eliminadas. Ela apresentou o primeiro *design* básico de carro realmente novo em uma década, o sistema LH.

Os carros LH — Eagle Vision, Chrysler Concorde e Plymouth Intrepid — têm preços altos o suficiente para gerar um lucro decente. Se eles acabarem sendo tão populares como o Saturn ou o Taurus têm sido, eles terão um impacto enorme sobre os lucros da Chrysler.

Se algo está freando a Chrysler, são os milhões de ações que a empresa precisou vender nos últimos anos para levantar dinheiro. Em 1986, havia 217 milhões de ações em circulação; agora são 340 milhões. Mas, se a Chrysler cumprir sua promessa, os lucros mais altos em 1993-1995 serão mais do que suficientes para compensar o peso das ações adicionais.

Eu estava de volta ao programa *Wall Street Week with Louis Rukeyser* em setembro. Este foi o décimo aniversário da minha primeira aparição naquele programa, e outra chance de recomendar uma nova coleção de ações. Fiz várias semanas de dever de casa, assim como faço com a *Barron's*, e estava pronto para compartilhar os resultados com os milhões de telespectadores de Lou.

No *Wall Street Week*, você não tem ideia do que eles vão perguntar e tem um tempo limitado para responder. Se eles me deixassem, eu poderia continuar por meia hora falando de minhas últimas escolhas, da mesma forma que os avós falam dos netos. Mas o que aconteceu foi que passei tanto tempo lutando para pronunciar Au Bon Pain que não cheguei a mencionar a Fannie Mae, ou o First Federal of Michigan, ou várias outras de minhas S&Ls favoritas.

Consegui falar bem sobre a Ford e também sobre a Chrysler, uma ação que recomendei na primeira vez que apareci no *Wall Street Week* — contra o conselho de vários colegas. Acho que fechamos o círculo.

25 REGRAS DE OURO

Antes de eu desligar o meu processador de texto, não posso resistir a esta última oportunidade para resumir as lições mais importantes que aprendi em duas décadas de investimento, muitas das quais foram discutidas neste livro e em outros lugares. Esta é a minha versão do coro de despedida da St. Agnes: investir é divertido, empolgante e perigoso se você não fizer nenhum trabalho.

- a vantagem como investidor não é algo que você obtém dos especialistas de Wall Street. É algo que você já tem. Você pode superar os especialistas se usar essa vantagem investindo em empresas ou setores que já conhece.
- nas últimas três décadas, o mercado acionário passou a ser dominado por uma manada de investidores profissionais. Ao contrário da crença popular, isso torna tudo mais fácil para o investidor amador. Você pode bater o mercado ao ignorar o rebanho.
- atrás de cada ação está uma empresa. Descubra o que ela está fazendo.
- muitas vezes, não existe uma correlação entre o sucesso das operações de uma empresa e o sucesso de suas ações durante alguns meses ou mesmo alguns anos. No longo prazo, existe uma correlação de 100% entre o sucesso da empresa e o sucesso de suas ações. Essa disparidade é a chave para ganhar dinheiro; vale a pena ser paciente e possuir empresas de sucesso.
- você precisa saber o que possui e por que o possui. "Esta belezinha está fadada a subir!" não conta.
- os tiros no escuro quase sempre erram o alvo.
- possuir ações é como ter filhos — não se envolva com mais coisas do que você tem condição de administrar. O selecionador de ações de meio expediente provavelmente tem tempo para acompanhar oito a doze empresas e comprar e vender ações conforme as condições o justifiquem. Não precisa haver mais de cinco empresas na carteira ao mesmo tempo.

- se você não conseguir encontrar nenhuma empresa que considere atraente, coloque seu dinheiro no banco até descobrir alguma.
- nunca invista em uma empresa sem entender suas finanças. As maiores perdas em ações vêm de empresas com balanços ruins. Sempre examine o balanço para ver se uma empresa está solvente antes de colocar seu dinheiro nela.
- evite ações quentes em indústrias quentes. Empresas boas em setores frios e não produtivos são grandes vencedoras consistentes.
- no caso das pequenas empresas, é melhor esperar até que elas tenham lucro antes de investir.
- se você está pensando em investir em um setor conturbado, compre empresas com poder de permanência. Além disso, espere que a indústria dê sinais de recuperação. Chicotes para condutores de charrete e válvulas de rádio eram indústrias problemáticas que nunca mais ressuscitaram.
- se você investir mil dólares em uma ação, tudo o que pode perder são mil dólares, mas poderá ganhar 10 mil ou mesmo 50 mil dólares com o passar do tempo se for paciente. A pessoa comum pode se concentrar em algumas boas empresas, enquanto o gestor do fundo é forçado a diversificar. Ao possuir muitas ações, você perde a vantagem da concentração. Basta um punhado de grandes vencedores para fazer valer a pena uma vida inteira de investimentos.
- em cada setor e em cada região do país, o observador amador pode encontrar empresas de grande crescimento muito antes que os profissionais as descubram.
- as quedas do mercado acionário são tão rotineiras quanto as nevascas de janeiro no Colorado. Se você estiver preparado, isso não vai machucá-lo. Uma queda é uma grande oportunidade de pegar as pechinchas deixadas para trás pelos investidores que fogem da tempestade em pânico.
- todos têm inteligência para ganhar dinheiro com ações. Nem todo mundo tem coragem. Se você tende a vender tudo quando há pânico, deve evitar totalmente as ações e os fundos mútuos de ações.
- sempre há algo com que se preocupar. Evite a angústia de fim de semana e ignore as mais recentes previsões apocalípticas dos apresentadores. Venda uma ação porque os fundamentos da empresa estão se deteriorando, não porque o céu está desabando.
- ninguém pode prever as taxas de juros, a direção futura da economia ou o mercado acionário. Despreze todas essas previsões e concentre-se no que está realmente acontecendo com as empresas nas quais você investiu.

- se você estudar dez empresas, encontrará uma cuja história é melhor do que o esperado. Se você estudar cinquenta, encontrará cinco. Sempre há surpresas agradáveis no mercado acionário — empresas cujas realizações estão sendo negligenciadas por Wall Street.
- se você não estudar nenhuma empresa, terá o mesmo sucesso na compra de ações que em um jogo de pôquer apostando sem olhar para as cartas.
- o tempo está a seu lado quando você possui ações de empresas superiores. Você pode se dar ao luxo de ser paciente — mesmo que tenha perdido o Walmart nos primeiros cinco anos, ele continou sendo uma ótima ação para ter nos cinco anos seguintes. O tempo está contra você quando você é dono de opções.
- se você tem estômago para as ações, mas não tem tempo nem disposição para fazer o dever de casa, invista em fundos mútuos de ações. No que se refere a eles, a diversificação é uma boa ideia. Você deve possuir alguns tipos diferentes de fundos, com gestores que têm estilos diferentes de investimento: crescimento, fundamentalista, pequenas empresas, grandes empresas, etc. Investir em seis fundos do mesmo tipo não é diversificação. O imposto sobre ganhos de capital penaliza os investidores que fazem muitas trocas de um fundo mútuo para outro. Se você investiu em um ou em vários fundos que tiveram um bom desempenho, não os abandone por capricho. Fique com eles.
- entre os principais mercados acionários do mundo, o mercado dos Estados Unidos ocupa o oitavo lugar em retorno total na última década. Você pode tirar vantagem das economias de rápido crescimento ao investir alguma parte de seus ativos em um fundo no exterior com um bom desempenho histórico.
- no longo prazo, uma carteira de ações e/ou fundos mútuos de ações bem escolhida(os) sempre terá um desempenho melhor do que uma carteira de títulos ou uma conta de papéis de curto prazo. No longo prazo, uma carteira de ações mal escolhida não terá um desempenho melhor do que o dinheiro guardado embaixo do colchão.

POSFÁCIO

A escolha de ações é um exercício dinâmico, e muita coisa aconteceu desde que fiz minhas seleções para a Mesa Redonda da *Barron's* de 1992, conforme descrito neste livro. Para começar, participei da Mesa Redonda da *Barron's* de 1993, selecionando um novo grupo de ações, incluindo oito representantes da Mesa Redonda de 1992. Quando você ler isto, já terei feito minha pesquisa para 1994.

Minha rotina é sempre a mesma. Procuro empresas que estão subvalorizadas e costumo encontrá-las em indústrias ou setores que estão desprezados. Por dois anos consecutivos, não encontrei pechinchas entre as ações de crescimento *blue chip*, um grupo que inclui Merck, Abbott Labs, Walmart e Procter & Gamble. O fraco desempenho dessas ações populares é a prova de que a técnica de leitura de gráficos descrita na página 163 realmente funciona.

Ao olhar os gráficos de longo prazo dessas empresas em 1991-1992, você teria visto que os preços de suas ações haviam se desviado muito além de seus lucros, um sinal de alerta que nos dizia para recuar um pouco da Merck, do Walmart e de empresas de crescimento semelhantes que tiveram um desempenho estrelar no final da década de 1980, mas recentemente cambalearam.

Sempre que uma ação popular sofre uma grande queda no preço, sobretudo uma ação mantida por muitos fundos de pensão e fundos mútuos, Wall Street precisa inventar uma razão para o declínio que exima de culpa os gestores de fundo por tê-la em carteira. Recentemente, ouvimos que as ações da indústria farmacêutica caíram porque Wall Street estava abalada com o plano de seguro de saúde do Clinton, e que a Coca-Cola caiu porque os investidores estavam preocupados com o efeito do dólar mais forte sobre os lucros da empresa, e que a Home Depot baixou devido à demanda lenta do mercado imobiliário. O verdadeiro motivo pelo qual essas ações caíram é que haviam ficado terrivelmente sobrevalorizadas em relação aos lucros correntes.

O que, em geral, acontece com uma ação de crescimento *blue chip* muito cara é que o preço das ações vai cair ou andar de lado por alguns anos à medida que os lucros das empresas continuam a crescer, como de costume, e, por fim, o preço e os lucros voltarão ao equilíbrio. Quando isso ocorre, a linha do preço e a linha dos lucros convergirão no gráfico, como fizeram para a Abbott Labs no final de 1993. (Veja a ilustração na página 165.) Talvez o crescimento do setor *blue chip* tenha tido a sua correção, e algumas dessas ações possam ser recomendadas em 1994-1995.

Em minha experiência, o preço de uma ação, o "P" na equação P/L, não pode ir muito além dos lucros, o "L" na equação, sem que haja um ajuste.

Enquanto algumas das ações de maior crescimento foram cotadas alto demais e, em seguida, tropeçaram, muitas pechinchas ainda podiam ser encontradas entre as ações de crescimento menores. O indicador da New Horizons descrito nas páginas 81 e 82 continuou a mostrar as ações menores na parte mais baixa de sua faixa de preço em relação ao S&P 500. (Veja o gráfico na página 81.) Contanto que as pequenas empresas permaneçam baratas em comparação com suas contrapartes maiores, existe uma boa chance de que superem o desempenho das empresas maiores, pelo menos até que o indicador da New Horizons comece a subir.

Outro acontecimento interessante em 1993 foi que o negócio do gás natural foi reavivado a ponto de as empresas de energia e de serviços de energia terem um bom desempenho. Esse tipo de empresa estava em crise desde que eu conseguia me lembrar, mas anos de corte de custos, consolidação e fechamento de plataformas de perfuração haviam produzido uma situação promissora para as sobreviventes.

A relação risco/recompensa era excelente nessas empresas. Muitas ações de gás natural haviam levado uma surra tão profunda que dificilmente poderiam ficar por baixo por muito mais tempo, e havia chances de que algumas delas subiriam e brilhariam. Então, recomendei cinco empresas de energia em 1993: duas empresas de serviços e três de produção.

Com base no indicador de demanda reprimido descrito nas páginas 271 e 272, também pensei que a indústria automobilística venderia mais carros e caminhões do que muitos previam. Depois de um ciclo de baixa nos automóveis, normalmente há um ciclo de alta de cinco a seis anos até que a demanda reprimida seja satisfeita, e estávamos entrando apenas no terceiro ano do último ciclo de alta. Com isso em mente, recomendei três montadoras, além da Harman International, que fornece equipamentos de som automotivo para as montadoras.

Em minhas discussões com vários analistas e também com executivos de várias empresas que compram e vendem aço, descobri que os preços do aço estavam começando a se firmar. Além disso, as siderúrgicas americanas esperavam que o governo tomasse medidas para protegê-las contra o *dumping* de aço barato por produtores estrangeiros em nossos mercados. (Acabou acontecendo que elas não obtiveram a proteção que almejavam.) Eu também estava ouvindo que várias das antigas e ineficientes usinas siderúrgicas da Europa, que durante décadas foram administradas com enormes perdas subsidiadas pelo governo para dar empregos não rentáveis a dezenas de milhares de trabalhadores, seriam fechadas. A privatização aceleraria ainda mais esse processo. Isso seria um fator altista para os preços do aço em todo o mundo. Acabei recomendando três siderúrgicas e duas outras metalúrgicas.

Portanto, minha programação para a *Barron's* de 1993 era bastante voltada para as ações cíclicas, embora eu não tenha começado com a ideia de comprar cíclicas, uma vez que é isso que se deve comprar nos estágios iniciais de uma recuperação econômica. Acontece que, nas empresas e nos setores que investiguei, as maiores pechinchas estavam nas cíclicas, e era aí que os lucros estavam em movimento.

Todas as sete S&Ls que recomendei em 1992 subiram. Em 1993, recomendei oito novas. Continuo a ser surpreendido com o desempenho do grupo como um todo — subidas de dois, três, quatro vezes em dezenas de títulos que desde 1991 eram de capital aberto, e dificilmente encontramos um fracasso nesse grupo.

Muitas das S&Ls têm se saído bem por vários anos, por isso esta não é uma situação em que você precisa entrar e sair. E ainda há grandes oportunidades enquanto escrevo isto. Se houver outra parte do mercado em que tantas empresas sólidas estejam sendo negociadas abaixo do valor contábil e apresentem lucros com crescimento satisfatório — sendo provável que, mais cedo ou mais tarde, elas sejam compradas por bancos maiores ou S&Ls com ágio —, eu ainda não a descobri.

A preocupação convencional em Wall Street é que a festa das S&Ls chegará a um fim abrupto assim que a economia começar a se movimentar e as taxas de juros começarem a subir, eliminando assim os lucros que as S&Ls estão obtendo com o *spread* atual e favorável da taxa de juros. Eu discordo. Uma economia em crescimento muito rápido com inflação de dois dígitos poderia prejudicar as S&Ls, mas uma economia que avança a um ritmo razoável, não.

TABELA PS-1. CARTEIRA DO LYNCH PARA A *BARRON'S* DE 1993

Sigla	Nome da empresa	Retorno total 11/1/93 a 31/12/93	Preço em 11/1/93	Preço em 31/12/93
ABBK	Abington Savings Bank	27,78%	US$9,00	US$11,50
AMX	Amax, Inc. (até 15/11/93)	47,71	16,88	****
AHC	Amerada Hess Corporation	3,78	44,00	45,13
APA	Apache Corporation	33,12	17,75	23,38
AS	Armco, Inc.	-5,77	6,50	6,13
—	Body Shop	37,20	164 p	225 p
BP	British Petroleum PLC-ADR	46,81	44,88	64,00
BST	British Steel PLC-ADR	97,81	9,50	18,50
C	Chrysler Corporation	49,00	36,25	53,25
CCI	Citicorp	71,51	21,50	36,88
CMS	CMS Energy Corporation	39,30	18,50	25,13
CSA	Coast Savings Financial, Inc.	34,12	10,63	14,25
DBRSY	De Beers Consolidated Mines-ADR	84,64	13,75	24,25
DME	Dime Savings Bank of New York	20,37	6,75	8,13
FDX	Federal Express Corporation	27,99	55,38	70,88
FNM	Federal National Mortgage Association	3,66	77,50	78,50
FFOM	Firstfed Michigan Corporation	62,24	16,08	25,50
FOFF	50-Off Stores, Inc.	-42,71	12,00	6,88
F	Ford Motor Company	47,37	45,13	64,50
GH	General Host Corporation	-18,38	9,00	7,00
GM	General Motors Corporation	63,26	34,25	54,88
GLM	Global Marine, Inc.	65,00	2,50	4,13
GGUY	Good Guys, Inc.	18,18	11,00	13,00

HWG	Hallwood Group, Inc.	-8,89	5,63	5,13
HAR	Harman International Industries	94,92	14,75	28,75
AHM	H. F. Ahmanson & Co.	11,07	18,50	19,63
HPBC	Home Port Bancorp, Inc.	66,46	7,38	11,75
IAD	Inland Steel Industries, Inc.	51,43	21,88	33,13
MAXC	Maxco, Inc.	106,06	4,13	8,50
MSEL	Merisel, Inc.	67,05	11,00	18,38
NSBK	North Side Savings Bank, Bronx, NY	39,67	13,33	18,50
NSSB	Norwich Financial Corporation	62,44	5,75	9,00
PXRE	Phoenix RE Corporation	80,16	15,25	27,25
RLM	Reynolds Metals Company	-13,65	53,88	45,38
SERF	Service Fracturing Company	16,96	3,31	3,88
SBN	Sunbelt Nursery GRP/DE	-40,21	5,75	3,44
SDP.B	Sun Distributors, L. P.	25,26	3,50	4,25
CUTS	Supercuts, Inc.	2,62	14,50	14,88
TLP	Tenera, L. P.	4,72	1,31	1,38
	Retorno total da carteira de Lynch em 1993	35,39%		
	Índice de ações S&P 500	11,23%		
	Índice composto NASDAQ	13,83%		
	Índice composto Value Line Novo	18,31%		

* O retorno total da Amax reflete a fusão/cisão de 15/11/93 na qual uma ação da Amax se tornou conversível em: 0,5 ação da Alumax, 0,5 ação da Cyprus Amax e 0,245 ação da Amax Gold.

Na verdade, as S&Ls se beneficiarão de uma melhora econômica gradual, porque, em um mercado imobiliário melhor, elas podem descarregar seus imóveis hipotecados mais rapidamente e a preços mais elevados, e sofrerão menos inadimplências e atrasos de pagamento e, portanto, menos execuções hipotecárias novas. Isso fortalecerá seus balanços e aumentará seus lucros, porque elas não terão de reservar tanto dinheiro para cobrir suas perdas com empréstimos. Além disso, à medida que a economia melhora, essas instituições de poupança podem aumentar seus empréstimos para tomadores de crédito mais fortes, o que, por sua vez, aumentará seu poder aquisitivo.

Por fim, comecei a me interessar por empresas da Califórnia em 1993. Isso porque a Califórnia estava em uma recessão profunda e as reportagens da imprensa eram tão negativas que você pensaria que todo o estado estava fechando. A Nova Inglaterra, minha região natal, esteve exatamente na mesma situação em 1990, e as manchetes eram igualmente sombrias, mas, se você conseguisse ignorar as manchetes e comprasse ações de empresas depreciadas da Nova Inglaterra, sobretudo de bancos e S&Ls, mas também de alguns varejistas, você estaria sendo bem recompensado até este momento.

Com a visão otimista de que a Califórnia sobreviveria, de alguma forma, à sua recessão da mesma forma que nós, da Nova Inglaterra, sobrevivemos à nossa (até agora, fizemos isso sem gerar nenhum emprego!), coloquei três empresas da Califórnia em minha lista recomendada de 1993: a Coast Savings Financial, Inc.; a HF Ahmanson & Co., a maior *holding* de instituições de poupança do país; e a Good Guys, Inc., uma rede de varejo que vende tevês, aparelhos de som e dispositivos eletrônicos similares. Recomendei também a Fannie Mae, minha empresa favorita de longo prazo, que possui e securitiza hipotecas. O preço de suas ações caiu porque 25% de suas hipotecas referem-se a imóveis na Califórnia.

REVISÃO DE 24 MESES

À revisão de seis meses da carteira Lynch que aparece nas páginas 319-339, podemos agora acrescentar a revisão de 24 meses. Com tanta atenção dada aos altos e baixos dos preços das ações, é fácil esquecer que possuir uma ação significa possuir uma parcela de uma empresa. Você não seria dono de um prédio alugado sem verificar, de vez em quando, se as unidades estão bem conservadas e se o lugar não está desmoronando. Da mesma forma, quando você possui uma parte de uma empresa, deve ficar sintonizado e observar os novos acontecimentos.

Depois de ter feito meu dever de casa sobre as empresas descritas no texto, posso relatar o seguinte:

A *Allied Capital Corporation II* foi uma decepção de curto prazo, refletido no preço das ações. Não foi culpa da empresa, mas o que eu esperava que acontecesse em 24 meses vai demorar muito mais. A empresa tinha todo o seu patrimônio disponível para investir em empréstimos, mas não conseguiu colocar todo o seu dinheiro para trabalhar. Parte de seu plano era comprar empréstimos da Resolution Trust Corporation das carteiras de S&Ls assumidas pelo governo. A ideia era investir em tomadores de empréstimo com boa reputação, que pagavam juros entre 10% e 11%.

O problema imprevisto foi que muitos outros investidores, incluindo os bancos e os chamados fundos abutres, também estavam tentando comprar esses empréstimos. A Allied não conseguiu o que queria e não estava prestes a baixar seus padrões e comprar a variedade mais arriscada. Portanto, ficou sentada no dinheiro, que ficou rendendo 3% no mercado financeiro. Essa não era uma situação produtiva para os acionistas, que pagavam à Allied Capital uma taxa de administração anual de 2%.

A Allied Capital II vem comprando, gradualmente, empréstimos, mas a um ritmo mais lento do que se esperava. Enquanto isso, o melhor investimento tem sido a empresa que administra os fundos da Allied, a Allied Corporation, cujas ações dobraram de preço em um ano.

Por falar em empresas de gestão, o *Colonial Group* teve uma alta de 69,7% em 24 meses. Mais uma vez, quando bilhões de dólares estão sendo despejados em fundos mútuos, como aconteceu nos últimos anos, vale a pena investir nas pessoas que possuem e operam os fundos mútuos.

Minha paixão pelas empresas de viveiros (General Host, Sunbelt e Calloway's) foi um grande erro. Eu me iludi com tudo. Fiquei tão impressionado com o fato de que os consumidores estavam comprando plantas, ancinhos, pás, cobertura morta, etc., em números recordes, e com o fato de que a jardinagem seria para os anos 1990 o que cozinhar foi para os anos 1980 que esqueci a concorrência feroz entre as lojas de jardinagem. Ela é tão feroz entre plantas e flores quanto é entre companhias aéreas.

Grande parte dos clientes vai para os centros de descontos nas K mart, Home Depot, etc., que vendem uma pequena variedade de vegetação e grandes quantidades de fertilizantes, cobertura morta, pesticidas e ferramentas de jardinagem que, de outra forma, poderiam ser vendidas pela Sunbelt ou pela General Host. Eu subestimei o impacto das lojas de departamentos de descontos e também a perseverança das empresas familiares nos pequenos centros de jardinagem, que estão resistindo e baixando seus preços para competir com as lojas de departamentos de descontos. Os viveiros das lojas de rede estão sendo espremidos nas duas pontas. O clima extremo que tivemos — dilúvios, secas, etc. — também não lhes fez muito bem.

A Calloway's, uma empresa que me causou uma impressão favorável quando as ações estavam sendo negociadas a 8 dólares, era vendida por 3 dólares no final de 1993, e o que parecia uma oportunidade de crescimento alguns meses atrás agora é uma reviravolta em potencial. É também uma jogada de ativos em potencial, com 1,30 dólar em dinheiro, nenhuma dívida e dezessete prédios na área de Dallas.

Pensei na Sunbelt como uma possível candidata à aquisição e, sem nenhuma surpresa, ela foi engolida pela General Host. Infelizmente, a ação estava sendo negociada a 6,25 dólares quando eu a recomendei, e o preço de aquisição foi 5 dólares. Esta foi uma vitória de Pirro.[118]

Se você ainda acredita na Sunbelt, pode continuar a possuir uma parte dela ao comprar ações da General Host. O investimento nesta também não foi muito bom. As vendas nas lojas Frank's Nursery & Crafts têm sido decepcionantes. No geral, 1993 foi um ano terrível para a Frank's. Tivemos ondas de calor recordes em todo o país, o que fez com que muitas pessoas ficassem em casa e evitassem o jardim.

A General Host pode mudar e prosperar no futuro, mas, como no caso da Allied Capital, isso vai demorar mais do que eu esperava.

A *Pier 1 Imports* também faz parte da história dos viveiros — ela era dona da maior parte da Sunbelt antes de esta ser comprada pela General Host. A Pier 1 tem tido problemas com a economia lenta, mas continua ganhando participação no mercado com as lojas de móveis de bairro. Eu diria que a empresa está definitivamente no caminho certo.

O futuro imediato da *CMS Energy* dependia de um acordo judicial de seu caso de tarifas com a Comissão de Serviços Públicos de Michigan, e eu não tinha ideia de qual seria o resultado. Eu entendia a empresa bem o suficiente para saber que, a 18,50 dólares, a ação era uma boa compra, mesmo que a empresa obtivesse um péssimo acordo. Portanto, a relação risco/recompensa era favorável.

---

118. A referência aqui é ao general grego Pirro (318 a.C.-272 a.C.), rei de Épiro e da Macedônia. Em 280 a.C., durante a Guerra Pírrica, o exército de Pirro derrotou os romanos, sofrendo, porém, a perda de grande parte de seus combatentes e de seus principais comandantes. O termo "vitória de Pirro" é utilizado para se referir a uma vitória obtida a alto preço que acarreta prejuízos irreparáveis. (N.E.)

Em março de 1993, a comissão de Michigan tomou uma decisão, que não foi excelente do ponto de vista da CMS, mas foi favorável o suficiente para fazer o preço das ações avançar para cerca de 20 dólares. Nesse nível, tornou-se uma ação a ser mantida em carteira.

A *Phelps Dodge* teve um próspero 1992 por causa dos cortes de custos e porque os preços do cobre subiram. Um mercado de cobre mais fraco em 1993 fez com que a empresa e a ação ficassem paradas. Se você possui ações em uma empresa de mineração, é melhor monitorar o mercado de tudo o que estiver saindo da mina.

A *Body Shop* é um caso em que a empresa não teve um bom desempenho em 1992, mas os fundamentos melhoraram em 1993. Quando recomendei a ação, ela estava sendo vendida a 325 *pence* (centavos de libra esterlina), e sugeri que os investidores assumissem uma posição pequena que poderia ser aumentada caso o preço caísse. E como caiu. Em fevereiro de 1993, atingiu um mínimo de 140 *pence*! Nunca imaginei que cairia tanto, mas nunca se pode prever quanto um preço pode cair. Se você possui muitas ações, uma delas está fadada a sofrer um declínio semelhante.

Quando isso ocorrer, é hora de passar em revista o que aconteceu. Se a história ainda for boa, você ficará feliz pelo fato de o preço das ações ter caído 50%, porque poderá comprar mais por uma pechincha. Portanto, a questão importante não era que a Body Shop havia caído, mas por que ela havia caído.

Liguei para a empresa e fiquei sabendo da história. A Body Shop ainda não tinha dívidas e continuava a se expandir para novos mercados. Tudo isso era positivo. Por outro lado, a empresa foi prejudicada pelas péssimas vendas na Grã-Bretanha, seu mercado doméstico. Aparentemente, a recessão britânica fez com que as pessoas cortassem os sabonetes e xampus, um acontecimento lamentável para as multidões no metrô. Ou talvez elas estivessem comprando xampu normal e não gastando 4 libras em xampu de algas e bétula ou xampu de lama Rhassoul da Body Shop.

Três dos quatro países com o maior número de Body Shops, Canadá, Grã-Bretanha e Austrália, estavam em recessão. E, nos Estados Unidos, vários concorrentes apareceram com lojas de loções e poções. Mas a Body Shop obterá a maior parte de seu crescimento futuro de outros países, como França e Japão, onde suas lojas foram abertas sem concorrência. Eu a vejo como uma empresa global que se encontra na segunda década de uma história de três décadas. No mínimo, a história ficou melhor do que quando comecei a acompanhá-la, em 1992. Falei com minha amiga, a ex-bibliotecária, e ela está tão encantada com suas franquias da Body Shop que comprou mais uma. Eu recomendei a Body Shop novamente em janeiro de 1993 a menos da metade do preço que paguei por ela em 1992.

Na *Sun Distributors*, um grande acontecimento ocorreu quatro anos antes do previsto. Em setembro de 1993, a empresa anunciou que estava considerando um plano para se desfazer de suas várias divisões. Os investidores esperavam que tal venda pudesse ocorrer, mas não antes de 1997, o último ano em que a Sun Distributors gozará das vantagens fiscais de ser uma sociedade limitada máster.

Depois que a empresa for vendida, os proprietários das ações Classe A da Sun receberão 10 dólares cada um por suas ações, e os proprietários das ações Classe B receberão o que sobrar do produto das vendas. Recomendei a Classe B na *Barron's* em 1992 e 1993.

A Sun Distributors tem trabalhado para maximizar o valor das ações B, reduzindo dívidas e custos. Vários meses antes de anunciar que estava se preparando para uma possível venda, a empresa concluiu um acordo para refinanciar sua dívida de longo prazo. Como o problema da dívida da empresa era uma pendência latente, essas notícias eram empolgantes e você poderia ter lido a esse respeito no relatório anual. Além disso, seus lucros anuais aumentaram de forma constante, mesmo durante a recessão, e ela continuava a gerar 1 dólar por ação ao ano em fluxo de caixa livre. Teoricamente, isso significava que 1 dólar ao ano foi acrescentado ao valor intrínseco de cada ação da Classe B.

Esse foi outro caso em que a empresa estava indo bem e o preço das ações não estava indo a lugar algum. A Classe B vinha sendo negociada na faixa entre 2,50 e 3 dólares por mais de dois anos, e depois saltou para 4,40 dólares em setembro de 1993, mês em que a possível venda foi anunciada. O mercado acionário pode testar sua paciência, mas, se você acredita em uma empresa, deve esperar até que sua paciência seja recompensada.

As ações Classe B poderiam ter rendido 8 dólares ou até mais se a empresa tivesse permanecido intacta até 1997. Sinto o mesmo em relação à venda potencial que senti em relação à aquisição da Taco Bell pela PepsiCo no final dos anos 1970. Os acionistas da Taco Bell obtiveram um lucro rápido, mas o empreendimento em si tinha o potencial de ser dez vezes mais recompensador.

A *Tenera*, minha sociedade limitada em recuperação, não foi totalmente recuperada. Se não fosse pelo balanço sem dívidas, a Tenera estaria perdida há muito tempo. Antes de investir em uma empresa que está se agarrando à vida, certifique-se de que ela tenha dinheiro suficiente para pagar as contas médicas.

O preço das ações subiu e depois caiu e, no momento em que este livro está sendo escrito, o preço é cerca de metade do que era quando recomendei a ação em janeiro de 1992, e quase o mesmo que era em janeiro de 1993, quando recomendei a ação novamente. A empresa tem um novo diretor de operações e 2 milhões de dólares em caixa, que vem usando para recomprar algumas de suas próprias ações. Ela atraiu novos clientes para seus serviços de gestão de prestadoras de serviços e seus projetos problemáticos foram reduzidos de seis para dois. A disputa contratual com o governo ainda não foi resolvida, mas a empresa reservou dinheiro suficiente para se cobrir caso perca. Uma vitória seria um bônus.

A meu ver, se a empresa nunca se recuperar, o valor de liquidação é 1 dólar por ação e, se ela se recuperar, a ação vai para 4 dólares.

Duas outras sociedades limitadas máster que continuo acompanhando, mas não recomendei em 1992, valem a pena ser mencionadas.

A *Cedar Fair,* a empresa de parque de diversões, continuou a prosperar após adquirir o complexo de parques de diversões Dorney Park, perto da Filadélfia, que visitei com minha família em 1993. Ela tem um dos mais altos brinquedos aquáticos do mundo. Indo direto ao ponto, a ação tem um rendimento de 6% com certas vantagens fiscais até 1997 e a empresa continua a crescer pela adição de novos brinquedos e por fazer aquisições. Ela pode se tornar um alvo de aquisição. Imagino uma porção de compradores, sobretudo os gigantes do entretenimento, que podem querer ter os próprios parques de diversões com brinquedos Bart Simpson ou Arsenio Hall of Fame ou coisas do tipo. A Disney já comprou um time de hóquei e nomeou-o Mighty Ducks [Patos Possantes], então imagine como se sairiam bem se pudessem comprar uma empresa de entretenimento do tipo que eles conhecem. Isso poderia transformar o Dorney Park em Buena Vista World.

A *EQK Green Acres,* a sociedade dona do shopping center em Long Island, concluiu o refinanciamento da maior parte da dívida que pairava sobre a empresa. Duas outras boas notícias foram relatadas em 1993: (1) a aquisição pela Home Depot de uma parte da propriedade de EQK, que ajudou a reduzir a dívida; e (2) a compra, pelo principal acionista e CEO, de 56 mil ações adicionais para sua própria conta, conforme mencionado em um informe trimestral para os acionistas.

O preço das ações da EQK subiu após o anúncio do refinanciamento, mas não imediatamente. Este é outro exemplo de como os investidores não precisam de informações privilegiadas para lucrar com boas notícias. Mesmo depois que as boas notícias se tornam públicas, Wall Street pode demorar para reagir.

TABELA PS-2. CARTEIRA DE **LYNCH** PARA A BARRON'S DE 1992: REVISÃO DE 24 MESES

Sigla	Nome da empresa	Retorno total 13/1/92 a 31/12/93	Preço* 13/1/92	Preço 31/12/93
ALTI	Allied Capital Corporation II	-14,11%	US$19,00	US$14,25
—	Body Shop	-30,77	325 p	225 p
COGRA	Colonial Group – Classe A	69,70	17,38	28,00
CMS	CMS Energy Corporation	43,30	18,50	25,13
EAG	Eagle Financial Corporation*	101,81	10,97	20,50
FNM	Federal National Mortgage Association	19,34	68,75	78,50
FESX	First Essex Bancorp, Inc.	222,68	2,13	6,75
GH	General Host Corporation	-1,32	7,75	7,00
GM	General Motors Corporation	87,45	31,00	54,88
GSBK	Germantown Savings	287,15	14,50	54,75
GBCI	Glacier Bancorp, Inc.*	117,37	10,12	21,00
LSBX	Lawrence Savings Bank	225,00	1,00	3,25
PBNB	People's Savings Financial Corporation	85,42	11,00	18,75
PD	Phelps Dodge Corporation*	60,97	32,50	48,75
PIR	Pier 1 Imports, Inc. – DEL	23,53	8,00	9,75
SVRN	Sovereign Bancorp, Inc.*	250,90	3,83	13,13
SBN	Sunbelt Nursery Group/DE	-44,99	6,25	3,44
SDP.B	Sun Distributors, L. P.	65,87	2,75	4,25
SNTV	Sun Television & Appliances, Inc.*	130,48	9,25	21,25
CUTS	Supercuts, Inc.*	31,26	11,33	14,88
TLP	Tenera, L. P.	-42,11	2,38	1,38
	Retorno total da carteira de Lynch em 1992	80,43%		
	Índice de ações S&P 500	19,19%		
	Índice composto Nasdaq	25,77%		
	Índice composto Value Line Novo	33,07%		
	Retorno total da carteira de Lynch em 1992	80,43%		

* Ajustado para desdobramentos.

A EQK também anunciou que pode se converter em um fundo de investimento imobiliário (REIT, na sigla em inglês). Isso fortalecerá o balanço patrimonial e permitirá que a empresa tome dinheiro emprestado a taxas mais baixas. Na conversão, a empresa teria de compensar seu sócio principal, a Equitable, dando-lhe ações no novo REIT. Mas a nova estrutura permitiria à EQK usar sua influência financeira para comprar mais shopping centers, da mesma forma que a Cedar Fair comprou mais parques de diversões.

A *Supercuts* fez um anúncio surpreendente: ela abrirá duzentas novas lojas em Nova York, de propriedade da empresa, em um empreendimento com outro sócio. A empresa está pedindo dinheiro emprestado para pagar por essa expansão, e isso penalizará seus lucros em 1993-1994. Os analistas esperavam que a Supercuts tivesse um lucro de 80 centavos em 1994, mas é provável que ele seja menor.

No longo prazo, as novas lojas acelerarão o ritmo de crescimento da empresa. A ação continua com um índice P/L abaixo do múltiplo de mercado. No mercado de hoje, os investidores estão pagando muito mais por empresas que estão crescendo mais lentamente e não são líderes do setor, que é o que a Supercuts se tornou. Os clientes continuam a fazer fila para lavar e cortar o cabelo na Supercuts. As cifras importantes de vendas nas mesmas lojas aumentaram entre 4% e 5% no ano passado, sem nenhum aumento nos preços.

Um relatório trimestral recente inclui um cupom válido para um desconto de 3 dólares em um corte de cabelo, o que pode ser outro motivo para possuir a ação, mas, depois de minha tosquia em Boston, não pretendo aproveitar a oferta.

A *Sun Television & Appliances*, varejista de Ohio, teve um ano memorável. Em 1993, as vendas nas mesmas lojas aumentaram 15,2% e a empresa abriu onze novas lojas nos últimos dois anos. Após seu triunfo nos mercados locais, a Sun TV está em marcha para Pittsburgh, Cleveland e Rochester e, em breve, entrará em Buffalo e Syracuse. Ao desdobrar suas forças de uma extremidade à outra dos Grandes Lagos, a Sun TV torna mais difícil para os competidores se estabelecerem no meio. A empresa está crescendo 20% e sendo negociada a menos de vinte vezes os lucros de 1994, e o preço das ações mais do que dobrou em 24 meses. Se o preço cair por causa de uma correção de mercado, eu estou inclinado a comprar mais.

A *General Motors* tem sido a menos admirada das três grandes montadoras, mas pode ter o melhor desempenho entre elas nos próximos anos. Embora eu tenha recomendado todas as três montadoras no início de 1993, e a Chrysler tenha tido um ótimo ano até agora, uma razão para gostar da GM é que ela vende muitos carros no exterior. A GM se beneficiará quando a Europa sair da recessão.

Antes do fim da atual ascensão da compra de automóveis nos Estados Unidos (ainda há uma demanda reprimida, conforme descrito nas páginas 271-272), a GM também tem uma boa chance de conseguir obter um lucro em seus negócios domésticos de automóveis. Com uma participação de 30% no mercado, ela deveria ser capaz de ser lucrativa — a Ford ganha dinheiro com 20% e a Chrysler com 10%. A GM já dobrou a esquina no setor de caminhões e suas divisões não automotivas estão indo bem, então, até se a empresa só conseguir atingir o ponto de equilíbrio com os carros nos Estados Unidos, ela poderá ter um lucro de 10 dólares ou mais por ação.

Este é um tipo de reviravolta diferente daquele que, digamos, a IBM precisa dar. Para a IBM se recuperar, ela precisa ganhar dinheiro no mercado de computadores dos Estados Unidos, mas a GM pode se recuperar sem ganhar dinheiro no mercado automotivo dos Estados Unidos.

A *Fannie Mae* continua sendo subestimada em Wall Street, assim como subvalorizada. Esta empresa é o mais próximo de uma vitória certa que você encontrará. Ela tem uma participação crescente em um setor em expansão. No final de 1993, o preço das ações estava apenas ligeiramente mais alto no ano, apesar dos três bons trimestres da empresa.

A Fannie Mae tem apenas 3 mil funcionários e gera 2 bilhões de dólares em lucros. Poucas empresas são mais previsíveis ou mensuráveis. Wall Street está sempre procurando ações com crescimento previsível e consistente — o que há de errado com esta?

A mais recente preocupação com a Fannie Mae é que as taxas de juros baixas afetarão os lucros à medida que milhões de proprietários de casas refinanciarem suas hipotecas. Há alguns anos, as pessoas estavam preocupadas com as taxas de juros altas. A Fannie Mae não se importa com as taxas de juros. Como grande parte de sua dívida é "resgatável" quando as taxas de juros caem, a Fannie Mae pode reduzir o custo de seus empréstimos. As economias com a dívida compensarão as perdas na receita das hipotecas refinanciadas. Os lucros estão garantidos.

A segunda preocupação é que a Fannie Mae tinha problemas com a recessão na Califórnia, porque 25% das hipotecas de sua propriedade, ou que ela garante, são de imóveis na Califórnia. A Fannie Mae foi prejudicada pela recessão no Texas alguns anos atrás, mas isso é notícia velha. Ela endureceu suas exigências de subscrição. A hipoteca média da Fannie Mae é de 100 mil dólares ou menos e, na Califórnia, suas hipotecas têm uma relação empréstimo/valor de 68%, a mais alta de qualquer credor no estado. Sua taxa de inadimplência de empréstimos caiu por sete anos consecutivos, mesmo durante a recessão nacional, e atualmente está em 0,6%, um nível mínimo histórico. Essa não é uma informação privilegiada. A Fannie Mae a envia a qualquer acionista que solicitá-la.

Uma terceira preocupação é que a Fannie Mae tem relação com a Sallie Mae, a empresa que lida com empréstimos estudantis. A Sallie Mae foi criticada pelo presidente Clinton e pelo Congresso, os quais disseram que o governo poderia fazer um trabalho melhor. Essa é uma afirmação duvidosa, dado o desempenho histórico dos correios, mas isso não importa. Os políticos estavam determinados a criar um concorrente governamental da Sallie Mae, e eles estão realizando seu desejo.

No entanto, a Fannie Mae não tem nada a ver com a Sallie Mae. No ano passado, o Congresso aprovou um projeto de lei redefinindo as empresas patrocinadas pelo governo, e a Fannie Mae saiu ilesa. Seus lucros subiram quase 15% em 1993 e estão projetados para aumentar entre 10% e 15% em 1994. Dê à Fannie Mae uma avaliação normal no mercado de hoje e ela será uma ação de 120 dólares.

Já atualizei você com relação às S&Ls — *Eagle, Glacier, First Essex, Germantown, Lawrence, People's Savings Financial* e *Sovereign*. Sobre a sensatez de investir em bancos mútuos de poupança à medida que eles abrem o capital, eu não poderia ser mais enfático.

Existem 1.372 bancos mútuos de poupança e de poupança que ainda podem abrir o capital. Se houver um na sua vizinhança, abra uma conta de poupança lá. Se tiver 50 mil dólares e depositar mil dólares em cinquenta S&Ls diferentes que ainda não estejam listadas em bolsa, você aumentará suas chances de participar de uma conversão. À medida que o número de instituições de crédito continua a encolher por causa de aquisições, é uma boa aposta a de que todos os bancos de poupança mútuos e S&Ls acabarão por se converter.

ÚLTIMAS NOTÍCIAS!

Enquanto finalizávamos esta edição, a Agência de Supervisão das Instituições de Poupança do governo impôs uma moratória nas conversões dos bancos de poupança. O problema é que alguns diretores e conselheiros têm aproveitado esses negócios e conferido a si próprios opções de compra de ações a preços reduzidos. Alguns receberam ações gratuitamente. O governo quer parar com essa especulação por parte dos detentores de informações privilegiadas. Audiências estão em andamento no Congresso e todo o processo está sendo revisto.

Sou totalmente a favor desse procedimento. Enquanto isso, apenas 2% dos depositantes em todo o país aproveitaram a oportunidade para comprar ações a preços iniciais favoráveis. Portanto, 98% deram as costas a esses negócios excelentes nas instituições locais de seus bairros. Meu palpite é que, uma vez que as regras sejam alteradas para que os detentores de informações privilegiadas não possam ser recompensados com brindes, as conversões serão autorizadas a prosseguir. Esse é um caso em que vale a pena acompanhar o noticiário.

ÍNDICE REMISSIVO

Abbott Laboratories, 80, 163, 165, 343, 344
Abelson, Alan, 50-52, 162, 205, 224, 295
ações:
    ações de prestadoras de serviços públicos, 276-287, 332-333
    ações estrangeiras, investimento em, 140-148, 342
    ações parcialmente pagas, 289-290
    ações supervalorizadas, 75, 80, 163-170, 179
    África do Sul, minas de ouro da, 87
    antigas vs. novas, 168-169
    ciclo das prestadoras de serviços públicos problemáticas e, 277-279
    compra por detentores de informações privilegiadas, 191
    cotas parcialmente pagas de, 289-290
    de bancos, 110-116, 159
    desempenho no passado de, 82-84, 96
    em fundos de índice, 75-79
    fundos de ações vs., 73-79, 96
    fundos fechados negociados como, 89, 341
    fundos mútuos e, 26, 77, 342
    mais importantes do Magellan, 156
    opções vs., 342
    recompra de, 236-237, 255, 286, 304, 307
    supervalorizadas, 75, 80, 163-170, 177, 344
    títulos vs., 28-31, 59, 63-70, 96-97, 128-129, 342
    venda "a descoberto", 53
Aga, 142, 147
ajuste de preços para, 101, 105
Alliance Capital Management, 309
Allied Capital Advisors, 337
Allied Capital I, 293
Allied Capital II, 293-294, 337, 349-350
Allied Corporation, 350
almoço, pesquisa e, 108-110, 120

Alpert, Mark, 299
American Savings Bank, 239
analistas, pesquisas de, 121, 123-124
apostas arriscadas, 340
apostas setoriais, 137
Ashton, Harris J., 192
Associação Nacional de Construtores de Imóveis Residenciais, 183, 225
ativos:
    anotações como pesquisa, 120, 123
    imóveis de alto risco, 227
    inadimplentes, 227
    ocultos, 265
ativos imobiliários de alto risco, 227
Au Bon Pain, 317-318, 339

balanços patrimoniais, 191-194, 266, 341
balcão, fundo de, 122
bancos, ações de, 110-116, 157
bancos de dados, para seleção de ações, 36-37
bancos de poupança mútua, 241-247
    ver também S&Ls
bancos, Fannie Mae vs., 299-300
bancos vs., 299-300
Bandag, 210-211
Bank of New England, 42, 159, 252
Barmeyer, Jeff, 121
Baron, Ron, 50-51
Barron's, 54, 235, 305
    escolha de 21 ações para, 33, 161, 319-339
    índices divulgados em, 80, 83
    Mesa Redonda da, 32, 49-58, 163, 168, 343, 345-347, 351
Beckwitt, Bob, 66, 68
Berkshire Hathaway, 108
Bernazati, Albert, 37

Better Investing, 48
Bialach, Greg, 42
Biggs, Barton, 51
Bob Evans Farms, 313
Body Shop, 175-181, 323-326, 351
Boston Celtics, 249
Boston Globe, 85
Brinker, Norman, 316
Bristol-Myers Squibb, 80, 163, 167
British Telecom, 289-290
Buffett, Warren, 73, 108, 162, 223, 304
Burkhead, Gary, 21
Burlington Mall, 171-173, 175, 317, 326

Calloway's Nursery, 191, 195, 328, 349, 350
Campeau, Robert, 172
Cardillo, David, 43
carteiras:
    crescimento necessário em, 64
    da escola de St. Agnes, 38-45
    estruturação de, 63-70
    fundos mútuos em, 79-82
    limitação de prejuízos em, 159-160
    revisão de seis meses da, 319-339
    revisões periódicas de, 319
Carver, Martin, 210
Casey, Warren, 116
Castiglioni, Andrew, 42
Cedar Fair, 169-170, 249, 253-254, 335-336, 353, 355
Cerundolo, Guy, 98
Charles Schwab, banco de dados de, 37
Cherokee Group, 155
Chili's, 175, 316-317
Chrysler, 99, 129-133, 136-139, 148, 160, 271, 273, 338-339, 355
cíclicas:
    ciclo das prestadoras de serviços públicos problemáticas, 277-279
    ciclos de negócios, 58, 152, 342
    índices P/L de, 262-263
    investimento em, 121, 159, 262-263, 298, 337,-339, 345
    prestadoras de serviços públicos como, 277-279
    recessões e, 129, 263
Cissone, Lou, 334-335
Clearly Canadian, 174-175
CMS Energy, 279, 285-287, 333, 350
Coast Savings Financial, Inc., 348
cobre, mercado de, 263-269
Coca-Cola Enterprises, 170, 179, 343
Colonial Group, 308-312, 332, 349
Columbus, Ohio, 207

concessionárias de abastecimento de água, 289-290
concorrência de, 315
Congoleum, 102
Congresso dos Estados Unidos, 337-338
Congresso e, 337
Connelly, John, 214
Consolidated Edison, 277-278, 280
Consumers Power of Michigan, 279, 284-287
contas de curto prazo, 342
Cooper Tire, 211
Corporate Economist, 271
corretor de ações, funções do, 37
Cracker Barrel, 105, 315, 317
crescimento vs. renda, 63-70
Crown Cork & Seal, 214-215, 237
curso a distância, 47
custo operacional por assento por quilômetro, 209

da Fannie Mae, 296
Dahl, Bob, 260
Dalton, Ga., 216
Danoff, Will, 121, 136
dar ré no caminhão, 305, 318
Datamation, 216
Davis, Don, 260
DeLuca, Carlene, 119, 148
demonstrações de resultados, 194, 198, 256-257
desastres, prestadoras de serviços públicos e,, 277-278
desconto, clubes de, 135-136
desdobramentos de ações, 311
desempenho atualizado da (tabela), 324
desempenho no passado, 83-84, 97
detentores de informações privilegiadas, ações compradas por, 191
Digital Equipment Corp., 151-152
Dillard, 213-214
Dillard, William, 213-214
Dillard, William, II, 213-214
distribuição dos lucros de, 249, 251
diversificação, como ativo oculto, 265
dívida exigível, 307
dividendos:
    de S&Ls, 226
    de sociedades limitadas máster, 249, 251
    juros vs., 63-66
DiVincenzo, Vinnie, 200, 203
Domolky, George, 121
Donoghue, William, 209
Dorfman, Dan, 130, 132
Dorney Park, 335, 353
Doulton, Bettina, 121
Dow Jones, 49

Dow Theory, fundo, 116
Dreyfus, 308-309, 311
Drogell, Birgitta, 141
Drogell, Ingemar, 141
Dunkin' Donuts, 313

Eagle Financial, 229, 232, 241, 330, 357
Eastman Kodak Company, 319, 322
Eaton Vance, 308-310
Economia, americana vs. estrangeira,
    91, 342
  e empréstimos inadimplentes, 183
Electrolux, 142, 147
Ellison, Dave, 225, 331
e medo por solidariedade, 305
empresas de capital de risco, 292-294
empresas de telefonia:
    indústria de cobre e, 264
    privatização de, 290-292
empréstimos:
    camuflagem de, 237
    empréstimos comerciais vs. patrimônio,
        239-240
    hipotecários, inadimplência de, 183
    patrimônio vs., 239-240
Entergy, 277-278, 281
Envirodyne Industries, 122, 156
EQK Green Acres, 169, 170, 249-253, 353
Equitable Life Assurance Society, 250
escolha de 21 ações, 33, 161
especulação no Japão, 96
Esselte, 142, 147
Essex, fundo, 100, 116
estabilização financeira de prestadoras
    de serviços públicos, 278
estoques, 186
estratégia comprar e esquecer, 319
Europa:
    ações supervalorizadas na, 91
    divisões da GM na, 274
    execuções de hipotecas, 227, 238-239,
        302-304
    expansão, 180, 204
    fundos de país na, 90-94
    pesquisa na, 92, 140-147
exigências para empréstimo da, 301

Faber, Ed, 201, 329
Fannie Mae, 102, 147, 149, 154, 170, 213,
    295-307, 339, 348, 356
fator medo, 69, 306
Federal Home Loan Bank, 331
Federal Home Mortgage Corporation
    (Freddie Mac), 297-298, 305, 337

Federal National Mortgage
    Association, *ver* Fannie Mae
Federal Reserve, bancos do, 71
Fentin, Rich, 120
FFOM (First Federal of Michigan), 331-332,
    338-339
Fidelity Capital, fundo, 99
Fidelity International, fundo, 99
Fidelity Magellan, fundo, *ver* Magellan, fundo
Finestone, Kari, 121
First Atlanta Bank, 111
First Essex Bancorp, 230, 239, 241, 331, 357
First Federal of Michigan (FFOM),
    331-332, 338-339
First Federal Savings & Loan of Kalispell, 232
fluxo de caixa, 256, 258-259, 267-268
Food Lion, Inc., 41
Forbes, 212
Forbes, Livro de Ouro de, 84, 89
Ford Motor Company, 136-139, 148, 154, 271,
    273, 338-339, 356
Frank, Danny, 121-122, 285
Franklin Resources, 308-310
Frank's Nursery & Crafts, 190, 195, 199, 327, 350
franquias, 204, 329
Freddie Mac (Federal Home Mortgage
    Corporation), 297-298, 305, 337
Fryling, Victor, 285-286
Fuddrucker's, 315, 329
funcionários e associados, 120-124, 134
fundo Magellan vs., 104-105, 116, 146-147, 169
fundos:
    fundos abertos, 22, 89
    fundos com comissão vs. sem comissão, 84
    tamanho de, 84, 85; *ver também* "grande
        demais para ter sucesso"
    tipos de, 77-79, 85-96
    ver também fundos específicos
fundos com gestão ativa:
    fundos conversíveis, 88-89
    fundos de ações, taxas de juros e, 309
    fundos de ações vs. ações, 73-79, 96
    fundos de apreciação de capital, 77, 79,
        100-101
    fundos de crescimento, 77-82
    fundos de crescimento de alta qualidade,
        77-78, 80
    fundos de crescimento emergente, 78,
        80-82, 97
    fundos de curto prazo, 70
    fundos de gestão ativa vs., 75-81, 96-97
    fundos de incubação, 101
    fundos de índice, 74-79
    fundos de índice vs., 75-81, 97

fundos de valor vs., 77-79, 82, 97
limitação de prejuízos em, 159-160
margem de compras em, 151
participações ecléticas de, 101
seleção de ações e, 83-84
tipos de, 77-79
fundos de ouro, 86-87
fundos de país, 90- 97
fundos de situações especiais, 78
fundos de títulos:
ações e, 26, 77, 342
ações supervalorizadas em, 92
composição da carteira e, 63-70, 79-82
estratégias resumidas para, 96-97
Forbes, Livro de Ouro e, 83-84
gestores de, 91
Grande Correção e, 77, 308
informação e, 91-92
mercado acionário vs., 26, 35, 62, 342
municipais, 310-312
na Europa, 90-92
no Japão, 92-96
pesquisa e, 92
pesquisas de, 79
seleção de ações e, 79-84, 96-97, 152
taxas de administração e despesas de, 91
taxas de juros e, 70-71, 309
títulos vs., 60-73, 96-97
trocas e, 342
fundos de títulos de alto risco, 70
fundos de valor, 77
fundos de crescimento vs., 77-79, 82, 97
fundos fechados, 21-22, 89
fundos multimercados, 73
fundos mútuos, 62-97, 308-312
fundos setoriais, 85-87

Gabelli, Mario, 50, 52, 78, 205, 328
Gabriele, Hueglin & Cashman, 72
Gap, 41, 171, 174, 175
gás, contratos futuros de, 336
gás, usinas nucleares convertidas em, 284-285
Genentech, 130
General Electric, 153-154
General Host, 190-199, 327-350
General Motors, 137, 270-275, 338-339, 355
General Public Utilities, 154, 276-278, 283
Germantown Savings, 228, 230, 234-235, 241, 330, 357
Germany, fundo, 90-91
gestores de fundo:
avaliação de, 126
como selecionadores de ações, 74-76
de fundos de país, 90

funcionários e associados de, 120, 122-124, 134
funções de, 78-79, 119-120
gerenciamento de crises, prestadoras de serviços públicos e, 277-278
pesquisas feitas por, 121
seleção de craques de, 79-82
Gilliam, Maggie, 124
Ginnie Mae, fundos, 72
Glacier Bancorp, 228-229, 231-234, 241, 330, 356
Golden West, 209, 222-224, 236
Good Guys, 185, 207, 348
Goodnow, Ed, 51
Grã-Bretanha:
como evento cíclico, 60-61
concessionárias de abastecimento de água da, 289-290
Fannie Mae e, 160, 302-304
fundos mútuos e, 77, 308
Grande Correção, 150-152
"grande demais para ter sucesso", 85, 133-135, 149
Mesa Redonda e, 54, 58
Naic e, 46
Nippon Telephone e, 95
Pier 1 Imports e, 185
privatização na, 288-291
Grande Correção e, 159-160, 302-303
Green Tree Financial, 211-213
Guerra do Golfo, 43, 57, 58, 306
Gulf States Utilities, 276

Haberman, Dick, 100
Handbook of Dividend Achievers, 64
Harman International, 344
Hearns, Thomas, 299
Heebner, Ken, 184
H. F. Ahmanson & Co., 348
hipotecas do Texas e, 300-304
Home Depot, 105-106, 171, 329, 343, 349, 353
Home Port Bancorp, 229
Hough, Brian, 43
Howard Johnson's, 313-314

Iacocca, Lee, 129
Ibbotson SBBI, 1990, anuário, 29-31
IBM, 41, 133, 147, 160, 319-320, 355
idade, investimentos e, 64-65
IFI, 244-245
imobilização do patrimônio líquido (AP/PL), 226
imóveis comerciais, 237
índice de acessibilidade, 183
índices AP/PL (imobilização do patrimônio líquido), 226

Indonésia, 336
indústria:
    indústria aeronáutica, 209-210
    indústria automotiva, 129-133, 136-138,
        270-275, 338-339, 344, 355
    indústria de cuidados com os cabelos,
        200-205, 329
    indústria de enlatamento, 214-215
    indústria de hipotecas, 295-307, 331
    indústria de perfuração para extração
        de gás, 183
    indústria de tapetes, 216-218
    indústria funerária, 201
    indústria petrolífera, 183
    indústria siderúrgica, 215-216, 345
    indústrias quentes, 341
    problemáticas, 341
    quentes, 341
inflação:
    instinto de manada, 74-75
    pesquisas feitas por, 47
    rendimento e, 64-65
    títulos do Tesouro americano, 70
instituições de poupança, ver S&Ls
instituições de poupança e empréstimo (S&Ls):
    bandidos em, 220-221
    classificação de, 224-226, 228
    dividendos de, 227
    hipotecas do Texas de, 300
    índice de imobilização do patrimônio
        líquido (AP/PL), 226
    inteligência, 341
    International Dairy Queen, 238, 314
    investidores, departamento de relações
        com, 254, 273
    investidores estrangeiros, 75
    investidores individuais vs. profissionais,
        24-25
    investidores, manual de, 47-48
    investimento, clubes de, 24, 45-48
    investimento em, 149-150, 170,
        206-345, 348, 357
    investimento, seminários de, 139-140
    investimentos sem taxas de carregamento,
        73, 84
    IPOs de instituições de poupança mútua,
        244-246
    Jimmy Stewart, do tipo, 219, 222-224, 228,
        242, 331
    oferta pública de ações de, 241-247, 357
    pesquisas feitas por, 47
    pesquisa sobre, 228, 231-232
    propriedade de, 241-247
    REO de, 228, 238-239, 303
    revisão de 24 meses de, 356-357
    revisão de seis meses de, 330-332
    socorro de, 219, 294, 349
    tomada de decisões coletiva de, 46-47
investimentos:
    1926-1989, 29-31, 59, 60, 63
    com base no desempenho passado, 83-84, 97
    com taxa de carregamento vs. sem taxa de
        carregamento, 84
    de longo prazo, 340
    em ações estrangeiras, 140-148
    em cíclicas, 121, 159, 262-263, 298-299, 338-339
    em pequenas empresas, 341
    força de vontade, 49
    ver também seleção de ações
    idade e, 64-65
    nas S&Ls, 149-150, 170, 219-245
    no setor varejista, 121, 171-181, 213-214
    por estrangeiros, 75
    riscos e, 25-26, 341
    rotina regular de, 46-47
    taxas de administração e despesas de, 70-72,
        84, 91, 116
Investment Vision, 83
Investor's Business Daily, 40
IPOs de instituições de poupança mútua, 242-247
Iverson, F. Kenneth, 216

Jan Bell Marketing, 135-136
janeiro, efeito de, 168
Japão:
    especulação no, 96
    fundos de país no, 92-96
    indústria automotiva dos Estados Unidos
        e do, 273-275
    mercado acionário no, 93-95
    pesquisa no, 92-93
Jasen, Georgette, 57
Jimmy Stewart, instituições de poupança do tipo,
    219, 222-224, 228, 242, 331
jogadas de fundo mútuo diretas, 308
jogo do dinheiro, O (Smith), 94
Johnson, Bob, 129
Johnson & Johnson, 152
Johnson, Ned, 21, 99, 100, 116, 118, 146
Jones, Paul Tudor, 50, 55
J. P. Morgan, 220, 225
juros vs. dividendos, 63-65

Kalmanson, Monica, 176
Keating, Charles, 219, 221
Keating, Matt, 42
Kelleher, Herb, 209
Kellenyi, John, 124, 277

Kemper, 155, 308, 310
Kentucky Fried Chicken, 313-314
Kett, Jeremy, 326
Kiernan, Terence, 43
King World Productions, 155
Kinki Nippon Railway, 147
Kinzel, Dick, 254
Kleppe, Martin, 235
Klingenstein, Thomas, 299, 302
Knisell, Paul, 42
Kodak, 319, 322

Lally, Kathleen, 277
Lawrence Savings Bank, 230, 240-241, 330, 331, 357
Lehman Brothers, banco de dados de, 37
Leifer, Alan, 184
Letras do Tesouro americano (T-Bills), 71
Lindner, Kurt, 78
Lipper Analytical Services, 82-83
Lipper, Michael, 75-77
Liquidação do Saddam, 185, 211, 250, 306
liquidez, 138
liquidez da, 296
livros de gráficos, 163, 343
Loews, 155
Long Island Lighting, 276-278, 282, 286
lucros:
    de sociedades limitadas máster, 249
    fantasmas, 258
    fundos de país e, 91
    lucros fantasmas, 258
    penalização de, 258
Lyden, Barry, 119
Lynch, método de, 33

MacAllaster, Archie, 50
Magellan, fundo, 98-159
    ações mais importantes do, 156-158
    anos intermediários do, 118-133
    como fundo de apreciação de capital, 77, 79, 121
    como fundo de incubação, 101
    como "grande demais para ter sucesso", 84-85, 133-135, 149
    dia de trabalho no, 118- 120
    fechamento do, 101, 109
    flexibilidade no, 103-104
    índice S&P vs., 105, 107, 116, 147, 169
    limitação de prejuízos no, 159
    logomarca do, 102
    mercado acionário e, 132-133, 151
    participações ecléticas do, 101, 103-108, 121
    primeiros anos do, 98-117
    quando aberto ao público, 116, 124-125
    supervisão no, 126
    taxa de rotatividade no, 105, 107, 125
    últimos anos do, 134-160
Marshall, Don, 255, 258
Maxfield, Charlie, 102
Maxwell, David, 297, 300, 303
McDonald's, 42, 314, 316
MCI, 154
Medvec, John, 237- 239
mercado acionário:
    fundo Magellan e, 132-133, 151
    fundos mútuos vs., 26, 35, 62, 342
    ganhos do, 60
    mercado imobiliário, 182-185, 224-225, 237, 302-305, 345, 348, 355
    mercados baixistas, 83-84
    mercados de capitais, 278
    no Japão, 93-96
    notícias ruins e, 52-61, 69, 150-151, 341-343
    previsões e, 342
    quebra da Bolsa de 1929 e, 59-60
    quedas do, 59-61, 150-152, 341
    surpresas no, 342
    ver também Grande Correção; investimentos
Merck, 75, 151, 343
Mercord, Charles, 232-234
Merrill Lynch, banco de dados de, 37
Mesa Redonda, 32, 50-58, 163, 168
    Grande Correção, 54
    preocupação da, 52-61
    procedimentos da, 50-52
México, companhia telefônica do, 290-292
Michigan, Comissão de Serviços Públicos de, 284-287, 333, 351
Middle South Utilities, 276
Miller, Paul, 330
montanhas-russas, 253-254, 335
Montedison, 146-147
Montgomery Securities, 302, 317
Moore, Bobbie e Jeff, 118
Morris County (N. J.) Savings Bank, 224
Morrissey, Joan, 38-45
Murray, Alec, 225

Nagle, Reid, 225
National Association of Investors Corporation (Naic), 25, 45-48
    curso a distância de, 47
    endereço de, 48
    e Regra de Cinco, 47
    Grande Correção e, 46
    manual de investidores e, 47-48

máximas de, 47
National Pizza, 42
Nature Company, 176
NBD Bancorp, 112, 115
Neff, John, 50, 52
New Germany, fundo, 90
Nippon Telephone, 95-96
Noble, George, 121, 142, 147
Norsk Data, 144
Norsk Hydro, 144, 147
Norwest, 112, 114
no Texas, 300-303
notícias ruins, seleção de ações e, 53-61, 69, 150-151, 341, 342
novas regras de contabilidade para a, 304
Nucor, 215-216, 329

O'Brien, Jack, 148
ouro, como *hedge*, 87
Overseas, fundo, 122
Oyster, Bob, 207, 333

paciência e tempo, 341-342
Panorama Ainda Mais Amplo, 58-61, 129-130, 302-303
papelaria de, 248, 255
Paquin, Paul, 301
parques de diversão, 253-254, 335-336
patrimônio, empréstimos comerciais vs., 239-240
Payne, Karen, 255
Pentech International, 40
People's Savings Financial, 229, 238-239, 241, 330, 357
pequenas empresas, investimento em, 341-342
Perkins, Marc, 50-51
Perold, Jacques, 98
pesquisa:
    almoço e, 108-109, 111, 120
    anotações e, 120, 124
    compartilhamento de, 120-124
    corte de cabelo como, 200
    de fundos mútuos, 79
    departamento de relações com investidores e, 254
    de S&Ls, 228, 231, 232
    fazer a própria, 109, 121, 141
    fundos de país e, 91
    na escola St. Agnes, 39, 40, 45
    na Europa, 90, 141-147
    no Japão, 92
    no local, 105, 250, 252-253
    parques de diversão e, 253-254, 335
    por analistas, 121, 123-124

por clubes de investimento, 46
por gestores de fundos, 121
revisão de seis meses, 319
seleção de ações e, 134, 161, 162, 168, 340-342
viagens e, 140, 142-147
Pesquisa Nacional de Inadimplência, 305
Peter, Princípios do:
    1 (relação entre trabalho e lazer), 21
    2 (ações vs. títulos), 29
    3 (conceitos simples), 39
    4 (espelho retrovisor), 54
    5 (fundos sem taxas de carregamento de administração), 72
    6 (boas escolhas), 74
    7 (sedes extravagantes), 102
    8 (rendimentos de títulos/S&P 500), 127
    9 (ações ordinárias), 135
    10 (nunca olhe para trás), 145
    11 (ações que já possui), 147
    12 (quedas de preço), 150
    13 (recuperações), 159
    14 (pesquisa de lojas ou produtos), 173
    15 (compras por pessoas com informações privilegiadas), 191
    16 (domínio setorial), 206
    17 (relatórios anuais simples), 214
    18 (pesquisa de S&Ls), 225
    19 (recuperação de ações cíclicas depreciadas), 263
    20 (mudanças de nome), 277
    21 (privatização), 289
petróleo, contratos futuros de, 336-337
Peugeot, 147
Phelps Dodge, 170, 263-268, 275, 338, 351
Philip Morris, 80, 152, 154, 163-164
Phoenix Growth, fundo, 84
Pier 1 Imports, 185-189, 199, 326-327, 338, 350
P/L (preço-lucro), índice, 227-228, 262-263, 343-344, 355
Point, Janet, 337
Polaroid, 138
potencial de, 313-317
preço da residência mediana, 183
preço de oferta inicial, 226
preço em 1992 da, 307
preço-lucro (P/L), índice, 226-227, 231-232, 343-344, 355
preços de automóveis usados, 270-271
previsões, 342
Price, Michael, 50, 52, 78, 85
privatização, 95, 291-294
    da Fannie Mae, 296
    da Freddie Mac, 297

privatização da, 296
propriedade imobiliária (REO), 227, 238-239, 302
Public Service of New Hampshire, 276
Putnam Dividend Growth, 64

quant, definição de, 66
Quebra da Bolsa de 1929, 59-60
Quotron, 119, 162

Randall, Carter, 130
Raytheon, 43
recessões:
    ações cíclicas e, 263
    barganhas e, 163
    recompra de ações, 236-237, 255, 286, 304, 307
    recuperação, prestadoras de serviços públicos e, 278
    reembolso com dinheiro na gaveta, 241-247
    refinanciamento, 302
    Regra de 72, 125
    Regra de Cinco, 47, 163
    reguladores, prestadoras de serviços públicos e, 279, 286, 287
refinanciamento e, 301
Reilly, Tom, 37
rendimento:
    crescimento vs., 63-70
    inflação e, 64-65
REO (propriedade imobiliária), 227, 237-239, 302-303
Resolution Trust Corporation, 292-294, 337, 349
restaurantes, 125, 313-317
Retirement Growth, fundo, 122
retorno de seis meses sobre a (tabela), 324
retorno do capital em MLPs, 249
revisão de 24 meses, 348-357
revisão de seis meses, 319-339
Reynolds, Dan, 328
riscos, 341
Rockne, Knute, 253
Roddick, Anita, 177
Rogers Communications Inc., 155
Rogers, Jimmy, 51, 54-55
Rukeyser, Louis, 130, 131, 339
Russell 2000, índice, 79

Salem, fundo, 116
Sandler, Herb e Marion, 222-223
S&Ls, *ver* instituições de poupança e empréstimo
Schafer, Oscar, 50-52
Schneider, Elliot, 124, 297
Scoon, Davey, 311, 332

Sears, Roebuck & Company, 319, 321
Security Federal, 234
seguradoras, ações de, 110, 142
seleção de ações:
    ações antigas vs. novas, 168-169
    ações grandes vs. pequenas, 81-82, 344
    bancos de dados para, 36-37
    ciclos dos negócios e, 60, 152, 342
    como arte vs. ciência, 161-163
    de meio expediente, 341
    fé e, 58-59, 69, 341
    fundos de país e, 90-97
    fundos mútuos e, 79-84, 96-97, 152, 342
    investimentos no, 176
    método de seleção de ações pelo gosto e não pela técnica, 58-59
    notícias ruins e, 52-61, 69, 150-152, 341-342
    pesquisa e, 134, 161-162, 168, 340-348
    por gestores de fundos, 74-76
    por investidores amadores, 24-26, 31-32, 35-48, 340-341
    por profissionais, 24-25, 340, 343
    revisão de seis meses e, 319
    sessões de ideias coletivas, 122-123
    técnicas de, 35, 40-43, 79-82
    ver também investimentos
service edge, The, 256
setor varejista:
    estoques no, 186
    expansão do, 180-181, 203
    investimentos no, 125, 159, 171-175, 177-181, 213-214
    shopping centers e, 171-181, 250-252
    vendas nas mesmas lojas em, 180-181
Shapiro, George, 124
Shaw Industries, 216-218
Shaw, J. C., 217
Shaw, Robert, 217-218
Shoney's, 314, 316-317
shopping centers, 171-181, 250-252, 326-327
Sidhu, Jay, 236-237
Skandia, 142-143, 146-147
Smith, Adam, 94
Smith Barney, banco de dados de, 37
Smith, Jonathan, 37
Smith, Morris, 85, 152, 306
Smyth, Philip, 277
SNL Securities, 224-225, 243
sociedades limitadas máster (MLPs), 248-261, 334-337, 351-353
Southwest Airlines, 209-210
Sovereign Bancorp, 230, 235-237, 241, 357
S&P 500, índice, 74-76, 79-82
Spaghetti Warehouse, 316-317

Spillane, Rick, 36
Spinale, Kevin, 43
St. Agnes, escola:
　carteira da, 38-45
　gravações dos estudantes da, 43-44
　máximas da, 43-45
　técnicas de pesquisa na, 39-40, 44-45
Stansky, Bob, 121
State Street Bank, 308-309, 311
Stephenson, Cathy, 176-178, 326
Student Loan Marketing, 154-155
Suécia, 141, 143
Sullivan, Paula, 120
Sunbelt Nursery, 188-190, 195, 199, 327-329, 349, 350
Sun Distributors, 249, 255-259, 261, 334-335, 352
Sun Television & Appliances, 206-208, 218, 333, 338, 355
Supercuts, 200-205, 329, 355
Sweeney, Tom, 122

Taco Bell, 102, 105, 172, 314, 315, 352
taxas de administração e despesas, 70-72, 84, 91, 116
taxas de juros:
　ações bancárias e, 111-112
　Fannie Mae e, 296-298, 306-307, 356
　fundos de ações e, 309
　fundos de títulos e, 70-71, 309
　fundos mútuos e, 309
　rendimentos das títulos e, 127-129
taxas de juros e, 296-299, 306-307
T-Bills (letras do Tesouro americano), 71
tecnologia, ações de, 159
telas de ações, 36-37
Teléfonos de México ADRS, 290-292
Telephone and Data Systems, 155
Templeton, John, 78, 140
tempo e paciência, 342
Tenera Limited Partners, 249, 259-261, 334-335, 352
Texas Air, 159
Texas, hipotecas no, 300-303
Textile World, 216
Thayer, Phil, 98
Thompson, Steven J., 204-205
Three Mile Island, 276-277
Thrift Digest, 225-226, 233, 238
títulos:
　ações vs., 28-31, 59, 63-70, 96-97, 128-129, 342
　de empresas, 70-72
　fundos de títulos vs., 60-73, 96-97
　governamentais, 70-71, 96-97, 127-128, 139
　opções vs. ações, 342

Operação Tempestade no Deserto, 43, 57-58, 306
　rendimentos de, 127
　títulos de empresas, 70-71, 88
　títulos do Tesouro americano, 70-71, 127-128, 139
　títulos municipais, 310-312
　títulos lastreados em hipotecas, 297-307
Tobu Railway, 147
Teledyne, 238
Toll Brothers, 184-185
tomada e concessão de empréstimos e, 299
Topps, 41-42
Toys "R" Us, 107-108, 171-172, 179, 329
Trakas, Natalie, 109
T. Rowe Price, 81-82, 308-310
Tsai, Gerry, 99
Tyco Toys, 42

Unimar, 336-337
United Asset Management, 308-309
United Savings, 234
usinas nucleares, 276-277
　e conversão para gás, 284-285

valor contábil, 192, 227
Value Line Investment Survey, 37
Vanderheiden, George, 122
vantagem do investidor, 340
vendas nas mesmas lojas, 182
viagens, 139-147
Vinik, Jeff, 85, 121
vinte e cinco regras de ouro, 340-342
voar abaixo do alcance do radar, 135
Volvo, 92, 136-139, 143, 146-148, 154, 273

Wachovia, 112-113
Wall Street Journal, 57, 81, 216, 306, 332
Wall Street Week, 130, 339
Walmart Stores, 41-42, 163, 166, 171, 179, 180, 343
Walsh, Julia, 130
Walton, Sam, 41-42, 180
Weiss, John, 207
Wendy's, 314-316
Wheeler, Deb, 121
Williams, Stuart, 251
Wilson, Leonard, 239, 330
Worth, 83

Xerox, 138

Yearly, Douglas, 264-265, 338

Zulauf, Felix, 50, 55

Este livro foi impresso pelo Lar Anália Franco (Grafilar)
em fonte Minion Pro sobre papel Pólen Bold 70 g/m²
para a Edipro na primavera de 2024.